D1065904

10

6/22

MAUDIT MERCREDI

DU MÊME AUTEUR

Sourire en coin, 2005, Pocket 2007
Les Morsures du doute, 2006, Pocket 2009
Aide-moi..., 2007, Pocket 2008
Charlie n'est pas rentrée, 2008, Pocket, 2009
Jusqu'au dernier, 2009, Pocket 2010
Plus fort que le doute, 2010, Pocket 2011
Tous complices, 2011, Pocket 2012
Lundi Mélancolie, Le jour où les enfants disparaissent, 2012, Pocket 2013
Sombre Mardi, Le jour où les vieilles dames parlent aux morts, 2013, Pocket 2014

NICCI FRENCH

MAUDIT MERCREDI

Le jour où les jeunes filles rencontrent la mort

Traduit de l'anglais (Royaume-Uni)
par Marianne Bertrand

Titre original :
Waiting for Wednesday

Fleuve Éditions, une marque d'Univers Poche,
est un éditeur qui s'engage pour
la préservation de son environnement
et qui utilise du papier fabriqué à partir
de bois provenant de forêts gérées
de manière responsable.

Pour Pat et John,
avec tendresse, une fois de plus

Un

Rien n'indiquait qu'il y ait le moindre problème. Il ne s'agissait que d'une maison mitoyenne ordinaire, par un banal mercredi après-midi du mois d'avril. Elle avait un long jardin étroit, comme toutes les autres maisons de la rue. Celui de gauche, à l'abandon depuis de nombreuses années, était envahi de ronces et d'orties ; au fond se trouvaient un bac à sable en plastique rempli d'eau vaseuse, ainsi qu'une cage de but pour enfants, tombée à la renverse. Le jardin de droite était, lui, pavé et gravillonné, avec des plantes en pots de terre cuite, des fauteuils que leurs propriétaires repliaient en hiver pour les entreposer dans leur abri, et un barbecue sous une bâche noire que l'on ferait rouler au centre de la terrasse durant les mois d'été.

Mais ce jardin-ci comportait une pelouse, tout juste tondue pour la première fois de l'année. Des fleurs blanches resplendissaient sur un vieux pommier tordu. Les roses et les buissons des bordures avaient été taillés si rudement qu'on eût dit des bâtons. Des rangs de tulipes orange poussaient près de la porte de la cuisine. Une basket orpheline encore lacée traînait sous une fenêtre, ainsi que des pots de fleurs vides, une mangeoire pour les oiseaux, avec quelques graines dispersées à la surface, deux ou trois bouteilles de bière vides à côté du décrottoir à chaussures.

Le chat remonta le jardin, il prit son temps et s'arrêta près de la porte, la tête dressée comme s'il guettait quelque chose. Puis il se glissa adroitement par la chatière dans la cuisine, avec son sol carrelé, sa table – pour six personnes, voire plus – et son vaisselier gallois, surdimensionné par rapport à la pièce et encombré de vaisselle et de bric-à-brac : des tubes de colle sèche, des factures dans leurs enveloppes, un livre de cuisine ouvert sur une recette de lotte au citron confit, une paire de chaussettes roulées en boule, un billet de cinq livres, une petite brosse à cheveux. Des casseroles pendaient à un rail d'acier au-dessus de la cuisinière. Il y avait un panier de légumes près de l'évier, d'autres livres de cuisine sur une petite étagère, un vase rempli de fleurs qui commençaient à piquer du nez sur le rebord de la fenêtre, un manuel d'écolier ouvert sur la table. Au mur était fixé un tableau blanc avec une liste de choses à faire rédigée au feutre rouge. Un bout de toast entamé, froid, traînait dans une assiette sur l'un des plans de travail, à côté d'une tasse de thé.

Le chat plongea délicatement sa tête dans le bol posé au sol et mangea une ou deux croquettes, il passa sa patte sur son museau puis, poursuivant son chemin, il sortit de la cuisine dont la porte restait toujours ouverte, passa devant le petit cabinet de toilette sur la gauche, et gravit les deux marches. Il évita une coupe en verre brisée et contourna le sac à bandoulière en cuir abandonné dans l'entrée. Le sac était retourné, son contenu répandu sur le parquet de chêne. Rouge à lèvres et poudrier, paquet de mouchoirs ouvert, clés de voiture, brosse à cheveux, petit agenda bleu avec un crayon attaché, boîte de paracétamol, un carnet à spirale. Un peu plus loin, un portefeuille noir déplié, quelques cartes de membre dispersées tout autour (Automobile Association, British Museum). L'affiche encadrée d'une ancienne exposition Van Gogh penchait sur le mur couleur crème et, par terre, dans un cadre fêlé, gisait un grand portrait de famille : un homme, une femme, trois enfants, arborant de larges sourires.

Le chat se faufila avec précaution entre les débris et entra dans le salon donnant sur la rue. Un bras dépassait, étendu, dans l'embrasure de la porte : la main était rondelette et ferme, avec des ongles coupés court et un anneau d'or à l'annulaire. Le chat le huma, puis donna un rapide coup de langue au poignet. Il grimpa à moitié sur le corps, vêtu d'un chemisier bleu ciel et d'un pantalon de travail noir, et plongea ses griffes en ronronnant dans le ventre mou. En quête d'attention, il se frotta le museau contre la tête couronnée d'une chevelure brune et tiède, qui commençait à grisonner, et retenue en un chignon lâche. Les lobes des oreilles étaient ornés de petits clous dorés. Une chaîne fine et un médaillon pendaient à son cou. La peau sentait la rose, ainsi qu'autre chose. Le chat se frotta de tout son long contre le visage et arqua le dos.

Au bout d'un moment, il laissa tomber et alla s'installer sur le fauteuil pour faire sa toilette : son pelage était poisseux et collant.

Dora Lennox rentrait de l'école sans se presser. Elle était fatiguée. On était mercredi et elle avait terminé par deux heures de sciences, avant la répétition avec son groupe de swing. Elle jouait du saxophone – mal, en faisant des couacs, mais le prof de musique ne semblait pas s'en préoccuper outre mesure. Elle n'avait accepté de s'inscrire à ce club que parce que son amie Cam l'en avait persuadée, mais voilà que Cam n'était plus vraiment son amie, elle chuchotait et pouffait de rire avec d'autres filles sans bagues dentaires, non pas maigres et timides mais effrontées et pulpeuses, avec des soutiens-gorge noirs à dentelle, des lèvres brillantes et l'œil pétillant.

Le sac à dos de Dora, rempli de livres, rebondissait sur son dos, l'étui de son instrument lui râpait le tibia, et le sac en plastique – bourré d'ustensiles de cuisine et d'une boîte en fer contenant les scones brûlés qu'elle avait préparés au cours de cuisine ce matin – était déchiré. Elle fut contente de voir leur voiture garée près de chez eux. Cela signifiait que sa mère était rentrée. Elle n'aimait pas trouver la maison vide à son retour, plongée dans la pénombre et le silence. En présence de sa mère, tout s'animait : le lave-vaisselle ronronnait, un gâteau cuisait dans le four à l'occasion, ou au moins une boîte de biscuits l'attendait dans la cuisine, la bouilloire chauffait pour le thé, un sentiment d'affairement ordonné que Dora trouvait réconfortant.

Alors qu'elle franchissait le portail et remontait la courte allée pavée du jardin, elle vit que la porte d'entrée était ouverte. Était-elle arrivée juste après sa mère ? Ou son frère, Ted ? Elle entendait un bruit aussi, une pulsation électronique. Elle s'approcha et constata que la petite fenêtre au verre dépoli, juste à côté de la porte, était brisée. Elle contemplait, interdite, cette vue déroutante quand elle sentit quelque chose contre sa jambe et baissa les yeux. La chatte se frottait contre elle, et Dora remarqua qu'elle avait laissé une trace couleur de rouille sur son jean tout neuf. Elle entra dans la maison, se débarrassant de ses sacs à terre. Il y avait des débris de verre provenant de la fenêtre sur le tapis. Il faudrait la faire réparer. Au moins ce n'était pas sa faute. C'était sans doute Ted. Il cassait tout le temps des trucs : mugs, verres, vitres. Tout ce qui était fragile. Elle sentait quelque chose, aussi. En train de brûler.

— Je suis rentrée, m'man ! lança-t-elle.

En plus, c'était la pagaille par terre – le grand portrait de famille, le sac de sa mère, tout un bric-à-brac répandu autour. On aurait dit qu'une tempête avait traversé la maison, projetant les objets n'importe où. Dora entraperçut son reflet dans le miroir au-dessus de la table : un petit visage blanc, d'épaisses tresses brunes. Elle se rendit à la cuisine, où l'odeur était particulièrement forte. Elle ouvrit la porte du four, qui, dans un souffle brûlant, exhala une fumée qui la fit tousser. Elle prit une manique, souleva la plaque de cuisson insérée au plus haut et la posa sur la cuisinière. Six disques noirs calcinés, ratatinés, se trouvaient sur la lèchefrite. Un vrai massacre. Dora referma la porte et éteignit le gaz. Bon, c'était ça. On avait oublié les biscuits qui avaient brûlé. L'alarme et la fumée avaient effrayé Mimi et elle s'était enfuie en cassant des choses. Mais pourquoi avait-on oublié les biscuits ?

Elle appela de nouveau et aperçut alors le poing par terre sur le pas de la porte, les doigts repliés, mais n'en continua pas moins de crier, sans bouger.

— Je suis rentrée, m'man !

Elle s'aventura dans le hall d'entrée, appelant toujours. La porte qui donnait sur la salle de séjour était légèrement entrouverte. Elle vit quelque chose à l'intérieur, affaissé contre le battant, et entra dans la pièce.

— M'man ?

Au début, c'est idiot, elle vit des taches de peinture rouge sur le mur d'en face, et sur le canapé, et de grandes flaques de la même couleur par terre. Puis sa main se porta brusquement à sa bouche et elle entendit un petit gémissement sortir de sa gorge, pour enfler dans l'effroyable pièce, et se muer en un cri perçant qui n'en finissait plus. Elle mit ses mains sur ses oreilles pour ne plus l'entendre, mais il était en elle, à présent. Ce n'était pas de la peinture, mais du sang, des ruisseaux de sang, suivis d'un lac sombre, à côté de ce qui gisait à ses pieds. Un bras étendu, une montre sur le poignet qui indiquait toujours l'heure, un corps en chemise bleue et pantalon noir, avec une chaussure ballante. Tous ces détails lui étaient familiers. Mais le visage n'en était plus un, un œil avait disparu et la bouche était en miettes, elle poussait un hurlement silencieux à son adresse à travers ses dents, cassées. Un côté entier de la tête était creusé et boursouflé de sang, de cartilage et d'os, quelqu'un avait tenté de le mettre en pièces.

Deux

La maison se situait dans le quartier de Chalk Farm, à deux rues du bruyant Camden Lock. Une ambulance et plusieurs véhicules de police stationnaient devant. Un ruban de sécurité avait déjà été mis en place et quelques passants s'étaient arrêtés pour regarder.

L'inspectrice Yvette Long passa sous le ruban et examina la maison, une construction mitoyenne datant de la fin de l'époque victorienne, avec un jardinet à l'avant et une baie vitrée. Elle s'apprêtait à y entrer quand elle vit l'inspecteur divisionnaire Malcolm Karlsson sortir d'une voiture. Il semblait sérieux, préoccupé, jusqu'à ce qu'il la remarque et lui adresse un signe de tête.

— Vous êtes déjà entrée ? demanda-t-il.

— Je viens d'arriver, répondit Yvette.

Elle s'interrompit un instant, avant de lâcher :

— Ça fait drôle de vous voir sans Frieda.

L'expression de Karlsson se durcit.

— Et ça vous fait plaisir qu'elle ne collabore plus avec nous.

— Je... Ce n'est pas ce que je voulais dire.

— Je sais que sa présence vous a posé des difficultés, répondit Karlsson, mais le problème est réglé. Le boss a décidé qu'elle ne faisait plus partie de l'équipe et du coup, elle a failli se faire tuer. C'est ça qui vous a paru marrant, dans l'histoire ?

Yvette rougit et s'abstint de répondre.

— Vous êtes allée la voir ? demanda Karlsson.

— Je suis allée à l'hôpital.

— Ça ne suffit pas. Vous devriez lui parler. En attendant...

Il fit un geste en direction de la maison et ils entrèrent. L'endroit grouillait de personnes vêtues de combinaisons et de gants, chaussées de protections en plastique. Toutes s'exprimaient à voix basse ou gardaient le silence. Karlsson et Yvette enfilèrent à leur tour gants et surchaussures et traversèrent l'entrée. Ils passèrent devant un sac à main ouvert sur le parquet, un cadre brisé, un homme en train d'appliquer son pinceau, à la recherche d'empreintes, pour entrer dans le salon, où l'on avait installé des spots.

La victime gisait sous les feux des projecteurs comme sur une scène de théâtre. Elle était allongée sur le dos, un bras étendu sur le côté, l'autre rabattu le long de son corps, la main repliée. Sa chevelure brune virait sur le gris. Sa bouche béait, brisée, on aurait dit un rictus d'animal fou, mais de là où il se trouvait, Karlsson apercevait le reflet d'un plombage parmi les éclats de dents. D'un côté de son visage, la peau était relativement lisse, parfois la mort défroisse les rides, ôte les marques du temps, et y ajoute les siennes propres. Son cou commençait à se rider comme celui d'une femme entre deux âges.

Son œil droit était ouvert, fixe. Le côté gauche de la tête était complètement enfoncé, poisseux de liquide et de débris d'os. Du sang détrempait le tapis beige autour d'elle, et des éclaboussures avaient séché partout par terre et giclé sur le mur le plus proche, conférant à ce salon petit-bourgeois l'apparence d'un abattoir.

— On l'a cognée, et fort... murmura Karlsson en se redressant.

— Cambriolage, dit une voix derrière lui.

Karlsson se retourna. Un enquêteur se trouvait derrière lui, un peu trop près. Il était très jeune, boutonneux, et affichait un sourire légèrement gêné.

— Pardon ? répliqua Karlsson. Qui êtes-vous ?

— Riley, répondit l'agent.

— Vous avez dit quelque chose.

— Cambriolage, répéta Riley. La victime a dû le surprendre en pleine action et il a réagi avec violence.

Riley remarqua l'expression de Karlsson et son sourire s'évanouit.

— Je réfléchissais à haute voix, dit-il. J'essayais d'être utile. Et proactif.

— Proactif... ironisa Karlsson. Je pensais que nous pourrions examiner la scène de crime, chercher des empreintes, des cheveux et des fibres, prendre quelques dépositions, avant d'établir ce qui s'est passé. Si ça vous va, bien sûr.

— Oui, monsieur.

— Bien.

— Patron.

Chris Munster venait d'entrer dans la pièce. Il resta interdit un moment, à contempler le corps.

— Qu'est-ce qu'on a, Chris ?

Munster dut faire un effort pour reporter son attention sur Karlsson.

— On ne s'y fait pas, commenta-t-il.

— Essayez quand même, repartit Karlsson. Souffrir à la place des proches ne les aide en rien.

— C'est juste, répliqua Munster en consultant son calepin. Elle s'appelle Ruth Lennox. Elle était visiteuse médicale pour les autorités locales. Vous savez, les personnes âgées, les femmes enceintes, ce genre-là. Quarante-quatre ans, mariée, trois enfants. C'est la plus jeune qui l'a trouvée à son retour de l'école, à 5 heures et demie, environ.

— Elle est ici ?

— En haut, avec son père et les deux autres gosses.

— Heure approximative de la mort ?

— Entre midi et 18 heures.

— Ce qui ne nous aide pas beaucoup.

— Je ne fais que répéter ce que m'a dit le Dr Heath. Il a expliqué que la maison était chauffée, qu'il faisait chaud aujourd'hui, que le soleil passait par la fenêtre. Ce n'est pas une science exacte.

— Bien. Arme du crime ?

Munster haussa les épaules.

— Quelque chose de lourd d'après le Dr Heath. Avec un bord tranchant, mais pas une lame.

— Très bien, commenta Karlsson. Quelqu'un prend les empreintes des proches ?

— Je vais vérifier.

— On a volé quelque chose ? s'enquit Yvette.

Karlsson lui lança un regard. C'était la première fois qu'elle prenait la parole dans la maison. Son timbre semblait toujours tremblant. Sans doute y avait-il été un peu fort avec elle.

— L'époux est en état de choc, ajouta Munster. Mais on a vidé le portefeuille de la victime, apparemment.

— Je ferais mieux d'aller leur parler. En haut, vous dites ?

— Dans le bureau. Première pièce en arrivant à l'étage, à côté de la salle de bain. Melanie Hackett est avec eux.

— Bien, conclut Karlsson. Un enquêteur travaillait par ici, autrefois, un certain Harry Curzon. Il a pris sa retraite, je crois. Pourriez-vous me procurer son numéro de téléphone ? Le commissariat du quartier saura où le trouver.

— Pourquoi voulez-vous faire appel à lui ?

— Il connaît bien le coin. Il pourra peut-être nous faciliter la tâche.

— Je ferai de mon mieux.

— Et interrogez le jeune Riley, ici présent. Il sait déjà ce qui s'est passé.

17

Karlsson se tourna vers Yvette et lui fit signe de monter avec lui. Parvenu à la porte, il fit une pause et tendit l'oreille. Il n'entendait rien. C'était l'aspect du métier qu'il détestait. Souvent, les gens lui en voulaient parce qu'il était le porteur de mauvaises nouvelles et, en même temps, s'agrippaient à lui parce qu'il promettait une forme de solution. Dans le cas présent, il s'agissait d'une famille entière : trois enfants, avait dit Munster. Pauvres gosses. Ce devait être une brave femme, songea-t-il.

— Prête ?

Yvette hocha la tête et il frappa à la porte, trois coups, avant d'entrer.

Le père était assis dans un fauteuil pivotant, et se balançait d'un côté et de l'autre. Il portait toujours sa grosse veste et une écharpe en coton nouée autour du cou. Son visage flasque était blanc, avec les pommettes rouges, comme s'il était resté longtemps dehors au froid, et il ne cessait de cligner des paupières comme gêné par une poussière, de se lécher les lèvres, de se tirer le lobe de l'oreille. Par terre à ses pieds, la plus jeune – celle qui avait trouvé Ruth Lennox – était roulée en position fœtale. Elle hoquetait, prise de haut-le-cœur, reniflait, s'étranglait. Un animal blessé, songea Karlsson en l'entendant. Il ne put voir de quoi elle avait l'air, seulement qu'elle était maigre et brune, avec des tresses dénouées. Le père posa une main impuissante sur son épaule, puis la retira.

L'autre fille, qui devait avoir 15 ou 16 ans, était assise en face d'eux, les jambes repliées sous elle, les bras serrés autour de son corps, comme si elle cherchait à se tenir chaud et à se faire aussi petite que possible. Elle avait des boucles auburn et le visage rond de son père, avec des lèvres pleines et des taches de rousseur sur le nez. Son mascara avait coulé autour de l'un de ses yeux bleus, mais pas sous l'autre, ce qui lui donnait un drôle d'air, un peu clownesque, et pourtant Karlsson remarqua aussitôt qu'elle possédait un charme magnétique que son maquillage défait et sa pâleur crayeuse ne parvenaient pas à masquer. Elle portait un short marron sur des collants noirs, un tee-shirt avec un logo qu'il ne sut identifier. Elle fixa Karlsson quand il entra, tout en mordant avec acharnement sa lèvre inférieure.

Le garçon était assis dans le coin, ses genoux osseux remontés contre son menton, la figure cachée par une masse de cheveux blond foncé. Il était parcouru d'un violent frisson de temps à autre mais ne leva pas la tête, même quand Karlsson se présenta.

— Je suis profondément désolé, déclara Karlsson. Mais je suis ici pour vous aider et je vais devoir vous poser quelques questions.

— Pourquoi ? chuchota le père. Qui pourrait bien vouloir tuer Ruth ?

À ces mots, un sanglot échappa à l'aînée.

— C'est votre cadette qui l'a trouvée, commença Karlsson, d'une voix douce. C'est bien ça ?

— Dora. Oui, répondit-il en s'essuyant la bouche du dos de la main. Comment va-t-elle pouvoir vivre avec ça ?

— Mr Lennox, intervint Yvette, il y a des gens qui peuvent vous aider...

— Russell. Personne ne m'appelle Mr Lennox.

— Nous devons demander à Dora ce qu'elle a vu.

La petite forme au sol continuait de pleurer. Yvette leva un regard impuissant vers Karlsson.

— Tu peux rester avec ton père, précisa Karlsson en se penchant vers Dora. Ou si tu préfères parler à une dame, et pas à un monsieur, alors...

— Elle n'a pas envie, coupa la grande sœur. Vous n'avez pas entendu ?

— Comment t'appelles-tu ?

— Judith.

— Et quel âge as-tu ?

— Quinze ans. Ça vous aide ?

Elle foudroya Karlsson de son regard bleu troublant.

— C'est une histoire effroyable, répliqua Karlsson. Mais nous avons besoin d'apprendre le maximum de détails. Comme ça, nous pourrons trouver la personne qui a fait ça.

Le garçon redressa la tête. Il se releva gauchement et s'arrêta à la porte, grand et dégingandé. Il avait les yeux gris de sa mère.

— Elle est toujours là ?

— Pardon ?

— Ted, intervint Russell Lennox d'une voix apaisante, venant vers lui en tendant la main. Ça va aller, Ted.

— Ma mère, dit-il, les yeux fixés sur Karlsson. Elle est toujours là ?

— Oui.

Le garçon ouvrit la porte d'un geste sec et dévala l'escalier. Karlsson courut après lui mais n'arriva pas à temps. Le cri se propagea dans toute la maison.

— Non, non, non ! hurlait Ted.

Il était à genoux à côté du corps de sa mère. Karlsson passa un bras autour de ses épaules et le releva, il l'obligea à reculer avant de le mener hors de la pièce.

— Ça va aller, Ted.

Karlsson se retourna : une femme venait de franchir la porte d'entrée. Elle était plutôt du genre costaud, approchait de la quarantaine, les cheveux bruns, coupés en un carré court démodé, vêtue d'une jupe de tweed lui arrivant au genou. Elle portait dans une écharpe jaune drapée autour de sa poitrine un tout petit nourrisson, dont la tête chauve et les deux pieds minuscules dépassaient. La femme regarda Russell, l'œil brillant.

— Je suis venue dès que j'ai su, déclara-t-elle. Quelle histoire atroce, c'est épouvantable...

Elle s'avança vers Russell, qui avait descendu l'escalier à la suite de son fils, et lui accorda une longue étreinte, maladroite et à bout de bras en raison du bébé coincé entre eux deux. Russell regardait par-dessus son épaule, les traits figés, désemparé. Elle se retourna vers Karlsson.

— Je suis la sœur de Ruth, déclara-t-elle.

Le petit paquet contre sa poitrine remua et laissa échapper un vagissement ; elle lui tapota le dos en le réconfortant de sons cajoleurs.

Elle affichait un calme fébrile courant chez cer-taines personnes en cas de crise. Karlsson avait déjà vu la chose auparavant. Les drames attirent les gens. Proches, amis, voisins qui viennent pour aider ou manifester leur sympathie, ou pour en être, simple-ment, pour se réchauffer à leur sinistre lueur.

— Je vous présente Louise, dit Russell. Louise Wel-ler. J'ai prévenu les membres de la famille. Avant qu'ils apprennent la nouvelle par quelqu'un d'autre.

— Nous menons un interrogatoire, répondit Karls-son. Je suis désolé, mais je ne crois pas que votre présence soit souhaitable ici pour le moment. Ceci est une scène de crime.

— N'importe quoi. Je suis venue apporter mon aide, rétorqua Louise d'un ton ferme. C'est ma sœur, quand même.

Elle avait un visage pâle, à l'exception de ses joues rougies.

— Mes deux autres enfants sont dans la voiture. J'irai les chercher dans une minute et je les tiendrai à l'écart, quelque part. Mais dites-moi d'abord, que s'est-il passé ?

Karlsson hésita un instant, puis haussa les épaules.

— Je vous accorde quelques minutes, à tous. Ensuite, quand vous serez prêts, nous pourrons parler.

Il les conduisit à l'étage et fit signe à Yvette de le suivre hors de la pièce.

— Pour couronner le tout, ils vont devoir démé-nager quelques jours. Pouvez-vous le leur annoncer ? Avec tact ? Peut-être ont-ils un voisin ou des amis dans le coin.

Il vit Riley monter l'escalier.

— Quelqu'un demande à vous voir, monsieur, déclara-t-il. Il dit que vous le connaissez.

— Qui est-ce ? s'enquit Karlsson.

— Dr Bradshaw. Il n'a pas l'air d'être de la police.

— Non, en effet, confirma Karlsson. C'est une sorte de consultant. Enfin bref, qu'importe ce dont il a l'air. Laissons-le entrer, qu'il ait une occasion de mériter son salaire.

Alors que Karlsson descendait les marches et découvrait Hal Bradshaw en train de patienter dans l'entrée, il comprit ce que Riley voulait dire. Il n'avait pas une tête d'enquêteur. Il portait un complet gris avec un soupçon de jaune dedans, ainsi qu'une chemise blanche au col ouvert. Karlsson remarqua particulièrement ses chaussures en daim fauve et ses grandes lunettes à monture épaisse. Il salua Karlsson de la tête.

— Comment se peut-il que vous soyez au courant ? demanda Karlsson.

— Ce sont de nouvelles dispositions. J'aime bien arriver sur les lieux quand la scène est encore fraîche. Plus vite j'arrive, plus je peux être utile.

— Personne ne m'en a informé, objecta Karlsson.

Bradshaw ne semblait pas lui accorder la moindre attention. Il regardait tout autour de lui, l'air songeur.

— Votre amie est ici ?

— Quelle amie ?

— Le Dr Klein, répliqua-t-il. Frieda Klein. Je m'attendais à la trouver ici, en train de fureter partout.

Hal Bradshaw et Frieda avaient collaboré sur une même affaire, durant laquelle Frieda avait manqué se faire tuer de peu. Un homme avait été retrouvé nu et en état de décomposition dans l'appartement d'une folle, Michelle Doyce. Bradshaw était convaincu qu'elle avait tué l'homme ; Frieda avait perçu quelque chose de sensé dans les propos décousus de cette femme, une distorsion inconsciente de la réalité. Peu à peu, Karlsson et elle avaient reconstitué l'identité de l'homme : un arnaqueur qui avait laissé derrière lui de nombreuses victimes, et chacune avec une bonne raison de se venger. Mais cela ne suffisait manifestement pas à Bradshaw. Elle l'avait ridiculisé et il voulait sa peau. Karlsson se remémorait tout cela, quand il se rappela qu'une morte gisait à quelques mètres de là : il songea à la famille en pleurs, et ravala sa colère.

— Le Dr Klein ne travaille plus pour nous.

— Ah, oui, repartit Bradshaw d'une voix guillerette. Tout juste. Les choses ne se sont pas très bien passées à la fin de cette dernière enquête.

— Tout dépend de ce que vous entendez par « bien », rétorqua Karlsson. On a tout de même arrêté trois meurtriers.

Bradshaw fit la moue.

— Quand un consultant se retrouve impliqué dans une bagarre au couteau et qu'il passe ensuite un mois en soins intensifs, ce n'est pas à proprement parler un succès. Pas d'après moi, en tout cas.

Karlsson s'apprêtait à rétorquer quelque chose mais, une fois de plus, se rappela où il était.

— Écoutez, l'endroit est franchement mal choisi, répondit-il froidement. Une mère a été assassinée. Son mari et ses enfants sont en haut.

Bradshaw leva une main.

— Si nous en venions aux faits ?

— Ce n'est pas moi qui parlais.

Bradshaw entra et prit une profonde inspiration, comme s'il cherchait à humer l'odeur des lieux. Il s'approcha du corps de Ruth Lennox, prenant garde à l'endroit où il posait les pieds, afin d'éviter la mare de sang. Il se tourna vers Karlsson.

— Vous savez, débouler sur une scène de crime et se faire agresser, ce n'est pas exactement le résoudre.

— Parlons-nous de Frieda à nouveau ? s'impatienta Karlsson.

— Son erreur est de s'impliquer d'un point de vue affectif, poursuivit-il. J'ai entendu dire qu'elle avait couché avec l'homme qu'on a arrêté.

— Elle n'a pas couché avec lui, rétorqua Karlsson d'une voix glaciale. Elle l'a rencontré en dehors du travail. Parce qu'elle le soupçonnait.

Bradshaw considéra Karlsson avec un demi-sourire.

— Ça vous dérange ?

— Je vais vous dire ce qui me dérange, trancha Karlsson. Ce qui me dérange, c'est qu'il vous faille rivaliser avec Frieda Klein.

— Moi ? Mais non, pas du tout... Je me fais simplement du souci pour une collègue qui ne sait plus trop où elle en est, à ce qu'il semble.

Il afficha une grimace compatissante.

— Je suis sincèrement désolé pour elle. J'ai entendu dire qu'elle était dépressive.

— Je croyais que vous étiez venu examiner une scène de crime. Si vous voulez commenter une affaire antérieure, il vaut mieux que nous sortions.

Bradshaw secoua la tête.

— Ne voyez-vous pas là une œuvre d'art ?

— Non, pas du tout.

— Ce que nous devons chercher à comprendre, c'est ce qu'il veut exprimer ici. Que raconte-t-il au monde ?

— Peut-être pourrais-je simplement vous laisser à vos réflexions, répondit Karlsson.

— J'imagine que vous pensez qu'il s'agit d'un simple cambriolage qui a mal tourné.

— J'essaie d'éviter les conclusions hâtives, corrigea Karlsson. Nous rassemblons des indices, les hypothèses viendront plus tard.

Bradshaw secoua de nouveau la tête.

— C'est exactement l'inverse de ce qu'il faut faire. Sans hypothèse, les faits ne sont que chaos. On doit toujours rester ouvert à ses premières intuitions.

— Soit, et quelle est donc cette intuition ?

— Je remettrai un rapport écrit, dit Bradshaw, mais je vous en offrirai gratuitement la primeur. Un cambriolage n'est pas qu'un simple cambriolage.

— Il va falloir m'expliquer ça.

Bradshaw fit un geste exubérant.

— Regardez autour de vous. Un cambriolage, c'est l'invasion d'un foyer, une violation, un viol. Cet homme exprimait de la colère envers un mode de vie qui lui restait inaccessible, celui de la propriété et des liens familiaux, du statut social. Et quand il est tombé sur cette femme, elle a incarné tout ce qu'il ne pouvait obtenir : c'était une femme nantie, désirable, une mère, une épouse. Il aurait pu s'enfuir, il aurait pu la frapper un coup, simplement, mais il nous a laissé un message, tout comme il lui a laissé, à elle, son message. Les blessures sont dirigées contre sa figure, plutôt que contre son corps. Regardez ces giclées de sang tellement disproportionnées sur le mur. Il tentait littéralement de supprimer l'expression qu'elle affichait, son air supérieur. Il a redécoré la pièce de son sang. C'était presque une forme d'amour.

— Curieux amour, ironisa Karlsson.

— C'est pourquoi il fallait que ce soit aussi violent, continua Bradshaw. Si ça n'avait rien signifié pour lui, il n'en serait pas arrivé à un acte aussi extrême. Cela n'aurait eu aucune importance. Il y a là une réaction émotionnelle intense.

— Et donc, qui recherchons-nous ?

Bradshaw ferma les yeux tout en discourant, comme s'il voyait quelque chose d'invisible à tout autre.

— Blanc, commença-t-il. Abordant la trentaine, solidement bâti, célibataire. Sans domicile fixe, ni travail, ni relation stable. Ni liens familiaux.

Il sortit son téléphone et photographia la pièce sous tous les angles.

— Faites attention avec ces images, intervint Karlsson. Ces choses-là ont une fâcheuse tendance à finir sur la Toile.

— Je détiens les autorisations nécessaires, rétorqua Bradshaw. Vous devriez étudier mon contrat. Je suis psychologue judiciaire, je fais mon boulot.

— Fort bien, répondit Karlsson. En attendant, je crois qu'on ferait mieux de partir. L'équipe scientifique doit prendre la relève.

Bradshaw glissa son portable dans la poche de sa veste.

— Pas de problème, j'ai terminé. Oh, et tant qu'on y est, transmettez mes meilleurs sentiments au Dr Klein, voulez-vous ? Dites-lui que je pense bien à elle.

Alors qu'ils s'éloignaient, ils croisèrent Louise Weller qui regagnait la maison. Le bébé était toujours suspendu devant son buste, mais elle traînait à présent un petit garçon par la main. Sur ses talons venait une enfant à peine plus âgée, costaud comme sa mère, et marchant d'un pas décidé. Même si elle portait une robe de chambre rose et qu'elle pilotait une poussette miniature dans laquelle était emmaillotée une poupée, Karlsson ne put s'empêcher, en la voyant, de penser à Yvette.

Louise Weller le salua d'un bref signe de tête.

— Les proches doivent se serrer les coudes, déclara-t-elle et, tel un général menant une armée récalcitrante, elle fit entrer ses enfants dans la maison d'un pas tout militaire.

Trois

À 3 h 25 ce matin-là, alors que la nuit finissait mais que le jour n'était pas encore levé, Frieda Klein se réveilla. Son cœur battait la chamade et sa bouche était sèche, son front baigné de sueur. Elle déglutissait avec difficulté, et même respirer la faisait souffrir. Elle avait mal partout : aux jambes, aux épaules, aux côtes, au visage. D'anciennes contusions se ravivaient et la lançaient. Pendant quelques instants, elle garda les yeux clos, et quand elle les ouvrit, l'obscurité l'oppressa et envahit la chambre. Elle tourna la tête vers la fenêtre, attendant que le mercredi touche à sa fin, que la lumière vienne, et que les rêves s'évanouissent.

Les vagues arrivèrent, les unes après les autres, chacune pire que la précédente, elles montèrent à l'assaut pour s'écrouler sur elle, la rouler en leur sein, puis la recracher, pour mieux la livrer à la suivante. Elles étaient en elle et autour d'elle, lui étrillaient le corps comme l'esprit. Allongée sur son lit, à peine consciente dans le matin gris, elle laissa ses souvenirs se mêler aux bribes de rêves. Des visages miroitaient dans le noir, des mains se tendaient vers elle. Frieda tenta de se raccrocher à ce que lui avait dit Sandy nuit après nuit, et de s'arracher au tumulte qui s'était emparé d'elle : *C'est fini. Tu es en sécurité. Je suis là.*

Elle étendit le bras là où il aurait dû se trouver. Mais il était reparti en Amérique. Elle l'avait accompagné à l'aéroport, l'œil sec, et calme en apparence, même quand il l'avait serrée contre lui avec anxiété pour lui dire au revoir ; elle l'avait regardé s'éloigner dans la zone des départs jusqu'à ce que sa grande silhouette ne soit plus visible. Elle ne lui avait jamais confié à quel point elle avait failli lui demander de rester, ou encore partir avec lui. Lors des dernières semaines, elle avait accepté de se laisser aller et pris conscience de sa faiblesse ; cette intimité avait suscité en elle des sentiments qu'elle n'avait jamais éprouvés jusque-là. Il ne serait que trop facile de les laisser retomber dans le néant. Ce n'était pas tant le chagrin de l'absence qu'elle redoutait que la dilution progressive de cette peine, quand la vie et ses multiples obligations combleraient les espaces qu'il avait laissés vacants. Il lui arrivait parfois de s'installer dans son atelier situé dans la mansarde et d'esquisser son visage au crayon gras, s'appliquant à retrouver la forme exacte de sa bouche, l'expression de ses yeux. Ensuite, elle reposait le crayon et se laissait emporter par le flot lent et profond de ses souvenirs.

L'espace d'un instant, elle s'autorisa à imaginer Sandy à ses côtés, et l'effet que cela ferait de tourner la tête et de l'y découvrir. Mais il était parti, et elle était seule dans une maison qui lui avait un temps paru un douillet refuge et qui pourtant, ces dernières semaines – depuis l'agression qui avait manqué de la tuer – craquait et chuchotait. Elle prêta l'oreille : elle entendit le battement de son cœur et là, oui, un bruissement à la porte, un son ténu. Mais ce n'était que le chat, rôdant à travers la pièce. Parfois, dans ces limbes du point du jour, Frieda trouvait cette créature sinistre : ses deux précédents maîtres étaient décédés.

Qu'est-ce qui l'avait réveillée ? Elle avait vaguement l'impression qu'un bruit avait fait irruption dans son sommeil. Ce n'était pas celui du ronronnement lointain de la circulation qui ne cesse jamais à Londres mais autre chose, dans la maison.

Frieda s'assit et écouta, mais n'entendit rien si ce n'est le murmure du vent au-dehors. Elle posa ses pieds à terre d'un geste leste et sentit le chat s'enrouler autour de ses jambes en ronronnant, puis elle se leva, encore faible et nauséeuse après ces terreurs nocturnes. Il y avait bien eu quelque chose, elle en était certaine, en bas, au rez-de-chaussée. Elle enfila un bas de survêtement et un tee-shirt et gagna le palier, puis, marche après marche, s'agrippant à la rambarde, elle descendit l'escalier et s'arrêta au milieu. La maison qu'elle connaissait si bien lui était devenue étrangère, emplie d'ombres et de secrets. Dans l'entrée, elle s'immobilisa et tendit l'oreille mais il n'y avait rien, ni personne. Elle alluma les lampes et cligna des yeux, soudain éblouie, puis elle la vit : une grande enveloppe marron gisait sur le paillasson. Elle se pencha pour la ramasser. Elle comportait son nom, écrit d'une main assurée : Frieda Klein, avec un vigoureux trait oblique en dessous, qui achevait sa course dans le *n* final.

Elle contempla l'écriture et la reconnut. Elle sut alors qu'il était tout proche, désormais – dans la rue au-dehors, près de chez elle, de son refuge.

Fébrile, elle passa un trench-coat et enfila, pieds nus, les bottes qui se trouvaient près de la porte. Elle saisit la clé de la porte et se retrouva bientôt dans la nuit, avec sur le visage une brise d'avril fraîche, un soupçon de pluie. Frieda examina la petite impasse pavée et obscure, mais il n'y avait personne. Aussi vite que le permettait son corps meurtri, courant et boitant à la fois, elle déboucha dans la rue où les réverbères projetaient de longues ombres. Elle regarda de part et d'autre. Quelle direction avait-il pu prendre ? Est ou ouest, nord ou sud, vers le fleuve ou bien s'était-il enfoncé dans le dédale des rues ? À moins qu'il ne se cache dans l'embrasure d'une porte ? Elle prit à gauche en pressant le pas sur le pavé mouillé, maudissant sa lenteur forcée.

Lorsqu'elle eut rejoint une plus grande artère, Frieda aperçut quelque chose au loin. Une forme trapue venait vers elle, humaine, sûrement, mais large et bizarre, plus que ne pourrait l'être aucun spectre humain. On eût dit un monstre tout droit sorti de ses cauchemars et Frieda pressa sa main contre son cœur tandis que la chose n'en finissait pas de venir à sa rencontre. Finalement, un homme pédalant lentement sur un vélo, avec des douzaines, des centaines de sacs en plastique attachés au cadre apparut. Elle le connaissait, elle le voyait presque chaque jour. Il avait une barbe en bataille, un regard farouche, et pédalait avec détermination. Il passa devant elle en vacillant et la fixa sans la voir de ses yeux de pantin lugubre.

C'était inutile. Dean Reeve, l'homme qui la traquait sournoisement dans l'ombre et qu'elle-même pourchassait, pouvait être n'importe où, à présent. Seize mois auparavant, elle avait contribué à démasquer ce kidnappeur d'enfant et meurtrier, mais il s'était échappé et avait mis fin à ses jours. Deux mois plus tôt, elle avait découvert qu'il n'était en réalité jamais mort : l'homme pendu sous un pont du canal était son jumeau, Alan, qui avait été, un temps, un patient de Frieda. Dean était toujours quelque part dans la nature et la surveillait, funeste protecteur. C'était lui qui lui avait sauvé la vie quand elle s'était fait agresser au couteau par une jeune femme dérangée ; même si la vieille dame que Frieda était venue sauver, Mary Orton, avait trouvé la mort. Il avait surgi de l'ombre, telle une créature démoniaque, et l'avait arrachée aux ténèbres. Il lui disait aujourd'hui qu'il veillait toujours sur elle, à la façon d'un ange gardien qu'elle maudissait. Elle sentait son regard posé sur elle, tandis qu'il l'épiait, tapi dans les recoins, dans le frémissement d'un rideau ou par la fente d'une porte. En irait-il ainsi à jamais ?

Elle retourna chez elle, déverrouilla la porte, entra. Elle reprit l'enveloppe et l'emporta dans la cuisine. Consciente qu'elle ne retrouverait pas le sommeil, elle se prépara du thé, et ce n'est que lorsque celui-ci fut infusé qu'elle s'attabla et ouvrit l'enveloppe. Elle en sortit une feuille de papier épais, et la posa sur la table. C'était un dessin au crayon ou, plutôt, un motif. On aurait vaguement dit le rendu mathématique d'une rose complexe, à huit côtés et parfaitement symétrique. Les droites avaient manifestement été tracées à la règle et, en l'examinant de plus près, Frieda réussit à distinguer des traces là où l'on avait gommé des erreurs.

Elle resta de marbre un long moment, assise, à contempler l'image qu'elle avait sous les yeux, puis reglissa avec soin le papier dans l'enveloppe. Elle était consumée de rage, une rage qu'elle accueillit bien volontiers. Mieux valait brûler de colère qu'être dévorée par l'angoisse. Aussi resta-t-elle assise dans ses flammes, sans bouger, jusqu'au matin.

À plusieurs kilomètres de là, Jim Fearby se servait un verre de whisky. Il restait moins du tiers dans la bouteille : il était temps d'en racheter une autre. C'était comme pour l'essence, il ne fallait jamais laisser le réservoir se vider au-delà du quart. On risquait de se retrouver à court. Il sortit la vieille coupure de presse de son portefeuille et l'étala sur le bureau. Elle jaunissait et manquait se désintégrer tant on l'avait dépliée et repliée. Il la connaissait par cœur, elle lui tenait lieu de talisman. Il la voyait les yeux fermés.

LE MONSTRE « NE SERA PEUT-ÊTRE JAMAIS RELÂCHÉ ».

James Fearby

Des scènes terribles se sont déroulées hier à la Cour royale de Hattonbrook quand George Conley, assassin reconnu coupable, s'est vu condamner à une peine d'emprisonnement à vie pour le meurtre de Hazel Barton. Justice Lawson a déclaré à Conley, 31 ans : « C'était un crime odieux. Bien que vous ayez plaidé coupable, vous n'avez fait montre d'aucun remords et selon moi vous restez un danger pour les femmes. Il ne sera peut-être jamais possible de vous relâcher sans risque. »

Quand Justice Lawson a ordonné qu'on emmène Conley, des cris poussés par les membres de la famille de la victime se sont élevés depuis la galerie réservée au public. Devant le palais, Clive Barton, l'oncle de Hazel, a déclaré aux journalistes : « Hazel était jeune, ravissante, c'était notre trésor. Elle avait toute la vie devant elle et il la lui a arrachée. J'espère qu'il pourrira en enfer. »

En mai dernier, Hazel Barton, une étudiante de 18 ans, a été retrouvée étranglée près de chez elle dans le village de Dorlbrook. Son corps a été découvert sur le bord de la route. George Conley, arrêté non loin du lieu du drame, avait laissé des traces sur son corps et a tout avoué peu de jours après.

Prenant ensuite la parole, l'inspecteur principal Geoffrey Whitlam a présenté ses condoléances à la famille Barton : « On peut à peine imaginer l'enfer qu'ils ont traversé. J'espère que la conclusion rapide de cette enquête rigoureuse leur permettra de faire en partie leur deuil. » Il a également rendu hommage à ses collègues. « Je suis personnellement convaincu que George Conley était un dangereux prédateur sexuel. Il doit rester derrière les barreaux et je tiens à remercier mes collaborateurs de l'y avoir mis. »

D'après la rumeur, si Hazel Barton rentrait seule à pied, c'est que son bus n'est jamais arrivé. La porte-parole de FastCoach, l'entreprise de transports locale, a déclaré : « Nous présentons toutes nos condoléances aux parents de Hazel Barton. Nous faisons de notre mieux pour assurer le meilleur service possible à notre clientèle. »

Sous le gros titre, deux photos. La première était un portrait de Conley, diffusé par la police. Son visage large était couvert de plaques rouges ; il y avait un bleu sur son front ; un œil était de travers. L'autre photo était un portrait de famille de Hazel Barton. Elle avait dû être prise en vacances parce que Hazel portait un tee-shirt et on apercevait la mer derrière elle. Elle riait comme si le photographe venait juste de faire une blague.

Fearby continua de lire attentivement la chronique qu'il avait écrite sept ans auparavant, laissant courir son index le long des lignes. Il sirota son whisky. Chaque mot, ou presque, était faux dans cet article. FastCoach n'offrait pas de service efficace à ses clients qui, de toute façon, n'étaient pas des clients, mais des passagers. L'enquête de Whitlam n'avait rien eu de rigoureux. Même sa propre signature semblait fallacieuse à Fearby. Personne, à part sa mère, ne l'avait jamais appelé James. Et le titre – dont il n'était pas l'auteur et qu'il n'aurait pas osé écrire, même à l'époque – était le plus grotesque. Ce pauvre vieux Georgie Conley était bien des choses, mais certainement pas un monstre, et aujourd'hui on allait peut-être le relâcher.

Fearby replia soigneusement la coupure et la remit dans son portefeuille, derrière sa carte de presse. Une précieuse relique.

Quatre

Quand Sasha arriva à 9 heures moins le quart le jeudi matin, Frieda venait juste d'arroser les plantes de sa petite terrasse. Elle portait un jean et un pull-over écru, et son regard, cerné, semblait plus noir et plus farouche que d'ordinaire.

— Mal dormi ? s'enquit Sasha.

— Non.

— Je ne suis pas sûre de te croire.

— Tu veux une tasse de café ?

— On a le temps ? Il me reste encore un quart d'heure de stationnement, mais il faut qu'on soit à l'hôpital à 9 heures et demie. Ça circule affreusement mal.

Sasha avait tenu à prendre un jour de congé pour emmener Frieda à ses rendez-vous de suivi chez le médecin et le kinésithérapeute.

— On ne va pas à l'hôpital.

— Pourquoi ? Ils ont annulé ?

— Non, j'ai annulé.

— Qu'est-ce qui t'a pris de faire une chose pareille ?

— J'ai autre chose de prévu.

— Tu dois aller voir ton médecin, Frieda, et le kiné. Tu as été très malade, tu as même failli mourir. Tu ne peux pas te passer de rééducation comme ça.

— Je sais ce que dira le médecin : je fais des progrès mais je ne dois pas envisager de reprendre le travail pour l'instant, parce que, pour l'instant, mon travail est de me remettre sur pied. Tu sais, le genre de salades que nous autres, docteurs, servons à nos patients.

— Ça me paraît un peu négatif.

— Enfin bref, j'ai un autre truc plus important à faire.

— Qu'est-ce qui pourrait être plus important que de guérir ?

— J'ai pensé te le montrer, plutôt que de t'en parler. À moins que tu ne préfères aller bosser.

Sasha poussa un soupir.

— J'ai pris une journée de congé, j'aimerais la passer avec toi. Allons boire ce café.

La route s'achevait dans une allée bordée d'arbres qui bourgeonnaient à peine. Frieda repéra le prunellier et le contempla fixement : certaines choses changent, d'autres pas. Mais on ne reste jamais le même – on porte sur le monde un regard différent ; ainsi l'objet le plus familier peut devenir un spectre étrange. Ce petit cottage au toit de chaume par exemple, avec, devant, une mare aux canards vaseuse, ou cette portion de route qui déroulait inopinément ses lacets sur le patchwork des champs : rien n'avait changé, tout était différent. Ou encore la ferme avec ses silos et son enclos à vaches boueux, la rangée de peupliers filiformes... Même cette façon qu'avait la lumière de tomber sur le paysage sans reliefs, et même ce vague relent de mer paraissaient bizarrement familiers.

Les tombes étaient nombreuses dans le cimetière. La plupart étaient anciennes, verdies par la mousse, leurs inscriptions gravées devenues indéchiffrables. Mais certaines récentes, polies et fleuries, comportaient les dates de naissance et de mort des chers disparus dont l'absence était cruelle.

— La foule des morts..., murmura Frieda.

— Qu'est-ce qu'on fait là ?

— Je vais te montrer.

Elle s'arrêta devant une tombe gravée et pointa le doigt. Se penchant en avant, Sasha parvint à distinguer un nom : Jacob Klein 1943-1988, époux et père tant regretté.

— Ton père ? demanda-t-elle, songeant à Frieda, qui, adolescente, l'avait découvert mort, s'efforçant d'imaginer la douleur et son histoire derrière cette simple pierre.

Frieda hocha la tête, sans quitter la tombe des yeux.

— Oui, mon père.

Elle recula d'un petit pas et ajouta :

— Regarde cette gravure, là, au-dessus de son nom.

— C'est très joli, commenta Sasha sans conviction, après avoir examiné le motif symétrique. C'est toi qui l'as choisie ?

— Non.

Elle plongea la main dans son sac, en sortit une feuille de papier cartonné, et la maintint devant elle, portant tour à tour son regard sur le dessin et la gravure.

— Tu vois quoi ?

— C'est le même, reconnut Sasha.

— N'est-ce pas ? Le même, exactement.

— C'est toi qui l'as fait ?

— Non.

— Qui, alors ?

— On me l'a envoyé. Ce matin.

— Je ne comprends pas.

— On l'a glissé dans la fente de ma boîte aux lettres à l'aube.

— Pourquoi ?

— C'est toute la question.

Frieda s'adressait à elle-même dorénavant, plus qu'à Sasha.

— Vas-tu me dire ce qui se passe ?

— C'est Dean qui a fait ça.

— Dean ? Tu veux dire, Dean Reeve ?

Sasha était au courant pour Dean Reeve, elle était même venue en aide à Frieda en pratiquant un test ADN qui avait établi que l'épouse de Dean, Terry, était en fait la petite Joanna, qui s'était évaporée dans la nature plus de deux décennies auparavant. Frieda avait acquis la conviction que Dean Reeve ne la laisserait jamais en paix.

— Oui, Dean Reeve. Je reconnais son écriture – je l'ai vue un jour sur une déposition qu'il a faite au commissariat, mais même sans ça, j'aurais su. Il veut que je comprenne qu'il s'est renseigné sur ma famille, qu'il est au courant, pour la mort de mon père. Il est venu ici, là où nous nous trouvons en ce moment, là où repose mon père.

— Ton père est enterré dans un cimetière, mais je vous croyais juifs, déclara Sasha.

Elles étaient dans un petit café donnant sur la mer. La marée était basse et des échassiers évoluaient avec délicatesse sur les nappes de vase miroitantes. Au loin, un cargo, grand comme une ville, traversait l'horizon. Il n'y avait personne d'autre dans le café, ni sur la plage de galets. Sasha avait l'impression de se tenir à la lisière du monde.

— Ah oui ?

— Oui. Vous ne l'êtes pas ?

— Non, répondit Frieda, hésitante.

Puis avec un effort manifeste, elle précisa :

— Mon grand-père était juif, mais pas ma grand-mère, ce qui fait que ses enfants n'étaient plus juifs, et moi non plus, évidemment. En tout cas, une chose est sûre, ajouta-t-elle, pince-sans-rire, ma mère ne l'est pas.

— Elle est encore en vie ?

— À moins que mes frères n'aient oublié de m'en parler, oui.

Sasha cilla et se pencha en avant.

— Tes frères ?

— Oui.

— T'en as plus d'un ?

— J'en ai deux.

— Tu ne m'as jamais parlé que de David. Je ne savais pas qu'il y en avait un autre.

— C'était sans importance, répliqua Frieda.

— Sans importance ? Un frère ?

— Tu es au courant de l'existence de David pour la seule raison qu'il est l'ex d'Olivia et le père de Chloë.

— Je vois, murmura Sasha, sachant qu'il valait mieux ne pas insister : au cours de ces dernières heures, elle en avait plus appris sur Frieda que durant toutes les années de leur amitié.

Elle perça son œuf poché et regarda le jaune surgir, puis se répandre sur l'assiette.

— Que vas-tu faire ? demanda-t-elle.

— Je n'ai pas encore décidé. De toute façon, Dean Reeve est mort, n'est-ce pas ?

Frieda dit à peine trois mots sur le trajet du retour. Quand Sasha lui demanda à quoi elle pensait, elle ne sut quoi répondre.

— Je n'en sais rien, dit Frieda. Pas grand-chose, en fait.

— Tu ne te contenterais pas d'une pareille réponse de la part d'un de tes patients.

— Je n'ai jamais fait une très bonne patiente.

Une fois que Sasha se fut éloignée au volant de sa voiture, Frieda rentra chez elle. Elle mit la chaîne en place et fit glisser le verrou de la porte d'entrée puis monta dans sa chambre. Elle ôta sa veste, la jeta sur le lit. Elle allait prendre un long bain chaud, et ensuite, elle grimperait dans son petit atelier sous les combles pour dessiner : elle voulait se concentrer, sans pour autant penser à rien. Elle se remémora le cimetière, le littoral désolé. Elle tira son pull par-dessus sa tête et commençait à défaire les boutons de sa chemise quand elle s'interrompit. Elle avait entendu quelque chose. Elle ne savait pas au juste si ça venait de chez elle ou s'il s'agissait d'un bruit bien plus fort, extérieur et distant. Elle resta complètement immobile, elle ne respirait même plus. À nouveau elle l'entendit : un petit grattement, sous son toit et tout proche, au même étage, elle en sentait la vibration. Elle pensa à la porte d'entrée, en bas, avec sa chaîne et son verrou et évalua le temps que ça lui prendrait de dévaler l'escalier, de se débattre avec la chaîne. Non, ça n'irait pas. Elle songea au téléphone portable dans sa poche. Même si elle parvenait à chuchoter un message, à quoi cela servirait-il ? Il faudrait dix, quinze minutes, à quiconque pour arriver ici, et resterait encore cette porte fermée à clé et verrouillée.

Frieda sentit son pouls accélérer. Elle s'obligea à respirer lentement, une inspiration après l'autre, et compta jusqu'à dix. Elle chercha des yeux une cache dans la pièce mais c'était idiot : elle avait fait trop de bruit en entrant. Elle s'empara d'une brosse à cheveux sur sa coiffeuse, une arme bien dérisoire. Elle tâta la poche intérieure de sa veste et dénicha un Bic. Elle le tint bien serré dans son poing : au moins, c'était pointu. Surmontant sa peur, elle s'aventura hors de sa chambre, sur le palier. Il ne lui faudrait que quelques secondes. Si elle pouvait descendre les marches sans les faire grincer, alors…

Un nouveau frottement se fit entendre, plus fort à présent, ainsi qu'autre chose, un genre de sifflement. Cela provenait de l'autre côté du palier, de la salle de bain. Le sifflement continuait, Frieda prêta l'oreille quelques secondes, puis se rapprocha à pas de loup et poussa la porte. Au début, elle eut l'impression de s'être trompée de pièce ou de maison. Rien ne se trouvait à sa place : il y avait du plâtre à nu, ainsi que des tuyaux, et un grand espace vide. La pièce paraissait plus grande que dans son souvenir. Et dans un coin, une silhouette était penchée, en train d'arracher quelque chose.

— Josef, dit-elle d'une voix faible. Mais que se passe-t-il ?

Josef était son ami – un maçon venu d'Ukraine, débarqué dans sa vie d'une façon improbable. Mais il avait refusé de s'en laisser conter, et lui vouait depuis un attachement immodéré. Il sursauta, puis lui adressa un sourire légèrement circonspect.

— Frieda, répondit-il. J'ai pas entendu.

— Que faites-vous ici ? Comment êtes-vous entré ?

— J'ai la clé que vous donne moi.

— Mais cette clé était pour nourrir le chat quand je n'étais pas là, pas pour ça. Et c'est quoi, ça, d'ailleurs ? ajouta-t-elle avec un geste vers la pièce.

Josef se releva. Il tenait à la main une énorme clé à molette.

— Frieda, vous avez été malade. Je vous regarde et je vois que vous êtes triste, que vous avez mal, et que c'est difficile.

Frieda s'apprêtait à répliquer quand Josef lui coupa la parole.

— Non, non, attendez. C'est pas facile d'aider mais je vous connais. Je sais que quand vous êtes triste, vous restez dans bain très chaud pendant des heures.

— Euh... pas des *heures*, répliqua Frieda. Mais où est ma baignoire ? Je comptais justement m'y plonger.

— Votre baignoire est partie, répondit Josef. Pendant que vous êtes avec votre amie Sasha, moi et mon ami Stefan, on a démonté votre baignoire et on l'a emportée à la décharge. C'était une vilaine baignoire en plastique, et petite, pas bien pour s'allonger dedans.

— On s'allongeait parfaitement dedans, rétorqua Frieda.

— Non, insista Josef, d'un ton ferme. Elle est partie. Moi, beaucoup de chance. Je travaille dans maison à Islington. Lui dépense beaucoup, beaucoup d'argent. Il enlève tout dans la maison et jette tout, puis remplace tout à neuf. Il jette beaucoup de choses magnifiques, mais la plus belle, c'est une grande baignoire en fonte. Je vois la baignoire et je pense à vous. Elle est impec.

Frieda examina plus précisément la salle de bain. Là où avant se trouvait la baignoire, le mur et le sol étaient désormais dénudés. On voyait des carreaux fêlés, du plancher brut, un tuyau béant. Josef lui-même était couvert de poussière, et ses cheveux bruns en étaient pailletés.

— Josef, vous auriez dû me demander.

Josef ouvrit les bras dans un geste impuissant.

— Si je vous demande, vous dites non.

— Raison pour laquelle vous auriez dû me demander.

Josef fit un nouveau geste, paumes en l'air.

— Frieda, vous protégez tout le monde et quelquefois, on vous fait du mal pour ça. Ce que vous devez faire, c'est laisser les autres vous aider.

Il observa Frieda plus attentivement.

— Pourquoi vous tenez votre Bic comme ça ?

Frieda baissa fugacement le regard. Elle tenait toujours son stylo dans son poing, comme un poignard.

— Je croyais que c'était un cambrioleur, expliqua-t-elle.

Une fois de plus, elle s'obligea à inspirer à fond. Cela partait d'une bonne intention, se dit-elle.

— Bon, et alors, combien de temps ça va prendre pour remettre mon ancienne baignoire en place exactement comme elle était ?

Josef eut l'air songeur.

— Y a un problème, admit-il. Quand nous arrache la baignoire du mur et du tuyau et des crochets, ça fait de grands trous. Cette baignoire était vraiment merdique. Et de toute façon, elle est à la décharge, maintenant.

— Ce que vous avez fait constitue sans doute un délit, en un sens, mais bref, que fait-on maintenant ?

— La belle baignoire est pour l'instant dans l'atelier d'un autre ami, qui s'appelle Klaus. Pas de problème, là. Mais ici...

Il indiqua les dégâts de sa clé anglaise et poussa un soupir.

— Ça, c'est un problème.

— Comment ça, un problème ? C'est *vous* qui avez fait ça.

— Non, non, se défendit Josef. Ça, c'est...

Il prononça un mot dans sa langue, qui semblait plein de mépris.

— Le raccord est nul. Nul.

— Il a toujours très bien marché.

— C'était juste de la chance. Un mouvement de la baignoire et...

Il fit un geste éloquent pour évoquer les ravages d'une inondation incontrôlée.

— Je vais mettre un vrai tuyau ici et refaire bien le mur et les carreaux par terre. Ça sera mon cadeau pour vous, et vous aurez une baignoire où vous pourrez être bien.

— Quand ? insista Frieda.

— Je ferai ce qu'il faut.

— Oui, mais quand le ferez-vous ?

— Ça va prendre quelques jours. Pas beaucoup.

— Je m'apprêtais à prendre un bain maintenant. Durant tout le trajet du retour, je me voyais déjà dedans, je savourais à l'avance l'effet que ça ferait, j'en rêvais.

— Ça vaudra le coup d'attendre.

Ma si chère Frieda,

Je suis assis dans mon bureau, et je pense à toi. Quoi que je fasse, qui que je croise, je pense à toi. Je peux faire un cours, et alors même que je parle, que les mots se déversent d'eux-mêmes hors de ma bouche, tu occupes toujours en partie mon esprit. Je peux tenir une conversation, émincer un oignon, traverser le pont de Brooklyn, et tu es là. C'est comme une douleur qui refuserait de s'en aller, et que je ne veux pas laisser partir. J'allais dire que je n'ai pas ressenti cela depuis mon adolescence, mais jamais je n'ai ressenti cela, même adolescent ! Je me demande ce que je fais ici, quand tout ce qui m'importe est de faire ton bonheur. Je t'entends déjà répondre que le bonheur n'est pas une fin en soi, que tu ne connais pas le sens de ce mot – mais je sais, moi, ce qu'il veut dire : le bonheur, pour moi, c'est d'être aimé de Frieda Klein.

Tu semblais un peu distraite au téléphone ce soir. Dis-moi pourquoi, je t'en prie. Dis-moi tout. Souviens-toi de notre marche le long du fleuve. Ne m'oublie pas.

Sandy xxxxxxx

Cinq

Le préfet de police Crawford fronça les sourcils.

— Faites vite, dit-il, j'ai une réunion.

— Cela pose-t-il un problème ? s'étonna Karlsson. J'ai téléphoné avant de venir.

— Nous travaillons tous davantage et avec des moyens réduits, en ce moment.

— Raison pour laquelle je voulais vous parler de Bradshaw.

Le froncement de sourcils du préfet s'accentua plus encore. Il se leva, alla à la fenêtre et porta son regard sur Saint James's Park. Il se tourna vers Karlsson.

— Que pensez-vous de la vue ?

— Impressionnante, convint Karlsson.

— C'est l'un des avantages du poste, conclut le préfet.

Il épousseta quelques grains de poussière de la manche de son uniforme.

— Vous devriez venir ici plus souvent. Ça vous éclaircirait peut-être les idées.

— À quel sujet ?

— Au sujet de la nécessité de tenir fermement les rênes, rétorqua le préfet, d'avoir l'esprit d'équipe.

— Je croyais qu'il était question de résoudre des crimes.

Le préfet s'écarta de la fenêtre et se retourna vers Karlsson, toujours debout à côté du grand bureau en bois.

— Oh, ne me la faites pas, répliqua-t-il, qui dit « forces de police », dit influence politique, et il en a toujours été ainsi. Si je ne léchais pas le cul du ministre de l'Intérieur pour vous trouver les fonds que vous dilapidez, aucun d'entre vous ne serait en mesure de les résoudre, vos crimes. Je sais que ça ne facilite pas les choses, Mal', mais les temps sont durs et nous devons tous faire des sacrifices.

— Dans ce cas, je suis tout disposé à sacrifier le Dr Hal Bradshaw.

Le préfet lui lança un regard sévère.

— Vous l'avez mentionné au téléphone. Quel est le problème ?

— Je l'ai vu à Chalk Farm, sur les lieux du meurtre. Il s'est pointé comme ça, sans autre forme de préavis.

— C'est ce qui est convenu, répliqua le préfet. Je sais comment il travaille. Plus tôt il arrive sur les lieux, plus il peut nous être utile.

— Il ne fait que déranger, selon moi, rétorqua Karlsson.

— Un rapport quelconque avec le Dr Klein ?

— Pour quelle raison cela en aurait-il ?

— Le Dr Klein et le Dr Bradshaw se marchaient sur les pieds, l'un des deux devait partir. Nous avons respecté à la lettre la procédure de concertation. Le fait est que votre Dr Klein n'a pas reçu de formation dans le domaine des sciences médico-légales.

Karlsson garda le silence quelques instants.

— À mon avis, reprit-il, le Dr Bradshaw coûte trop cher pour l'aide qu'il apporte.

— Une seconde, coupa le préfet.

Il s'approcha à grands pas de son bureau et pressa une touche, puis se pencha.

— Faites-le entrer.

— Mais qu'est-ce que… ?

— L'hypocrisie, ce n'est pas mon truc, répliqua le préfet. Dans ce genre de cas, mieux vaut se parler face à face.

Karlsson se retourna alors qu'un jeune agent en uniforme ouvrait la porte et que Hal Bradshaw entrait dans la pièce. Karlsson sentit ses joues rougir de colère et espéra que cela ne se verrait pas. Quand il surprit l'ébauche d'un sourire sur les traits de Bradshaw, il dut détourner le regard.

— Mal', commença le préfet. Je n'aime pas faire les choses dans le dos des gens. Répétez au Dr Bradshaw ce que vous venez de me dire.

Les trois hommes, debout, formaient à présent un triangle inconfortable au beau milieu du bureau du préfet. Karlsson se sentit piégé.

— Je n'avais pas compris que m'adresser à mon supérieur revenait à faire quelque chose dans le dos de quelqu'un, commença-t-il, mais c'est bien volontiers que je m'exprimerai clairement.

Il se tourna vers Bradshaw.

— Je ne crois pas que votre présence soit utile à l'enquête.

— En vous basant sur... ?

— Sur le fait que c'est moi qui la dirige.

— Ça ne suffit pas, coupa le préfet. Le Dr Bradshaw a fait ses preuves, il passe même à la radio, dans l'émission *Today*.

— Il y a des façons plus appropriées de dépenser les deniers publics, selon moi.

Bradshaw se tourna vers le préfet et poussa un soupir.

— Je crois qu'il s'agit là d'un problème à résoudre entre vous, commenta-t-il.

— Non, répliqua le préfet, je veux en finir avec cette histoire ici et maintenant.

— Mon parcours parle de lui-même, je pense, tenta Bradshaw. Le vrai problème, c'est la conviction qu'entretient Mr Karlsson, qui voudrait qu'une psychothérapeute rencontrée par hasard puisse avoir une quelconque efficacité dans le domaine du profilage en le pratiquant comme un passe-temps.

— Et si nous nous en tenions à vos états de service ? suggéra Karlsson.

— Mais parfaitement, répliqua Bradshaw. Si je suis ici, c'est que le préfet Crawford connaît mon travail et qu'il m'a nommé personnellement. Si vous y voyez la moindre objection, alors, le moment est tout indiqué pour le dire.

— Très bien, commença Karlsson. J'ai pu voir vos talents de profileur à l'œuvre dans l'affaire Michelle Doyce. Votre analyse de la scène de crime nous a induits en erreur. Votre identification du meurtrier était parfaitement erronée et aurait pu faire capoter le cours entier de l'enquête, si Frieda Klein n'avait pas été là.

— Ce n'est pas une science exacte, se défendit Bradshaw.

— Pas de la façon dont vous l'exercez, en effet, reprit Karlsson. Non seulement Frieda Klein a vu juste, mais elle a frôlé la mort par la même occasion. Et tout ça après avoir été effectivement virée de l'enquête.

Bradshaw eut un reniflement dédaigneux.

— D'après ce que j'ai entendu dire, la mésaventure de Klein résulte des défaillances de vos propres services. J'ai beau commettre parfois des erreurs, jamais je n'ai poignardé à mort un malade mental.

Il recula précipitamment quand il vit que Karlsson avait levé sa main droite.

— On se calme, Mal', intervint le préfet.

— Frieda défendait sa peau, rappela Karlsson. Et elle a démontré quel imbécile vous êtes.

Il se tourna vers Crawford.

— Il évoque ses états de service. Vous n'avez qu'à les vérifier. Pour ce que j'en ai vu, Bradshaw est très doué pour établir le profil d'un tueur une fois qu'on l'a coincé. Frieda Klein nous était plus utile quand nous en étions encore à la phase des recherches.

Crawford les dévisagea l'un et l'autre.

— Je suis désolé, Mal', mais je tiens à ce que le Dr Bradshaw reste sur l'affaire. Trouvez un moyen de collaborer, c'est tout. J'en ai terminé avec vous deux.

Karlsson et Bradshaw quittèrent ensemble le bureau du préfet et, sans s'adresser la parole, ils rejoignirent l'ascenseur, et redescendirent au rez-de-chaussée. Alors qu'ils en sortaient, Bradshaw rompit le silence.

— C'est Frieda qui est derrière ceci ? dit-il.

— Mais de quoi parlez-vous ?

— Si elle veut me nuire, rétorqua-t-il, elle va devoir trouver mieux.

Il n'échappa à personne que Karlsson était d'une humeur massacrante. Le fait que la principale salle des opérations du commissariat soit en cours de réfection n'arrangeait pas les choses. Les bureaux étaient recouverts de draps. Karlsson jeta un œil dans diverses salles de conférence mais elles étaient déjà occupées par d'autres agents ou alors avaient été remplies de mobilier et d'ordinateurs déplacés. Pour finir, il entraîna Yvette, Munster et Riley quelques étages plus bas, jusqu'à la cantine. Riley lâcha une pile de dossiers sur une table après quoi chacun fit la queue devant la machine à café. Munster et Riley prirent l'un et l'autre un *bun*, couvert d'un glaçage blanc, ce qui leur valut un regard désapprobateur de Karlsson.

— Pendant qu'on y est… s'excusa Munster.

— J'ai pas pris de petit-déj', renchérit Riley.

— Tant que vous ne poissez pas les dossiers, ronchonna Karlsson.

— On ferait aussi bien de s'y habituer, commenta Yvette tandis qu'ils s'installaient à leur table dans un coin de la cantine, près de la fenêtre. Quand les coupes seront effectives, ceux d'entre nous qui n'auront pas été virés se battront pour trouver de la place au bureau.

— Bureaux flexibles.

— Pardon ?

Karlsson fronça les sourcils.

— C'est le nouveau genre de bureaux, personne n'a son propre poste de travail. L'idée est qu'on occupe l'espace seulement quand on en a besoin.

— Et nos affaires, alors ? s'indigna Munster. Nos trombones et notre mug ?

— Tu les ranges dans un casier, un peu comme à l'école.

— Pas dans la mienne, corrigea Munster. Quand tu laissais quoi que ce soit dans ton casier, on te le forçait et on te piquait tout.

— Si vous voulez bien commencer, coupa Karlsson.

— Une seconde, poursuivit Munster. On n'attend pas Bradshaw ?

— Il est occupé aujourd'hui, répondit Karlsson.

— Sans doute à paraître à la télé, railla Yvette, et Karlsson la dévisagea d'un air sévère.

— À vous l'honneur, dit-il.

— La situation reste pratiquement telle que vous l'avez vue sur place. Nos hommes ont pris des dépositions dans la rue et on en a envoyé une poignée traîner là-bas pendant deux ou trois après-midi encore, juste au cas où des gens seraient passés par là à la même heure. Il n'y a rien d'excitant, pour l'instant.

— Des empreintes ? s'enquit Karlsson.

— Ils en ont des douzaines, répondit Yvette mais c'était une maison de famille, avec des personnes qui allaient et venaient tout le temps. Ils ont commencé à éliminer les empreintes des proches, mais on n'obtiendra rien tant qu'on n'en aura pas réduit davantage le nombre.

— Arme ? demanda Karlsson.

— On n'en a pas trouvé.

— Vous avez cherché ?

— Comme on a pu.

— Il y a eu un ramassage de poubelles le lendemain, intervint Munster. Quelques agents avaient fait des fouilles préliminaires la veille, durant l'après-midi, mais on n'avait pas assez d'hommes.

— Je ne sais même pas pourquoi je me donne cette peine, poursuivit Karlsson, mais je vais quand même poser la question : caméras de surveillance ?

— Rien dans la rue proprement dite, répondit Yvette. C'est une voie résidentielle, elle n'est pas équipée. On a les enregistrements de deux ou trois caméras sur Chalk Farm Road mais on ne les a pas encore visionnés.

— Pourquoi pas ?

— On a un créneau de trois ou quatre heures des foules de gens en train de flâner dans Camden Lock, et on ne sait pas ce qu'on cherche.

S'ensuivit une pause. Karlsson remarqua un sourire sur le visage de Riley.

— Quelque chose de drôle ? demanda-t-il.

— Pas vraiment, répliqua Riley, ce n'est juste pas ce à quoi je m'attendais.

— C'est votre premier ?

— Vous voulez dire, mon premier meurtre ? Non, j'ai eu affaire à un mort près d'Elephant & Castle, mais on a arrêté le type sur place.

— Aucun intérêt alors, répliqua Karlsson.

Il se tourna vers Yvette.

— Cette femme, Ruth Lennox, que faisait-elle chez elle ?

— C'était son après-midi de congé. Son mari a dit que c'est le jour où elle va normalement faire les courses ou s'occupe de la maison.

— Elle voit des amies ?

— Parfois.

— Ce jour-là ?

Yvette secoua la tête.

— Il nous a montré son agenda, elle n'avait rien de prévu.

— Comment vont les proches ? demanda Karlsson.

— Ils sont en état de choc. Quand je les ai interrogés, ils semblaient groggy. Ils logent chez des amis, un peu plus loin dans la rue.

— Et le mari ?

— Pas du genre démonstratif, répondit Yvette, mais il paraît anéanti.

— Lui avez-vous demandé où il était au moment de la mort de sa femme ?

— D'après lui, il avait rendez-vous à 16 heures avec une certaine Mlle Lorraine Crawley, comptable pour la société où il travaille. Je l'ai appelée et elle a confirmé. Ça a duré une demi-heure, quarante minutes, environ, ce qui rend très improbable qu'il ait pu retourner chez lui à temps pour tuer sa femme et repartir avant que sa fille rentre de l'école.

— Peu probable ? reprit Karlsson. Ça ne suffit pas. Je lui reparlerai moi-même.

— Vous le soupçonnez ? dit Riley.

— Quand une femme est tuée et qu'il y a un mari ou un fiancé dans les parages, alors c'est un point à prendre en considération.

— Mais enfin, protesta Munster, comme vous l'avez vu vous-même, la petite fille a trouvé du verre brisé près de la porte d'entrée, qu'on a laissée ouverte.

— La porte était-elle fermée à double tour, d'habitude ? demande Karlsson.

— Pas quand ils étaient chez eux, répondit Yvette, à en croire le mari.

— Et ?

— Toujours d'après le mari, quand il s'est calmé et qu'il a rapidement fait le tour de la maison, une ménagère en argent avait disparu du vaisselier de la cuisine. Ainsi qu'une théière en argent XVIIIe qui était posée sur une étagère de ce même vaisselier. Sans compter l'argent de son porte-monnaie, bien sûr.

— Autre chose qui manquait ?

— Pas que nous sachions, dit Yvette. Elle avait des bijoux à l'étage, mais on n'y a pas touché.

— Et... commença Riley, avant de s'interrompre.

— Quoi ? fit Karlsson.

— Rien.

Karlsson s'obligea à adopter un ton plus amical.

— Continuez, dit-il. Si vous avez une idée, dites-la, simplement. Je veux tout entendre.

— J'allais dire que quand j'ai vu le corps, elle avait de belles boucles d'oreilles et un collier.

— Exact, reconnut Karlsson. Bien, dit-il en reportant son regard sur Yvette. Alors ? Qu'est-ce qu'on en pense ?

— Je ne dis pas que vous ne devriez pas interroger le mari, dit Yvette, mais l'état des lieux semble corroborer l'hypothèse du cambriolage qui a mal tourné. Le cambrioleur va dans la cuisine, prend l'argenterie, puis il tombe sur Mrs Lennox dans le salon. S'ensuit une échauffourée, elle reçoit un coup fatal et il s'enfuit, paniqué.

— Ou alors, suggéra Karlsson, une connaissance de Mrs Lennox la tue et met en scène un cambriolage.

— C'est possible, admit Yvette avec raideur.

— Mais fort peu probable, vous avez raison. Donc, en gros nous avons : les apparences d'un cambriolage, une morte, pas de témoins, pas d'empreintes jusqu'ici, pas de résultats du côté de la scientifique.

— Et votre ancien enquêteur ? rappela Munster.

— Je pense qu'on a besoin de lui, conclut Karlsson.

Debout sur le trottoir devant la maison des Lennox, Harry Curzon ressemblait à un golfeur égaré. Il était vêtu d'un coupe-vent rouge sur un pull à carreaux, un pantalon de toile gris clair et des chaussures en daim marron. Il avait de l'embonpoint et portait d'épaisses lunettes cerclées.

— Alors, comment va la retraite ? s'enquit Karlsson.

— Je ne sais pas pourquoi je l'ai tant redoutée, répondit Curzon. Dans combien de temps, vous ? Sept, huit ans ?

— Un peu plus que ça.

— Faut se faire une raison de nos jours il n'est plus question que de productivité et de gratte-papier. Regardez-moi : 56 ans et une retraite complète. Quand vous m'avez appelé, je partais pêcher dans la Lee River pour la journée.

— Ça m'a l'air pas mal.

— Mais c'est pas mal ! Sur ce, avant que je ne m'en aille et que vous retourniez à vos bureaux, que puis-je pour vous ?

— On a un meurtre, expliqua Karlsson, mais également un cambriolage, et vous avez travaillé dans ce quartier.

— Dix-huit ans, répondit Curzon.

— Je me suis dit que vous pourriez me donner des conseils.

Alors que Karlsson faisait faire le tour de la maison à Curzon, son aîné n'arrêtait plus de jaser. Karlsson se demanda s'il goûtait ses journées de pêche et de golf autant qu'il le disait.

— C'est passé de mode, déclara Curzon.

— Quoi ?

— Le cambriolage.

— Dans les années 70, c'étaient les écrans télé, les appareils photo, les montres et les réveils. Dans les années 80, les magnétoscopes et les chaînes hi-fi, et dans les années 90, les lecteurs de DVD et les ordis. Il leur a fallu quelque temps, mais soudain les cambrioleurs ont pigé. Un lecteur DVD coûte à peu près autant qu'un DVD, et les gens se baladent dans la rue avec un téléphone, un iPod, et sans doute un ordi qui vaut plus que n'importe quoi d'autre chez eux. À quoi bon commettre une effraction et en prendre pour quelques années de tôle quand on peut les faucher dans la rue et récupérer un truc vendable ?

— Comme quoi ? se renseigna Karlsson.

— Essayez d'aller trouver un revendeur d'occasion un peu louche et de lui proposer un lecteur DVD, il vous rira à la figure. Reste le matériel de jardin en revanche, ça, c'est vendable. Il y a toujours un marché pour un taille-haie.

— Pas franchement d'actualité en l'espèce, commenta Karlsson. Donc, vous ne croyez pas au cambriolage ?

— Si, ça m'en a tout l'air, répliqua Curzon.

— Mais ne pourrait-il s'agir d'une mise en scène ?

— On peut dire ça de n'importe quoi. Mais si c'était le cas, j'imagine qu'on briserait une fenêtre à l'arrière, on a moins de chance de se faire repérer par un voisin trop curieux. Et on prendrait des affaires dans la pièce où se trouve le corps.

— C'est ce qu'on s'est dit, en gros, conclut Karlsson. Donc, on recherche un cambrioleur et vous vous y connaissez en cambrioleurs.

Curzon grimaça.

— Je vous donnerai des noms, mais ces cambriolages tournent essentiellement autour de la drogue, et les junkies vont et viennent. Ce n'est plus comme au bon vieux temps.

— Quand on avait son fidèle petit crocheteur local ? sourit Karlsson.

— C'est ça, moquez-vous. En tout cas, on connaissait tous notre quartier.

— Ce que j'espérais, reprit Karlsson, c'est que vous seriez en mesure d'identifier le cambrioleur à son style, en examinant cette scène de crime. Chacun n'a-t-il pas sa propre signature ?

Curzon fit de nouveau la moue.

— C'est pas signé, là. Il a brisé la fenêtre, ouvert la porte et est entré. On ne peut pas faire plus élémentaire que ça. La seule signature que comporte cette scène, c'est celle de l'idiot de base. Ce sont les pires, sauf quand on les prend sur le fait.

Il se tut un instant.

— Mais j'ai réfléchi. Il y a deux magasins de quartier qui vendent surtout des babioles sans valeur mais pas toujours. Chez Tandy, plus haut, à l'angle de Rubens Road, et Burgess & Son, sur Crescent. Disons que, si quelqu'un s'y rend et leur offre de l'argenterie, ils ne posent pas trop de questions. Faites surveiller la vitrine dans les prochains jours, peut-être qu'ils verront quelque chose. Ça pourrait faire un point de départ.

Karlsson en doutait.

— Quand on tue quelqu'un, on ne va pas précisément porter son butin chez le bijoutier du coin, si ?

Curzon haussa les épaules.

— Ces zozos sont des accros, pas des gestionnaires de compte. Burgess & Son se trouve un peu plus loin, ça peut correspondre à son idée de la chose maligne à faire. Ça vaut le coup d'essayer, en tout cas.

— Merci, conclut Karlsson.

Alors qu'il s'apprêtait à repartir, Curzon posa sa main sur la manche de Karlsson.

— Je vous emmène faire trois trous ? Pour vous montrer ce que vous ratez ?

— Je ne joue pas vraiment au golf. En fait, pas du tout, même.

— Ou alors venez taquiner le goujon. Vous n'imaginez même pas à quel point c'est paisible.

— Oui, dit Karlsson en opinant du chef, mais pêcher ne lui plaisait pas plus. Oui, ce serait chouette. Peut-être quand cette affaire sera bouclée, on pourra fêter ça.

— Je me sens presque coupable de vous montrer ce que vous ratez, répliqua Curzon.

— Allez-y avec Russell Lennox, s'il s'en sent capable, proposa Karlsson à Yvette. Pour voir s'il reconnaît quoi que ce soit.

— Très bien.

— Et emmenez le jeune Riley avec vous.

— Soit.

Yvette hésita, puis, alors que Karlsson tournait les talons pour partir, elle lâcha tout à trac :

— Je peux vous demander quelque chose ?

— Bien sûr.

— Vous m'en voulez ?

— Vous en vouloir ? Pour quelle raison ?

Il savait pourquoi évidemment : depuis qu'on avait retrouvé Frieda gisant par terre chez Mary Orton, Yvette n'avait eu de cesse d'obtenir son pardon, l'assurance que cette histoire n'était pas vraiment sa faute.

— De ne pas avoir pris son inquiétude au sérieux, tout ça.

Yvette déglutit. Son visage était devenu cramoisi.

— Ce n'est pas vraiment le moment, Yvette.

— Mais...

— Pas maintenant.

La gentillesse de Karlsson était pire que sa colère. Elle se sentit comme un petit enfant face à un adulte bienveillant et sévère.

— Pardon. Chez Tandy, puis Burgess & Son.

— C'est ça.

Frieda décrocha le téléphone de son combiné et le contempla. Ses yeux la piquaient de fatigue, et son corps lui semblait vide et, cependant, remarquablement lourd. La tombe dans le Suffolk lui faisait l'effet d'un rêve à présent – une parcelle de terre négligée où reposaient les ossements d'un homme triste. Elle songea à lui, ce père qu'elle n'avait pas été en mesure de sauver. Si elle s'autorisait à y repenser, elle pouvait se rappeler la sensation de sa main tenant les siennes, ou respirer son odeur de tabac et celle de clous de girofle de son after-shave. Son désespoir, sa posture avachie. Et Dean Reeve qui s'était assis sur lui, avec ce sourire...

Le chat franchit la chatière dans un claquement et elle baissa les yeux : ils se dévisagèrent. Puis, le téléphone toujours à la main, elle gravit lentement l'escalier – les marches lui donnaient encore du fil à retordre – et s'assit sur son lit, le regard perdu à travers la fenêtre, contemplant le soir, gris doux, qui s'emparait de la ville, la replongeait dans son mystère. Enfin elle souleva l'appareil et composa les numéros.

— Salut, dit-elle.

— Frieda !

On ne pouvait se méprendre sur la chaleur de la voix de Sandy.

— Salut, répéta-t-elle.

— Je pensais à toi.

— Où es-tu ?

— Au bureau. J'ai cinq heures de retard par rapport à toi.

— Tu es habillé comment ?

— En costume, gris, avec une chemise blanche. Et toi ?

Frieda baissa les yeux sur sa propre tenue.

— Un jean et un pull café au lait.

— Où es-tu ?

— Assise sur mon lit.

— J'aimerais bien y être assis, moi aussi.

— T'as bien dormi ?

— Oui, j'ai rêvé que je faisais du patin à glace. Et toi ?

— Est-ce que j'ai rêvé que je faisais du patin à glace ?

— Non, as-tu bien dormi ?

— Pas mal.

— Ce qui veut dire : non.

— Sandy ?

Elle avait envie de lui raconter sa journée mais les mots ne venaient pas. Il était trop loin.

— Oui, ma Frieda chérie adorée.

— Je déteste ça.

— Quoi ?

— Tout ça.

— Te sentir faible, tu veux dire ?

— Ça aussi.

— Que je sois ici ? (Sandy se tut un instant.) C'était quoi, ce bruit ? Il y a un orage, chez toi ?

— Hein ?

Frieda regarda autour d'elle, puis comprit. Pour sa part, elle avait presque cessé de l'entendre.

— On m'installe une nouvelle baignoire.

— Une nouvelle baignoire ?

— Ce n'était pas vraiment mon idée. En fait, ce n'était pas mon idée du tout, c'est un cadeau de Josef.

— C'est plutôt chouette.

— La baignoire n'est pas encore là, jusqu'ici, il est surtout question de coups et de percements. Il y a de la poussière partout, y compris sur plusieurs chemises... que tu as oubliées ici.

— Je sais.

— Ainsi que des affaires de cuisine, et quelques livres à côté du lit.

— C'est parce que je reviens.

— Ah.

— Je reviens, Frieda.

Six

— Inspecteur divisionnaire Karlsson ?

— Lui-même.

— Agent Fogle, de Camden. J'ai un certain Mr Russell Lennox avec moi.

— Russell Lennox ?

Karlsson cligna des yeux. Et pourquoi diable ?...

— Il a été impliqué dans une rixe.

— Je ne comprends pas. Pour quelle raison aurait-il pris part à une rixe ? La femme de ce pauvre type vient de se faire assassiner.

— Il semble qu'il soit à l'origine de quelques dégâts volontaires, chez Burgess & Son.

— Allons bon...

— Il a cassé une vitre, sans parler de plusieurs pièces de porcelaine, de grande valeur aux dires du propriétaire, et s'est montré un tant soit peu menaçant.

— J'arrive. Soyez gentil avec lui, voulez-vous ?

Russell Lennox était assis dans une petite salle d'audience, les mains croisées sur la table, les yeux fixés, sans expression, cillant de temps à autre comme pour éclaircir sa vue. Quand Karlsson entra en compagnie de l'agent en uniforme qui l'avait appelé, Lennox tourna la tête. L'espace de quelques instants, on eût dit qu'il ne reconnaissait pas l'enquêteur.

— Je suis venu vous ramener chez vous, commença Karlsson tout en s'asseyant dans le fauteuil d'en face. Vous êtes conscient que vous pourriez être poursuivi pour dégâts volontaires, coups et blessures, et tout le toutim ?

— Je m'en fous.

— Ça aiderait vos enfants ?

Lennox se contenta de fixer la surface de la table sans répondre.

— Donc, vous êtes retourné chez Burgess & Son ?

Lennox opina faiblement du chef.

— Je n'arrivais pas à me le sortir de la tête. Et qu'est-ce que je suis censé faire de mon temps, de toute façon ? La sœur de Ruth, Louise, s'occupe des enfants et ils n'ont pas besoin de me voir bouleversé pour couronner le tout. Bref, j'y suis retourné, pour en avoir le cœur net, juste. Et je suis tombé sur une fourchette...

— Une fourchette ? répéta Karlsson, d'un ton sceptique.

— C'est la grand-mère de Ruth qui nous les avait données quand on s'est mariés. Je n'y tenais pas particulièrement, je n'y prêtais pas une grande attention, franchement, mais celle-ci avait une dent pliée. C'est comme ça que je l'ai reconnue. Judith se mettait en colère quand elle tombait dessus à table, elle disait qu'elle lui piquait les gencives. Je suis entré et j'ai demandé à la voir. Ensuite, les choses ont dégénéré...

Il leva les yeux vers Karlsson.

— Je ne suis pas un homme violent.

— Ce ne sera peut-être pas l'avis de tout le monde, je crois, répliqua Karlsson.

Jeremy Burgess, le propriétaire de Burgess & Son, était petit, maigre, et affichait la circonspection de celui qui a passé des années à éviter de justesse de se faire pincer. Karlsson était penché sur une vitrine remplie de médailles, de vieux colliers, d'étuis à cigarettes, de tabatières cabossées, de dés à coudre et de petites boîtes en argent, de clips d'oreilles scintillants et de boutons de manchettes surdimensionnés. Il prit la fourchette avec sa dent tordue et la posa sur la vitrine.

— Ça vient d'où, ça ? demanda-t-il.

Burgess fit un geste impuissant.

— Je paie en espèces les petits trucs de ce genre.

— J'ai besoin de le savoir, Mr Burgess.

— C'est moi qu'on a agressé. Vous en faites quoi, de ça, hein ? J'essaie juste de gérer un commerce.

— La ferme, rétorqua Karlsson. Je sais ce qu'il en est de votre commerce. Si la police locale s'en fiche, c'est leur problème. Mais ça, c'est un élément à charge dans une enquête pour meurtre, et si vous ne coopérez pas, alors je vous rendrai la vie très difficile, permettez-moi de vous le dire.

Burgess lança un regard gêné aux deux femmes qui se trouvaient à l'autre bout du magasin, penchées sur un présentoir de bagues. Il se courba en avant et reprit, plus bas :

— Je ne suis qu'un commerçant.

— Donnez-moi son nom et je m'en vais. Sinon, j'envoie des agents explorer la boutique pièce par pièce.

— Billy.

— Billy comment ?

— Billy. Jeune, brun, mince. C'est tout ce que je sais.

La voix de Curzon lui parvenait par bribes. Il expliqua qu'on recevait mal, là-bas, sur la rivière.

— Hunt, dit-il. Billy Hunt.

— Vous le connaissez ?

— On connaît tous Billy.

— Il a un casier ?

— Vol, détention de drogue, ce genre-là.

— Des actes de violence ?

— C'est plutôt une mauviette, notre Billy, répondit Curzon, mais il se peut qu'il ait dérapé un peu. Je veux dire, encore plus.

Karlsson mit Riley sur le coup. Curzon n'avait pas d'adresse ni de numéro à indiquer pour Billy Hunt, mais deux ou trois agents avaient été en charge du trafic de drogue local. Eux sauraient sans doute, avait suggéré Curzon. Cela faisait un bail qu'ils n'avaient pas vu Hunt, mais l'un d'eux se rappelait qu'il avait tenu quelque temps un étal, à Camden Lock, où il vendait divers objets fabriqués en fil de fer, des bougeoirs, des petits chiens à poser sur le manteau de la cheminée. L'étal avait disparu mais une femme, qui s'en était occupée, se trouvait à présent à l'autre bout du marché, près du canal, et vendait de la soupe chaude. Elle ne savait pas qui était Billy mais le type qui tenait autrefois le stand habitait un appartement dans Summertown. Il sortait surtout la nuit et dormait le jour. Il fallut des coups répétés à la porte d'entrée (le heurtoir avait disparu et la sonnette ne semblait pas fonctionner) avant que ne paraisse une femme et qu'elle n'aille le réveiller, à leur demande. L'homme qui descendit n'avait pas vu Billy depuis quelques semaines, mais ce dernier avait ses habitudes dans un café de la grand-rue ou au pub d'à côté, quand il était en fonds.

Personne ne semblait le connaître dans le café, mais quand Riley montra son badge à la pâle jeune femme derrière le comptoir du pub, elle lui indiqua deux hommes attablés un peu plus loin, en train de boire. Oui, ils connaissaient Billy Hunt. Oui, l'un d'eux l'avait vu le jour même. De quoi ils avaient parlé ? De pas grand-chose, juste pour se dire bonjour. Où était-il ? Au pub, là, l'autre. Lequel ? Celui qui se trouvait sur Kentish Town Road, avec tous les Goths, là, et les crânes.

Riley remonta Camden High Street et trouva Munster garé devant la station de métro de Camden Town. Il le rejoignit à bord de la voiture.

— C'est quoi, le plan ? demanda-t-il.

— Le plan ? reprit Munster. On le trouve, et on lui parle.

— On le ramène au poste ?

— On lui parle, d'abord.

La voiture s'arrêta avant d'avoir atteint le pub. Munster considéra la façade noire et secoua la tête de dégoût.

— J'étais fan de *heavy metal* quand j'étais gosse, déclara Riley. J'aurais adoré c't' endroit.

— Quant t'étais gosse ? s'ébahit Munster. Bon, on sait de quoi il a l'air ?

Deux jeunes femmes, vêtues de cuir noir de pied en cap, toutes deux crâne rasé et couvertes de multiples piercings, étaient attablées dehors.

— En tout cas, ce n'est pas elles, déclara Riley d'une voix guillerette. À moins que Billy ne soit un nom de fille.

À l'autre table, un homme était assis seul, avec une pinte de bière à moitié descendue et une cigarette. Il était mince, blafard, avec des touffes de cheveux bruns, vêtu d'un jean noir et d'une veste grise fripée.

— Ça pourrait être lui, commenta Munster.

Ils descendirent de voiture et s'approchèrent de lui. Il ne les remarqua pas avant qu'ils soient à moins d'un mètre.

— On cherche un certain William Hunt, déclara Munster.

— Y a que ma mère qui m'appelle William, répondit l'homme. Et encore, seulement quand elle est fâchée contre moi.

Les deux enquêteurs prirent place à sa table.

— Bon ben, Billy dans ce cas, corrigea Munster. On vient de parler à un dénommé Jeremy Burgess. Il tient une bijouterie à deux pas d'ici.

Hunt écrasa sa cigarette sur la table, en prit une autre dans un paquet et l'alluma avec une concentration quasi fébrile.

— Je le connais pas.

— William, reprit Munster, *là*, c'est moi qui commence à me fâcher contre toi.

Il sortit une feuille imprimée de sa poche et l'étala sur la table.

— Il nous a dit que tu es venu le trouver avec ceci et qu'il te l'a acheté.

Hunt retourna la feuille et l'étudia. Même ses mains, ses longs doigts, étaient fins et pâles, constata Munster. Les ongles étaient complètement rongés, mais néanmoins sales et tachés.

— Je sais pas, répliqua-t-il.

— Comment ça, tu ne sais pas ? s'indigna Munster. Ça t'a embrouillé la tête, toute cette orfèvrerie XVIIIe ?

— Vous me payez un verre ?

— Non, je ne vais pas te payer un verre. D'après toi, c'est quoi, ça ?

— Si vous cherchez des infos, il va me falloir une 'tite récompense.

Munster se tourna vers Riley, puis de nouveau vers Hunt. Riley souriait. Munster, pas du tout.

— Tu n'es pas un informateur potentiel, tu es un suspect. Si tu ne réponds pas aux questions, on peut t'emmener direct en garde à vue.

Hunt ébouriffa ses cheveux qui se dressèrent en épis plus droits encore sur sa tête.

— Chaque fois que des trucs disparaissent, répliqua-t-il d'une voix geignarde, les types dans votre genre viennent m'emmerder avec ça. Qui veut noyer son chien l'accuse de la rage, vous connaissez l'expression ?

Munster le dévisagea avec incrédulité.

— Tu veux parler du chien qu'on n'arrête pas de mettre en taule pour bastonnade et parce qu'il revend des trucs volés par d'autres ? Et pendant qu'on y est, ces biens ne disparaissent pas tout seuls. Y a des gens comme toi qui les piquent. Ne te fous pas de nous, Billy. On a entendu parler de toi. Tu te défonces, et tu voles pour te payer ta came.

64

Hunt prit une gorgée de bière, puis tira longuement sur sa cigarette. Il contempla Riley, qui affichait un large sourire.

— Je ne vois pas ce qu'il y a de si drôle, dit-il. Je n'ai commencé qu'une fois en taule. Y a plus de coke en taule qu'on n'en trouve dans la rue. Et ce connard, Burgess. Les gens n'arrêtent pas de venir me voir et de m'emmerder, et ce Burgess continue de tenir son putain de magasin. Pourquoi est-ce qu'on le laisse faire ? Y en a pas un pour l'arrêter.

— Billy, coupa Munster, la ferme. D'où te venait l'argenterie ?

Hunt se tut un instant.

— D'un type, là... Il avait plusieurs trucs, un peu d'argenterie. Il lui fallait absolument du cash, alors je lui en ai donné et j'ai refilé le tout à Burgess. Fin de l'histoire.

— Lui as-tu demandé où il se l'était procuré ?

— Non, je ne l'ai pas fait, je bosse pas à *Antiques Roadshow*, 'tain.

— Comment s'appelle-t-il ?

— Je sais pas. Dave, je crois.

— Dave, répéta Munster. Dave comment ?

— Je sais pas, je le connais pas vraiment.

— Où habite-t-il ?

— Rive droite, je pense. Mais je suis pas sûr.

— Dave. Rive droite, reprit Munster. Possible. Tu sais comment le joindre ?

— Ça ne marche pas vraiment comme ça. On se croise, par hasard. On se retombe dessus. Vous savez bien comment c'est.

— Ouais, je sais, répondit Munster. Et pendant qu'on y est, tu pourrais me dire où tu étais mercredi ?

— Quand ça ? Mercredi passé, là ?

— Ouais. Le 6.

— J'étais pas à Londres. J'étais dans le Sud, à Brighton. Je suis parti quelques jours.

— Quelqu'un peut-il me le confirmer ?

— J'étais avec un pote.

— Son nom ?

— Son nom ? redit Hunt.

Très lentement, il écrasa le mégot de sa cigarette et en alluma une autre.

— Ian.

— Patronyme ?

— Je connais que son prénom.

— Mais tu peux nous donner son adresse ?

Hunt eut l'air dubitatif.

— Je l'ai, notée quelque part. Ou du moins, je l'avais. C'était chez un pote de Ian, Ian n'y sera pas. Il bouge pas mal.

— Pour négocier avec les uns et les autres ? ironisa Munster.

— Pour ses amis.

— Je me demande pourquoi je me donne seulement la peine de poser la question, poursuivit Munster, mais aurais-tu le numéro de Ian ?

— Je l'avais dans mon téléphone. Mais je sais plus bien où il est passé.

— Est-ce que tu comprends ce qu'on te demande ? s'énerva Munster. C'est pas la première fois. On voudrait que tu nous indiques quelqu'un qui nous dira : « Oui, Billy Hunt était avec moi à Brighton mercredi dernier. » Cette personne existe-t-elle ?

— C'est pas juste, râla Hunt. C'est une question de... Ce que vous faites, là, c'est... c'est... parce que je ne suis pas comme vous. Ou vous, ajouta-t-il en regardant Riley, qui semblait médusé. Vous avez votre joli chez-vous, et toutes vos assurances, et vos factures d'eau à votre nom.

— Ma facture d'eau ? railla Munster.

— Et tout plein de chouettes copains, avec qui vous sortez dîner. Vous êtes tous là les uns pour les autres et... et vous êtes en mesure de prouver où vous étiez tout le temps, vous avez un boulot et la retraite, des congés payés.

— C'est quoi, ce délire, putain ?

— On n'est pas comme vous. Vous ne lisez pas les journaux ? Certains d'entre nous doivent ramer pour s'en sortir.

— Tu vas la fermer, oui ? coupa Munster. Je n'ai rien à foutre de ce charabia, mais je commence à avoir du mal à tout cerner. Tu habites quelque part ?

— Vous voyez, c'est bien ce que je dis. Les gens comme vous, ça habite toujours quelque part.

Hunt dessina des guillemets imaginaires de ses doigts en prononçant « quelque part ».

— Très bien. Faisons simple. Où as-tu dormi la nuit dernière ?

— La nuit dernière ? répondit Hunt, pensif. J'en sais rien. Je dors chez diverses personnes, chez des potes. Je me cherche une crèche définitive.

— De la même façon que tu cherches un boulot ? ironisa Munster.

— Genre.

— Un dernier truc, lâcha Munster. Et il ne s'agit que d'une formalité, que mon collègue puisse la noter.

— Quoi ?

— Ce ne serait pas toi, par hasard, qui aurais volé l'argenterie au numéro 63 de Margaretting Street ?

— Non, pas moi.

— Très bien, conclut Munster.

— Et donc, on a fini ?

— Non, on n'a pas fini. Ça suffit, j'en ai assez. Tu viens avec nous.

— Pour quoi faire ?

— Eh bien, tu as reconnu avoir reçu et revendu des objets volés, rien que ça, pour commencer.

— Je savais pas qu'ils étaient volés.

— Ce qui, si tu lis les termes de la loi, ne compte pas.

— Je vous ai dit tout ce que je savais, dit-il et sa voix s'éleva sous le coup de l'indignation. Si vous voulez en savoir plus, vous n'avez qu'à me recontacter.

— Sauf qu'on vient d'établir que tu n'avais pas d'adresse fixe et que tu as égaré ton téléphone.

— Z'avez qu'à me laisser votre carte, suggéra Hunt. Je vous recontacterai.

— Je le ferais bien, répliqua Munster. C'est juste que j'ai comme l'impression que tu pourrais faire comme tes copains Dave et Ian et être un peu difficile à retrouver. Alors, tu veux bien venir, ou il faut qu'on t'arrête ?

— Je viens. J'ai pas coopéré ? J'ai pas répondu à toutes vos questions ? Je veux juste finir mon verre et aller aux toilettes.

— On t'accompagne.

— Ça peut attendre, se ravisa Hunt.

Il sirota sa bière.

— Vous n'aimez pas être assis dehors ? C'est le réchauffement climatique, non ? On peut rester assis sur les trottoirs de Londres et boire. On se croirait au bord de la Méditerranée.

— Avec des crânes, fit remarquer Riley.

Hunt leur jeta un œil.

— J'aime pas les crânes, c'est déprimant.

Sept

— Pas de drogues, dit Olivia, évidemment.

— M'man... râla Chloë.

— Et pas d'alcool, tu as dit à tout le monde « pas d'alcool » ? Si l'un d'entre vous apporte de l'alcool, il sera confisqué et ses parents devront venir le rechercher.

— Tu me l'as dit au moins un million de fois.

— Tu as une liste de tous tes invités ? demanda Olivia. Que l'ami de Frieda puisse les barrer au fur et à mesure de leur arrivée.

— Je n'ai pas de liste.

— Comment sais-tu qui va venir, dans ce cas ?

— C'est pas comme ça, m'man, protesta Chloë, m'enfin !

— Mais tu dois bien savoir combien de personnes viennent.

Silence.

— Alors ?

— Plus ou moins.

— Genre ? Dix ? Cinquante ? Mille ?

— On en a déjà parlé. On a en parlé un million de fois.

— Ce n'est pas une blague, Chloë. Tu as entendu parler de cette fête d'ados dans Hart Street l'année dernière ? Le père a tenté de gérer tout seul quelques invités surprises et l'un d'eux a sorti un couteau. Il a perdu un rein, Chloë.

— Mais c'est quoi, ça ? T'as dit que je pouvais faire une fête. Si je peux pas, t'as qu'à le dire et on annule. Là, tu seras contente ?

— Je veux que tu fasses une fête, répondit Olivia. C'est ton anniversaire. Mais je veux que ce soit un plaisir pour toi et ça ne sera pas un plaisir si des gens sont malades, s'il y a des bagarres et si la maison est vandalisée.

— Ça n'arrivera pas.

— Et pas de sexe.

— M'man !

— Quoi ?

— C'est gênant, c'est tout.

Olivia avança le bras et effleura la joue de Chloë.

— Tu es ravissante, au fait.

Chloë rougit et marmonna quelque chose.

— Il y a des chips et des cacahouètes, et des tonnes de jus de fruit, précisa Olivia. Ce que j'essaie de te faire comprendre, Chloë, c'est que tu passeras un bien meilleur moment si vous ne vous bourrez pas la gueule. Vous pouvez vous parler et... danser et... le reste.

— Oh, m'man...

— Mais personne n'apprécie d'être complètement bourré au point de se casser la figure et de se dégueuler dessus. Ça n'a rien d'agréable. Je veux dire, Frieda, je peux avoir ton soutien, là-dessus ? Je suis rabat-joie, là ?

Frieda était debout à la fenêtre, et contemplait le jardin, rêveuse. Des bougies neuves attendaient dans des pots à confiture le long de l'allée de gravier. La sonnette retentit à la porte.

— Allons bon... réagit Olivia. Déjà ?

— J'y vais, fit Frieda.

Elle se rendit à la porte et l'ouvrit.

— Josef ! Tu arrives juste à temps.

Josef n'était pas seul. À ses côtés se tenait un homme encore plus grand et baraqué, vêtu d'un jean et d'un blouson en cuir. Il avait de longs cheveux bouclés, retenus par une queue de cheval basse.

— Je vous présente Stefan, déclara Josef. Il est russe, mais on restera poli avec lui quand même.

Frieda serra la main de Stefan, qui lui répondit d'un lent sourire.

— Vous êtes Frieda ? J'ai entendu parler de vous. Vous allez avoir une très belle baignoire, grande et en fonte, comme dans les vieux films.

— Oui, j'ai entendu parler de vous, moi aussi, répondit Frieda. C'est vous qui avez aidé Josef à embarquer mon ancienne baignoire qui m'allait très bien.

— C'était une pauvre baignoire, répliqua Stefan, de la vraie camelote. Elle a craqué d'un coup – il claqua des doigts – quand on l'a enlevée.

— Eh bien, merci à tous les deux pour l'effort. Même si je suis un peu ennuyée que, dans l'intervalle, ma salle de bain soit toujours privée de baignoire.

Josef semblait inquiet.

— Oui, Frieda, il faut que je vous parle. Il y a un petit problème.

— Quel problème ?

— D'autres problèmes avec les tuyaux. Mais on parlera plus tard. J'arrangerai ça.

— J'ai dû me doucher ici, vous savez, expliqua Frieda, pendant qu'elles préparaient la fête. Je me trimballe partout avec ma serviette.

Elle se retint d'aller plus loin.

— Mais c'est gentil à vous de faire ça. Entrez, je vous en prie. Je peux vous offrir quelque chose à boire ?

— Pour l'instant, on prendra du jus de fruit.

Josef tapota la poche de son manteau. Manifestement, il y avait une bouteille dedans.

— On pourra fêter la fin de la nuit ensemble.

Olivia délivra tout un tas d'instructions à Josef et Stefan, sans cesse révisées et augmentées. Pendant ce temps, la sonnette de la porte retentissait par intermittence et des jeunes gens commencèrent à envahir les lieux. Frieda se mit de côté et observa la scène, comme s'il s'agissait d'une pièce de théâtre ou d'une tribu exotique. Soudain, elle aperçut un visage familier et sursauta.

— Jack ! Que faites-vous ici ?

Jack achevait sa formation de psychothérapeute et Frieda était son superviseur. Elle le connaissait bien, mais le voir dans ce contexte fut une surprise. Lui aussi sembla désarçonné et devint écarlate, ce qui ne l'arrangeait pas. Il était habillé de façon encore plus excentrique et hétéroclite que d'habitude : un polo de rugby à rayures roses et vertes avec un vieux smoking bouffé aux mites par-dessus, et un pantalon de velours côtelé marron informe.

— Chloë m'a invité, répondit-il. J'ai pensé que ça pourrait être sympa. Je ne m'attendais pas à vous voir, en revanche.

— J'allais partir.

— C'est Josef que j'aperçois ?

— Il fait le videur pour la soirée.

Au bout d'une minute ou deux Josef la regarda, par-dessus l'épaule d'Olivia, avec un pâle sourire qui implorait son aide. Frieda traversa la pièce et tapota Olivia sur le bras.

— Allons dîner.

— J'ai juste besoin de vérifier deux ou trois trucs.

— Non, on y va.

Frieda mena Olivia, qui protestait toujours, dans l'entrée, lui enfila de force son manteau et l'obligea à franchir la porte d'entrée. Alors qu'elles descendaient l'escalier, Olivia lançait autour d'elle des regards anxieux.

— Je ne peux m'empêcher de penser que j'enferme sous mon toit des gens que je devrais absolument laisser dehors.

— Non, dit Olivia au serveur, inutile de le goûter. Remplissez-moi juste mon verre autant qu'il est possible. Merci, et laissez la bouteille.

Elle leva le verre.

— Santé, trinqua-t-elle avant de boire une gorgée. Seigneur, j'en avais besoin. Tu les as vus s'étreindre, tous, à leur arrivée ? On aurait dit qu'ils revenaient d'un tour du monde. Et sitôt qu'ils ont fini de se serrer dans les bras et de pousser des cris hystériques, ils sont pendus à leur portable. Ils sont à une fête mais pour une raison x ou y, il leur faut aussitôt parler à ceux qui n'y sont pas ou qui sont en route pour venir, à moins qu'ils vérifient s'il n'y aurait pas une fête plus chouette ailleurs.

Elle prit une nouvelle gorgée.

— Ils sont probablement en train d'inviter toute la jeunesse du nord de Londres à venir saccager la maison.

Elle pointa Frieda du doigt.

— Et là, t'es censée me dire : « Non, non, tout ira bien. »

— Tout ira bien, s'exécuta Frieda.

Olivia gesticula à l'adresse du serveur.

— Pourquoi ne pas commander plein de petites assiettes ? suggéra-t-elle. Comme ça, on n'aura qu'à piocher dedans.

— Choisis.

Olivia commanda suffisamment de plats pour nourrir trois ou quatre gros mangeurs, ainsi qu'une autre bouteille de vin.

— En fait, je suis une grosse hypocrite, avoua-t-elle, une fois le serveur reparti. Ce que je redoute vraiment dans une soirée comme celle-ci, c'est que Chloë fasse la moitié des conneries que je faisais au même âge. Et même, plus jeune que ça. Elle a 17 ans. Quand je repense aux fêtes quand j'avais 15 ans, 14... Sur le fond, c'était illégal, certains auraient pu finir en prison.

Je suis sûre que t'as fait pareil. David m'en a raconté une ou deux, sur toi.

L'expression de Frieda se figea. Elle prit une gorgée de son vin mais ne dit mot.

— Quand je pense à certains trucs que j'ai pu faire...

Olivia reprit :

— Au moins, personne ne me filmait avec son portable ni ne le postait sur Internet. C'est toute la différence. Quand on était ados, on pouvait faire quelque chose et après c'était fait, pfuit, envolé, c'était du passé. Aujourd'hui, ils se font filmer, envoient ça d'un portable et ça finit sur Facebook. Les gens ne se rendent pas compte que leurs actions leur colleront aux fesses à jamais. Ce n'était pas comme ça, de notre temps.

— Ce n'est pas vrai, corrigea Frieda. Des gens se blessaient, des filles tombaient enceintes.

— Je ne risquais pas de tomber enceinte, rétorqua Olivia, maman m'a refilé la pilule à l'âge où j'ai commencé à marcher, pratiquement... Ce qui ne veut pas dire que j'étais une gosse complètement déchaînée, c'est juste que... Quand je repense à certaines des décisions que j'ai prises, eh bien... j'aimerais voir Chloë choisir mieux que ça.

Elle remplit à nouveau son verre de vin. Frieda garda sa main posée sur le sien.

— Mais d'une certaine façon, je crois que Chloë est plus mûre que je ne l'étais à son âge. Bon, d'accord, je sais ce que tu vas dire.

— Qu'est-ce que je vais dire ?

— Tu vas dire que si j'étais moins mûre que Chloë, je devais être une sacrée tache...

— Ce n'était pas ce que j'allais dire, répliqua Frieda.

— Quoi, alors ?

— J'allais dire que c'était bien de dire ça au sujet de ta fille.

— On verra, renâcla Olivia. En attendant, ils sont sans doute en train de démonter la maison brique par brique.

— Je suis certaine que tu n'as pas besoin de t'en faire.

— Je ne sais pas dans quelles fêtes tu allais, poursuivit Olivia. Moi, un jour... J'étais à l'étage dans la chambre des parents avec Nick Yates, et le temps qu'on ait tiré notre second coup, les gens au rez-de-chaussée avaient sorti le piano droit dans le jardin et avaient commencé à jouer, ensuite ils l'ont oublié alors qu'il s'était mis à pleuvoir. Seigneur... Nick Yates.

Olivia sembla perdue un moment dans ses pensées. Là-dessus, les plats arrivèrent.

— Je suis vraiment désolée.

Olivia remplit son assiette de mets divers.

— Essaie cette crevette, au fait, c'est à tomber. Je n'ai fait que parler de moi et de mes problèmes et de mon fichu passé. Je ne t'ai même pas demandé comment ça allait. Je sais combien tout ça a été horrible. Comment te sens-tu ? Tu souffres encore ?

— Ça ne va pas trop mal.

— T'as encore des soins ?

— Rien que des examens de contrôle, répondit Frieda, de temps en temps.

— C'était vraiment affreux, horrible, insista Olivia. Au début, j'ai cru qu'on allait te perdre. Tu sais, il y a deux ou trois jours, j'en ai même fait un cauchemar, je me suis réveillée en larmes. En larmes, vraiment.

— Je pense que ça a été pire pour les autres que ça ne l'a été pour moi.

— Je parie que non. Mais on dit que quand il arrive quelque chose de vraiment moche, ça cesse d'avoir l'air réel, comme si ça arrivait à quelqu'un d'autre.

— Non... corrigea Frieda, lentement. C'était bien à moi que ça arrivait.

Sur le trajet du retour, Olivia tanguait légèrement et Frieda lui prit le bras.

— Je cherche de la fumée, déclara Olivia. Tu vois de la fumée ?

— Pardon ?

— Si la maison était en feu pour de bon, expliqua Olivia, on verrait de la fumée à présent, non ? Par-dessus les toits. Et il y aurait des camions de pompiers et des sirènes.

En tournant à l'angle de la rue d'Olivia, elles virent la porte d'entrée ouverte, et une foule grouillant devant. On percevait des rythmes électro, une pulsation sourde, des flashs de lumière. Alors qu'elles approchaient, Frieda distingua un groupe assis sur les marches du perron en train de fumer. L'un d'eux leva les yeux et sourit.

— Mais voilà Frieda, non ?

— Stefan, c'est bien ça ?

— Oui, répondit-il, comme si l'idée l'amusait. Vous voulez cigarette, Frieda ?

Olivia poussa un cri sauvage, se fraya un chemin dans la foule amassée sur les marches et se rua dans la maison.

— Non merci, répondit Frieda. Ça s'est passé comment ?

Stefan haussa les épaules.

— Pas mal, je pense. Une petite fête tranquille.

L'un des garçons assis à côté de lui se mit à rire.

— Ils ont été super, Josef et lui.

— Super comment ?

Frieda s'assit avec eux sur les marches.

— Y a une bande de jeunes qu'a débarqué. Chloë ne les connaissait pas. Ils se sont mis à bousculer tout le monde, mais Josef et Stefan les ont virés.

Frieda lança un regard à Stefan, qui allumait une nouvelle cigarette avec l'ancienne.

— Vous les avez virés ?

— Ce n'était pas grand-chose, répliqua Stefan.

— Ah si, c'était quelque chose ! s'écria l'un des autres garçons. Franchement, quelque chose !...

Ils rirent, et l'un dit trois mots à Stefan dans une langue qu'elle ne comprenait pas, auxquels ce dernier répondit, avant de la regarder.

— On leur apprend un drôle de russe à l'école, dit-il, je le corrige.

— Où est Josef ?

— Avec un garçon, répondit Stefan. Il va pas bien, le garçon.

— Comment ça, « pas bien » ? Où sont-ils ?

— Aux toilettes, à l'étage, répondit Stefan. Il a été malade. Très malade.

Frieda fonça dans la maison. L'entrée collait sous les pieds et il flottait une odeur de fumée et de bière. Elle se faufila entre des filles. Un groupe se tenait devant la porte fermée de la salle de bain.

— Il est là-dedans ? demanda Frieda à la volée.

Chloë surgit soudain. Elle avait pleuré, du mascara lui dégoulinait sur la figure. Jack venait sur ses talons, penaud, le cheveu en bataille, le visage à nouveau rouge.

— Ils n'arrivaient pas à le réveiller, expliqua-t-elle.

Frieda tenta d'ouvrir la porte mais elle était fermée à clé. Elle toqua.

— Josef, c'est moi, lança Frieda. Laissez-moi entrer.

Un déclic se fit entendre et le battant s'ouvrit. Josef était avec un garçon penché sur le lavabo. Il se retourna avec un sourire d'excuse.

— Il était déjà comme ça quand il est arrivé, presque, expliqua-t-il.

— Il réagit ? demanda Frieda.

Josef eut l'air déconcerté.

— Je veux dire, il parle ? Il vous voit ?

— Oui, oui, ça va. Juste malade. Très, très malade. Comme un ado.

Frieda se tourna vers Chloë.

— Ça va aller, la rassura-t-elle.

Chloë secoua la tête.

— Non, ça va pas, répliqua-t-elle. Ça va pas bien du tout. Ted a perdu sa mère. On l'a assassinée.

J'ai une idée, allons quelque part cet été – quelque part où ni toi ni moi n'avons jamais été. Encore que je ne puisse pas vraiment t'imaginer hors de Londres. C'est là que je t'ai rencontrée et c'est le seul endroit où je t'ai connue. Vas-tu jamais ailleurs ? Le plus loin de Londres où je t'ai vue, c'est Heathrow, qui doit correspondre, pour toi, à un enfer terrestre. Tu détestes l'avion, et tu n'aimes pas les plages. Mais on pourrait prendre un train pour Paris, ou aller marcher en Écosse. Tu adores te promener dans les rues la nuit – mais aimes-tu les autres marches, avec carte et pique-nique ? Je te connais... mais il y a tant de choses que je ne sais pas de toi. Voilà ce à quoi je pensais. Mais on a tout le temps de chercher maintenant, n'est-ce pas, Frieda ? Appelle-moi vite. Sandy xxxxxx

Huit

— Je peux avoir une tasse de thé ? demanda Billy Hunt. Je veux une tasse de thé, et je veux un avocat. Avec du lait et deux sucres, le thé, et un avocat assis à côté de moi à chaque seconde de l'entretien.

Munster se tourna vers Riley.

— T'as entendu ? dit-il.

Riley quitta la salle d'interrogatoire.

— Et un avocat, rappela Hunt.

— Minute...

Ils restèrent assis en silence jusqu'au retour de Riley. Il posa un gobelet sur la table devant Hunt, avec deux sachets de sucre et un touilleur en plastique. Lentement, et avec une grande concentration, Hunt déchira les deux sachets, versa leur contenu dans le thé et mélangea. Il sirota sa boisson.

— Et un avocat, répéta-t-il.

Un enregistreur digital se trouvait sur la table. Munster se pencha en avant pour l'enclencher. Tout en indiquant la date et en identifiant les personnes en présence, il examina l'appareil pour vérifier que la lumière clignotait. Il fallait toujours s'inquiéter de ce que l'appareil fonctionne correctement : des procès capotaient pour des détails de ce genre.

79

— On t'interroge parce que tu es soupçonné de recel d'objets volés. Je dois t'avertir que tu n'es pas tenu de dire quoi que ce soit, mais que tout ce que tu diras pourra être retenu contre toi. Mais aussi, que si tu gardes le silence, ce fait peut être rapporté devant les tribunaux.

— Vous êtes sûr ? demanda Hunt.

— Ben oui, je suis sûr, répliqua Munster, et je fais sans doute ce genre de choses plus souvent que toi.

Hunt pianota sur la table.

— Je ne peux pas fumer, j'imagine.

— Non, tu ne peux pas fumer.

— Je n'arrive pas à réfléchir quand je ne fume pas.

— Tu n'as pas besoin de réfléchir, tu dois simplement répondre à quelques questions.

— Et mon avocat, alors ?

— J'allais t'informer que tu as le droit d'être légalement représenté, et que si tu n'as pas d'avocat, on peut arranger ça pour toi.

— Évidemment que je n'ai pas de putain d'avocat. Alors, ouais, trouvez-m'en un. Je veux un avocat assis ici à côté de moi.

— Ça ne marche plus comme ça, expliqua Munster. Les budgets sont serrés. C'est ce qu'on nous dit, en tout cas. On peut t'apporter un téléphone et un numéro.

— Et c'est tout ?

Hunt semblait décontenancé.

— Pas de clopes et pas d'avocat ?

— Tu peux en avoir un au bout du fil.

— Très bien, répondit Hunt. Allez me chercher un téléphone.

Il fallut vingt minutes avant que Billy Hunt en ait fini au téléphone, que Munster et Riley soient de retour dans la pièce et que l'enregistreur soit remis en route.

— Donc... commença Munster. Tu as parlé à ton avocat.

— La ligne était mauvaise, rétorqua Hunt. Je n'arrivais pas à piger la moitié de ce qu'elle disait. En plus, elle avait un accent. L'anglais n'est pas sa langue maternelle, à mon avis.

— Mais elle t'a conseillé, d'un point de vue légal ?

— C'est ça que vous appelez « conseillé » ? Pourquoi je peux pas avoir de véritable avocat ?

— Si t'as un problème, tu pourras le soumettre à ton député. Mais c'est comme ça que les choses marchent, aujourd'hui.

— Pourquoi est-ce que cette fenêtre est condamnée ?

— Parce que quelqu'un a balancé une brique dedans.

— Vous ne pouvez pas la faire réparer ?

— Je ne crois pas que ce soit ton problème.

— Et la pièce, là, devant... un vrai chantier. Vous verrez, dit-il, vous serez le prochain sur la liste. Vous allez vous retrouver à la rue, en train de chercher un vrai boulot comme les autres.

— Maintenant que tu as obtenu d'être légalement représenté, reprit Munster, jette un œil là-dessus.

Il glissa une feuille de papier sur la table.

Hunt l'examina avec une expression perplexe.

— C'est quoi ?

— Un inventaire.

— C'est quoi, un inventaire ?

— Une liste de ce qu'on a volé. Y compris, comme tu le constateras toi-même, les fourchettes en argent que tu as vendues. Y a-t-il autre chose dont tu te souviennes ?

Il secoua la tête.

— Désolé, répondit-il. Je n'ai récupéré que ces fourchettes.

— Auprès de Dave, vérifia Munster.

— C'est ça.

— Donc, poursuivit Munster, les éléments que nous avons récupérés faisaient partie d'un plus grand set, mais tu n'as jamais vu le reste.

— C'est ça.

— Et ton rapport avec ce vol, c'est Dave, dont tu ne connais pas le nom de famille, qui habite, crois-tu, sur la rive droite, et que tu n'as aucun moyen de contacter.

Hunt s'agita, mal à l'aise sur sa chaise.

— Vous savez bien comment c'est...

— Et ton seul alibi pour le jour du cambriolage serait fourni par un dénommé Ian, sans patronyme lui non plus, qui se balade en ce moment comme d'habitude, et qu'on ne peut pas joindre.

— J'y peux rien, désolé.

— En d'autres termes, poursuivit Munster, tu ne peux rien nous dire de vérifiable, à part ce qu'on sait déjà.

— C'est vous, la police, rétorqua Hunt. C'est pas à moi de vous dire ce qui est vérifiable et ce qui ne l'est pas.

— Bien évidemment, si tu pouvais nous mettre en contact avec celui ou celle qui t'a refilé cette argenterie, on envisagerait sérieusement d'abandonner les charges contre toi.

— Alors je regrette bien de ne pouvoir vous mettre en contact avec lui.

— Avec Dave ?

— Ouais. Mais je peux pas.

— Y a-t-il quoi que ce soit que tu puisses nous dire ?

— J'en sais rien, répondit Hunt. Demandez toujours.

— Où as-tu passé la nuit dernière ? Tu dois au moins pouvoir nous dire ça.

— Ça et là, répondit Hunt. Je n'ai pas d'endroit fixe.

— On ne peut dormir qu'à un seul endroit à la fois. Où as-tu dormi la nuit dernière ?

— Dans un appart, là, près de Chalk Farm. J'ai un pote là-bas, un ami d'ami. Absent pour le moment. Il me laisse crécher là.

— Adresse ?

— Je me rappelle pas.

— Alors emmène-nous.

Le trajet fut bref, puis tous trois – Munster, Riley et Hunt – entrèrent dans la cour d'un HLM délabré et gravirent un escalier. Parvenu au troisième étage, Munster fit une halte et s'appuya à la rambarde, regardant le bâtiment William Morris situé en face. Ils se trouvaient dans le bâtiment John Ruskin. Au-delà se dressaient des maisons qui, aujourd'hui encore, valaient plus d'un million de livres mais ici, un appartement sur trois était condamné, dans l'attente d'une rénovation toujours reportée jusqu'à ce que quelqu'un soit prêt à la financer. Hunt s'avança le long du couloir et s'arrêta. Il sortit une clé de la poche de sa veste et déverrouilla la porte d'entrée.

— Stop, dit Munster. Tu n'entres pas. Tu restes ici avec l'inspecteur Riley.

Il fit trois pas et fut aussitôt assailli par les souvenirs de ses débuts au sein des forces de police : il avait alors passé beaucoup de temps dans des endroits comme celui-ci. Ça sentait le moisi, l'humidité, la nourriture avariée oubliée dans un coin. L'odeur qui règne quand on ne se donne plus la peine, quand on a renoncé. Tout lui semblait familier : le lino crasseux, les fauteuils et les canapés immondes dans le salon, tout était sale et vieux, exception faite d'un grand écran plat, flambant neuf. Dans la cuisine, l'évier débordait de vaisselle, une poêle graisseuse traînait sur la cuisinière. Il cherchait le truc suspect, l'objet qui détonnerait au milieu de la merde habituelle, et il n'avait pas l'impression qu'il allait le trouver. Hunt s'était-il débarrassé de tout ? Il ferait sans doute mieux de demander à des agents de venir faire une fouille digne de ce nom, s'il pouvait l'obtenir. Parce que Hunt avait raison : les aides légales avaient subi des coupes sévères, et aujourd'hui, c'était au tour des forces de police. Mais alors il se rendit dans la salle de bain et là, enfin, il trouva. Il enfila ses gants en plastique. C'était trop grand pour entrer dans un scellé. Il héla Riley et Hunt et les invita à le rejoindre.

— Qu'est-ce que ça fait ici, ça ?

— C'est un rouage, répondit Riley. Ça devait faire partie d'une grosse machine ancienne, on dirait.

Il y eut une pause.

— Pourquoi ça serait pas dans une salle de bain ? dit Hunt. C'est chouette. Brillant. Ça fait déco.

— Tu n'admirais pas sa brillance, rétorqua Munster, tu le lavais. Où as-tu dégotté un truc pareil ? On ne voit pas ça tous les jours.

— Je le tiens de ce type, là.

— Dave ?

— C'est ça.

— Pourquoi t'en as pas parlé ?

— Ça ne faisait pas partie de votre liste.

— Pourquoi le lavais-tu ?

— Pour qu'il soit chouette et brillant quand je le revendrais.

— C'est ce qu'on verra... conclut Munster.

Au retour de Munster, Karlsson maintint la roue dentelée devant lui un instant, la tournant sur elle-même, la soupesant, tâchant d'évaluer son poids. Ensuite, il alla trouver Russell Lennox, mollement assis dans un fauteuil, indifférent, le regard perdu au loin, les yeux injectés de sang.

— Mr Lennox, dit-il, en tenant la roue froide entre ses mains gantées. Reconnaissez-vous cet objet ?

Russell Lennox contempla le rouage quelques secondes sans dire un mot. Ses lèvres étaient blêmes.

— C'est avec ça...

Il s'interrompit et pressa l'arête de son nez entre son index et son pouce.

— C'est avec ça qu'on l'a tuée ?

— C'est ce que nous pensons, oui. Mais vous ne l'avez pas mentionné parmi les objets qui ont été volés.

— Non. Je ne m'étais pas rendu compte qu'il avait disparu. C'était juste un truc qu'on gardait sur la cheminée. Ruth l'a récupéré dans une benne il y a quelques années. Elle a dit qu'il serait facile à arranger, contrairement à Ted et moi.

Ses traits se tordirent et il fit un effort visible pour contenir ses émotions.

— Vous êtes sûrs ?

— Il y avait le sang de votre femme dessus.

— Je vois.

Russell Lennox détourna la tête.

— Je ne peux pas le regarder plus longtemps.

Munster remit en route l'enregistreur.

— On a bien travaillé, dit-il. Les choses ont changé. Bon, c'est ta dernière chance de coopérer. Tu la tiens d'où, cette roue ?

Hunt leur décocha tour à tour un regard.

— Je l'ai dit. De Dave.

— Très bien. On arrête avec ces conneries.

Munster se leva et quitta la pièce. Hunt regarda Riley.

— Qu'est-ce que j'ai dit ?

— Il est fâché, répondit Riley. À ta place, j'éviterais de le fâcher.

— Ta gueule, connard, rétorqua Hunt. C'est une ruse pour que je m'imagine soudain que t'es mon pote ?

— Je disais ça comme ça, c'est tout...

Quelques instants plus tard, Munster revenait dans la pièce accompagné de Karlsson. Il rapprocha une chaise et tous deux prirent place. Munster posa un dossier cartonné marron, fermé, sur la table, et dévisagea Hunt.

— Signalons que l'inspecteur divisionnaire Karlsson vient de se joindre à l'interrogatoire, déclara-t-il. William Hunt, la prochaine fois qu'il te prendra l'envie de nettoyer du sang sur l'arme d'un crime, je te conseille de la balancer au lave-vaisselle, simplement. Quand on la rince à l'eau courante, on en laisse toujours un peu. Ce que tu as fait.

— Je ne vois pas de quoi vous parlez.

— Russell Lennox l'a identifié. Il était posé sur le manteau de leur cheminée, en guise de déco. Une belle pièce, bien dense et lourde. Il y a trois jours, elle a servi à porter un coup fatal à une certaine Ruth Lennox. On a pu établir que tu t'étais débarrassé d'objets dérobés sur les lieux. L'arme du crime a été trouvée dans un appartement où tu séjournes. Tu as reconnu avoir tenté de la laver et elle comporte tes empreintes. Nous nous apprêtons à t'inculper du meurtre de Ruth Lennox, comme du cambriolage. Alors, Mr Hunt, as-tu quelque chose à nous dire ? Tu nous faciliterais grandement la tâche si tu admettais simplement les faits. Signe une déposition et le juge se montrera un poil compatissant.

Un long silence s'abattit.

— Il n'y a jamais eu de Dave, reconnut Hunt.

— Évidemment qu'il n'y a jamais eu de Dave, pesta Munster. Et ?

— Très bien, admit-il. Je suis l'auteur du cambriolage.

Nouveau silence.

— Et ? Ruth Lennox, alors ?

— Vous ne me croirez pas, répondit Hunt.

— Te croire ? s'énerva Munster. Tu mens comme un arracheur de dents depuis qu'on t'a trouvé. Crache le morceau, c'est tout.

S'abattit un nouveau silence, encore plus long que le précédent. Riley eut le sentiment que Hunt se livrait à un calcul mental d'une grande complexité.

— C'est moi qui ai cambriolé, lâcha-t-il enfin, mais je ne l'ai jamais tuée. Je l'avoue, j'ai forcé la fenêtre, je suis entré, j'ai pris les trucs dans la cuisine. Mais je ne suis resté qu'une minute. L'alarme hurlait et j'étais à la bourre. Je suis passé à côté et elle était par terre. Je me suis tiré, c'est tout.

— Tu ne t'es pas simplement tiré, corrigea Munster.
On t'a trouvé avec l'objet qui a servi à la tuer.

— Je l'ai ramassé en sortant.

Karlsson se leva.

— OK, il est maintenant établi que tu étais sur les
lieux du crime, et que tu as menti tout du long. Ce
coup-ci, t'es bon pour la taule.

Il hocha la tête à l'adresse de Munster.

— Reste plus qu'à régler la paperasse.

Neuf

Si le bruit de perceuse avait cessé, il était remplacé par les coups du marteau, qui, non contents d'être assourdissants, faisaient trembler la maison. Frieda prépara du thé pour Josef afin que le vacarme cesse quelques minutes. Josef s'assit sur les marches et nicha son mug au creux de ses grandes mains sales.

— Pour les bases, c'est une bonne maison, déclarat-il. Les murs sont sains, bonnes briques. Laissez-moi six mois pour virer la merde, tous les plâtres et...

— Non, non, non, n'y pensez même pas !

— Quoi ?

— Six mois. Ces mots me terrifient.

— Pour dire, juste. Je parlais, c'est tout.

— Très bien, et puisque nous « parlions, c'est tout », j'avais cru comprendre que vous alliez installer une nouvelle baignoire. J'entends beaucoup cogner, la salle de bain a l'air en cours de démolition et il n'y a nulle trace d'une baignoire.

— Tout va bien. Je fais tout, j'arrange tout impec'. Ensuite, à la fin, on remet la baignoire. Clic clic, en un clin d'œil.

Soudain retentit la version électronique d'un vieux tube que Frieda ne put identifier au juste. Elle prit le téléphone de Josef sur la table à côté d'elle et lui tendit l'appareil. Mais à la vue du nom qui clignotait sur l'écran – Nina –, il secoua la tête.

— C'est quelqu'un que vous évitez ? s'enquit Frieda. Josef sembla gêné.

— Quelqu'un que je vois un peu. Mais elle arrête pas d'appeler.

— D'une manière générale, il est préférable de dire aux gens ce qu'on ressent, suggéra Frieda. Mais je ne vais pas vous donner de conseils sur quoi que ce soit, si ce n'est vous recommander de finir cette salle de bain.

— D'accord, d'accord, répondit Josef. Il remit son mug à Frieda et regagna l'étage.

Une fois seule, Frieda avala deux paracétamols avec de l'eau, puis elle s'attaqua à ses mails profession-nels. Elle supprima la plupart des messages, quand elle ne les ignora pas. Mais il y en avait un de Paz au centre médicosocial pour lequel elle travaillait régulière-ment. Elle demandait si Frieda pouvait l'appeler. Et un autre, qui la fit hésiter. Il émanait d'une certaine Marta, qui écrivait de la part de son vieil ami, égale-ment patient de Frieda, Joe Franklin. Marta s'excusait profusément : Joe ignorait qu'elle écrivait et elle se sentait coupable d'agir ainsi – mais Frieda avait-elle la moindre idée de la date à laquelle elle reprendrait le travail ? Joe refusait de voir le thérapeute qu'elle avait recommandé, et il n'allait pas bien. Il n'était plus sorti de son lit depuis plusieurs jours.

Frieda songea à son médecin et à ses amis, qui insis-taient tant pour qu'elle ne se remette pas au travail avant plusieurs semaines encore. Elle revit Joe Fran-klin assis dans son cabinet, la tête entre les mains, les larmes roulant entre ses doigts. Elle fronça les sour-cils et rédigea un message : « Cher Joe, je peux vous voir à l'heure habituelle demain, mardi, si cela vous convient. Dites-moi. Cordialement, Frieda Klein. »

Puis elle s'empara du téléphone et appela l'Entrepôt, ainsi qu'on nommait le centre. Paz répondit et lui demanda aussitôt comment elle allait, et où en était sa santé, comme tout le monde ces jours-ci. C'était comme un obstacle qu'elle n'en finissait plus de franchir, encore et encore.

— Reuben s'inquiète pour toi, dit Paz. On s'inquiète tous.

Reuben était l'homme qui avait fondé l'Entrepôt. Jeune homme, il avait plaidé avec charisme en faveur d'une nouvelle forme de thérapie, et avait été le superviseur de Frieda. Ces temps-ci, il était plutôt abattu et désabusé.

— Et ?

— Je voulais savoir comment tu allais. Quelqu'un nous a contactés, il souhaitait te voir. Je veux dire, un patient. J'ai répondu que tu étais souffrante.

— Pour l'amour du ciel, Paz, tu pourrais arrêter de te répandre au sujet de ma santé ?

— Mais il a supplié, il avait l'air désespéré.

— Je vais l'appeler.

— T'es sûre de toi, là ?

— C'est plutôt ne pas travailler qui me pose un problème.

Il s'appelait Seamus Dunne. Quand Frieda composa son numéro, il répondit aussitôt. Elle se présenta.

— Je ne vous dérange pas ?

— Non, ça va.

Soudain, il parut tendu.

— Ainsi, vous voulez venir me voir ?

— Oui, en effet. Je crois que... j'ai le sentiment que ça presse. J'aimerais que ce soit aussi vite que possible.

— Comment avez-vous eu mon nom ?

— C'est un ami d'ami qui vous a recommandée, répondit Seamus, en termes très élogieux.

— On peut se voir pour une séance d'évaluation préliminaire, répondit Frieda. Comme ça, vous pourrez décider si je suis la personne qui vous convient, et moi, décider si je me crois en mesure de vous aider. Ça vous va ?

— Parfait.

— Vous pouvez venir à 11 heures demain matin ?

— Oui. (Il y eut une pause.) Vous trouverez mon cas très intéressant, je pense.

Une vilaine petite migraine monta insidieusement dans la tempe de Frieda. Présomptueux... Ce n'était pas un bon début.

Seamus Dunne était un jeune homme, mince et soigné, aux traits réguliers et aux cheveux bruns, brillants, plaqués en arrière. Il portait une veste de couleur foncée, bien coupée, un pantalon de velours noir et une chemise violette chatoyante. Frieda se demanda combien de temps il avait mis à se préparer pour leur entretien. Il avait une poignée de main ferme, quoique légèrement moite, et une élocution saccadée, emphatique. Son sourire, quand il l'affichait, semblait déconnecté de ses propos. Il employait son nom un peu trop souvent.

— Alors, Frieda, ça marche comment, cette affaire ? demanda-t-il, après avoir pris place face à elle et posé ses mains à plat sur ses genoux.

— J'aimerais avoir quelques renseignements à votre sujet, et ensuite, que vous me disiez pourquoi vous êtes ici.

— Des renseignements. Bien. Âge, profession, le genre de trucs qu'on indique sur un formulaire ?

— Très bien.

— J'ai 27 ans. Je suis dans la vente et le marketing, et très bon dans ce domaine. J'obtiens des gens qu'ils achètent des trucs dont ils n'avaient absolument aucune envie jusque-là. Peut-être cela vous paraît-il répréhensible, Frieda, mais bon, c'est ainsi que va le monde. On ne trouve pas ce dont ont besoin les gens, pour le leur donner ensuite, on crée un besoin chez eux, que l'on comble.

— Vous vivez à Londres ?

— Oui, à Harrow.

— Parlez-moi un peu de votre famille.

— Mon père est mort quand j'avais 17 ans. Ça ne m'a rien fait. Il était nul, de toute façon, et m'a toujours eu en grippe. J'étais content quand il est parti. Ma mère, c'est autre chose. Elle m'adore. Je suis le petit dernier de la famille. J'ai deux sœurs plus âgées, et il y a un grand écart entre elles et moi. Elle me fait encore mes lessives, vous pouvez le croire ? Et je déjeune toujours chez elle le dimanche, en tête à tête.

— Vous vivez seul ?

— Ça dépend... J'aime bien être seul. Je ne souffre pas de solitude et j'ai plein d'amis.

Il se tut un instant, lui adressa un bref sourire puis reposa les yeux sur ses mains.

— Et de petites amies. Les femmes m'aiment bien, apparemment. Je sais comment les rendre heureuses.

— Et vous le faites ?

— Hein ?

Il fut désarçonné, un instant.

— Vous les rendez heureuses ?

— Oui. Je disais ça comme ça... Pendant un moment, mais c'est que je ne veux pas d'attache, vous voyez. Je ne suis pas du genre fidèle. Je veux du changement, de l'excitant. J'aime sentir mon cœur battre. Je volais quand j'étais petit, pour le plaisir, ça vous choque ?

— Je devrais l'être ?

— J'en sais rien. Enfin bref, c'est la même chose avec les femmes. J'aime les débuts, la chasse. C'est pour ça que je suis bon dans mon boulot, aussi, j'adore convaincre les gens d'acheter des choses dont ils n'ont pas besoin, j'adore faire en sorte que les femmes me désirent. Il n'y a qu'avec maman que je suis calme et normal.

Frieda l'observa attentivement. Il y avait des perles de sueur sur son front, alors qu'il régnait une température plutôt fraîche dans la pièce.

— Si votre vie vous plaît tant, que faites-vous ici, avec moi ?

Seamus se redressa et prit une inspiration.

— J'aime dominer les gens.

Elle le vit déglutir et, quand il reprit la parole, c'était plus lentement, comme s'il soupesait chaque mot.

— Je me rappelle, quand j'étais petit, je coupais les cheveux de mon père. Mon père était grand, bien plus grand que je ne le suis, et costaud. Il avait le cou fort et les épaules larges et, à côté de lui, je me sentais tout petit. Mais de temps à autre, j'avais une paire de ciseaux aiguisés à la main, et il fermait les yeux et me laissait lui couper les cheveux, par petits coups, comme ça...

Il se tut un instant, comme s'il ravivait quelque souvenir.

— Je peux me rappeler l'humidité de ses cheveux, leur odeur, ou ce que ça faisait de passer mes doigts dedans, de sentir la peau en dessous. Quand il me laissait les toucher, je savais qu'il se soumettait à mon emprise. J'entends encore le bruit des lames. J'aurais pu le tuer avec ces ciseaux. Je le dominais, et ça me procurait un sentiment de force et de tendresse à la fois, le fait de prendre soin de lui avec un objet qui aurait pu le blesser.

Il s'obligea à rouvrir les yeux et croisa le regard de Frieda. Il sembla soudain plus hésitant.

— Je suis désolé, quelque chose ne va pas ?

— Pourquoi dites-vous ça ?

— Vous avez l'air, euh.. j'sais pas moi, perplexe ?

— Poursuivez, dit-elle. Qu'alliez-vous ajouter ?

— Je faisais du mal aux animaux, reprit-il. Ça me procurait la même sensation. Des petits animaux, surtout, les oiseaux, les insectes, mais quelquefois des chats, un chien une fois. Et aujourd'hui, les femmes.

— Vous aimez faire du mal aux femmes ?

— Elles aussi, elles aiment ça, pour la plupart.

— Vous voulez dire, leur faire du mal sexuellement ?

— Ben oui. Ça fait partie du sexe, non – se faire du mal, se donner du plaisir, provoquer de la douleur et de la jouissance, montrer qui est le maître ? Mais aujourd'hui... ben aujourd'hui, j'ai rencontré une femme, Danielle. Elle dit que je suis allé trop loin. Je lui ai fait peur en faisant ce que j'ai fait. Elle dit qu'elle ne veut plus me revoir tant que je n'aurai pas consulté quelqu'un.

— Vous voulez dire que vous êtes ici parce que Danielle vous a demandé de venir ?

— Oui.

— Vraiment ?

— Vous ne me croyez pas ?

— Ce qui m'intrigue, c'est que vous vous décrivez comme quelqu'un qui aime dominer autrui, mais vous avez écouté Danielle, vous avez réagi à son inquiétude et vous avez pris les mesures appropriées.

— Elle pense que je pourrais faire quelque chose... enfin, quelque chose qui risque de m'attirer des ennuis. Pas que tuer un chat. Et elle a raison. Je le pense aussi.

— Vous êtes en train de me dire que vous vous inquiétez à l'idée de blesser sérieusement quelqu'un ?

— Oui.

— Et c'est tout ce que vous avez à me dire ?

— *Tout ?* Ça ne suffit pas ?

— À part les inquiétudes de Danielle, que vous partagez, y a-t-il autre chose qui vous tracasse ?

— Ben...

Il remua dans son fauteuil, décocha un regard en biais avant de la fixer à nouveau.

— Je dors pas trop bien.

— Continuez.

— Je m'endors sans difficulté mais après je me réveille, et parfois ça va, d'autres fois, je sais que je n'arriverai pas à me rendormir. Je reste étendu, à penser à des trucs.

— Des trucs ?

— Vous savez... Même les choses insignifiantes prennent de l'ampleur à 3 heures du matin. Mais tout le monde peut souffrir d'insomnie. Et j'ai un peu perdu l'appétit, aussi.

— Vous ne mangez pas convenablement ?

— C'est pas pour ça que je suis là.

Soudain, il semblait furieux.

— Je suis ici à cause de la violence de mes sentiments. Je veux que vous m'aidiez.

Frieda était assise bien droite dans son fauteuil rouge. Le soleil se déversait par la fenêtre, inondait de ses rayons la pièce où elle disait à ses patients qu'ils pouvaient tout lui dire, absolument tout. Ses côtes lui faisaient mal et sa jambe la lançait.

— Non, répondit-elle enfin.

— Pardon ?

— Je ne peux pas vous aider.

— Je ne comprends pas. Je viens vous dire que je risque de blesser gravement quelqu'un et vous me répondez que vous ne pouvez pas m'aider.

— C'est bien ça. Je ne suis pas la personne indiquée.

— Pourquoi ? Vous êtes spécialiste de ce genre de cas... J'ai entendu parler de vous. Vous comprenez les gens comme moi.

Frieda songea à Dean Reeve, l'homme qui avait kidnappé une petite fille pour en faire son épouse soumise, qui avait enlevé un petit garçon et tenté d'en faire son fils, qui, à la suite d'une négligence de Frieda, s'était emparé d'une jeune femme et l'avait assassinée pour la seule raison qu'elle s'était trouvée en travers de son chemin, et qui était toujours en vie quelque part, avec son sourire doucereux et son regard insistant. Elle repensa au couteau qui l'avait lacérée.

— Ça veut dire quoi, les gens comme vous ? demanda-t-elle.

— Vous savez bien... les gens qui font des trucs pas bien.

— Vous avez fait des trucs pas bien ?

— Pas encore, mais je les sens en moi. Je ne veux pas les laisser sortir.

— Il y a un paradoxe, ici, fit remarquer Frieda.

— Quoi donc ?

— Le fait que vous me demandiez de l'aide suggère que vous n'en avez pas réellement besoin.

— Je ne comprends pas ce que vous voulez dire.

— Vous vous inquiétez à l'idée d'être violent, de manquer d'empathie. Mais vous écoutez Danielle, et vous demandez de l'aide. Ce qui démontre que vous êtes capable de discernement.

— Et ces animaux torturés, alors ?

— Il ne faut pas le faire, mais vous avez dit que c'était il y a longtemps, donc : ne le refaites plus.

Il y eut une pause. Il semblait perdu.

— Je ne sais pas quoi répondre.

— Que diriez-vous de : « au revoir » ?

Seamus partit et Frieda alla se poster à sa fenêtre, jetant un regard vide sur le chantier de l'autre côté de la rue. Un temps, des maisons s'étaient dressées là, avant qu'un boulet de démolition ne défonce leurs murs, les réduisant en poussière, et que les pelleteuses et les grues aient fait leur apparition au milieu des décombres. Pendant un moment, c'était devenu un chantier de construction, avec des petits bâtiments préfabriqués et des hommes coiffés de casques buvant leur thé. Des palissades avaient été érigées tout autour, annonçant la livraison imminente d'un immeuble de bureaux flambant neuf. Mais ensuite, le travail avait cessé : c'était la crise, après tout. Les hommes étaient repartis avec leurs pelles mécaniques, même s'il restait une grue courte, toute seule au milieu de l'espace. Les herbes folles et les buissons avaient poussé là où apparaissaient autrefois les décombres. Désormais, la friche était livrée à elle-même. Des enfants y jouaient, des sans-abri y dormaient à l'occasion. Frieda surprenait parfois des renards rôdant au milieu des ronces. Peut-être que ça resterait comme ça, se dit-elle, pour rappeler aux gens que même dans une grande ville telle que Londres, certaines choses doivent rester malgré tout hors de contrôle, imprévisibles, dispersant des orties, des fleurs sauvages et même quelques légumes folâtres, tenaces survivants de jardins aujourd'hui démolis.

Non. Elle ne pouvait pas aider Seamus Dunne, même si l'image qu'elle avait de lui en train de couper les cheveux de son père s'attardait en elle, que les lames luisantes s'ouvraient et se refermaient dans son esprit.

Frieda chérie, je comprends bien que tu ne puisses pas faire de projets pour l'instant. N'en fais pas sans moi, c'est tout, promis ? Je suis allé voir des tableaux étonnamment violets aujourd'hui, et j'ai acheté des plants d'herbes pour le balcon – même si j'ignore s'ils survivront au froid glacial qui fend cette ville comme un couteau. Il me semble que tu pourrais finir par aimer la vie, ici. En tout cas, cela t'amuserait de te fondre dans la foule et cet univers singulier. Certains jours je crois apercevoir ton visage dans la rue. Une certaine façon de relever le menton. Une écharpe rouge. Mon cœur chavire. J'ai beau être entouré de gens que j'apprécie, je me sens seul sans toi. Tendresses, Sandy xxxxx

Dix

Jim Fearby ne renonçait jamais : son entêtement était un don et une malédiction. Il ne pouvait s'en empêcher, c'était dans sa nature.

À l'âge de 10 ans, durant un voyage scolaire, il avait assisté à une démonstration expliquant comment faire un feu sans allumette. Ça semblait simple, à voir l'homme en veste de treillis : une planche avec une encoche taillée dedans, un long bâton, une poignée d'herbes et d'écorces sèches, une minute à peine passée à rouler la toupie fusiforme entre ses deux paumes, et une braise avait atteint le nid de petit bois, sur laquelle il avait doucement soufflé afin d'obtenir une flamme. Un à un, les élèves de la classe avaient tenté de faire de même et, l'un après l'autre, ils avaient échoué. À son retour, Fearby avait passé des heures à rouler un bâtonnet entre ses paumes au point qu'elles en étaient irritées et couvertes de cloques. Jour après jour, il s'était accroupi dans leur petit jardin, le cou endolori et les mains traversées d'élancements, jusqu'au moment où une braise avait rougeoyé sous la pointe de son bâton.

La mère de Fearby, désormais décédée de longue date, avait toujours déclaré non sans fierté que son fils était la personne la plus têtue qu'elle connaissait. Sa femme y voyait une forme d'obstination forcenée. «On dirait un chien sur un os», disait-elle. «Tu ne peux jamais lâcher l'affaire.» Ses collègues journalistes disaient la même chose, tantôt avec admiration, tantôt avec incrédulité voire mépris et, plus récemment, en secouant la tête : ce vieux Jim Fearby et ses convictions... Fearby se contrefichait de ce qu'ils pensaient. Il se contentait de filer sa quenouille, en attendant que prenne une nouvelle braise.

Il en avait été de même avec George Conley. Personne ne s'était plus soucié de Conley et l'on ne semblait même plus voir en lui un être humain, mais il avait provoqué une étincelle chez Fearby, qui avait assisté à son procès de bout en bout. C'était la passivité de Conley qui le touchait : on aurait dit un chien battu attendant le prochain coup avec résignation. Il ne comprenait pas ce qui lui arrivait, il ne semblait pas s'en étonner non plus. Sans doute avait-il été malmené et raillé toute sa vie : il ne nourrissait plus assez d'espoir pour se défendre. Fearby n'employait jamais le mot «justice» – ronflant pour un vieux journaleux comme lui – mais il ne lui semblait pas juste que ce pauvre homme replié sur lui-même n'ait personne à ses côtés pour plaider sa cause.

La première fois que Jim Fearby avait rendu visite à George Conley en prison, il y a des années de ça, en 2005, il en avait fait des cauchemars. La prison de Mortlemere, située dans le Kent, sur l'estuaire de la Tamise, n'était pas si épouvantable que ça et Fearby ne savait pas au juste ce qui l'avait touché à ce point. Peut-être les visages résignés, las, des femmes et des enfants dans la salle d'attente. Il avait écouté leurs accents : certains d'entre eux étaient originaires de l'autre bout du pays. Peut-être l'odeur d'humidité et de désinfectant, et il n'avait cessé de se demander quelles odeurs on cherchait à masquer. Mais, et c'en était presque gênant, c'étaient surtout les serrures et les barreaux, les hauts murs et le barbelé. Il s'était senti comme un enfant qui n'aurait jamais vraiment compris en quoi consistait une prison. La véritable punition, c'est que les portes sont closes et qu'on ne peut pas sortir librement.

Durant le procès, Conley, si petit et pitoyable, était demeuré interdit, presque comme absent, face à tant d'attention. Quand Fearby l'avait rencontré pour la première fois en prison, il était livide et complètement abattu. « Ce n'est que le début, » lui avait dit Fearby, mais c'est tout juste s'il avait entendu.

Mortlemere était situé à côté d'une réserve ornithologique, avait vu Fearby sur sa carte routière. Après sa visite, il avait garé sa voiture et suivi un sentier longeant la mer, surtout pour que le vent froid venu du nord le débarrasse de cette odeur de prison nauséabonde. Mais cela n'avait pas suffi à le délivrer de cette puanteur et, cette nuit-là, comme plusieurs nuits par la suite, il avait rêvé de portes et de barreaux métalliques, de serrures et de clés égarées, d'enfermement, il avait tenté de regarder le monde extérieur au travers de vitres si épaisses qu'on ne distinguait rien, si ce n'est des formes troubles.

Durant les années qui avaient suivi, et tout en rédigeant des articles et finalement son livre, *Justice aveugle*, il avait rendu visite à Conley dans diverses prisons un peu partout en Angleterre, au nord dans le Sunderland, au sud dans le Devon, près d'une sortie de la M25. Aujourd'hui, en allant le voir à la prison Haston, dans les Midlands, Fearby prêta à peine attention au décor. Le parking, le bureau d'inscription, la traversée des multiples portes de l'entrée étaient devenus une routine, plus irritante que traumatisante. Les gardiens de prison le connaissaient, ils savaient ce qu'il faisait là et, surtout, faisaient preuve de bienveillance – envers lui comme envers Conley.

Au fil des ans, Fearby avait entendu parler de détenus qui s'étaient servis de la prison comme d'une sorte d'école. Ils avaient appris à lire, ils avaient passé leur baccalauréat et des diplômes. Mais Conley n'avait fait que prendre du poids, devenir plus pâle, plus triste, plus désabusé. Ses cheveux bruns étaient gras et ternes, il avait une longue cicatrice irrégulière au coin de l'œil, stigmate résultant d'une agression dans la queue de la cantine. Cela s'était produit peu après la condamnation, quand il faisait constamment l'objet de menaces et de maltraitances. On le bousculait dans le couloir, on gâchait ses repas. Pour finir, il fut mis à l'isolement pour son propre bien. Mais peu à peu les choses changèrent, à mesure qu'on soulevait des questions, que la campagne commençait, largement initiée puis relayée par Jim Fearby. Ses compagnons de prison le laissèrent peu à peu tranquille puis devinrent ouvertement amicaux. Ces dernières années, même les gardiens de prison s'étaient montrés plus indulgents.

Fearby s'assit en face de Conley comme il l'avait fait tant de fois auparavant. Conley était devenu si gros que ses yeux injectés de sang disparaissaient presque dans les replis de chair. Il n'arrêtait pas de se gratter nerveusement le dessus de la main gauche. Fearby se força à sourire. Tout était en bonne voie, ils étaient en train de gagner. Ils avaient tous les deux des raisons d'être heureux.

— Diana est-elle venue vous voir ? s'enquit-il.

Diana McKerrow était l'avocate qui avait pris la relève de l'affaire Conley lors du dernier appel. Au début, Fearby avait étroitement collaboré avec elle. Après tout, il en savait plus sur ce dossier que n'importe qui d'autre au monde. Il connaissait les maillons faibles, toutes les personnes impliquées. Mais à mesure qu'avançait la procédure, elle avait cessé de l'appeler, elle était devenue plus difficile à joindre. Fearby s'efforçait de ne pas s'en faire. Seul importait le résultat, se disait-il.

— Elle a appelé, répondit Conley, qui ne regardait jamais Fearby droit dans les yeux.

— Elle vous a parlé du pourvoi en cassation ?

Fearby s'exprimait lentement, scindant avec soin chaque mot, comme s'il s'adressait à un petit enfant.

— Ouais, je crois bien.

— Ce sont de bonnes nouvelles, assura Fearby. Ils ont toutes les infos sur l'interrogatoire illégal.

Conley resta impassible.

— Quand la police vous a embarqué, ils ne vous ont pas interrogé dans les règles. Ils ne vous ont pas lu vos droits. Ils n'ont pas expliqué les choses comme ils auraient dû le faire. Ils n'ont pas prêté attention à votre...

Fearby s'interrompit. À la table d'à côté, un homme et une femme se faisaient face, sans dire un mot.

— ... à vos besoins particuliers, reprit Fearby. C'est suffisant, en soi, pour casser la sentence. Mais ajouté aux détails de votre alibi supprimés par l'accusation...

Fearby s'interrompit. Il voyait bien, au regard vide de Conley, qu'il avait perdu son attention.

— Mais inutile de vous noyer dans les détails, dit Fearby. Je voulais juste venir vous dire en personne que je sais ce que vous avez enduré toutes ces années. Toutes ces histoires, toute cette merde. Je ne sais pas comment vous avez fait. Mais vous devez juste tenir encore un tout petit peu, être fort, et tout ira bien. Vous entendez ce que je vous dis ?

— ... ira bien, répéta Conley.

— Cela dit, continua Fearby, je voulais ajouter que c'est une bonne chose, mais que ce sera dur, aussi. Quand on obtient la libération conditionnelle, on y est préparé pendant des mois. On a droit à des sorties, genre euh... des promenades dans les parcs, des virées au bord de la mer, vous voyez. Ensuite, quand on est sorti, on doit rester dans un centre de transition où l'on vérifie qu'on va bien. Vous en avez entendu parler, n'est-ce pas ?

Conley hocha la tête. Fearby n'arrivait pas à deviner s'il suivait vraiment ce qu'il racontait.

— Mais ça ne sera pas comme ça pour vous. Si la cour de cassation casse le verdict, vous serez libre dans la minute qui suit, en franchissant la porte. Ça sera difficile, il faut vous y préparer.

Fearby guettait une réaction, mais Conley semblait juste interdit.

— Si je suis venu aujourd'hui, c'est simplement pour vous dire que je suis votre ami, comme je l'ai toujours été. Quand vous serez sorti, peut-être aurez-vous envie de raconter votre histoire. Des tas de gens seraient intéressés par ce que vous avez traversé. C'est l'éternel mythe du triomphe face à l'adversité. C'est mon domaine, et vous aurez envie de coucher sur le papier votre version des faits, parce que, si vous ne le faites pas, d'autres le feront pour vous. Je peux vous aider. J'ai suivi votre histoire depuis le début, alors que personne d'autre ne croyait en vous. Je suis votre ami, George, si vous voulez de l'aide pour raconter ce que vous avez vécu, je peux faire ça pour vous.

Fearby marqua une pause, mais la réaction ne venait toujours pas.

— Vous avez ce qu'il vous faut en ce moment ? Je peux vous rapporter quelque chose ?

Conley haussa les épaules. Fearby prit congé et ajouta qu'il le recontacterait sous peu. Autrefois, il serait rentré chez lui d'une traite, quelle que soit l'heure, mais depuis que sa femme l'avait quitté et que les enfants étaient partis, il en profitait généralement pour faire une escapade. Malgré les plaisanteries des gens au sujet des hôtels dans les stations-services, ceux-ci lui convenaient. Il avait fait une bonne affaire dans celui-là. Trente-deux livres cinquante, parking gratuit, café et thé dans la chambre, télé couleur, propre. Mis à part le couvre-siège en papier sur la lunette des WC, rien n'indiquait que quiconque ait jamais dormi là à part lui.

Il avait les bagages habituels : sa valisette, son ordinateur portable, et le sac contenant les dossiers. Les vrais se trouvaient chez lui, à son domicile. Ils remplissaient l'essentiel de son bureau. Ceux-ci concernaient ses sources : les principaux noms et numéros, les faits, quelques photos et dépositions. Comme toujours, son premier geste fut de s'emparer du dossier mauve en cours dans le sac et de l'ouvrir sur le petit bureau situé à côté de la télévision couleur. Pendant que la mini-bouilloire commençait à chauffer, il prit une nouvelle feuille de papier réglé, nota en haut la date et l'heure du rendez-vous et consigna tout ce qui avait été dit.

Quand ce fut terminé, il se prépara une tasse de café instantané et sortit un biscuit de son emballage plastique. C'est alors qu'il se remémora sa première visite à Conley, à la prison de Mortlemere. « Ce n'est que le début », avait-il dit, « pas la fin ». Il regarda le dossier, il songea à la pièce qui en était pleine chez lui. Il songea à son mariage, aux querelles, aux silences, puis à la fin. Elle avait paru soudaine, mais il s'était avéré que Sandra la préparait depuis des mois, elle avait trouvé un nouvel appartement et consulté un avocat. « Que feras-tu quand ce sera fini ? » avait-elle dit – en évoquant non leur mariage, mais cette affaire, au temps où ils parlaient encore de ce genre de choses. C'était plus une accusation qu'une question, parce qu'on n'en a jamais vraiment fini, en fait. Il s'était dit qu'il pourrait sortir une nouvelle édition de son livre si Conley était acquitté. Mais cela ne lui semblait plus souhaitable à présent. L'ouvrage n'était qu'une suite de démonstrations négatives : pourquoi ce n'était pas arrivé, pourquoi ce n'était pas vrai, pourquoi cela induisait en erreur.

La question, aujourd'hui, était différente et nouvelle : si George Conley n'avait pas tué Hazel Barton, qui l'avait fait ?

Onze

— Les Nordiques, dit Josef, ils boivent tous pareil.

— Comment ça, ils boivent tous pareil ?

Josef conduisait Frieda à son rendez-vous dans sa vieille camionnette. Ils étaient en route pour Islington parce que Olivia avait téléphoné dans un état quasi hystérique pour dire que le lavabo de la salle de bain du haut avait été arraché du mur durant la fête et qu'elle avait besoin de le faire réparer de toute urgence. Et que plus jamais, de la vie, elle n'inviterait d'adolescents sous son toit. Josef avait accepté d'abandonner temporairement son chantier de salle de bain chez Frieda pour prêter main-forte à Olivia. Frieda ressentait quelque chose d'étrangement ambigu vis-à-vis de la situation. D'un côté, il y avait Josef, interrompant son chantier chez elle sans contrepartie, juste pour aider sa belle-sœur. Pas sans contrepartie, non : Frieda insisterait sur ce point, même si elle devait régler elle-même l'intervention. D'un autre côté, il était tout le temps sous son toit, qui avait cessé d'être son refuge. Et chaque fois qu'elle regardait ce qui avait un temps été sa salle de bain, son état semblait s'aggraver plutôt que s'améliorer.

— Dans le Sud, ils boivent du vin et tiennent debout. Dans le Nord, ils boivent des alcools blancs et s'écroulent.

— Vous voulez dire qu'ils boivent pour s'enivrer.

— Pour oublier les soucis, noyer le chagrin, fuir la nuit.

Josef fit un brusque écart pour éviter un homme qui s'était engagé tout à trac sur la chaussée, les oreilles engoncées dans un énorme casque audio jaune.

— Et donc, à cette fête, il y avait beaucoup de gens qui buvaient de l'alcool blanc et qui s'écroulaient ?

— Ils apprennent trop jeunes – Josef poussa un gros soupir sentimental avant de compléter – la position latérale de sécurité.

— C'est assez inquiétant.

— Non, non. C'est la vie, c'est tout. Les gens se battent, ils dansent, s'embrassent, se prennent dans les bras, parlent de leurs rêves, cassent des trucs, sont malades.

— Tout ça en quelques heures.

— Ça n'a pas été très bon moment pour Chloë.

— Ah bon ?

— Elle n'arrêtait pas d'essayer de ranger le désordre. Personne ne devrait nettoyer avant la fin de la fête. Sauf le verre brisé.

Josef arriva à la hauteur de la maison d'Olivia et ils descendirent de la camionnette. Olivia ouvrit la porte avant que Frieda ait sonné. Elle portait une robe de chambre pour homme et affichait un air tragique.

— J'ai dû me recoucher, déclara-t-elle. Tout est dans un tel état...

— C'était déjà le bazar avant, répliqua Frieda. Tu as dit que tu ne remarquerais même pas s'il y en avait un peu plus.

— J'avais tort. Il n'y a pas que le lavabo. Ma lampe bleue est cassée. Ma brouette est pulvérisée parce qu'ils ont essayé de voir combien de personnes on pouvait mettre dedans tout en la soulevant – ça, apparemment, c'était l'idée de votre ami Jack. Il a quel âge ? Je croyais que c'était un adulte, pas un môme. Et mon beau manteau a disparu, et il y a un trou de cigarette dans le chapeau préféré de Kieran, qu'il a laissé avant de partir.

Kieran était son doux et patient petit ami – à moins qu'il ne soit désormais son ex.

— Les voisins se sont plaints des bouteilles jetées dans leur jardin et du bruit, et quelqu'un a pissé sur mon oranger décoratif dans l'entrée.

— Je vais réparer le lavabo, en tout cas, déclara Josef. Et peut-être la brouette, aussi.

— Merci, lui répondit Olivia avec ferveur.

— Ne le laisse pas embarquer le lavabo, suggéra Frieda.

— Hein ?

— C'est une blague, répondit Josef. C'est une blague de Frieda contre moi.

— Je suis désolée, Josef, ce n'est pas ce que je voulais dire.

Elle considéra la brouette.

— Il en est monté combien ?

Olivia fut secouée par un fou rire.

— Un nombre ridicule, genre sept. Debout. Une chance que personne ne se soit tué.

Même s'il s'était écoulé des jours depuis, le sol collait toujours aux semelles. Des tableaux pendaient de travers au mur, une odeur d'alcool douceâtre flottait dans les airs, et Frieda vit des traînées sales sur les peintures et de la crasse sur le tapis de l'escalier.

— C'est comme dans un de ces livres pour enfants : repérez l'objet caché, commenta Olivia en indiquant un verre dans une chaussure. Je n'arrête pas de trouver des trucs invraisemblables.

— Vous voulez dire : des préservatifs ? demanda Josef.

— Non ! Oh, mon Dieu, que s'est-il passé que j'ignore ?

— Non, non, tout va bien. Je monte.

Il gravit les marches quatre à quatre, sa sacoche à la main.

— Allons boire quelque chose, proposa Olivia en précédant Frieda dans la cuisine. Pardon ! Je ne savais pas que tu étais rentrée de l'école.

Chloë était attablée, face à une longue silhouette dégingandée, débraillée : une touffe de cheveux gras, d'un blond sale, des pieds chaussés de baskets aux lacets défaits, un jean glissant sur son corps frêle. Il tourna la tête et Frieda vit un visage fin, livide, des yeux creusés. Il semblait malheureux et lessivé. C'était Ted, le garçon pris de haut-le-cœur au-dessus de la cuvette des toilettes la dernière fois qu'elle l'avait vu. Celui qui venait de perdre sa mère. Il croisa son regard et ses joues se couvrirent de marbrures rouges erratiques. Il marmonna quelque chose d'incohérent et s'avachit plus encore sur la table, la figure à moitié cachée par une main. Les ongles étaient rongés jusqu'au sang, et il y avait un petit tatouage – ou plus probablement, un dessin à l'encre – sur son poignet fin.

— Salut Frieda, lança Chloë. Je ne t'attendais pas. On n'a pas chimie aujourd'hui, tu sais.

— Je suis venue avec Josef.

— Le lavabo.

— Oui.

— Il ne devait pas être bien accroché, de toute façon. Il s'est arraché du mur comme ça, sans raison...

— Parce que deux personnes se sont assises dessus ! s'écria Olivia, qui baissa ensuite la voix. Tu ne me présentes pas ton ami ?

Chloë eut l'air embarrassée.

— Je te présente Ted. Ted, voici maman.

Ted lui lança un bref regard torve et réussit à marmonner un bonjour. Olivia s'approcha de lui d'un grand pas décidé, s'empara de sa main molle, réticente, et la serra fermement.

— Je suis ravie de vous connaître, déclara-t-elle. Je n'arrête pas de dire à Chloë qu'elle devrait ramener des amis à la maison. Surtout les beaux jeunes gens comme vous.

— M'man ! C'est pour ça que je le fais pas.

— Ted s'en fiche. N'est-ce pas, Ted ?

— Et voici Frieda, s'empressa d'ajouter Chloë. Ma tante.

Elle lança un regard suppliant à Frieda.

— Bonjour.

Frieda le salua de la tête. Si la chose était possible, il devint plus cramoisi encore et bégaya quelque chose d'incohérent. Elle voyait bien qu'il aurait aimé partir en courant et éviter la femme qui l'avait vu vomir – et pleurer, aussi.

— On va dans ma chambre ? suggéra Chloë à Ted, qui fit glisser de sa chaise son corps efflanqué et maladroit.

— J'ai appris, pour votre mère, lâcha Frieda. Je vous présente toutes mes condoléances.

Elle sentit Olivia se crisper. Ted la dévisagea, les pupilles immenses. Chloë saisit l'une de ses mains et la retint entre les siennes pour le réconforter. L'espace d'un instant, il sembla paralysé par ses émotions, incapable de bouger ou parler.

— Merci, dit-il enfin. C'est juste... Merci.

— J'espère que vous êtes tous convenablement soutenus.

— Hein ? siffla Olivia, alors que Chloë conduisait Ted hors de la pièce, en lançant un regard par-dessus son épaule, les yeux mouillés de larmes. Est-ce...

— L'ami dont la mère a été tuée, oui.

Olivia porta d'un geste vif sa main à sa bouche.

— Je n'avais pas fait le rapprochement. Pauvre garçon. Pauvre, pauvre garçon, quelle horrible histoire. Il est plutôt séduisant, non, dans le genre crade ? Tu crois que Chloë est amoureuse de lui ? Quel malheur. Ce qui lui est arrivé, je veux dire. Et à cet âge, en plus, non mais, t'imagine ? Allez viens, buvons.

Billy Hunt leva les yeux vers Karlsson. Ils étaient injectés de sang et lui, plus agité de tics et plus maigre que jamais, mais il ne cédait pas d'un pouce.
Karlsson poussa un soupir.
— Tu nous compliques la vie, là, et tu te la compliques aussi. Tu as reconnu l'effraction, et l'intrusion. On a établi le lien entre toi et les objets volés. On a retrouvé l'arme du meurtre avec tes empreintes dessus, ainsi que le sang de Mrs Lennox. Avoue que tu l'as fait, c'est tout.
— Sauf que je ne l'ai pas fait.
— Les jurés ne te croiront pas.
Karlsson se leva. Sa tête lui semblait prise dans un étau de fatigue et d'irritation. Dans ces conditions, ses hommes devraient passer les éléments à charge au peigne fin pour monter un dossier en béton. Le temps qu'il voulait passer en compagnie de ses enfants, Bella et Mikey, serait sacrifié pour examiner les dépositions, retourner fouiller la maison, parler aux experts pour s'assurer que les procédures avaient été correctement suivies.
— Attendez.
— Quoi ?
— Je voulais ajouter... je suis allé quelque part juste avant.
— Avant ?
— Avant... vous savez quoi.
— Dis toujours.
— Avant d'aller dans cette maison, où elle se trouvait.
— Tu veux dire, Mrs Lennox ?
— Ouais. Je suis allé ailleurs avant.
— Un endroit dont tu ne nous as pas parlé ?
— Ouais, avoua Billy qui plongea la tête avant de la relever. Vous allez comprendre pourquoi.

— Une seconde, Billy, si tu dois changer ta déposition, on doit faire les choses officiellement. Je reviens.

Dans le couloir, il croisa Riley.

— Hé, lança Riley.

— Quoi ?

— Je reviens tout juste de Margaretting Street, expliqua Riley. On a trouvé un truc. Sous le tapis. En fait, c'est moi qui l'ai trouvé. Munster a pensé que vous voudriez être au courant.

— Quoi donc ?

Riley brandit un scellé transparent. Dedans se trouvait une enveloppe usagée sur laquelle était griffonné un message, rédigé avec un crayon mal taillé.

Karlsson s'en empara et le leva à hauteur des yeux : « Coucou, Ruth, je suis là, mais où es-tu, toi ? Dans ton bain, peut-être ? Appelle-nous quand tu liras ceci, qu'on puisse boire notre thé. » À la fin, il y avait ce qui ressemblait à deux initiales emboîtées l'une dans l'autre, à moins qu'il ne s'agisse d'une signature.

— C'est quoi, ça ?

— Munster pense que c'est un « D » et un « M », mais pour moi, c'est un « O » et un « N ».

— C'est peut-être là depuis des mois. Qui s'en occupe ?

— L'inspectrice Long, m'sieur, et Munster. Mais j'y retourne tout à l'heure. Ça n'a sans doute pas tant d'importance que ça, cependant, hein, même si c'est récent ? Je veux dire, si Billy l'a tuée, peu importe l'heure exacte à laquelle elle est morte, n'est-ce pas ?

— Non, ça pourrait être important, contra Karlsson, songeur.

— Merci, y a pas de quoi, dans ce cas, lança Riley, avec un sourire réjoui.

Karlsson haussa les sourcils.

— Retournez à Margaretting Street, un point, c'est tout.

Yvette Long montra le mot à Russell Lennox, qui le dévisagea, avant de secouer la tête.

— Cette écriture ne me dit rien.

— Et les initiales ?

— Ce sont des initiales ? Ça, c'est un « G » ?

— Un « G » ?

— À moins que ce soit « Gail ».

— Vous connaissez une Gail ?

— Je ne crois pas. Ça pourrait aussi être Delia, ou même Dell. Je ne connais pas non plus de Delia, ni de Dell. À moins que ce ne soit qu'un gribouillis.

— Laquelle, parmi les amies de votre femme, avait l'habitude de passer dans la journée ?

— Oh.

Russell Lennox fronça les sourcils.

— Des tas, je ne sais pas. Elle connaissait pratiquement tout le monde dans le quartier. Il y a ses amis, et les voisins, avec lesquels elle est toujours cordiale – et elle participe à l'organisation de la fête de la rue chaque année ; en fait, ça va et vient sans cesse. Sans compter les amies qui n'habitent pas dans le coin. Elle était très appréciée, ma femme. J'ai toujours été fasciné par le nombre de gens avec lesquels elle restait en contact. Fallait voir sa liste de cartes de vœux à Noël.

Il dévisagea Yvette et secoua lentement la tête de droite à gauche.

— Je n'en reviens pas d'employer déjà le passé, dit-il. « Était. » « Elle était. » Comme si c'était arrivé il y a des années.

— Nous avons son carnet d'adresses dans son ordinateur, dit Yvette. On peut vérifier les noms. Mais si vous pensez à quelqu'un d'ici là...

— Je croyais que vous aviez coincé le type qui a fait ça ?

— On procède juste à d'ultimes vérifications, répondit Yvette.

— J'ai tâché de me rappeler les derniers mots qu'on a échangés. Je crois que j'ai dit que je rentrerais un peu plus tard que d'habitude, et qu'alors, elle m'a rappelé de ne pas oublier l'anniversaire de mon cousin.

— Ah... commenta Yvette maladroitement.

— Au début, j'ai trouvé ça trop prosaïque. Mais ça lui ressemble bien. Elle se rappelait toujours les anniversaires, les anniversaires de mariage, ce genre de truc.

— Mr Lennox...

— J'ai bel et bien oublié l'anniversaire de mon cousin, évidemment. C'était hier et je ne m'en suis pas souvenu jusqu'à maintenant.

— C'est compréhensible.

— J'imagine..., répliqua-t-il d'une voix morne.

Jennifer Wall déclara que Ruth avait été la voisine idéale, amicale sans être envahissante, toujours disposée à prêter des œufs ou du sucre ou du lait, gentille même quand l'un de ses fils avait envoyé un ballon de foot au travers de la fenêtre de la cuisine des Lennox.

Sue Leadbetter se rappelait la fois, il n'y avait pas si longtemps, où Ruth s'était occupée d'elle quand elle avait la grippe – en lui apportant des antidouleurs et des mouchoirs, allant même jusqu'à lui chercher des journaux et des magazines.

Gaby Ford raconta qu'elle croisait Ruth chaque matin ou presque quand elles partaient l'une et l'autre travailler. Elles se saluaient de la main et parfois échangeaient deux ou trois mots. Ruth avait une certaine façon, dit-elle, de lui poser une main sur l'épaule quelques minutes, qu'elle avait toujours appréciée. Elle était souvent un peu pressée mais toujours enjouée, et il en avait été de même durant les jours qui avaient précédé sa mort. Elle ne l'avait jamais connue déprimée, et elle n'avait pas l'air de boire. Ils formaient une famille si attachante. Proches, les uns des autres. On n'en croisait plus tant que ça de nos jours.

Jodie Daniels, l'une de ses plus anciennes amies, l'avait vue le week-end. Elles étaient allées ensemble à la jardinerie, puis avaient pris un café. Ruth était juste normale – naturelle, s'intéressant aux autres, un peu inquiète que Judith ne prépare pas correctement son brevet. Elles avaient discuté pour savoir si oui ou non, elle se teindrait les cheveux maintenant qu'ils grisonnaient rapidement et Ruth avait décidé que non. Elle avait dit qu'elle voulait vieillir avec dignité. Oh, mon Dieu...

Graham Walters avait heurté la voiture de Ruth, deux jours avant sa mort, et l'avait rayée. Elle s'était montrée incroyablement compréhensive, ce qui lui ressemblait bien. C'était la dernière fois qu'il l'avait vue.

Elle s'était penchée et avait caressé le chien d'Elspeth Weaver le matin de sa mort, avant de grimper dans sa voiture.

Elle avait fait marche arrière pour laisser passer Robert Morgan, qui arrivait dans la direction opposée.

Elle avait téléphoné ce matin-là depuis son bureau pour dire à Juliet Melchett qu'elle et Russell seraient ravis de venir à leur soirée.

À 11 heures, toujours du bureau, elle avait commandé un bouquet de fleurs chez John Lewis, à faire livrer à la tante de Russell, qui s'était cassé la hanche.

Mais aucun d'entre eux n'était allé glisser un mot dans la boîte aux lettres de la porte d'entrée.

Cependant, la chance les rattrapa enfin quand Dawn Wilmer, qui habitait à deux rues de là et dont le fils aîné était dans la même classe que la benjamine de Ruth, identifia le mot comme étant le sien.

— Vous avez glissé ceci dans sa boîte aux lettres ?

— Oui.

— Le jour où elle est morte.

— Mercredi, oui, j'aurais dû le signaler ? Je veux dire, j'ai parlé à un agent et dit que je n'avais rien vu de suspect, et je crois avoir mentionné que j'étais passée chez elle plus tôt, mais peut-être que je ne l'ai pas fait. Enfin, je ne suis pas entrée ou quoi que ce soit. Je n'ai rien vu de bizarre ou de suspect.

— Il était quelle heure, à peu près ?

— Je n'en sais rien, peu après 16 heures. Avant 16 h 30, en tout cas. J'en suis sûre parce que Danny – mon fils – rentre tard ce soir-là et que je savais que c'était le cas pour Dora, aussi. C'est la raison pour laquelle Ruth avait suggéré que je passe boire un thé – on ne se connaissait pas tant que ça. Je suis arrivée assez récemment dans le quartier et mon fils vient tout juste d'entrer dans cette école. C'était gentil de sa part.

— Donc... vous êtes allée la voir pour boire un thé, comme convenu, et elle n'était pas là.

— Elle était là, c'est juste qu'elle n'est pas venue jusqu'à la porte.

— Pourquoi dites-vous ça ?

— Sa voiture était garée dans la rue et il y avait de la lumière.

— Vous avez patienté longtemps ?

— Une minute ou deux, pas plus. J'ai frappé à la porte et sonné – j'ai même crié dans la boîte aux lettres. Je n'avais pas mon portable avec moi et je ne pouvais donc pas l'appeler, c'est pour ça que j'ai glissé mon mot dans la fente.

— Entre 16 et 16 h 30, vous dites ?

— Après 16 heures et avant la demie.

Le visage de la femme se plissa d'anxiété.

— Pensez-vous... est-il possible... qu'elle ait déjà été tuée à ce moment-là ?

— Nous essayons juste d'établir le timing, répondit Yvette d'un ton neutre. Vous êtes sûre de n'avoir rien vu d'anormal ?

— Non, rien.

— Et vous êtes restée devant la porte environ une minute ?

— Oui.

— Vous n'avez pas vu de fenêtre cassée ? À côté de la porte d'entrée.

— Non, je suis sûre que je l'aurais remarqué.

— Très bien, merci beaucoup de votre aide.

Billy Hunt se passa le dos de la main sous le nez.

— J'étais ailleurs.

— Avant d'aller dans la maison de Margaretting Street ?

— C'est ça. Je tiens à dire que ça va avoir l'air plus moche que ça ne l'était. Il n'y avait aucun gosse là-bas.

— Où ça ?

— Dans cette crèche, là. Mais elle était vide, elle n'est pas encore finie.

— Qu'es-tu allé faire là-bas ?

— À votre avis ?

— Très bien, qu'as-tu pris ?

— Rien, répondit Hunt en présentant ses paumes comme pour prouver ses dires. C'était vide.

— Tu as dû forcer quelque chose ?

— Je suis passé par-derrière. J'ai brisé une vitre et ça a suffi. Va falloir qu'ils améliorent la sécurité avant d'ouvrir. M'suis coupé la main, en revanche.

— Comment s'appelait cette garderie ?

— *Busy bees.*

— Et elle se trouve où ?

— À Islington, juste à côté de Caledonian Road.

— Quelle heure ?

— Je sais pas. Dans les 4 heures, peut-être.

— Donc à environ 16 heures mercredi dernier, tu soutiens que tu entrais par effraction dans une crèche pour enfants d'Islington. Qu'as-tu fait ensuite ?

— J'allais rentrer en longeant le canal mais il s'est mis à pleuvoir. J'ai vu un bus et j'ai sauté dedans. Le 153. Il m'a amené à Camden. Je fumais une clope, du coup ils m'ont viré, et j'ai marché à partir de là. Je marchais juste le long de la rue en appuyant sur quelques sonnettes jusqu'à ce que je tombe sur une où on n'a pas répondu.

— Et alors ?

— Je vous ai déjà tout dit. J'ai cassé la fenêtre, ouvert la porte. L'alarme était déclenchée, alors j'étais à la bourre. Ça hurlait de partout. Y en avait une dans l'entrée, et une autre dans la pièce où... bref, où elle était. J'ai juste ramassé deux ou trois trucs et je me suis cassé.

Il secoua la tête.

— C'est pas ma faute. S'il n'avait pas plu, je n'aurais pas pris le bus et je me serais pas retrouvé là.

Karlsson éteignit l'enregistreur.

— Et Mrs Lennox serait encore en vie.

— Non, plaida Hunt. C'est pas ce que j'ai dit. Remettez le magnéto en route.

— Oublie ce foutu magnéto.

Douze

Alors que Frieda approchait de sa porte d'entrée, clé à la main, elle constata que celle-ci était déjà ouverte. Si elle ne put voir de prime abord ce qu'il se passait, elle aperçut ensuite un homme à l'extrémité d'une baignoire d'une taille impressionnante. Puis elle reconnut l'ami de Josef, ce Stefan, et Josef qui se trouvait à l'autre bout. La seconde chose que nota Frieda était que la baignoire était presque trop grande pour l'embrasure. C'était flagrant, aux traces de rayures grises laissées sur les montants de la porte. La troisième chose qu'elle remarqua était qu'ils portaient la baignoire vers l'extérieur plutôt que vers l'intérieur.

— Frieda, la salua Stefan, qui haletait légèrement. Je ne peux pas vous serrer la main.

— Vous avez du mal à la faire rentrer ?

— Non, répondit Josef, à l'autre bout. On la porte en haut, pas de problème. Maintenant, on l'enlève et on la remporte.

— Comment ça, vous la remportez ? demanda Frieda.

— Une seconde.

Avec force grognements et un cri étouffé quand Josef se retrouva les doigts coincés entre la baignoire et l'embrasure, ils la ressortirent et la déposèrent sur les pavés.

— Cette baignoire pèse un âne mort, 'tain... dit Stefan, avant de lever vers Frieda un regard coupable. Désolé. Mais elle est grande, en tout cas.

— Mais pourquoi la remportez-vous ?

— Elle est lourde, dit Josef. Trop pour le sol, je pense. On va vérifier maintenant. Faut sans doute une solive.

Frieda entendit le téléphone sonner dans la maison.

— Vous voulez dire une poutrelle d'acier ? dit-elle.

— Pour que vous ne tombe pas dans la baignoire au travers du sol.

— Ah, c'est votre rayon, commenta Frieda. Vous êtes sûrs ?

Stefan sourit.

— On est sûrs.

— Comment ça ? demanda Frieda.

Le téléphone sonnait toujours.

— Un instant.

Elle passa devant eux en les bousculant mais, avant qu'elle ait pu atteindre le combiné, la sonnerie avait cessé. C'était presque un soulagement, un point qu'elle n'aurait pas à gérer, quelqu'un à qui elle n'aurait pas besoin de faire la conversation. Elle resta immobile un moment, à regarder Josef et Stefan rentrer la baignoire à l'arrière de la camionnette en poussant dessus. Le véhicule sembla s'affaisser sous son poids. Là-dessus, le téléphone se remit à sonner, avec insistance, comme une personne chercherait à attirer son attention en la tapotant du doigt. Elle décrocha et perçut une voix de femme.

— Puis-je parler au Dr Frieda Klein, s'il vous plaît ?

— Qui la demande ?

— Mon nom est Jilly Freeman. J'appelle pour le *Sunday Sketch*.

Silence.

— Je suis désolée. Vous êtes toujours là ?

119

— Oui, répondit Frieda.

— On publie un papier dans l'édition de demain et on aimerait entendre vos commentaires dessus.

— Pour quelle raison ?

— Parce qu'il vous concerne.

La peur fit à Frieda l'effet d'un coup de poignard et provoqua en même temps une forme d'engourdissement, comme si on ravivait une de ses anciennes blessures partiellement cicatrisée. Elle fut tentée de raccrocher violemment le combiné plutôt que de poursuivre la conversation. Était-ce en rapport avec l'agression ? La police reconsidérait-elle l'affaire ? La presse tentait-elle de débusquer quelque chose ?

— De quoi s'agit-il ? demanda-t-elle.

— Vous avez reçu un patient dénommé Seamus Dunne.

C'était tellement inattendu que Frieda dut réfléchir, rien que pour situer le nom. Au même moment, Josef surgit dans son champ de vision et lui fit signe qu'ils s'en allaient.

— Il faut qu'on parle, lui dit-elle.

— Bientôt.

Josef s'éloigna à reculons.

— Pardon ? fit la femme au téléphone.

— Je parlais à quelqu'un d'autre. Comment êtes-vous au courant pour Seamus Dunne ?

— Docteur Klein, ce serait peut-être mieux si je venais chez vous et que je menais une véritable interview en personne.

Frieda inspira profondément et surprit son reflet dans la vitre d'une illustration accrochée au mur. Était-elle vraiment cette personne ? L'idée que quelqu'un d'autre, qui que ce soit, puisse venir chez elle la rendit malade.

— Dites-moi juste de quoi il s'agit.

— Nous enquêtons simplement sur de nouvelles recherches dans le domaine de la psychologie que nous croyons très importantes. Comme vous le savez, certains pensent que les psychanalystes ne sont pas suffisamment responsables face au public.

Jilly Freeman laissa planer un silence que Frieda se garda d'interrompre.

— Enfin bref, un certain universitaire, un dénommé Hal Bradshaw, a dirigé des recherches. Vous le connaissez ?

— Oui, répondit Frieda. Je le connais.

— Bref, il a sélectionné quelques analystes en vue – et vous en faites partie. Ensuite, il a envoyé des gens consulter ces psys avec pour instructions de déployer les symptômes classiques d'une personne présentant un risque imminent pour la communauté, pour voir comment réagissait le psy.

Nouveau silence, durant lequel Frieda ne dit toujours pas un mot.

— Raison pour laquelle je vous appelais pour voir si vous aviez un commentaire à faire.

— Vous ne m'avez pas posé de question.

— D'après ce que je comprends, précisa Jilly Freeman, ce patient, ce Seamus Dunne...

— Vous avez dit qu'il faisait semblant d'être un patient.

— Oui, dans le cadre de ce projet de recherches. Il a exhibé ce que l'on considère comme les signes manifestes, reconnus comme tels, du psychopathe violent.

— Qui sont ?

— Hum... répondit Jilly Freeman.

Il y eut une pause, durant laquelle Frieda entendit qu'on tournait des pages.

— Ah oui, voilà. Chacun des prétendus patients devait raconter qu'il s'était montré violent envers des animaux dans sa jeunesse, puis dire qu'il nourrissait le fantasme, très net, d'agresser des femmes, et qu'il était sur le point de passer à l'acte. Seamus Dunne a-t-il évoqué ces faits devant vous ?

— Je ne parle pas de ce que me disent mes patients en séance.

121

— Mais ce n'était pas un vrai patient, et il en a parlé. Il m'a accordé une interview.

— Dans le cadre du projet de recherches ? ironisa Frieda.

Elle chercha des yeux une chaise et s'assit. Soudain, elle se sentait absolument épuisée, au bord du sommeil, alors même qu'elle était au téléphone. C'était comme si elle avait verrouillé la porte et barricadé les fenêtres et qu'ils parvenaient encore à se glisser par un trou qu'elle aurait raté.

— Ce que nous souhaitons savoir pour notre article, c'est si vous avez fait part de la moindre inquiétude aux autorités.

Une sonnerie retentit à la porte.

— Patientez un instant, dit Frieda, j'ai quelqu'un à la porte.

Elle ouvrit le battant. C'était Reuben.

— Frieda, je viens de… commença-t-il, mais elle leva la main pour lui intimer le silence et lui fit signe d'entrer. Elle remarqua qu'il était débraillé et semblait préoccupé. Il passa devant elle et disparut dans la cuisine.

— Vous disiez ? reprit Frieda.

— Je voulais vous demander si vous aviez relaté la moindre inquiétude aux autorités.

Frieda fut distraite par un cliquetis en provenance de la cuisine. Reuben réapparut avec une canette de bière.

— Non, répondit Frieda. Je n'en ai rien fait.

Reuben articula trois mots à son adresse, puis but une grande gorgée de bière à même la canette.

— D'après ce qu'on nous a expliqué, continua Jilly Freeman, l'expérience consiste à présenter à divers thérapeutes un patient représentant un danger manifeste, immédiat, pour la société. Le patient était un psychopathe et il était de votre devoir – votre responsabilité légale, de fait –, de le signaler à la police. Auriez-vous un commentaire à faire là-dessus ?

— Mais ce n'était pas un psychopathe, rétorqua Frieda.

— C'est elle ? s'enquit Reuben. C'est cette connasse ?

— Mais qu'est-ce que vous racontez ? siffla Frieda.

— Pardon ? répliqua Jilly Freeman.

— Ce n'est pas à vous que je parle.

L'air furibonde, Frieda chassa Reuben de la main.

— Vous avez dit vous-même qu'il n'avait rien d'un psychopathe. Il n'y avait aucune raison de le signaler. Si cet homme a pu susciter quelques motifs de préoccupation, jamais je n'irais en discuter avec quiconque à part lui.

— Je suis désolée, répondit Jilly Freeman, mais l'expérience consistait à vérifier comment les thérapeutes réagissent quand ils sont confrontés à un patient manifestant les signes classiques, établis par la recherche au fil des ans, de la psychopathie. Les gens voudront savoir s'ils sont, ou non, protégés.

— Je vais vous accorder une minute encore, rétorqua Frieda, après quoi je raccroche. Vous m'avez dit qu'il n'était pas réellement un psychopathe. Il tenait juste des propos de psychopathe.

— Les psychopathes ne tiennent-ils pas des propos de psychopathe ? De quoi disposez-vous donc pour vous former une opinion, si ce n'est de ce que les gens vous disent ?

— Deuxièmement, comme je l'ai dit à Seamus Dunne lui-même, les psychopathes ne demandent pas d'aide. Il évoquait un manque d'empathie, mais rien, dans son comportement ou ses propos, ne le confirmait. Vous avez ma réponse.

— Et vous avez osé ignorer les signes classiques du psychopathe ?

— Votre minute est écoulée, répliqua Frieda, avant de raccrocher.

Elle regarda Reuben.

— Que faites-vous ici ? dit-elle.

— Je viens de voir Josef partir.

— Il fait des travaux dans ma salle de bain.

— J'imagine que c'est pour ça que je n'arrive pas à mettre la main dessus.

Ses traits se durcirent.

— C'était elle, n'est-ce pas ? Cette journaliste, comment elle s'appelle ?

— C'était une dénommée Jilly Freeman.

— C'est ça, c'est celle-là.

— Comment êtes-vous au courant ?

Reuben acheva sa bière d'un trait.

— Parce qu'ils m'ont fait le coup, à moi aussi. Ils m'ont baisé comme ils vous ont baisée. Jilly m'a appelé et m'a balancé la nouvelle à la figure, et au beau milieu de la conversation, elle a mentionné votre nom aussi. J'ai tenté de vous appeler mais ça ne répondait pas.

— J'étais sortie, expliqua Frieda.

— J'ai pensé que je ferais mieux de venir immédiatement. Seigneur, il me faut une cigarette. On peut sortir ?

Il alla chercher une autre canette de bière dans la cuisine, puis ouvrit la porte et sortit dans la rue. Frieda le suivit. Il lui remit sa bière pendant qu'il allumait sa cigarette. Il tira profondément dessus à plusieurs reprises.

— Ce jeune homme, commença Reuben, a dit qu'il voulait me voir. Il avait entendu tellement de bien de moi. Il s'inquiétait pour lui-même. Il s'était montré cruel envers des animaux dans son enfance, il nourrissait le fantasme de s'en prendre à des femmes, bla bla bla, vous connaissez la suite.

— Que lui avez-vous dit ?

— J'ai dit que j'acceptais de le voir un temps. Làdessus, Ms Jilly m'appelle et m'apprend que je vais faire la une parce que j'ai laissé un psychopathe en liberté dans la nature.

— Que lui avez-vous répondu ?

Il prit une nouvelle longue taffe de sa cigarette.

— J'aurais dû répondre comme vous l'avez fait. C'était bien, comme réponse. Bref, j'ai pété un câble. Je lui ai juste crié dessus avant de lui raccrocher au nez.

Il la pointa du doigt.

— On va les poursuivre en justice, ce connard de Hal Bradshaw et cette connasse de journaliste, avec son article à la noix. On va les faire couler.

— Pour quels motifs ? demanda Frieda.

Reuben abattit son poing sur le mur de la maison.

— Pour tromperie. Et violation de vie privée. Et diffamation.

— On ne va pas les poursuivre en justice, rétorqua Frieda.

— J'allais ajouter que c'est bien beau de réagir comme ça, répliqua Reuben, mais vous n'êtes pas dans votre état normal. Vous vous remettez de graves blessures. Ils ne peuvent pas nous faire ça.

Frieda posa une main sur son épaule.

— On devrait juste laisser tomber, répondit-elle.

Reuben se tourna vers Frieda et un je-ne-sais-quoi d'à la fois farouche et abattu dans son regard l'alarma.

— Je sais, je sais, admit-il, je devrais juste faire comme si de rien n'était. Il y a dix ans, j'en aurais ri. Ça m'aurait presque amusé. Mais j'ai ma dose, je crois. Cette journaliste... Je lui en foutrai, moi, des fantasmes où l'on fait souffrir des femmes !...

La foule s'amassait depuis midi, mais il y avait eu quelques retards mineurs, les derniers soubresauts d'un système bureaucratique engorgé qui avait maintenu George Conley en prison plusieurs mois après qu'il était devenu clair qu'il faudrait le relâcher. Il était presque 15 heures quand il finit par émerger de la prison de Haston sous un soleil délavé, serrant dans ses mains un sac en plastique et vêtu d'un imperméable trop petit pour lui et bien trop chaud pour un jour de printemps. Des gouttes de sueur perlaient sur son visage blanc et charnu.

La plupart de ceux qui l'attendaient étaient des journalistes et des photographes. Son député-maire était là également, même si Fearby savait combien il avait peu fait pour Conley, il n'avait rejoint la campagne qu'une fois qu'il avait été sûr qu'elle aboutirait. Un petit groupe émanant d'une organisation révolutionnaire était venu avec des pancartes qui dénonçaient le sectarisme de la police, d'une manière générale. Mais aucun proche parent n'attendait Conley. Sa mère était décédée pendant qu'il était en prison et sa sœur n'était pas venue le voir depuis qu'on l'avait arrêté. Elle avait dit à Fearby qu'elle était heureuse d'être mariée et d'avoir pris le nom de son mari, parce que son propre nom la rendait malade, elle ne voulait plus rien avoir à faire avec lui. Et il n'y avait pas d'amis non plus : il avait toujours été solitaire dans la petite ville où il avait vécu, quelqu'un qui restait en marge, observant avec une perplexité mélancolique la vie qui se déroulait sous ses yeux. Après son arrestation, les voisins avaient dit qu'ils avaient toujours su qu'il était bizarre, et un peu flippant. Ça ne les avait pas surpris le moins du monde. À part Fearby, il n'avait pas reçu de visites en prison avant ces dernières semaines.

Diana McKerrow, l'avocate de Conley, se tenait debout près du portail, une bouteille de mousseux à la main, fin prête. Elle s'adressa à la presse au nom de son client, se reportant à une feuille qu'elle sortit de la poche de sa veste : des mots sur le scandale de l'enquête de police, les années perdues que Conley ne récupérerait jamais, la conviction de quelques bonnes âmes qui n'avaient jamais cessé de croire en son innocence. Jamais elle ne mentionna Fearby, qui se tenait lui-même à l'écart de l'assemblée. Il ne savait pas à quoi il s'était attendu. Après tant d'années passées à œuvrer pour la concrétisation de ce moment, l'instant semblait médiocre et triste. Un homme en surpoids franchissait anxieusement les portes d'un pas traînant, grimaçait sous les flashs des appareils photo.

Les journalistes se précipitèrent en avant. On brandit des microphones sous son nez.

— Qu'est-ce que ça fait d'être libre ?

— Allez-vous les poursuivre en justice ?
— Quels sont vos projets aujourd'hui, Mr Conley ?
— Où irez-vous ?
— Quelle sera la première chose que vous ferez ?
— Ressentez-vous de la colère ?
— Qu'est-ce qui vous a manqué ?
— Pouvez-vous nous dire ce que vous pensez de la police ?

Fearby était sûr que certains d'entre eux avaient déjà un chéquier dans la poche. Ils voulaient son histoire, désormais. Toutes ces années, il avait été calomnié, puis oublié. Aujourd'hui, il était un héros – si ce n'est qu'il n'avait pas le profil du héros. Il répondit par des marmonnements, sans achever ses phrases – « J'sais pas... », dit-il. « Hein, quoi ?... » – tout en lançant des regards anxieux de part et d'autre. Diana McKerrow passa un bras sous son coude, son député-maire prit la pose de l'autre côté, souriant pour les caméras.

Tous s'empresseraient d'oublier bientôt Conley, Fearby le savait. On le laisserait tranquille, dans sa petite chambre dans une maison pleine d'autres solitaires et de cas sociaux, passif et abattu. Il ressentit alors une pointe de culpabilité, aussitôt suivie de ressentiment : serait-il à jamais le seul ami de Conley, même après ce qui s'était passé ? Serait-ce toujours à lui de lui rendre visite et de l'emmener boire un verre, de tenter de lui trouver une occupation ? C'est comme ça qu'on le récompensait pour lui avoir rendu sa liberté ?

Il se fraya laborieusement un chemin dans la foule agglutinée et toucha le bras de Conley.

— Salut, George. Félicitations.
— Salut, répondit Conley.

Il ne sentait pas bon. Son teint était d'une pâleur cadavérique et ses cheveux se raréfiaient.

— Tu vas être occupé jusqu'à ce soir. Je voulais juste te dire bonjour et te laisser mon numéro. Quand tu veux, tu m'appelles, et je viens te voir.

Il fit un effort pour adopter un ton enthousiaste.

— On peut aller déjeuner ou dîner, boire un verre, se balader.

Il hésita.

— T'auras peut-être un peu de mal avec toute cette attention, mais ça retombera bientôt. Il faudra alors réfléchir à la suite.

— La suite ?

— Je viendrai te voir.

Conley le dévisagea, interdit, la lèvre inférieure inerte. On aurait dit un petit enfant obèse, songea Fearby. Ça ne sentait pas vraiment l'heureux dénouement.

Plus tard, lors de la conférence de presse, le responsable de l'enquête lut une déclaration. Il tenait à reconnaître en toute sincérité que des erreurs avaient été commises. L'aveu, par George Conley, du meurtre de Hazel Barton avait été obtenu – là, il toussa, fit la grimace – sans suivre les procédures requises.

— Vous voulez dire, illégalement, lança quelqu'un depuis le fond de la salle.

Des mesures avaient été prises, reprit l'officier, des blâmes, distribués, les procédures, recadrées. On ne commettrait plus les mêmes erreurs.

— Et pour ce qui est de Mr Conley ? demanda une jeune femme au premier rang.

— Pardon ?

— Il est en prison depuis 2005.

— Et nous sommes désolés des erreurs commises.

— A-t-on viré quelqu'un ? lança une voix.

Les traits de l'inspecteur se durcirent.

— Comme je l'ai dit, nous avons réexaminé de très près la façon dont l'enquête a été menée. Certains officiers ont été personnellement réprimandés. Mais il ne serait dans l'intérêt de personne de désigner formellement un bouc émissaire...

Le message était très clair, songea Fearby. La police restait convaincue que Conley était l'assassin mais qu'il s'en était tiré grâce à un point de procédure. Qui plus est, ils faisaient en sorte que tous les présents le comprennent bien. Il sentit la colère monter en lui.

— Excusez-moi, lança-t-il, d'une voix forte, j'ai une question.

Tout le monde se retourna. Ah, c'était lui, le fameux Jim Fearby, qui s'était acharné sur cette affaire pendant toutes ces années. Un journaliste qui exerçait depuis des lustres, un de la vieille école. Voûté, le cheveu argenté, il avait la soixantaine, aujourd'hui. Il faisait un peu oiseau de proie, avec son nez busqué et ses yeux clairs, sa tignasse coiffée en coup de vent et son teint buriné par les éléments.

— Mr Fearby, commença l'enquêteur avec un sourire dépourvu de chaleur. Oui ?...

— Maintenant que George Conley, innocent... (Il marqua une pause pour laisser les mots se déployer pleinement dans la salle.)... a été relâché, pouvez-vous nous dire quelles dispositions vous allez prendre pour trouver le véritable auteur de ce crime ? Une jeune femme a été brutalement assassinée, après tout.

L'enquêteur toussa de nouveau, d'une toux sèche et rocailleuse, histoire de se laisser le temps de préparer sa réponse.

— Pour le moment, nous n'avons pas de nouvelle piste, finit-il par avouer.

— Pour le moment ?

— C'est bien ce que j'ai dit. D'autres questions ?

Fearby rentra chez lui au volant de sa voiture à la nuit tombante. La dernière prison de Conley, contrairement aux précédentes, se trouvait assez proche de son domicile – situé dans un petit bourg juste à côté de Birmingham. Quand Sandra l'avait quitté, il avait envisagé de déménager – vers le Lake District, peut-être ?, ou même encore plus au nord, là où les vents froids, clairs, balayaient les collines. Il pouvait recommencer de zéro. Mais pour finir, il était resté, entouré de ses dossiers, ses livres, ses tableaux, ses DVD de vieux films. Peu importait, finalement, où il habitait : ce n'était qu'un endroit où dormir, où réfléchir.

Il se rendit dans son bureau et contempla les piles de cahiers et de dossiers, remplis des preuves de son obsession : rapports de police, rapports juridiques, lettres envoyées et reçues, pétitions... Il se versa une grande rasade de gin, faute de whisky, et ajouta de l'eau, faute de tonic. Une boisson de marin, songea-t-il – un verre triste, en solitaire, pour tuer le temps. Il avait dû s'endormir dans son fauteuil, parce que la sonnerie du téléphone lui sembla tout d'abord faire partie d'un rêve.

— Jim Fearby ?

— Qui le demande ?

— Je vous ai vu à la conférence de presse. Vous écrivez toujours sur l'affaire ?

— En quoi ça vous concerne ?

Fearby ne se sentait toujours qu'à moitié réveillé.

— J'aimerais vous rencontrer.

— Pourquoi ?

— Vous connaissez un pub appelé le Philip Sydney ?

— Non.

— Vous le trouverez sans peine. J'y serai demain, à 17 heures.

J'ai tenté de te joindre. Quand nous nous retrouverons, je t'enseignerai les rudiments de l'usage du portable. (En gros, il faut le laisser allumé et le garder sur soi.) Il est sans doute trop tard pour réessayer, tu dormiras. À moins que tu n'erres dans les rues de Londres avec ce pli sur le front si particulier. On se parle bientôt et d'ici là, prends bien soin de toi, mon trésor. S xxxxx

Treize

Karlsson prit place face à Billy Hunt.

— Tu dois être le plus mauvais cambrioleur du monde, déclara-t-il.

— Alors vous avez vu que je disais la vérité ?

— Les *Busy Bees*, répliqua Karlsson. Si l'on écarte le fait que c'est une garderie destinée à des petits enfants, et que leur voler des trucs ne paraît pas très correct, qu'est-ce que tu pensais trouver chez eux, hein ? Des peluches ?

— Il y avait des travaux, répondit Hunt. Je me suis dit qu'y aurait peut-être quelques outils.

— Mais il n'y en avait pas.

— Non, j'ai rien trouvé.

— D'un autre côté – le bon – reprit Karlsson, c'était un chantier, ce qui signifie qu'il y avait tout plein de caméras de surveillance et que j'ai visionné les meilleures images que j'aie jamais vues. Tu aurais pu te servir de certaines d'entre elles comme photo de passeport.

— Je vous ai dit que j'y étais.

— Mais, comme tu sais, tu étais aussi sur les lieux du meurtre. Faut que tu nous en parles.

Hunt se mordit le bord du pouce.

— Si je vous dis tout, vous laisserez tomber pour l'accusation de cambriolage ?

— Oh, la ferme, rétorqua Karlsson. Je ne suis même pas sûr qu'on laisse tomber l'inculpation pour meurtre. Dis-nous simplement tout, et arrête de me faire tourner en bourrique.

Hunt réfléchit.

— J'avais besoin de fric, commença-t-il. J'en dois à quelqu'un. Écoutez, je vous ai déjà tout dit.

— Recommence.

— Je me suis retrouvé dans Margaretting Street. J'ai sonné à quelques portes, et quand quelqu'un répondait, je demandais si Steve était là, et ensuite j'ajoutais que j'avais dû me tromper d'adresse. Je me suis pointé devant cette maison. Il n'y a pas eu de réponse, je suis entré.

— Comment ?

— J'ai ramassé une brique cassée dans une benne et j'ai brisé la fenêtre à côté de la porte d'entrée. Ensuite, je l'ai ouverte.

— Ça ne t'a pas surpris que ça ne soit pas fermé à clé ? demanda Karlsson. Ou qu'on n'ait pas mis la chaîne ?

— Si ça avait été fermé à clé, je n'aurais pas pu entrer.

— Mais quand ce n'est pas fermé à clé, insista Karlsson, ça suggère qu'il y a quelqu'un dans la maison.

— Mais j'avais déjà sonné à la porte...

— Oublie. Bon, continue.

— Je suis entré. J'ai pris des trucs dans la cuisine. Ensuite, je suis allé dans la pièce d'à côté et... ben, vous savez.

— Quoi ?

— Elle était étendue par terre.

— Qu'as-tu fait ?

— J'en sais rien, répondit Hunt. Ça m'a fait un choc.

— Pourquoi n'as-tu pas appelé une ambulance ?

Hunt secoua la tête.

— L'alarme était déclenchée. Je me suis tiré, c'est tout.

— En emportant la roue, quand même.

— Exact.

— Alors qu'elle avait servi d'arme pour le crime et qu'elle était couverte de son sang.

— J'avais un ou deux sacs en plastique que j'avais trouvés dans la cuisine.

— Pourquoi n'as-tu pas appelé la police ?

— Parce que j'étais un cambrioleur, rétorqua Hunt. Je veux dire, je ne suis pas un cambrioleur, mais à ce moment-là, j'étais en train de piquer des trucs. Bref, de toute façon, je n'arrivais pas à réfléchir.

— Et alors ? Qu'est-ce que tu as fait ?

— Je suis ressorti et je suis reparti en courant.

— Et ensuite ?

— J'avais ces trucs à vendre. Je vous l'ai dit, j'avais besoin de cash.

— Donc tu as vendu toute l'argenterie ?

— Exact.

— Sauf la roue ?

— Ben, fallait la... vous voyez.

— La nettoyer du sang ?

— J'étais pas bien... conclut Hunt en la voyant. J'étais censé faire quoi ?

Karlsson se leva.

— J'en sais rien, Billy. Par où commencer ?...

Quatorze

— Frieda ?

— Bonjour, Chloë.

Frieda se rendit au salon le téléphone à la main et installa avec précaution son corps meurtri dans le fauteuil près du foyer. Maintenant que c'était le printemps et que les températures étaient douces, le ciel d'un délicat bleu délavé, il demeurait vide.

— Ça va ?

— Il faut que je te voie.

— Avant vendredi ?

Le vendredi était le jour où Frieda lui enseignait la chimie, matière que Chloë haïssait avec hargne et de toutes ses forces.

— Tout de suite.

— Pourquoi ?

— Je ne te le demanderais pas si ce n'était pas important.

Il était presque 18 heures. Frieda songea à la théière pleine, à la part de quiche qu'elle avait achetée au café Numéro 9 pour son dîner, à la soirée tranquille qu'elle avait prévu de passer dans le cocon doucement éclairé de sa maison, installée dans son atelier avec ses crayons gras et son papier grainé, répondeur enclenché, qu'on ne puisse rien attendre d'elle, puis à la douceur de ses oreillers et à l'obscurité qui viendrait clore le tout. Pas de rêves, peut-être, rien que l'oubli. Elle pouvait dire non.

— Je serai là dans une demi-heure.

— J'suis pas à la maison. J'suis dans un café, à côté de Roundhouse, tu peux pas le louper. Y a un avion géant qui pend devant, tête en bas, et ça fait aussi galerie d'art.

— Minute, Chloë...

— Merci, Frieda ! coupa Chloë avec enthousiasme, avant de raccrocher avant que Frieda ait pu changer d'avis.

Le café s'appelait, sans raison apparente, Joe's Malt House, et il y avait bien un avion à la verticale sur sa façade. Frieda poussa le battant et pénétra dans une longue salle sombre, encombrée de tables et de chaises dépareillées, aux murs recouverts de tableaux qu'elle distinguait à peine dans la pénombre. Les gens étaient attablés ou se bousculaient au bar qui coupait la salle en deux. Une musique forte, aux pulsations lancinantes, assaillait les tympans. L'air était saturé d'une odeur de bière, de café et d'encens.

— Vous cherchez une table ? s'enquit une jeune femme, vêtue de nippes noires déchirées, avec un éclair tatoué sur la joue. Elle avait l'accent BCBG branchouille de l'Estuaire. Ses bottes ressemblaient à celles de Terminator.

Frieda entendit son nom et explora la pièce du regard, les yeux plissés. Elle distingua Chloë tout au fond, en train d'agiter les bras dans les airs pour attirer son attention.

— J'espère que c'est important.

— Bière ?

— Non merci.

— Ou alors thé, infusion. Ils servent des tisanes, ici.

— Que se passe-t-il ?

135

— Il fallait absolument que tu viennes, c'est au sujet de Ted.

— Ted ? Tu veux dire, le jeune homme ?

— Il a besoin d'aide.

— Je n'en doute pas.

— Mais ce qu'il y a, c'est qu'il refuse de s'en occuper. Il se met juste en colère quand les gens lui disent, alors je me suis dit qu'il faudrait que je le fasse à sa place.

— Je peux t'indiquer des noms, Chloë, mais il faut qu'il ait le désir de...

— Je n'ai pas besoin de noms, Frieda. Je t'ai, toi.

— Ah ça, non.

— Tu dois l'aider.

— Non, je ne suis tenue à rien. Ce n'est pas comme ça qu'on fait les choses.

— Je t'en prie. Tu ne piges pas. Je l'aime vraiment et il va tellement mal.

Elle agrippa la main de Frieda.

— Oh, merde, le voilà déjà. Il vient d'entrer.

— Tu n'as pas fait ce que je pense ?

— Il le fallait, siffla Chloë en se penchant en avant. Tu ne serais pas venue si je t'avais prévenue, et Ted non plus.

— Précisément.

— Tu peux l'aider.

— On a tué sa mère, Chloë. Comment veux-tu que je l'aide ?

Frieda se leva et, dans le même temps, Ted passa devant le bar d'un pas incertain et les aperçut toutes deux. Il s'arrêta, interdit. Il était dans le même état débraillé que l'autre jour – les vêtements mal mis, le pantalon qui lui tombait sur les fesses, les lacets défaits, ses cheveux cachaient en partie son visage pâle et ses joues étaient marbrées de rouge. Il dévisagea Chloë, puis Frieda, et de nouveau Chloë.

— Vous ? dit-il. Que se passe-t-il ?

Chloë se mit debout en esquivant le pied de table et s'avança vers lui.

— Ted, dit-elle. Écoute.

— Qu'est-ce qu'elle fait là ? Tu m'as piégé !

— Je voulais t'aider, répondit Chloë, au désespoir.

L'espace d'un instant, Frieda se sentit sincèrement désolée pour sa nièce.

— Je me disais que si vous pouviez parler un peu, juste, tous les deux...

— Je n'ai pas besoin d'aide. Faut voir mes sœurs, c'est elles qui ont besoin d'aide. J'suis plus un gosse.

Il regarda Chloë.

— Je croyais que t'étais mon amie.

— Ce n'est pas juste, coupa Frieda, d'un ton sec.

Il tourna vers elle ses traits tirés, grimaçants.

— Je vous accorde que Chloë a fait une erreur, mais elle l'a fait parce qu'elle est votre amie, précisément, et qu'elle se fait du souci pour vous. Ce n'est pas la peine de vous en prendre à elle. Vous avez besoin de vos amis.

— Il n'est pas question que je m'allonge sur votre putain de divan.

— Bien sûr que non.

— Et je ne compte pas pleurer et dire que ma vie est fichue maintenant que je n'ai plus de mère.

Mais sa voix monta dangereusement dans les aigus comme il la défiait du regard.

— Non, et ce n'est pas le cas. Peut-être pourrions-nous simplement sortir d'ici, tous les trois, et aller boire un thé ou un chocolat chaud dans ce petit salon de l'autre côté de la rue, qui est tranquille et où il n'y a pas d'affreux tableaux aux murs, après quoi nous pourrons rentrer chacun chez soi, et tout sera bien qui finit bien.

Chloë renifla et implora Ted du regard.

— D'accord, répondit-il. Ça fait des siècles que je n'ai pas bu de chocolat, pas depuis que j'étais gosse en fait, remarqua-t-il, comme s'il avait plus de 50 ans...

— Désolée, ajouta Chloë d'une toute petite voix.

— Ça va aller, t'inquiète.

— Bien, conclut Frieda, on peut s'en aller d'ici ?

Chloë et Ted prirent chacun un mug de chocolat chaud et Frieda un verre d'eau.

— Je ne pense pas que le simple fait de parler des choses les arrange, dit Ted.

— Ça dépend, répondit Frieda.

— À mon avis, ça ne fait que les empirer, comme de remuer une plaie avec un couteau pour continuer à la faire saigner. Comme si on *tenait* à ce qu'elle saigne.

— Je ne suis pas ici pour te convaincre d'aller voir quelqu'un que tu n'as pas envie d'aller voir. Je pense juste que tu devrais boire ton chocolat chaud.

— Ça ne vous rend pas malade de passer vos journées avec des connards prétentieux, friqués, qui ressassent leurs traumatismes d'enfance, et n'en finissent pas d'être fascinés par leurs nobles souffrances surfaites ?

— Ta souffrance n'est pas surfaite, pourtant, si ?

Ted la foudroya du regard. Son visage semblait peler, comme si l'air même pouvait le piquer.

— Ça passera, rétorqua-t-il. C'est ce qu'aurait dit m'man. Vivre au jour le jour.

— C'est l'une des raisons d'être triste quand les gens meurent, répondit Frieda : on parle d'eux au passé, on parle de ce qu'ils auraient fait. Mais si elle disait ça, ce n'était pas idiot. Le temps passe, bel et bien, les choses changent.

Elle se leva.

— Sur ce, je crois que nous avons fini.

Chloë vida son mug.

— On a fini, nous aussi, renchérit-elle.

Une fois dehors, Frieda s'apprêta à prendre congé mais Chloë semblait avoir du mal à la laisser partir.

— Tu pars de quel côté ?

— Je vais traverser le parc.

— Tu vas dans la même direction que nous. Tu passeras devant chez Ted. Sauf qu'il n'y est pas en ce moment, ils habitent chez des voisins.

— Je peux en parler moi-même, merci, coupa Ted.

— Très bien, répondit Frieda, et ils se mirent à marcher, formant un trio bancal, avec Chloë au milieu.

— Je suis désolée, redit Chloë. Tout est ma faute, je n'aurais pas dû faire ça. Je vous ai mis dans l'embarras l'un et l'autre.

— On ne peut pas forcer les gens, dit Frieda. Mais ça va...

— Frieda se promène n'importe où. Un vrai chauffeur de taxi. Nomme deux endroits à Londres, n'importe lesquels, et elle saura se rendre de l'un à l'autre.

Chloë babillait comme si elle redoutait la perspective d'une seconde de silence.

— Et elle a beaucoup à redire dessus. Elle pense que tout a dérapé après l'époque élisabéthaine, ou le grand incendie de Londres. Tiens, voici la rue où habite Ted, c'est ici que ça s'est passé. Pardon, je ne veux pas remuer le passé encore une fois. J'ai déjà fait assez de dégâts. C'est chez lui, en fait, enfin, je veux dire, chez ses parents, mais je l'accompagne dans sa rue pour lui dire au revoir, et m'excuser, et après... (Elle se tourna vers Frieda, qui s'était soudain arrêtée.) Ça va, Frieda ?

Frieda s'apprêtait à laisser passer un groupe – deux hommes et une femme – descendant d'une voiture, mais elle les avait reconnus au même instant qu'eux.

— Frieda...

Karlsson semblait trop surpris pour ajouter quoi que ce soit.

L'autre homme avait l'air, quand à lui, plus amusé – avec condescendance – qu'étonné.

— Pas moyen de vous tenir à l'écart, hein ? lâcha Hal Bradshaw. C'est une sorte de syndrome ?

— Je ne comprends pas ce que vous voulez dire, répliqua Frieda.

— J'allais justement demander de vos nouvelles, continua Bradshaw, mais je crois les connaître, déjà.

— Oui, votre journaliste m'a téléphoné.

Bradshaw sourit de ses dents très blanches.

— Peut-être aurais-je dû vous prévenir, mais ça aurait un peu gâté les choses.

— De quoi parlez-vous ? s'enquit Karlsson.

Il semblait aussi mal à l'aise que confus.

— Mieux vaut que vous n'en sachiez rien.

Frieda ne tenait pas à ce que quiconque soit au courant, et surtout pas Karlsson, même si elle supposait que bientôt tous le seraient, et que les commérages excités et les messes basses, animés ou désolés, repartiraient de plus belle.

La femme était Yvette Long.

— Frieda, que faites-vous ici ?

— Je suis allée boire un chocolat avec ma nièce, Chloë. Et voici Ted.

— En effet, commenta Bradshaw, qui souriait toujours. Nous savons qui est Ted Lennox. Vous entrez ? C'est ce que vous souhaitez, j'imagine.

— Non.

Frieda s'apprêtait à nier qu'elle ait le moindre rapport avec l'affaire, quand elle aperçut les traits fermés et hagards de Ted, debout à côté de Chloë. Ç'aurait été le désavouer, en quelque sorte.

— Je rentrais chez moi.

— Elle a bien le droit d'aller où elle veut, non ? revendiqua Yvette d'un ton hostile en posant son regard brun et furieux sur Hal Bradshaw, qui demeura imperturbable.

Frieda dut réprimer un sourire en constatant qu'Yvette prenait sa défense – une première... Pour la défendre de quoi ?

Yvette et Bradshaw gravirent les marches menant à la maison mais Karlsson resta sur le trottoir, indécis.

— Avez-vous un rapport quelconque avec cette histoire ? demanda-t-il.

— Chloë connaît Ted, expliqua Frieda. Elle voulait que nous échangions trois mots, c'est tout.

Karlsson marmonna quelque chose dans sa barbe.

— Content de vous voir, néanmoins, ajouta-t-il. Vous avez l'air en forme.

— Tant mieux, répondit Frieda.

— J'avais l'intention de vous appeler. Pour vous voir. Mais dans l'immédiat, je dois...

Il indiqua la maison.

— Pas de problème, répondit Frieda.

Elle salua Chloë d'un hochement de tête, fit demi-tour et s'éloigna en direction de Primrose Hill.

Karlsson regarda Frieda partir, puis entra dans la maison avec les autres, où Munster et Riley les attendaient. Ils suivirent Munster dans la cuisine. Yvette sortait des dossiers de son sac et les disposait sur la table. Chacun prit place. Karlsson eut une pensée pour les Lennox, assis ici même, autour d'un repas du dimanche animé, puis s'efforça de chasser cette idée. Il regarda Bradshaw.

— C'était quoi, ce que vous disait Frieda ?

— On parlait boutique, c'est tout.

— Bon, conclut Karlsson. Alors, où en sommes-nous...

— On laisse vraiment tomber, pour Billy Hunt ? s'enquit Munster.

— Ça devrait être lui, suggéra Yvette, forcément. Mais les caméras de surveillance le situent à Islington à 16 heures et des poussières. La voisine a toqué à la porte à 16 h 30, et elle n'a pas répondu.

— Elle prenait peut-être un bain, suggéra Munster. Elle avait peut-être des écouteurs sur les oreilles.

— Que disent les légistes sur l'heure exacte du décès ? demanda Karlsson, le regard fixé sur Riley qui affichait un air absent.

Yvette s'empara d'un dossier et feuilleta les documents.

— Pas grand-chose d'utile, répondit-elle. Son décès peut remonter n'importe quand entre une demi-heure et trois heures avant qu'on l'ait retrouvée. Mais, écoutez, on ne va pas prendre au sérieux la parole d'un type comme Billy Hunt, si ? Je veux dire, rien ne tient debout, dans sa déclaration. Par exemple, il dit qu'il a déclenché l'alarme. Si lui ne l'a pas tuée, alors comment se fait-il que notre assassin ne l'ait pas déclenchée avant ?

— Parce qu'elle l'a laissé entrer, répondit Bradshaw. Les psychopathes sont plausibles, et convaincants.

— Vous avez dit l'autre jour qu'il exprimait sa rage envers les femmes.

— Et je le maintiens.

— Pourquoi l'alarme était-elle mise ? demanda Yvette.

— Que voulez-vous dire ? intervint Karlsson.

— Pourquoi l'alarme était-elle enclenchée si elle était chez elle ?

— Bonne question.

Karlsson se leva et se dirigea vers la porte d'entrée. Il l'ouvrit et sortit sur le perron, puis il revint dans la cuisine.

— Il n'y a pas d'alarme dans cette maison, dit-il. On a été stupides.

— Ben voilà, conclut Yvette. Donc Billy Hunt mentait, une fois de plus.

Karlsson pianota sur la table.

— Pourquoi mentir sur ce point ?

— Parce que c'est un psychopathe, asséna Bradshaw.

— C'est un glandeur et un voleur à la tire, répliqua Karlsson, mais il ne mentait pas.

— Comment ça ? lança Yvette.

— Regardez, dit Karlsson en montrant du doigt le plafond. Il y a un détecteur de fumée.

— Comment Hunt aurait-il pu déclencher cette alarme ?

— Il ne l'a pas fait, répondit Karlsson. Examinons le dossier de la scène de crime. Riley, que vais-je trouver dans ce dossier ?

Riley décocha des regards anxieux de gauche et de droite.

— Vous voulez dire, genre... un point en particulier ?

— Oui, un détail particulier. Oh... laissez tomber. Pour autant que je me souvienne, il y avait un plateau avec quelque chose de brûlé posé sur la cuisinière. C'est ça qui a déclenché l'alarme.

Yvette feuilleta le dossier.

— Tout juste.

— Est-ce que vous suggérez que Billy Hunt est entré par effraction dans cette maison et qu'il a sorti des gâteaux brûlés du four ? demanda Munster d'une voix dubitative.

Karlsson secoua la tête.

— On devrait réinterroger la petite, mais je sais ce qu'elle va répondre : qu'elle est rentrée, qu'elle a senti quelque chose en train de brûler, qu'elle a sorti la grille du four. Ensuite, elle a trouvé sa mère. Vérifiez s'il y a un détecteur dans le salon, Chris, Hunt a dit que ça hurlait là aussi.

Munster quitta la pièce.

— Bon, reprit Yvette. Donc ceci explique l'alarme, mais ne nous précise pas l'heure.

— Une seconde, coupa Karlsson.

Munster regagna la cuisine.

— Y en a pas, déclara-t-il.

— Hein ? fit Karlsson. Vous êtes sûr ?

— Il y en a une dans l'entrée. Ça doit être la seconde qu'il a entendue.

Karlsson se concentra.

— Non, dit-il enfin. De toute façon, quand de la fumée déclenche une alarme, on ne parle pas d'alarmes au pluriel. On n'en perçoit qu'une.

— Vraiment ? dit Yvette.

— Les affaires de Ruth Lennox sont-elles ici ou au poste ?

— Au poste.

— Bon, répliqua Karlsson, excusez-moi une seconde, je dois passer un coup de fil.

Il s'éloigna. Après un long silence, Yvette s'adressa à Bradshaw.

— Quelque chose ne va pas entre vous et Frieda ?

— En avez-vous discuté avec elle ? répliqua-t-il.

— De quoi ?

— Du rôle que vous avez joué lors de l'incident, ou l'accident, peu importe, appelez ça comme vous voudrez.

— Désolée, je ne comprends pas ce que vous voulez dire.

— C'est juste que j'espère que vous ne vous sentez pas coupable à ce sujet.

— Écoutez... commença Yvette, très remontée, avant d'être interrompue par Karlsson de retour dans la cuisine.

— Je viens de parler à une femme au stock, dit-il. Et j'ai trouvé ce que je m'attendais à trouver. Ce que Hunt a entendu dans le salon, c'était le téléphone de Ruth Lennox. Il contient une alarme, programmée pour 16 h 10. Voilà la seconde alarme qu'a entendue Billy Hunt.

— Peut-être bien, commenta Yvette.

— C'est sûr et certain, persista Karlsson. Faites le rapprochement. Regardez ce qu'on a. Des biscuits ou des gâteaux en train de brûler dans le four. Un détecteur de fumée. Et une alarme programmée pour 16 h 10. On peut raisonnablement suggérer que l'alarme devait lui rappeler que les gâteaux étaient prêts.

— Possible.

— Et raisonnablement suggérer qu'au moment où l'alarme s'est déclenchée, Mrs Lennox n'était plus en mesure d'y répondre. Donc, qu'elle était morte à 16 h 10, au plus tard.

Silence autour de la table.

— Merde, conclut Yvette.

Quinze

Elle l'attendait. Elle s'examina brièvement dans le miroir pour s'assurer qu'elle avait l'air présentable et en relative bonne santé – elle ne pouvait supporter l'idée de faire pitié, et certainement pas de susciter la sienne – puis, debout à côté de la fenêtre de la cuisine, elle avala la part de quiche, le chat à ses pieds, qui se frottait les flancs contre ses tibias. La maison était silencieuse à présent, après une journée où avaient retenti des coups terribles, des bruits d'arrachage et de percements. Stefan était revenu, portant avec Josef deux poutrelles d'aspect industriel dans la maison. Mais ils étaient repartis maintenant. Frieda ne savait pas de quoi elle avait envie au juste, mais elle se sentait soudain plus éveillée et moins à vif, comme si l'on avait très légèrement tourné un bouton de contrôle et que son monde lui apparaissait plus nettement.

La sonnerie retentit à 22 heures passées de neuf minutes.

— Bonsoir Frieda, la salua Karlsson.

Il lui tendit un bouquet de tulipes rouges, emballées dans un papier humide.

— J'aurais dû vous les apporter il y a des semaines.

— Il y a des semaines, j'en avais bien trop. Elles sont toutes mortes en même temps. Ça, c'est mieux.

— Je peux entrer ?

Dans le salon, il prit l'un des fauteuils à côté du foyer vide.

— Je vous imagine toujours assise auprès du feu, dit-il.

— C'est que vous ne m'avez jamais réellement connue qu'en hiver.

Un silence s'abattit : tous deux se remémoraient le travail accompli ensemble, et de quelle façon violente il s'était achevé.

— Frieda... commença-t-il.

— Ce n'est pas nécessaire.

— Si. Je dois, vraiment. Si je ne suis pas venu vous voir depuis que vous êtes sortie de l'hôpital, c'est que je me sentais si mal au sujet de ce qui s'était passé que je me suis plus ou moins barricadé pour ne plus y penser. Vous nous avez aidés – plus que ça, vous avez volé à notre secours. En échange de quoi, on s'est débarrassés de vous et vous avez failli vous faire tuer par notre faute.

— Ce n'est pas *vous* qui vous êtes débarrassé de moi, pas plus que ce n'est *de votre faute* si j'ai failli me faire tuer.

— Si, moi, mon équipe, nous. C'est comme ça que ça marche. J'étais responsable et je vous ai laissée tomber.

— Mais je ne suis pas morte. Regardez-moi.

Elle leva le menton, redressa les épaules, sourit.

— Je vais bien.

Karlsson ferma les yeux un moment.

— Dans ce boulot, il faut avoir la peau dure ou alors on devient fou. Mais... difficile d'avoir la peau dure quand il est question d'un ami.

Un silence s'attarda autour du mot. Des images de Karlsson défilèrent dans l'esprit de Frieda : Karlsson à son bureau, calme et maître de lui ; Karlsson marchant dans la rue à grands pas décidés, l'air tendu ; Karlsson assis au pied du lit d'un petit garçon dont ils ignoraient s'il survivrait ; Karlsson prenant sa défense face au préfet ; Karlsson avec sa fille, enroulée autour de lui comme un koala craintif ; Karlsson assis au coin de sa cheminée, en train de lui sourire.

— Ça fait plaisir de vous revoir, dit enfin Frieda.

— Ça me touche beaucoup.

— Vos enfants sont partis ? s'enquit-elle.

— Non, pas encore. Mais très bientôt, oui. J'étais censé passer plein de temps avec eux. Jusqu'à cette affaire.

— Dur.

— Comme une rage de dents qui n'en finirait plus. Et vous, ça va, vraiment ?

— Ça va bien, oui. J'ai besoin d'un peu de temps.

— Je ne veux pas dire simplement physiquement.

Karlsson rougit et Frieda s'en amusa presque.

— Vous voulez dire : suis-je traumatisée ?

— On vous a agressée au couteau, tout de même.

— J'en rêve, parfois.

Frieda réfléchit.

— Et je me dois de vous dire que je pense aussi à Dean Reeves. Il s'est passé quelque chose il y a deux ou trois jours, qu'il faut que vous sachiez. Ne faites pas cette tête, je n'ai pas envie d'en parler pour l'instant.

Il y eut une pause. Karlsson semblait soupeser quelque chose en pensée. Parler, ou ne rien dire.

— Écoutez, dit-il enfin. Ce garçon, là, Ted.

— Je suis désolée pour cet incident.

— Ce n'est pas ce que je voulais dire. Vous êtes au courant de cette affaire ?

— Je sais que sa mère a été tuée.

— C'était une brave femme, son mari, un homme bien, la famille était unie, ils avaient de bons amis, les voisins l'appréciaient. On a cru avoir coincé celui qui l'avait fait, tout bien, sans histoires. Il s'avère finalement que non, et on se retrouve à la case départ. Sauf que c'est encore plus incompréhensible.

— J'en suis désolée, commenta Frieda, sans s'impliquer.

— Le Dr Bradshaw a une théorie.

— Je ne veux pas l'entendre, s'empressa de répondre Frieda. C'est l'un des avantages qu'il y a à s'être fait écarter.

Karlsson eut l'air soupçonneux.

— Il y a un problème avec Bradshaw ?

— Quelle importance ?

Frieda s'en tint là, et se contenta d'attendre.

— Vous n'accepteriez pas de venir voir la maison avec moi, par hasard ? Rien qu'une fois ? J'aimerais pouvoir en discuter avec quelqu'un de confiance.

— Et Yvette, alors ? demanda Frieda, même si elle savait déjà qu'elle allait accepter.

— Yvette est formidable – si l'on écarte le fait que vous avez failli mourir par sa faute, évidemment. C'est ma fidèle collaboratrice, ainsi que mon chien de garde. Mais si je voulais faire examiner une maison, rien que pour en humer l'atmosphère, avoir une ou deux idées, c'est à vous que je le demanderais... c'est pourquoi je vous le demande.

— En tant qu'amie.

— Oui, en tant qu'amie.

— Quand ?

— Demain matin, quand la maison sera vide ?

— Ça me va.

— Vous êtes sérieuse ? C'est génial, je veux dire ! J'envoie une voiture ?

— Je viendrai par mes propres moyens.

Aujourd'hui j'ai fait la connaissance d'une experte en neurosciences, Gloria, que tu aimerais beaucoup, je crois. (Tu vois, je me fais des amis pour toi, ici.) Nous avons parlé du libre arbitre – est-ce qu'il existe, etc. Elle soutenait qu'avec toutes les connaissances que nous avons aujourd'hui du cerveau, il est impossible d'y croire, et pourtant, il est impossible, en même temps, de ne pas y croire, et de ne pas mener nos vies comme si nous avions le choix. Une illusion nécessaire.

Il fait très beau ce soir, avec une pleine lune qui brille sur le fleuve. Je me demande quel temps il fait à Londres – quoique ce soit presque le matin pour toi, bien sûr. Tu dors. En tout cas, je l'espère.

Sandy xxxx

Seize

C'est donc le lendemain même que Frieda repassa devant le Roundhouse, devant le petit café où Ted et Chloë avaient bu un chocolat chaud la veille au soir et devant le plus grand, où un avion piquait du nez sur la façade et d'où s'échappaient les pulsations sourdes de la musique, pour s'engager dans Margaretting Road. Karlsson était déjà dehors, en train de boire du café dans un mug en carton qu'il leva en guise de salut à son approche. Il remarqua qu'elle marchait plus lentement qu'à l'accoutumée, et avec une légère claudication.

— Vous voilà.

— J'ai dit que je viendrais.

— Ça me fait plaisir.

— Tant que vous êtes sûr qu'il n'y a personne ?

— Certain. La famille s'est installée chez des voisins. La maison constitue toujours une scène de crime, officiellement.

— Et Hal Bradshaw ?

— On l'emmerde.

La véhémence de la réaction de Karlsson la surprit.

Frieda franchit la porte d'entrée à la suite de Karlsson. Même si la vitre demeurait cassée, les barrières avaient été ôtées et l'équipe scientifique avait quitté les lieux. Mais la maison dégageait cette impression de vide particulière propre aux lieux désertés, et leur odeur de renfermé – ajouté au fait, bien évidemment, que c'était là qu'une femme (une épouse, une mère, une bonne voisine, avait dit Karlsson) venait de se faire assassiner. Debout dans l'entrée silencieuse, Frieda avait l'impression que la maison en était d'une certaine manière consciente, et qu'elle se sentait délaissée.

Un grand portrait, au cadre fêlé et au verre brisé, était appuyé contre le mur et elle se pencha pour l'étudier.

— Une famille sans histoire, commenta Karlsson. Mais c'est généralement le mari, vous savez.

Les portraits de famille officiels qu'on encadre et qu'on accroche au mur respirent toujours le bonheur. Chacun doit se rapprocher de son voisin et sourire : ici, Ted, pas aussi dégingandé et débraillé qu'elle l'avait vu, avec les traits lisses de la jeunesse ; là, l'aînée des filles, avec ses yeux d'un bleu clair saisissant, auréolée de boucles cuivrées. Là, la benjamine, maigrichonne et anxieuse, mais arborant un grand sourire en dépit de ses bagues dentaires, la tête légèrement inclinée de côté, vers l'épaule de sa mère. Et là, le mari et père, aussi fier et protecteur que doit l'être un époux et un père quand il se tient au milieu des siens pour le portrait qui les représentera : le cheveu brun grisonnant, la joue un peu flasque, les yeux de sa fille aînée, des sourcils qui s'inclinaient selon un angle comique, des traits que la nature avait voulus enjoués.

Et elle, enfin, debout, au centre avec son mari – dans un pull tacheté, ses cheveux soyeux retenus souplement en arrière, avec son visage candide et son sourire débordant du cadre. Une main sur l'épaule de sa fille aînée, assise devant elle, et l'autre contre la hanche de son mari. C'était un geste touchant pour un portrait officiel, songea Frieda, ordinaire et intime. Elle se pencha de plus près et plongea son regard dans celui de la défunte. Des yeux gris. Pas de maquillage, pour autant qu'elle puisse en juger. De petites traces laissées par les ans au coin de la bouche, et au milieu du front. Des rides de sourire et de froncement de sourcils, les marques du temps.

— Parlez-moi d'elle. Décrivez-la-moi, demanda-t-elle à Karlsson.

— Elle s'appelait Ruth Lennox. Quarante-quatre ans. Infirmière à domicile, et ce, depuis que sa plus jeune a commencé l'école. Elle est restée sans travailler plusieurs années quand les enfants étaient petits. Mariée à Russell Lennox – Karlsson indiqua l'homme sur la photo –, une union heureuse, au dire de tous, depuis vingt-trois ans. Lui est cadre dans une petite association caritative pour les jeunes présentant des difficultés d'apprentissage. Trois gosses, comme vous pouvez voir – votre Ted, Judith, 15 ans, et Dora, 13. Tous trois à l'école publique du quartier. A une sœur insupportable qui vit à Londres. Les deux parents sont décédés. Elle fait partie de l'association de parents d'élèves. Bonne citoyenne. Pas riche, mais financièrement à l'aise, deux revenus modestes mais stables et pas de grosses dépenses. 3 000 livres sur son compte courant, 13 000 sur son compte épargne. Un plan d'épargne correctement rempli pour leurs vieux jours. Fait des dons à diverses œuvres de bienfaisance par le biais de virements automatiques. Pas de casier judiciaire. Permis de conduire avec tous ses points. J'emploie le présent mais, bien sûr, mercredi dernier, elle a subi une effroyable agression et a dû mourir sur le coup.

— Qui pensiez-vous que c'était, avant ?

— Un camé du coin avec casier, mais il s'avère qu'il a un alibi en béton. Il a été filmé par une caméra de surveillance ailleurs, à l'heure de sa mort. Il a reconnu être entré par effraction, avoir volé deux ou trois trucs, être tombé sur son corps et avoir détalé. On ne l'a pas cru mais, pour une fois dans sa vie, il disait la vérité.

— Donc, la fenêtre cassée, c'était lui ?

— Ainsi que le cambriolage. Il n'y avait pas trace d'effraction quand une voisine est passée un peu plus tôt – nous savons que Ruth Lennox devait déjà être morte. Ce qui suggère qu'elle a laissé le tueur entrer elle-même.

— Quelqu'un qu'elle connaissait.

— Ou inspirant confiance.

— Elle est morte où ?

— Ici.

Karlsson la conduisit dans le salon, où tout était propre et à sa place (les coussins sur le canapé, les journaux et les magazines dans le porte-revues, les livres bien alignés aux murs, les tulipes dans un vase sur la tablette de la cheminée), mais une tache noire s'épanouissait toujours sur le tapis beige et des gerbes maculaient le mur voisin.

— Violent, commenta Frieda.

— Hal Bradshaw croit que c'est l'œuvre d'un sociopathe extrêmement fâché, avec antécédents de violence.

— Et vous pensez que c'est plus vraisemblablement le mari.

— Ça n'a rien de prouvé, c'est juste ainsi que va le monde. La personne la plus prédisposée à tuer sa femme est le mari. Dans le cas d'espèce, cependant, le mari a un alibi plutôt solide.

Frieda se retourna vers lui.

— On nous apprend à nous méfier des étrangers, dit-elle. C'est de nos amis qu'on devrait plutôt s'inquiéter, pour la plupart.

— Je n'irais pas jusque-là, contra Karlsson.

Ils se rendirent dans la cuisine et Frieda se posta au centre de la pièce, examinant tour à tour le vaisselier encombré, les dessins et photos collés au réfrigérateur par des aimants, le livre grand ouvert sur la table. Puis, à l'étage, la chambre : un lit *king size* couvert d'une couette rayée, un portrait, dans un cadre doré, de Ruth et Russell le jour de leur mariage vingt-trois ans auparavant, plusieurs photos plus petites, également encadrées, de ses enfants à différents âges, une penderie dans laquelle se trouvaient des robes, des jupes et des chemisiers – rien d'extravagant, remarqua Frieda, quelques articles datés, manifestement, mais bien entretenus. Des chaussures, plates ou avec de petits talons ; une paire de bottes en cuir noir, un peu éraflées. Des tiroirs dans lesquels les tee-shirts étaient soigneusement enroulés et non pas pliés ; un tiroir de sous-vêtements avec slips et soutiens-gorge de bon ton et sans frou-frou superflus, du 75C. Un petit amas de produits de maquillage sur la coiffeuse, et un flacon de parfum Chanel. Un roman posé du côté de Ruth sur la table de nuit, *Wives and Daughters*, d'Elizabeth Gaskell, avec un marque-page qui en dépassait, et en dessous, un ouvrage sur les petits jardins. Une paire de lunettes, repliée, à côté.

Dans la salle de bain : un pain de savon sans parfum, du savon liquide à la pomme, une brosse à dents électrique – celle de monsieur, et de madame – et du fil dentaire, de la crème à raser, des rasoirs, une pince à épiler, une bombe de déodorant, des lingettes à démaquiller, de la crème hydratante, deux grands draps de bain et une petite serviette, deux gants assortis pendus sur le côté de la baignoire, avec le robinet au centre, un pèse-personne contre le mur, une armoire à pharmacie contenant du paracétamol, de l'aspirine, des pansements de toutes tailles, des médicaments contre la toux, une pommade pour mycoses périmée, un tube de gouttes pour les yeux, des cachets pour les problèmes de digestion... Frieda referma l'armoire.

— Pas de contraceptifs ?

— C'est la question qu'a posée Yvette. Elle avait un stérilet – le Mirena, apparemment.

Dans le meuble qui lui était dédié dans le petit bureau de son mari, il y avait trois classeurs professionnels, et la plupart des autres concernaient ses enfants : diplômes, relevés d'allocations familiales, carnets de santé, bulletins scolaires, sur des feuilles volantes ou de petits cahiers, remontant à leurs toutes premières années à l'école primaire, certificats immortalisant leur aptitude à la pratique du vélo, à faire un cent mètres à la nage ou leur participation à la course à la cuillère.

Dans la vieille malle élimée à côté du classeur : des tonnes et des tonnes de créations rapportées de l'école par les enfants au fil des ans. Peintures maladroites aux couleurs vives de silhouettes aux jambes directement reliées à la tête, cercles tracés d'une main malhabile, avec des cheveux dressés comme autant de points d'exclamation, bouts de tissu comportant des plis faufilés ou des points de croix ou de chaînette. On y trouvait encore un minuscule réveil fait main privé de pile, une petite boîte décorée de coquillages débordant de colle, un pot d'argile peint en bleu, dans lequel apparaissaient encore les traces de doigts pressées dans le bord asymétrique.

— Il y a aussi plusieurs sacs remplis de vêtements de bébé au grenier, dit Karlsson, comme elle refermait le couvercle. On ne s'y est pas encore attaqué. Ça prend du temps d'inspecter une maison comme celle-ci. Ils ne jetaient rien.

— Des albums photos ?

— Une étagère entière leur est dédiée. Elle a noté la date et l'événement sous chacune d'entre elles. Elle ne faisait pas son travail de mère à moitié.

— Non, en effet.

Frieda alla se poster à la fenêtre qui donnait sur le jardin. Des pétales de fleurs s'étalaient au pied de l'arbre fruitier, et un chat était assis dans une flaque de lumière.

— Il n'y a rien ici qu'elle aurait préféré cacher, commenta-t-elle.

— Que voulez-vous dire ?

— Je me dis toujours qu'aucune existence ne pourrait supporter qu'on braque un spot dans ses moindres recoins.

— Mais ?

— Mais d'après tout ce que vous me dites et tout ce que j'ai vu, la sienne semble fin prête pour le feu des projecteurs, vous ne trouvez pas ? Comme si cette maison était une mise en scène.

— Une mise en scène pour quoi ?

— Pour jouer la bonne mère, la bonne épouse.

— C'est moi qui suis censé faire le cynique. Est-ce à dire que, selon vous, personne ne peut être à ce point irréprochable ?

— Je suis thérapeute, Karlsson. Bien sûr que je pense que personne ne peut l'être. Où sont les secrets de Ruth Lennox ?

Mais bien évidemment, songeait-elle, plusieurs heures après, assise au Numéro 9 – le café proche de chez elle que tenaient des amis –, les véritables secrets ne se dissimulent pas dans les objets, les emplois du temps, les mots que nous exprimons ou les expressions que nous affichons sur nos visages, dans les tiroirs de sous-vêtements et les classeurs, les textes détruits, ou les journaux intimes planqués au fond du sac. Ils se cachent bien plus profondément, inaccessibles, même pour nous. Voilà ce à quoi elle pensait, assise face à Jack Dargan, dont elle assurait la supervision et que, même durant sa convalescence, elle avait retrouvé au minimum une fois par semaine pour suivre sa progression et prêter une oreille attentive à ses doutes. Et Jack était pétri de doutes. Mais jamais il n'avait douté de Frieda : elle était la constante de sa vie, le seul repère sur lequel il pouvait compter.

— J'ai une faveur à vous demander, disait Jack avec animation. Ne faites pas cette tête – je ne vais pas abandonner mes patients ou quoi que ce soit... Et surtout pas Carrie.

Depuis qu'elle avait découvert que son époux Alan ne l'avait pas abandonnée mais qu'il avait été assassiné par son jumeau, Dean Reeve, Carrie était allée consulter Jack deux fois par semaine. Ce dernier semblait s'en être mieux tiré que Frieda elle-même ne l'aurait cru. Il mettait de côté ses complexes, son pessimisme et sa maladresse et se concentrait sur cette femme en détresse.

— En quoi consiste cette faveur ?

— J'ai écrit un article sur le traumatisme et j'aimerais que vous le lisiez avant que je l'envoie.

Frieda hésita. L'expérience du traumatisme lui semblait encore trop proche pour l'examiner avec la distance requise. Elle considéra la figure rouge de Jack, ses cheveux ébouriffés et dressés en épis, ses vêtements ridicules (il portait ce jour-là un jean marron, râpé, une chemise jaune et orange d'occasion qui jurait avec son teint et ses cheveux, et un imperméable vert même si le ciel était sans nuages). Dans son embarras, il lui faisait penser à Ted Lennox, à tant d'autres jeunes gens mal dégrossis et mal dans leur peau.

— Soit, dit-elle à contrecœur.

— Vraiment ?

— Oui.

— Je peux vous poser une question ?

— Demandez toujours.

— Mais vous ne répondrez pas forcément. Je le sais.

Jack évita son regard.

— Si je pose la question, c'est que les autres ne le feront pas et…

— Quels autres ? coupa Frieda.

— Oh, vous savez bien… Les mêmes que d'habitude.

— Je fais peur à ce point ? Bon allez, continuez.

— Vous allez bien ?

— C'est ça que vous… qu'*ils*… voulaient demander ?

— Oui.

— L'article que vous avez rédigé n'est qu'une excuse ?

— Ben, ouais. Enfin... mais je l'ai écrit, pour de vrai. Et j'aimerais bien que vous y jetiez un œil si vous en avez le temps.

— Et j'imagine que si vous me le demandez, à moi, c'est parce que vous vous inquiétez à l'idée que je n'aille pas bien.

— Non ! Enfin... si. Vous avez l'air...

Il s'interrompit.

— Allez-y.

— Fragile, friable. Comme une coquille d'œuf. Plus imprévisible que jamais. Désolé, je ne veux pas vous blesser. Mais peut-être que vous ne prenez pas votre convalescence suffisamment au sérieux.

— C'est ce que vous pensez ?

— Oui.

— Tous ?

— Ben... oui.

— Dites à tout le monde – à tous ceux qui se donnent la peine de s'inquiéter pour moi – que je vais bien.

— Vous êtes fâchée.

— Je n'aime pas l'idée que vous ayez parlé de moi dans mon dos.

— C'est juste parce qu'on se fait du souci pour vous.

— Merci de vous en faire, mais ça va.

Plus tard dans l'après-midi, Frieda reçut une visite inopinée, qui raviva brutalement sa mémoire des récents événements. Ouvrant la porte, elle découvrit Lorna Kersey sur le seuil, et avant que Frieda ait eu le temps de dire quoi que ce soit, elle l'avait franchi et claquait violemment la porte derrière elle.

— Je n'en ai pas pour longtemps, commença-t-elle, d'une voix aiguë et cassée par la colère.

— Je ne ferai pas comme si je ne savais pas ce que vous faites là.

— Bien.

— Je vous présente toutes mes condoléances, Mrs Kersey.

— Vous avez tué ma fille et maintenant vous dites que vous me présentez vos condoléances.

La fille de Lorna Kersey, Beth, était une jeune femme malheureuse et handicapée souffrant de délires paranoïaques, qui avait tué Mary Orton. Frieda était arrivée trop tard pour l'en empêcher. La netteté des souvenirs qu'elle avait de Beth debout au-dessus d'elle avec son couteau, la sensation renouvelée de la lame s'enfonçant en elle... Cette nuit-là, elle avait compris qu'elle s'en allait, elle s'était sentie sombrer dans le noir et l'oubli – et pourtant avait survécu. Pas Beth Kersey. La police avait parlé d'autodéfense et même Karlsson n'avait pas cru Frieda quand elle avait maintenu que c'était Dean Reeve qui avait tué Beth et lui avait sauvé la vie.

— Oui, je suis désolée, redit Frieda, sans broncher.

Il ne servirait à rien de dire à Lorna Kersey qu'elle n'avait pas tué sa fille. Elle ne la croirait pas et, même si elle le faisait, qu'est-ce que ça changeait ? Beth, la pauvre Beth était morte, et c'était l'angoisse d'une mère qu'on lisait gravée sur les traits de Lorna Kersey.

— Vous êtes venue me voir, vous m'avez poussée à vous confier des choses sur Beth que nous n'avions jamais dites à personne. Je vous faisais confiance. Vous avez dit que vous nous aideriez à la retrouver. Vous m'avez fait une promesse. Et ensuite, vous l'avez tuée. Vous savez ce que ça fait d'enterrer son enfant ?

— Non.

— Non, bien sûr que non. Comment osez-vous vous lever le matin ?

Frieda envisagea de rappeler que Beth était très malade, que, dans son délire et sa crise de démence, elle avait massacré une vieille dame et l'aurait bien tuée, elle aussi. Mais Lorna Kersey savait tout cela, bien sûr. Elle cherchait un coupable et qui était mieux indiqué que Frieda ?

— J'aimerais avoir quelque chose à ajouter ou à faire qui puisse...

— Mais il n'y en a pas. Il n'y a rien. Mon enfant est morte et maintenant, elle ne guérira jamais. Et c'est votre faute. Sous couvert d'aider les gens, vous les détruisez. Je ne vous le pardonnerai jamais. Jamais.

Frieda...

Tu m'as semblé un peu distraite, aujourd'hui. Je sais qu'il se passe quelque chose, mais en dépit de ce que nous avons vécu ensemble, tu n'es pas très douée pour te confier à moi, hein ? Pourquoi ? Redoutes-tu de m'être redevable – comme si je risquais d'avoir quelque emprise sur toi ? Il me semble que tu as l'impression de devoir tout gérer, au nom d'une obligation morale. À moins que tu ne penses pas que les autres sont capables de t'aider. Ce que je tente de te dire, je crois, c'est que tu devrais – tu *peux* – compter sur moi.

Sandy xxx

Dix-sept

Le Sir Philip Sidney était un pub situé le long d'une rue passante. Il semblait perdu et déserté, coincé entre une station essence et un magasin de meubles. En entrant, Fearby reconnut son homme immédiatement et sut au même instant qu'il était de la police, ou l'avait été. Costume gris, chemise blanche, cravate rayée, chaussures noires. Léger embonpoint. Fearby prit place à côté de lui.

— Un verre ? offrit-il.

— Je repartais, répondit l'homme.

— Vous êtes ?...

— Pas besoin de le savoir, répondit l'homme, vu qu'on ne se reverra jamais. Vous savez, on commence à en avoir franchement assez de vous. Dans la police.

— Ils se sont pas mal lassés de moi au journal, aussi, répondit Fearby.

— Vous devez être très content de vous, alors.

— Vous m'avez fait venir jusqu'ici pour me dire ça ?

— Vous allez laisser tomber cette histoire ?

— Je n'en sais rien, répondit Fearby. Conley n'a pas tué Hazel Barton. Ce qui signifie qu'un autre l'a fait.

— La police ne poursuit pas d'autres pistes, comme vous le savez.

— Oui, répondit Fearby. C'est tout ?

— Je me demandais si vous aviez d'autres hypothèses envisageables ?

— Des hypothèses envisageables ? s'énerva Fearby. J'ai une pièce remplie de dossiers.

— Je buvais un coup, un jour, répliqua l'homme d'un ton dégagé, et quelqu'un m'a dit que le matin du meurtre de Hazel Barton, à quelques kilomètres de Cottingham, une autre fille s'était fait aborder. Mais elle a réussi à s'échapper. C'est tout. Juste un truc que j'ai entendu.

— Pourquoi est-ce que ça n'a pas été communiqué à la défense ?

— On a jugé ça sans rapport. Ça ne correspondait pas au schéma. Quelque chose dans le genre.

— Alors pourquoi me le dire aujourd'hui ?

— Je voulais savoir si ça vous intéresserait.

— Ça me suffit pas, répondit Fearby, ce ne sont que des ragots de comptoir. J'ai besoin d'un nom, d'un numéro de téléphone.

L'homme se leva.

— C'est un de ces détails insignifiants qui vous titille, qui ne vous lâche pas, dit-il. Vous savez, comme un caillou dans la chaussure. Je vais voir ce que je peux faire. Mais ce sera tout. Un coup de fil, et ensuite, vous n'entendrez plus jamais parler de moi.

— C'est vous qui m'avez appelé.

— Ne me le faites pas regretter.

Frieda commanda pour elle-même un café noir, et un café latte accompagné d'une viennoiserie pour Sasha. Elle s'attabla et ouvrit le journal. Elle tourna page après page jusqu'à tomber sur l'article qu'elle recherchait. Quelques minutes plus tôt, à peine, Reuben l'avait avertie en hurlant dans le téléphone, aussi était-elle préparée. Elle le balaya rapidement du regard.

— Oh, fit-elle, soudain, comme si on lui avait porté un coup.

Il y avait un détail auquel elle ne s'attendait pas.

— Et alors, ces travaux ? s'enquit Sasha. Je savais que Josef voulait t'offrir une nouvelle baignoire. Je n'avais pas compris que ça prendrait autant de temps.

— J'ai presque oublié à quoi ressemblait mon ancienne salle de bain, répondit Frieda. Ou ce que ça faisait d'en avoir une.

— Il a sans doute pensé que ce serait une forme de thérapie pour toi, répliqua Sasha. Peut-être que le bain chaud est le seul petit plaisir que tu t'accordes sans culpabiliser. Du coup, il s'est dit qu'il t'en fallait au moins une bonne.

— À t'entendre, je serais... désespérée.

— La thérapie valait également pour Josef, je pense.

Frieda demeura perplexe.

— Pourquoi cela aurait-il constitué une thérapie pour Josef ?

— Je sais que tu étais là quand on a tué Mary Orton, je sais combien ça a été affreux pour toi. Mais Josef la connaissait, lui aussi. Il s'est occupé d'elle, a réparé sa maison. Et elle veillait sur lui – son fils adoptif ukrainien, meilleur que ses fils anglais légitimes.

— C'est juste, admit Frieda.

— Quand cette histoire est arrivée, ça l'a profondément touché. J'ai l'impression que, quand il traverse un coup dur, il n'en parle pas. Il boit, ou fait quelque chose pour quelqu'un d'autre.

— Peut-être bien, admit Frieda. Je regrette juste que sa thérapie soit aussi bordélique. Et bruyante.

— Et voilà qu'on se remet à parler de Frieda Klein dans les journaux. Ça ne te fatigue pas qu'on s'en prenne à toi ?

Frieda laissa s'écouler quelques instants.

— Ce n'est pas ça, dit-elle. Je n'étais pas au courant de ce détail, mais il y a quelque chose que tu dois savoir.

— Comment ça ?

— Ces chercheurs ont visé quatre thérapeutes. Je suis l'un d'eux, évidemment, Reuben en fait partie aussi. Le troisième est Geraldine Fliess, sans doute choisie parce qu'elle a écrit sur les troubles mentaux sévères. Et le dernier est James Rundell.

Aucune des deux femmes n'ajouta quoi que ce soit : ce n'était pas nécessaire.

— Qui nous a mises en contact, en quelque sorte, commenta Sasha.

— Et grâce auquel je me suis fait arrêter.

Rundell avait été le psychothérapeute de Sasha. Quand Frieda avait découvert qu'il avait couché avec elle alors qu'elle était sa patiente, elle n'avait pas seulement confronté Rundell mais l'avait agressé dans un restaurant et avait fini dans une cellule de la police, d'où Karlsson l'avait sortie.

— L'article mentionne mon nom ? demanda Sasha. Désolée je sais que ça fait égoïste, ce n'est pas ce que je voulais dire.

— Il ne parle pas de toi, répondit Frieda. Pour autant que je puisse voir.

— Tu n'as pas à t'inquiéter, tu sais. Je vais mieux. C'est du passé, tout ça. Ça ne peut plus m'affecter.

— J'en suis heureuse.

— En fait...

Sasha s'interrompit, et Frieda lui lança un regard interrogateur.

— En fait, je voulais t'en parler depuis un bail, mais le moment ne s'est jamais présenté. J'ai rencontré quelqu'un.

— Ah oui ? Qui est-ce ?

— Il s'appelle Frank Manning.

Son visage adopta une expression douce et rêveuse.

— Dis-m'en plus ! Il fait quoi ?

— Il est avocat pénaliste. Je n'ai fait sa connaissance qu'il y a quelques semaines. Tout s'est fait si vite...

— Et est-ce que...

Elle hésita. Elle voulait demander à Sasha si ce Frank était célibataire et disponible ou si, à l'image de plusieurs relations antérieures de Sasha, il y avait des complications. Elle se faisait du souci pour sa ravissante jeune amie.

— Tu veux savoir s'il est marié ? Non, il est divorcé et a un jeune fils. Ne me regarde pas comme ça, Frieda ! J'ai confiance en lui. Si tu le connaissais, tu comprendrais ce que je veux dire. C'est un homme respectable.

— Je veux faire sa connaissance.

Frieda prit la main de Sasha entre les siennes et la pressa.

— Je suis ravie pour toi. J'aurais dû deviner... tu as l'air radieuse.

— Je suis heureuse, simplement. Je me réveille le matin et je me sens vivante ! Ça fait si longtemps que je ne me suis pas sentie comme ça. J'avais presque oublié comme c'est doux...

— Et lui ressent la même chose.

— Oui, absolument. Je sais que oui.

— Je veux le rencontrer. Pour voir s'il est suffisamment bien pour toi.

— J'arrangerai ça. Mais, toi, Frieda, Reuben, tout ça dans le même article. C'est une simple coïncidence ?

— L'homme qui conduit le projet de recherche est un psychologue dénommé Hal Bradshaw. Il travaille avec la police et on était tous les deux sur l'affaire où j'ai failli me faire tuer.

— Et vous ne vous entendiez pas ?

— Nos opinions divergeaient sur plusieurs points.

— Ça t'ennuie si je jette un œil ?

Frieda fit glisser le journal sur la table. Sasha se pencha et y plongea le regard, sans lire intégralement, plutôt en percevant par flashs. Elle saisit le gros titre :

TÉMOINS SILENCIEUX

... puis vit une série de photos. Une de Frieda qui avait déjà paru dans un autre article, un portrait d'elle pris dans la rue, à son insu. Une photo de James Rundell, plus jeune que lorsqu'elle avait eu affaire à lui, et un portrait bien plus ancien de Reuben. On aurait dit un psychanalyste tiré d'un film de la Nouvelle Vague.

Elle lut l'intro : « Un nouveau rapport dérangeant suggère que les psychothérapeutes ne peuvent pas protéger le public des violeurs et des meurtriers potentiels. »

Elle fit glisser son doigt au bas de la page, cherchant le nom de Frieda.

Confrontée à un patient montrant tous les signes classiques du psychopathe assassin, le Dr Frieda Klein n'a proposé aucun traitement et n'a aucunement tenté de le signaler aux autorités. Interrogée sur les raisons pour lesquelles elle n'avait pas signalé un psychopathe à la police, le Dr Klein a répondu qu'elle avait certes eu « quelques raisons de s'inquiéter pour ce patient », mais qu'elle « ne souhaitait s'en entretenir avec personne à part lui ». En fait, le Dr Klein avait refusé de prendre le patient en charge.

Frieda Klein, une brune de 38 ans, a fait la une des journaux au début de l'année quand elle s'est retrouvée mêlée à l'incident choquant durant lequel deux femmes se sont fait poignarder à mort et à la suite duquel Klein s'est retrouvée elle-même hospitalisée. Une femme de 80 ans, Mary Orton, a perdu la vie lors de cette agression au couteau par une schizophrène, Beth Kersey. La police a accepté les explications de

Klein selon lesquelles elle avait tué Kersey pour se défendre.

Le conducteur du projet de recherche, le Dr Hal Bradshaw, a fait le commentaire suivant : « Même s'il est compréhensible qu'on ressente de la sympathie pour ce qu'a enduré le Dr Klein... »

— Plutôt sympa de sa part, commenta Sasha.
— De la part de qui ? s'enquit Frieda.
— De ce misérable Hal Bradshaw.
Elle retourna à son article.

« Même s'il est compréhensible qu'on ressente de la sympathie pour ce qu'a enduré le Dr Klein, je pense qu'on peut raisonnablement poser la question de savoir si elle présente un risque pour ses patients comme pour le public en général. »

Le Dr Bradshaw a évoqué les questions urgentes que soulèvent ses recherches. « Je n'éprouve aucune joie à exposer les défaillances de la communauté des analystes. Nous avons testé les réactions de quatre psychanalystes et, sur les quatre, seule une s'est comportée de manière responsable et a contacté les autorités. Les trois autres ont failli à leurs devoirs de thérapistes et de protecteurs du public.

Quand il s'est confié à moi, l'un des patients de l'étude, Seamus Dunne, était encore furieux de son expérience : « On m'avait dit que le Dr Klein était une professionnelle de premier ordre mais, quand je lui ai servi l'histoire qui démontrait que j'étais un psychopathe, elle n'a absolument pas réagi. Elle a juste posé des questions sans rapport sur le fait de savoir si je me nourrissais bien et si je dormais bien, ce genre-là... On aurait dit qu'elle avait l'esprit ailleurs. »

Sasha jeta le journal.

— Je sais que je suis censée te dire quelque chose de réconfortant, mais je ne comprends même pas comment tu peux seulement supporter tout ça. Te voilà à la merci de gens qui s'amusent de toi, qui balancent sur toi des horreurs, qui mentent. L'idée de ce type venant te trouver et racontant qu'il avait besoin d'aide, te demandant la tienne, alors que tout ça n'était qu'un piège... tu ne te sens pas violée ?

Frieda but une gorgée de son café.

— Sasha, à une autre que toi, je dirais que ce n'était pas un problème et que ça fait partie du métier. Et j'ajouterais que c'était une expérience tout à fait intéressante, si ce n'était pas à moi qu'elle arrivait.

— Mais c'est à moi que tu parles, et il s'agit de toi.

Frieda sourit à son amie.

— Tu sais, parfois j'aimerais faire un tout autre métier. J'aimerais être, voilà ce que j'aimerais... J'aurais un tas de glaise sur mon tour et peu importerait ce que je ressens, ou ce que ressentent les autres. À la fin, j'obtiendrais un pot, ou une tasse, ou une coupe.

— Si tu étais potière, répondit Sasha, je serais perdue, ou pire. Et tu n'as aucune envie d'être potière, de toute façon.

— C'est gentil à toi de dire ça, mais tu t'en serais sortie toute seule. C'est ce qui arrive en général, tu sais.

Frieda ramena le journal de son côté de la table et lui jeta un nouveau coup d'œil.

— Tu comptes donner suite, d'une manière ou d'une autre ? demanda Sasha.

Frieda sortit un carnet de son sac et le feuilleta jusqu'à trouver la page qu'elle cherchait.

— Tu connais des gens qui se débrouillent pour tout ce qui touche aux technologies, non ? Comme trouver des trucs sur le Net.

— Oui, hasarda Sasha, méfiante.

— J'aimerais rencontrer Seamus Dunne. J'ai son numéro de téléphone mais je ne sais pas où il habite. Il doit y avoir moyen de trouver.

— Je ne suis pas sûre que ce soit une bonne idée, répondit Sasha. Si tu dois te battre encore une fois et te faire arrêter, Karlsson n'arrivera peut-être pas à te faire sortir, ce coup-ci.

— Rien de ce genre, répliqua Frieda. J'ai juste besoin de lui parler, en personne. C'est faisable ?

Sasha consulta le carnet.

— J'imagine.

Elle prit son téléphone posé sur la table et composa le numéro d'une main ferme.

— Tu fais quoi ? demanda Frieda, mais Sasha se contenta de brandir une main.

— Bonjour, dit-elle dans l'appareil, sur un ton nasal tout à fait différent du sien. Mr Seamus Dunne ? Oui ? On a quelque chose à vous livrer et notre chauffeur n'a pas la bonne adresse, apparemment. Vous pouvez me la redonner ?

Elle s'empara d'un stylo et se mit à écrire dans le carnet de Frieda.

— Oui... Oui... Oui... Merci beaucoup, nous serons là dans un instant.

Elle fit reglisser le carnet sur la table en direction de Frieda.

— Ce n'est pas exactement ce à quoi je pensais quand je parlais de recours aux technologies.

— Pas de brutalité, je t'en supplie.

— Je ferai de mon mieux.

Dix-huit

— Non, dit Seamus Dunne, à la vue de Frieda. Pas question. Et comment savez-vous où j'habite, déjà ?

Elle jeta un œil par-dessus son épaule. Maison d'étudiant. Parquet de bois nu, vélos dans l'entrée, cartons non déballés.

— Je veux juste vous parler.

— Adressez-vous au journal. Ou à Bradshaw. Je ne suis pas responsable.

— Je ne m'intéresse à rien de tout ça, répondit Frieda, pas plus qu'à l'article. Juste à un truc que vous avez dit.

Les yeux de Dunne se plissèrent, soupçonneux.

— C'est un piège ?

Frieda faillit en rire.

— Vous voulez dire, suis-je venue vous trouver sur une raison fallacieuse ?

Dunne secoua nerveusement la tête.

— Bradshaw a dit qu'il n'y avait pas de problème, que c'était parfaitement légal.

— Je vous l'ai dit, répondit Frieda, je m'en fiche. Je suis ici pour vous dire deux choses. Laissez-moi entrer et je les dirai, ensuite je m'en vais.

Dunne semblait perdu dans les affres de l'indécision. Pour finir, il ouvrit la porte et la laissa entrer. Elle traversa le vestibule en direction de la cuisine. On aurait dit qu'une équipe de rugby avait dîné de plats à emporter sans débarrasser, puis qu'ils avaient fait la fête sans remettre de l'ordre, et s'étaient levés le lendemain matin, avaient pris leur petit-déjeuner, toujours sans rien nettoyer avant de quitter les lieux. Seamus Dunne était un peu vieux pour ça.

Il remarqua sa tête.

— Vous avez l'air choquée, dit-il. Si j'avais su que vous veniez, j'aurais rangé.

— Non, répondit-elle. Ça me rappelle mes années d'étudiante.

— Ben... c'est que j'en suis toujours un. Ça n'a pas l'air de grand-chose, mais c'est mieux que rien. Donc, j'imagine que vous êtes venue me passer un savon.

— Vous pensez mériter un savon ?

Dunne s'appuya au plan de travail, manquant déloger une pile d'assiettes surmontée d'une casserole qui contenait deux mugs.

— Le Dr Bradshaw nous a parlé d'une expérience où un chercheur envoyait des étudiants chez divers psychiatres. Tout ce qu'ils avaient à dire, c'est qu'ils avaient entendu une explosion sourde dans leur tête. Chez chacun d'entre eux, on a diagnostiqué une schizophrénie et on les a envoyés à l'hôpital psychiatrique.

— Oui, je connais cette expérience, répondit Frieda. Elle ne serait plus permise de nos jours.

— C'est peut-être dommage, rétorqua Dunne, parce que c'était assez révélateur, vous ne trouvez pas ? Mais ce n'est pas ce que vous voulez entendre.

— Tel que je vois les choses, expliqua Frieda, des gens qui n'étaient pas réellement psychopathes ont été adressés à des psychothérapeutes et seul l'un d'entre eux a commis l'erreur d'en prendre un au sérieux.

— Alors, c'était quoi, les deux choses que vous vouliez me dire ?

— Mon attention a été retenue par ce que vous avez mentionné dans l'article.

— Je me disais bien...

— Non, pas comme vous le pensez. Vous avez dit que je vous avais posé des questions sans rapport avec le sujet, relatives à l'alimentation, au sommeil. Au fait, comment est votre sommeil ?

— Ça va.

— Non, franchement. Vous dormez toute la nuit d'une traite ? Ou vous continuez à vous réveiller ?

— Je me réveille un peu. Comme la plupart des gens.

— Et vous pensez à quoi ?

— Des trucs, vous voyez le genre... je ressasse.

— Et l'appétit ?

Il haussa les épaules et un silence s'installa.

— Pourquoi vous me regardez comme ça ?

— Vous savez ce que je crois ?

— Vous allez sans doute me le dire.

— Quand vous êtes venu me voir, en faisant semblant de demander de l'aide, je pense que vous vous êtes inconsciemment servi de cette expérience comme prétexte pour demander effectivement de l'aide.

— Ce ne sont que des conneries freudiennes. Vous essayez de me piéger.

— Vous ne dormez pas bien, vous ne mangez pas bien. Et ça...

Elle indiqua la cuisine.

— C'est juste une cuisine d'étudiant.

— J'en ai vu, des cuisines d'étudiants. Je les ai même bien connues. Ça, c'est un peu différent. Et de toute façon, vous avez quoi... 25, 26 ans ? Je crois que vous êtes légèrement déprimé et que vous avez du mal à l'admettre devant quiconque, voire de vous l'avouer à vous-même.

Dunne devint tout rouge.

— Si c'est subconscient et que, selon vous, je ne veux même pas me l'avouer, alors comment puis-je apporter la preuve du contraire ?

— Réfléchissez-y, c'est tout. Et peut-être aurez-vous envie, alors, d'en parler à quelqu'un. Quelqu'un d'autre que moi.

Nouveau silence. Dunne s'empara d'une cuillère sale et la tapota contre un mug taché.

— C'était quoi, l'autre truc ?

— Cette histoire que vous m'avez racontée.

— Laquelle ? Tout était inventé.

— Non. Celle où vous coupiez les cheveux de votre père et ressentiez un mélange de tendresse et de puissance.

— Ah, ça...

— Ça semblait différent du reste, comme un véritable souvenir.

— Désolé de vous décevoir. C'était juste un truc que j'ai dit, comme ça...

— Ce souvenir ne vous appartenait pas ?

— Je l'ai appris.

— Qui vous a dit de le raconter ?

— Ça faisait partie du lot... j'en sais rien. Le Dr Bradshaw, peut-être, ou celui qui a bien pu concocter les personnages.

— Qui vous a remis les instructions, en fait ?

— L'un des autres chercheurs. Oh... vous voulez son nom ?

— Oui, s'il vous plaît.

— Pourquoi ? Pour que vous puissiez aller le trouver et le culpabiliser, lui aussi ?

— C'est ce que vous ressentiez ?

— Si vous voulez tout savoir, je me sentais horriblement nerveux, en allant vous trouver comme ça. Un peu malade, même. Ce n'était pas facile.

Il lança un regard noir à Frieda.

— Il s'appelle Duncan Bailey.

— Il habite où ?

— Vous voulez aussi son adresse ?

— Si vous l'avez.

Seamus Dunne marmonna quelque chose, mais ensuite déchira le dessus d'une boîte de céréales vide qui traînait par terre et griffonna quelque chose avant de le tendre à Frieda.

— Merci, dit-elle. Et rappelez-vous ce que j'ai dit au sujet d'aller voir quelqu'un.

— Vous partez, là ?

Seamus Dunne semblait pris de court.

— Oui.

— Vous voulez dire que c'est tout ?

— Je ne suis pas tout à fait certaine que ça s'arrête là, Seamus.

Jim Fearby avait passé en revue ses dossiers pour être sûr qu'il avait tous les faits en mémoire. Il prenait toujours des notes, au début, dans la sténographie qu'il avait apprise en rejoignant les équipes des journaux locaux de Coventry, en tant que reporter junior, plus de quarante ans plus tôt. Plus personne n'apprenait la sténo aujourd'hui, mais il aimait ces hiéroglyphes dansants, semblables à un code secret. Puis, le même jour si possible, il les recopiait dans son carnet. Ce n'est que plus tard qu'il reportait le tout dans son ordinateur.

Hazel Barton avait été étranglée en juillet 2004 ; son corps avait été retrouvé gisant le long d'une route à quelques kilomètres seulement de l'endroit où elle habitait. Apparemment, elle rentrait chez elle depuis l'arrêt de bus. Âgée de 18 ans, jolie, elle avait les traits frais de la jeunesse, trois frères plus âgés qu'elle, et des parents qui la gâtaient et l'adoraient. Elle projetait de devenir kinésithérapeute. Son radieux sourire s'afficha à la une des journaux et sur les écrans de télévision durant des semaines après sa mort. On avait vu George Conley penché sur son corps. Il avait été arrêté sur le champ, et inculpé peu après. C'était l'épave du quartier, le gros lard solitaire, sans emploi, un peu lent à la détente, qui rôdait dans les parcs et devant les terrains de jeux : évidemment que c'était lui. Ensuite, il avoua et tout le monde fut content, sauf Jim Fearby qui ne s'en remettait jamais à la parole d'autrui quand il était question des faits. Il devait lire les rapports de police, passer les dossiers au peigne fin, compulser les livres de droit.

Il était assis devant la télévision, sans réellement la voir, quand le téléphone sonna.

— Vous avez de quoi écrire ?

— Qui est-ce ?

— Philip Sidney.

Fearby chercha un crayon à tâtons.

— Oui ?

— Vanessa Dale, dit la voix, avant d'indiquer un numéro de téléphone et de demander à Fearby de le lui répéter. Fearby voulut poser une question mais on avait déjà raccroché.

Frieda versa deux whiskies et en tendit un à Josef.

— Alors, ça va comment ? s'enquit-elle.

— La solive est bonne. Elle est solide. Mais maintenant que j'ai enlevé le parquet, je crois mieux de mettre carrelage. Des carreaux par terre. Après, le mur aura l'air vieux et en mauvais état à côté par terre. Alors peut-être, carrelage sur le mur aussi. Il faudra choisir.

Josef ayant apparemment oublié son whisky, Frieda fit tinter son verre contre le sien pour le lui rappeler. Tous deux trinquèrent.

— Quand je disais : « Comment ça va ? », je parlais de vous, pas seulement de la salle de bain. Mais je tiens à dire que je vais commencer à payer pour tout ça. Vous n'en avez pas les moyens.

— Ça va.

— Non, ça ne va pas. J'ai été bien trop concentrée sur moi-même. Je sais que vous étiez proche de Mary

Orton. Ça vous a fait beaucoup de peine, je le sais, ce qui est arrivé.

— Je rêve d'elle, répondit Josef. Deux fois, peut-être quatre. C'est drôle.

— De quoi rêvez-vous ?

Josef sourit.

— Elle habitait en Ukraine. Dans mon ancienne maison. Je lui dis que je suis étonné de la voir en vie. Elle me parle dans ma propre langue. Débile, non ?

— Oui, vraiment débile. Mais pas idiot du tout.

Frieda chérie...

Il est trop tard pour t'appeler. Je viens de jeter un œil au lien que tu m'as envoyé. Qui est ce connard de Bradshaw, de toute façon ? Peut-on faire quelque chose ? L'une de mes plus anciennes amies est avocate. Tu veux que je lui en touche deux mots ?

Mais j'espère que tu sais combien te tiennent en haute estime tous ceux qui comptent : tes amis, tes collègues, tes patients. Cette histoire n'est qu'une mascarade mal intentionnée qui ne change rien.

J'ai eu une idée pour cet été – on pourrait louer une péniche sur le canal du Midi. Ça te plairait. J'y suis déjà monté un jour et c'est très intime et confortable. (D'aucuns trouveraient ça oppressant, mais pas toi. C'est un peu comme chez toi, sauf que ça se déplace.) On pourrait se laisser porter par le flot et s'arrêter pour pique-niquer, et dîner le soir dans des petites brasseries. Évidemment, dans mes rêves, le ciel est bleu et tu portes une robe bain de soleil, un verre de vin blanc à la main, tu es légèrement bronzée. Dis oui ! Xxxx

Dix-neuf

— Ça nous a fait un tel choc, dit la femme assise face à Munster et Riley. J'ai encore du mal à le croire. Je veux dire, Ruth était si...

Elle s'interrompit et chercha le mot. Ses traits se plissèrent.

— Pragmatique, compléta-t-elle enfin. Enjouée. Les pieds sur terre. Je ne sais pas... pas quelqu'un auquel il arrive des trucs pareils. Je suis bien consciente que ça paraît débile.

Ils étaient dans un immeuble moderne peu élevé, d'où Ruth Lennox avait exercé en tant qu'infirmière à domicile, installés dans une petite pièce à côté de l'open space en compagnie de sa supérieure hiérarchique, Nadine Salter.

— Ça ne paraît pas idiot, répondit Chris Munster, comme Riley ne trouvait rien à répondre.

Il semblait un peu dans les vapes ce matin : il avait le visage fripé comme s'il venait à peine de se réveiller.

— C'est ce que la plupart des gens disent d'elle. Qu'elle était gentille, avenante, directe et sans histoire. Combien de temps a-t-elle travaillé ici ?

— Dix ans, à peu près. La plupart du temps, elle était en visite, chez les gens, pas ici au siège.

— Pouvez-vous nous montrer son bureau ?

— Bien sûr.

Ils se rendirent dans une vaste salle, passant devant des rangées d'employés dévorés de curiosité mais faisant mine de travailler. La table de Ruth Lennox était d'une propreté méticuleuse, ce à quoi Munster et Riley s'attendaient – ses dossiers, ses carnets, son agenda de travail, sa correspondance et ses fournitures de bureau avaient disparu, cachés dans les tiroirs. Mis à part un ordinateur plutôt daté, les seuls objets posés sur le plateau étaient un petit pot rempli de crayons, un autre, de trombones et d'agrafes, et un portrait encadré de ses trois enfants.

— Nous allons devoir emporter son ordinateur et sa correspondance, expliqua Munster. Pour le moment, on ne s'intéresse qu'au mercredi de sa mort. Le 6 avril. Elle était ici ?

— Oui. Mais seulement pour la demi-journée. Elle prenait toujours ses mercredis après-midi. On a une réunion générale pour l'équipe le matin, vers 11 heures, et ensuite, elle s'en va.

— Donc elle était au bureau ce jour-là, pas en visites ?

— Exactement. Elle est arrivée vers 9 heures, pour repartir à midi.

— Y avait-il quoi que ce soit d'anormal chez elle ce jour-là ?

— On s'est posé la question, mais non, elle était normale, comme d'habitude.

— Elle n'a pas fait mention d'un ennui particulier ?

— Pas du tout. On a parlé des jeunes, et dit combien c'est affreux pour eux d'essayer de trouver du travail, mais d'une manière générale, simplement – ses enfants sont trop jeunes pour que ça ait pu lui causer du souci. Pauvres petits. Et elle m'a donné une recette.

— Vous l'avez vue partir ?

— Non. Mais Vicky, là-bas, fumait une cigarette dehors. Elle l'a vue monter dans un taxi.

— Un cab, ancien, noir ?

— Non. Comme je l'ai dit, un taxi lambda.

— Vous savez de quelle compagnie ?

— Non, je regrette.

— Une minute, dit Riley.

Il s'approcha du bureau de Ruth Lennox et revint avec une petite carte, qu'il remit à Munster.

— C'était punaisé à son tableau, dit-il.

Munster regarda la carte. Compagnie C & R. Il la montra à Nadine Salter.

— Elle allait voir ses patients en taxi ? demanda-t-il.

Son visage adopta une expression désapprobatrice.

— Pas avec notre budget.

La compagnie de taxis C & R avait son siège dans une pièce minuscule aux fenêtres pleines de traces à côté d'un PMU, sur Camden High Street. Un vieux monsieur dormait, assis sur une banquette. Un homme corpulent se trouvait derrière un bureau avec trois téléphones devant lui, et un ordinateur. Il leva les yeux vers les deux enquêteurs quand Munster s'enquit d'une Ruth Lennox.

— Ruth Lennox ? Mercredi dernier ?

Il fit défiler son écran d'un doigt épais mais habile.

— Ouais, on l'a bien eue mercredi dernier. C'est Ahmed qui l'a prise. Pour l'emmener où ?...

Ils patientèrent, s'attendant à ce qu'il dise qu'Ahmed avait ramené Ruth Lennox chez elle, dans Margaretting Street. Il n'en fit rien.

— Shawcross Street, SE17, au numéro 37. Non, on n'est pas allés la rechercher.

L'un des appareils se mit à sonner, fort.

— Faut que je prenne.

De retour sur le trottoir, Munster et Riley échangèrent un regard.

— Shawcross Street... commenta Munster.

La rue qu'ils recherchaient étant une voie sans issue, ils se garèrent à côté d'un gigantesque bloc d'immeubles, datant des années 30. Il était destiné à la démolition, et les fenêtres comme les portes étaient condamnées avec des plaques métalliques.

— Je me demande ce que Ruth Lennox faisait par ici, s'interrogea Munster en descendant de voiture.

— N'est-ce pas précisément ce que fait une infirmière à domicile ? repartit Riley. Aller chez les gens ?

— Ce n'est pas son secteur.

Ils tournèrent à l'angle et s'engagèrent dans Shawcross Street. À l'autre bout se trouvait un rang de vastes maisons victoriennes mitoyennes, mais le numéro 37 n'en faisait pas partie. C'était une construction des années 50, à la façade lisse, sans avancée ou bow-window, délabrée, aux encadrements de fenêtres métalliques, divisée en trois appartements, encore que le dernier étage semblât vide. L'une de ses vitres était brisée et un rideau rouge abîmé s'en échappait.

Munster pressa la sonnette et attendit. Puis essaya celle du milieu. À l'instant où ils tournaient les talons pour repartir, la porte d'entrée s'ouvrit et une petite femme à la peau foncée jeta un coup d'œil méfiant au-dehors.

— Oui, c'est à quel sujet ? s'enquit-elle.

Chris Munster présenta sa plaque.

— On peut entrer ?

Elle s'effaça et les laissa pénétrer dans le hall d'entrée commun.

— Nous voulons parler aux habitants de cet immeuble. Vous habitez ici ?

— Oui.

— Seule ?

— Non. Avec mon mari, qui est au lit, et mes deux fils, qui sont à l'école, si vous comptiez poser la question. Que se passe-t-il ?

— Votre mari est malade ? demanda Riley.

— Il a perdu son boulot.

La femme lui lança un regard noir, l'air tendue.

— Il est en incapacité temporaire. J'ai tous les papiers.

— Ça ne nous concerne pas, répondit Munster. Connaissez-vous une certaine Ruth Lennox ?

— Jamais entendu parler d'elle. Pourquoi ?

— Elle est venue ici mercredi dernier.

Il sortit une photo de Ruth de sa poche et la lui présenta.

— Vous la reconnaissez ?

Elle examina le portrait, tout en plissant les traits.

— Je ne prête pas vraiment attention aux allées et venues, dit-elle.

— Elle a été victime d'un crime. Nous pensons qu'elle est venue ici le jour de sa mort.

— Elle est morte ? Où voulez-vous en venir ?

— Nulle part, nulle part, vraiment. Nous voulons juste déterminer si elle est venue ici ce jour-là, et si oui, pourquoi.

— Ben, en tout cas, elle est pas venue chez nous, ça c'est sûr. Je ne connais aucune Ruth Lennox. Je ne connais pas cette femme.

Elle tapota la photo du doigt.

— Et nous sommes des citoyens respectueux de la loi, ce qui n'est pas toujours évident de nos jours.

— Savez-vous qui habite dans les autres appartements ?

— Il n'y a personne au-dessus. Ils ont déménagé il y a des mois. Et pour ce qui est d'en dessous, je ne sais pas.

— Mais l'appartement est bien habité ?

— Je ne dirais pas « habité ». Quelqu'un le loue, mais je ne les vois pas.

— Les ?

— Eux. Lui, elle, j'en sais rien.

Elle se montra plus conciliante.

— J'entends la radio, parfois. Dans la journée.

— Merci. Et mercredi dernier, vous n'avez vu personne ici ?

— Non, mais je ne faisais pas attention.

— Peut-être que votre mari a pu voir quelque chose s'il était ici dans la journée ?

Son regard passa de l'un à l'autre, suivi d'un léger haussement d'épaules, incertain.

— Il dort beaucoup. Enfin... à cause des médocs.

— Donc, non. Ça ira. Pouvez-vous me dire qui est votre propriétaire ?

— Il traîne pas par ici.

— Son nom ?

— Mr Reader. Michael Reader. Vous avez peut-être entendu parler de lui. On voit ses affiches partout. Son grand-père a racheté la plupart de ces maisons après la guerre. C'est lui qu'il faudrait questionner.

Vingt

Duncan Bailey vivait à Romford, dans une résidence en béton brut. Elle était bâtie à grande échelle, avec des couloirs à l'atmosphère glaciale et de hauts plafonds, de vastes fenêtres qui donnaient sur une cascade d'édifices pêle-mêle et un enchevêtrement de rues sinueuses.

Frieda savait qu'il serait là, parce que, après mûre réflexion, elle l'avait appelé sur son portable et avait pris rendez-vous avec lui. Il n'avait pas paru troublé, ni même étonné, mais détendu et presque amusé, et il avait accepté de la recevoir à 17 h 30, l'après-midi même, à son retour de la bibliothèque. Il était diplômé en psychologie du Cardinal College où Hal Bradshaw enseignait en tant qu'intervenant extérieur.

Elle gravit l'escalier jusqu'au troisième étage, puis s'engagea le long d'un large couloir. Bailey penserait-il qu'elle était motivée par un désir de revanche ? Non, ce n'était pas dans cet esprit que Frieda venait là ici mais pour une raison plus étrange, plus absconse. Elle ne pouvait la voir ou l'entendre, pas plus que la sentir ou la toucher, mais une idée informe, vague et fantomatique se mouvait et s'étirait dans sa tête.

Duncan Bailey était un jeune homme étonnamment petit. Il semblait déplacé et presque comique au milieu du gigantesque salon. Il avait les cheveux châtain clair et un bouc soigneusement taillé, des yeux bleus au regard vif, un visage étroit et mobile. Il se comportait de manière avenante et espiègle. Difficile de dire s'il était sincère ou ironique.

— Merci d'avoir accepté de me recevoir, dit Frieda.

— Pas de souci. J'ai tellement entendu parler de vous.

— Je voulais juste vous poser deux ou trois questions. Il s'agit de l'expérience à laquelle nous avons participé, l'un et l'autre.

— Sans rancune, j'espère, dit-il, avec un sourire.

— Pourquoi en aurais-je ?

— D'aucuns pourraient se sentir humiliés. Mais tout ça, c'est au service de la science. De toute manière, le Dr Bradshaw a prévenu qu'il se pourrait que vous ne voyiez pas les choses de cette façon.

— Il est bien placé pour le savoir, répondit Frieda. Mais, d'après ce que je comprends, vous deviez tous simuler la même étude de cas, a priori, décrire les mêmes symptômes, c'est bien ça ?

— Le Dr Bradshaw a dit qu'on pouvait s'écarter du scénario autant qu'on le souhaitait, tant qu'on y glissait les éléments essentiels.

— Donc, les détails comme cette histoire au sujet des cheveux coupés du père : ça figurait dans votre version aussi ?

— Oui. Vous avez aimé ?

— Le Dr Bradshaw a-t-il créé l'étude de cas lui-même ?

— Il l'a validée, mais elle a été conçue par l'un des autres chercheurs. Les différents intervenants du groupe ne se sont jamais rencontrés. Je suis rentré dans le jeu assez tard, pour rendre service.

— Qui sont-ils ?

— Vous voulez que je vous donne leurs noms ?

— Par curiosité.

— Pour que vous puissiez leur rendre visite, à eux aussi ?

— Peut-être.

— Vous allez vous donner bien du mal. Romford me paraît bien loin pour aller poser une simple question, surtout après que vous avez été si malade. Je vous l'aurais dit au téléphone.

Frieda ne dit rien, se contenta de le regarder.

— Vous ne voulez pas savoir lequel je suis allé consulter ?

— Pas particulièrement.

— Votre ami.

Pauvre Reuben, songea Frieda. Il n'aurait eu aucune chance face à un type comme Duncan Bailey.

— James Rundell.

Il la regarda d'un air inquisiteur, la tête penchée sur le côté.

— Je vois bien pourquoi on pourrait être tenté de lui flanquer un coup de poing.

Frieda réprima un sourire à la pensée de James Rundell recevant ce jeune homme vif d'esprit, cynique, enthousiaste.

— Mais vous ne pouvez pas continuer à vous figurer, comme ça, que vous pouvez contrôler les gens, poursuivit Duncan Bailey. Je veux dire, c'est très sympa de faire votre connaissance, mais quelqu'un de plus sensible que moi pourrait être intimidé par votre visite, docteur Klein. Vous voyez ce que je veux dire ?

— Je veux juste les noms.

Bailey réfléchit un moment.

— Pourquoi pas ? Ils figureront dans la revue de psychologie sous peu, de toute façon. Je vous les note ? Je peux vous donner leur adresse, si ça vous aide. Ça vous évitera de chercher.

Il se déplia de son fauteuil avec l'agilité d'un chat et traversa la pièce en foulant le sol d'un pas léger.

Cinq heures et demie plus tard, Frieda se trouvait à bord d'un avion. Ce vol de dernière minute lui avait coûté les yeux de la tête ; elle partait pour une durée ridiculement courte. Par-dessus tout, elle redoutait de voler et l'avait évité pendant près de dix ans. Elle prit place côté couloir et commanda un jus de tomate. La femme à côté d'elle ronflait doucement. Frieda se tenait toute raide, consumée par la peur : parce qu'elle volait, parce que Dean Reeve était toujours en vie, parce qu'elle savait ce que ça faisait de mourir, parce qu'elle était tellement heureuse de retrouver Sandy et parce que aimer aussi fort était périlleux. Elle risquait moins à rester seule.

Quand Fearby appela Vanessa Dale, elle lui apprit qu'elle avait déménagé des années auparavant. Elle habitait désormais à Leeds. Elle travaillait dans une pharmacie. Fearby répondit que ça ne posait pas de problème. Il viendrait la voir. Avait-elle une pause ? Oh, autre chose. Avait-elle une photo d'elle ? Datant de l'époque ? Pouvait-elle l'apporter ?

Il la retrouva sur le trottoir et l'accompagna jusqu'à un café situé un peu plus loin. Il commanda un thé pour lui et pour elle une sorte de café au nom exotique. Même si c'était la plus petite taille, la crème aurait suffi pour quatre. Vanessa Dale était vêtue d'une jupe rouge sombre sur des collants épais, de bottines et d'une chemise à motifs voyants. Il remarqua qu'elle portait un badge à son nom juste au-dessus de son sein gauche. Il sortit son stylo et son carnet. On croit pouvoir se rappeler des choses, mais il n'en est rien. C'est pourquoi il notait absolument tout, le recopiait, et consignait la date à côté de chaque annotation.

— Merci d'avoir accepté de me voir, commença-t-il.

— Pas de problème, répondit-elle.

— Avez-vous réussi à trouver une photo d'époque ?

Elle ouvrit son portefeuille et sortit deux photos de passeport. Il les examina, puis la regarda. L'ancienne

Vanessa avait les traits plus ronds, les cheveux plus longs et foncés.

— Je peux les garder ?

— Ça ne m'ennuie pas.

— Quelqu'un m'a appelé, reprit Fearby. Un membre de la police. Il a dit que vous les aviez contactés le 13 juillet 2004. C'est exact ?

— J'ai bien contacté la police, en effet, il y a des années de ça. Je ne me rappelle plus la date.

— Pourquoi les avez-vous appelés ?

— Quelqu'un m'avait fichu la trouille. J'ai appelé le commissariat.

— Pourriez-vous me raconter ce qui s'est passé ?

Vanessa parut méfiante.

— De quoi s'agit-il ?

— Je vous l'ai dit, j'écris un livre. Mais votre nom ne sera pas cité.

— Ça me paraît idiot aujourd'hui, dit Vanessa, mais c'était vraiment flippant. Je rentrais des courses que j'avais été faire près de l'endroit où habitaient mes parents. Il y avait un bout de terrain vague. Là où il y a un Tesco à la place, aujourd'hui. Et une voiture s'est arrêtée. Un homme m'a demandé son chemin. Il a ouvert la portière et là, il s'est jeté sur moi. Il m'a attrapée à la gorge. Je l'ai frappé et lui ai hurlé d'arrêter, puis je me suis enfuie. C'est ma mère qui m'a obligée à appeler la police. Deux ou trois policiers sont venus et m'ont interrogée à ce sujet. Voilà tout.

— Et ça n'a pas figuré dans le procès.

— Quel procès ?

— Celui de George Conley.

Elle demeura interdite.

— Vous vous rappelez le meurtre de Hazel Barton ?

— Non.

Fearby réfléchit un moment. S'agissait-il juste d'une nouvelle fausse piste ?

— Quels souvenirs gardez-vous de votre agression ?

— C'était il y a des années.

— Mais un homme a tenté de vous kidnapper, insista Fearby. Ce doit être un souvenir marquant.

— C'était vraiment bizarre, répondit Vanessa. Quand c'est arrivé, c'était comme en rêve. Vous savez, quand vous en faites un vraiment effrayant et que vous arrivez à peine à vous rappeler quoi que ce soit ? Je revois un homme en costume.

— Âgé ? Jeune ?

— Je n'en sais rien. Ce n'était pas un adolescent, et pas un vieux monsieur non plus. Il était assez fort.

— Grand ? Petit ?

— Moyen, je dirais. Peut-être un peu plus grand que moi. Mais je ne suis pas sûre.

— Et sa voiture ? Vous vous rappelez la couleur, la marque ?

Elle fronça les sourcils sous l'effet de la concentration.

— Gris métallisé, je crois. Mais peut-être que je dis ça parce que la plupart des voitures sont grises. Honnêtement, je ne me rappelle rien du tout. Je suis désolée.

— Rien ?

— Je suis désolée, c'était une expérience confuse même sur le moment et sept ans ont passé, depuis. Je me rappelle l'homme et la sensation de sa main sur ma gorge, et le moteur de la voiture qui n'en finissait pas de rugir, rugir, et voilà tout.

Fearby consigna tous les détails – pour ce qu'ils valaient – dans son calepin.

— Et il n'a rien dit ?

— Il a demandé son chemin, comme j'ai dit. Peut-être qu'il a dit des trucs quand il m'a attrapée, je ne me rappelle pas.

— Et vous n'avez plus jamais eu de nouvelles de la part de la police ?

— Je n'en attendais pas.

Fearby referma son calepin.

— Bravo, conclut-il.

Elle sembla interloquée.

— Que voulez-vous dire ?

— Vous l'avez mis en fuite.

— Ce n'est pas ce qui s'est passé, dit-elle. Je n'avais pas l'impression que c'était moi. C'était comme de me voir à la télé.

Elle s'empara de son téléphone.

— Il faut que j'y retourne.

Vingt et un

Frieda ne connaissait pas New York : c'était une abstraction pour elle, une ville d'ombres et de symboles, de vapeurs s'élevant des canalisations. Un lieu où l'on débarquait, avant de se disperser dans la nature.

Elle aimait atterrir quand il faisait encore nuit, même si l'aurore dessinait un mince filet de lumière, pour que tout reste partiellement dissimulé à son regard, ne soit qu'une impression changeante d'édifices massés les uns contre les autres, de points lumineux palpitants, de vie entraperçue au travers des fenêtres. Bientôt elle la verrait en pleine lumière, et son mystère se dissiperait dans sa simplicité.

Elle n'avait pas prévenu Sandy qu'elle venait parce qu'elle ne le savait pas encore elle-même. Il était tôt et il serait encore au lit, aussi fit-elle ce qu'elle faisait toujours quand elle était en proie au doute : elle marcha, en suivant le plan qu'elle avait acheté, jusqu'à ce qu'elle se retrouve enfin sur Brooklyn Bridge, contemplant derrière elle la silhouette des immeubles de Manhattan, à la fois familière et étrangère. Frieda songea à son étroite petite maison, perdue dans un dédale de ruelles. Là-bas, elle savait quand la devanture d'un magasin avait été fraîchement repeinte, ou quand un platane avait été taillé. Elle songea qu'elle aurait pu retourner chez elle les yeux fermés. Soudain, elle eut presque le mal du pays et put à peine comprendre l'instinct qui l'avait envoyée ici.

À 7 heures du matin, elle était arrivée dans le quartier de Sandy, mais n'osait pas encore le réveiller. Le ciel était nuageux, le vent froid soufflait en rafales et menaçait de tourner à la pluie. Même l'air avait une autre odeur ici. Elle dirigea ses pas vers un petit café, où elle commanda un espresso, l'emportant à l'une des tables métalliques près de la vitrine qui donnait sur la rue. Elle avait froid, elle était fatiguée et gagnée par un mystérieux malaise, étouffant. Elle n'arrivait pas à décider si c'était dû aux événements de ces dernières semaines, ou au fait d'être là, sur le point de revoir Sandy à nouveau. Il lui avait tellement manqué, et pourtant, elle ne pouvait imaginer le voir à présent. Que pourraient-ils bien se dire et qu'est-ce qui pourrait bien avoir l'intensité de leur séparation ? L'idée la traversa – avec une violence qui la fit tressaillir comme si on l'avait frappée au ventre et vidée de son souffle – que peut-être, elle était venue mettre un terme à sa relation avec Sandy. Une fois la pensée formulée, celle-ci pesa comme du plomb sur son estomac. Ainsi donc, ce serait ça ?

La petite salle se remplit de monde. Une bruine commença à tomber, éclaboussant la vitre, brouillant les formes mouvantes au-dehors. Elle se sentait loin d'elle-même – présente, sans être là, seule dans une ville grouillant de monde, invisible. Le ciel gris lui donnait l'impression d'être sous l'eau : le voyage fragmentait le temps à la façon d'un kaléidoscope. Peut-être ferait-elle mieux de s'en aller avant qu'il n'arrive quoi que ce soit, de faire comme si elle n'était jamais venue ici.

Sandy s'en revenait de la boulangerie du coin de la rue où il achetait toujours des viennoiseries tout juste sorties du four pour son petit-déjeuner. Passant devant le traiteur, il lança un bref coup d'œil dans la vitrine du café, avant de détourner la tête. Mais dans un angle de son champ de vision, il avait aperçu un visage qui lui rappelait quelqu'un – il regarda de nouveau et, au travers des gouttes de pluie sur la vitre, il la vit. Elle était assise avec son menton reposant dans une main, perdue dans ses pensées. L'espace d'un instant, il se demanda s'il rêvait. Puis, comme si elle se sentait observée, elle tourna la tête. Leurs regards se croisèrent. Elle ébaucha un faible sourire, termina son café, se leva et sortit. Il vit combien elle boitait encore, combien elle avait l'air fatiguée. Son cœur chavira. Elle portait une grande sacoche en cuir passée par-dessus l'épaule, mais pas d'autre bagage.

— Seigneur, mais que fais-tu ici ?
— Je suis venue te voir, évidemment.
— Seigneur... répéta-t-il.
— J'allais t'appeler. Je ne voulais pas te réveiller.
— Tu me connais.

Il frotta sa joue non rasée et la dévisagea.

— Un lève-tôt. Il est quelle heure, pour toi ?
— J'en sais rien. Pas d'heure. Il est juste maintenant.
— Et tu attendais juste comme ça, dans ce café ?
— Oui. Y a quoi, dans le sachet ?
— Le petit-déj'. T'en veux ?
— Ce serait chouette.
— Mais, Frieda...
— Quoi ? Il y a une autre femme chez toi ?

Sandy fut pris d'un rire incertain.

— Non. Pas d'autre femme chez moi pour l'instant.

Il défit la ceinture de son imperméable et le lui ôta, le pendant au crochet à côté de son propre manteau. Elle appréciait qu'il soit aussi soigneux. Il défit la fermeture éclair de ses bottines, les enleva, et les rangea côte à côte contre le mur. Il la mena dans sa chambre et referma les fins rideaux marron, qui tamisèrent la lumière. La fenêtre était légèrement entrouverte et elle pouvait entendre les bruits de la rue ; le jour commençait. Son corps lui semblait lâche et dolent – de désir, de fatigue et d'appréhension entremêlés. Il retira ses vêtements un à un et les replia, les posa sur la chaise en bois, puis défit le fermoir du fin collier qu'elle portait et le déposa sur le rebord de la fenêtre. Il fit courir ses doigts sur ses cicatrices, sur son corps las d'avoir passé tant d'heures confiné dans un avion. Tout ce temps, elle l'observa sans broncher, presque avec curiosité, comme si elle mûrissait une décision. Il aurait aimé fermer les paupières sous ce regard impitoyable, mais ne le put.

Plus tard, elle prit une douche pendant qu'il lui préparait un café, fort et chaud, qu'elle but au lit, enveloppée dans le drap fin.

— Pourquoi as-tu soudain décidé de venir ?
— Je ne sais pas.
— Tu es là jusqu'à quand ?
— Demain après-midi.
— Demain ?
— Oui.
— Alors il faut qu'on tire le meilleur parti du temps qu'il nous reste.

Frieda dormit, mais d'un sommeil superficiel. Aussi entendit-elle Sandy passer des coups de fil dans la pièce adjacente pour annuler des rendez-vous, tandis que les bruits de la rue s'infiltraient dans ses rêves. Ils se promenèrent dans le quartier et achetèrent des ustensiles de cuisine pour l'appartement de Sandy, puis déjeunèrent tardivement dans un « deli ». Sandy évoqua son travail, les gens dont il avait fait la connaissance, Brooklyn, leurs projets d'été. Il imita des collègues, rejoua des scènes, et elle se rappela la première fois qu'ils s'étaient rencontrés. Elle avait vu en lui un autre de ces médecins – un chirurgien, peut-être, il avait des mains de chirurgien –, maître de lui, aimable, charmeur à l'occasion, voire tombeur. Pas son genre. Mais ensuite, elle avait entendu son rire, un rugissement contagieux, et vu combien son sourire était engageant. Il pouvait être détaché par moments, la colère le rendait neutre et distant, mais à d'autres, il était presque efféminé. Il lui préparait des repas avec une délicate attention aux détails, se délectait des ragots et bordait le drap sous le matelas en repliant le coin, comme à l'hôpital, comme sa mère avait dû le lui apprendre quand il était encore petit et d'une timidité farouche.

Ce n'est que lorsque Frieda fut plus détendue qu'il osa lui poser des questions. Elle lui parla des Lennox, lui donna des nouvelles de ses amis. Tous deux étaient conscients que quelque chose se profilait devant eux, un sujet à aborder, et ils tournaient autour, dans l'attente.

— Et cet article dans le journal ? s'enquit-il.

— Je n'ai pas envie d'en parler.

— Mais moi si. Tu es ici pour vingt-quatre heures, il faut qu'on parle de ce genre de choses.

— Il faut ?

— Vous ne m'intimiderez pas avec ce ton, docteur Frieda Klein.

— Je n'ai pas aimé. C'est ça que tu voulais entendre ?

— Tu t'es sentie humiliée ?

— À nu, plutôt.

— Alors que tu rêves d'être invisible. Tu étais en colère ?

— Pas autant que Reuben.

Elle sourit en évoquant ce souvenir.

— Il était vraiment fâché... Il l'est toujours.

— Et tu penses n'avoir pas fait ce qu'il convenait de faire, ne serait-ce qu'en partie ?

Frieda le regarda de travers et il attendit patiemment.

— Je ne pense pas, lâcha-t-elle enfin. Peut-être ai-je besoin de me sentir utile, le contraire ce serait trop douloureux. Mais je ne crois pas, non. L'homme qui est venu me voir était un charlatan. Ce n'était pas un psychopathe, il ne faisait que jouer le rôle. Pourquoi aurais-je dû le prendre au sérieux ?

— Tu le savais sur le moment ?

— D'une certaine façon. Mais ce n'est pas vraiment la question.

— C'est quoi, la question ?

— La question, c'est que ce qui s'est passé m'a embarquée dans autre chose.

— Comment ça, embarquée dans autre chose ?

— L'homme qui est venu m'a raconté une histoire.

— Ça, je sais.

— Non, répondit Frieda avec impatience. Il y a une histoire dans l'histoire et je me suis sentie...

Elle s'interrompit, réfléchit.

— J'ai eu l'impression... C'était comme si on m'appelait. Un appel auquel je ne pouvais pas me dérober.

— Curieux choix de mot.

— Je sais.

— Va falloir que tu m'expliques.

— Je ne peux pas.

— C'était quoi, l'histoire ?

— Il était question de couper les cheveux de quelqu'un. D'un sentiment de puissance et de tendresse. Quelque chose de sinistre, et de sexuel. Tout le reste était bidon, sonnait faux, mais ça, c'était du vécu.

— Et tu as eu l'impression qu'on t'appelait ?

Sandy la dévisageait avec une expression soucieuse que Frieda trouvait exaspérante. Elle détourna les yeux.

— C'est ça.

— Mais qu'on t'appelait pour quoi ?

— Tu ne pourrais pas comprendre.

— Essaie.

— Pas maintenant, Sandy.

Ils dînèrent dans un petit restaurant de fruits de mer à deux pas de chez Sandy. La pluie avait cessé, le vent était retombé. L'air était plus frais. Frieda portait une chemise de Sandy par-dessus son pantalon en lin. Une bougie trônait entre eux, avec une bouteille de vin blanc sec, des gros morceaux de pain et de l'huile d'olive. Sandy évoqua son premier mariage – il décrivit comment cette union était devenue une aride affaire d'experts vers la fin, à quel point leurs désirs divergeaient.

— C'est-à-dire ?...

— On envisageait le futur de manière complètement différente, expliqua Sandy.

Il détourna le regard. Frieda l'observa.

— Tu voulais des enfants ?

— Oui.

Un petit silence, pesant, s'insinua entre eux.

— Et aujourd'hui ? demanda-t-elle.

— Aujourd'hui, c'est toi que je veux. Aujourd'hui, c'est avec toi que j'envisage la suite.

À 3 heures du matin, alors que la nuit était aussi sombre et calme qu'elle peut l'être dans une grande ville, Frieda posa une main sur l'épaule de Sandy.

— Quoi ? murmura-t-il en se tournant vers elle.

— Il faut que je te dise quelque chose.

— J'allume ?

— Non, c'est mieux dans le noir. Je me suis demandé si on devrait mettre un terme à cette histoire.

Un silence s'abattit. Puis il dit, presque avec colère :

— Donc, alors qu'on s'aime et qu'on se fait confiance, tu penses à partir ?

Elle ne répondit rien.

— Je ne te savais pas lâche, reprit-il.

Frieda n'en restait pas moins allongée contre lui en silence. Les mots semblaient futiles.

— Et quelle a été ta réponse ? demanda-t-il, au bout d'un moment.

— Je n'en ai pas.

— Pourquoi, Frieda ?

— Parce que je ne fais de bien à personne.

— Laisse-moi en décider.

— Je ressens un malaise insupportable.

— Oui.

Il avait la voix douce à nouveau dans le noir, la main sur sa hanche. Elle sentait son souffle dans ses cheveux.

— Dean est toujours là, dehors. Il est allé sur la tombe de mon père...

— Quoi ? Comment le sais-tu ?

— Peu importe, pour l'instant. Je le sais. Et il tient à ce que je le sache.

— Tu es sûre que...

Elle eut un mouvement d'impatience et il s'interrompit.

— Oui, certaine.

— C'est horrible, et troublant, d'accord. Mais Dean ne peut pas s'immiscer entre toi et moi. Pourquoi voudrais-tu mettre fin à notre histoire à cause d'un psychopathe ?

— Quand je disais que c'était comme si on m'appelait...

— Oui.

— Ça me fait un peu l'effet de descendre aux enfers.

— Quels enfers ? Le tien ?

— Je ne sais pas.

— Alors n'y va pas, Frieda. Ce n'était qu'une histoire débile. Ce sont tes humeurs qui s'expriment, le traumatisme que tu as subi. Ce n'est pas rationnel. Tu confonds la dépression et la réalité.

— Facile à dire.

— Je peux te poser une question sans que tu te refermes ?

— Vas-y.

— Quand ton père s'est tué et que tu l'as trouvé...

Il la sentit se raidir.

— ... tu avais 15 ans. En as-tu jamais parlé à quelqu'un ?

— Non.

— Et depuis ?

— Pas précisément.

— Pas précisément. Est-ce que tu ne crois pas que tout ceci (il fit un geste invisible), Dean, ta collaboration avec la police, cette nouvelle idée qu'une anecdote d'un patient t'intimerait un ordre... tout ceci ne renverrait pas qu'à toi, adolescente, trouvant ton père pendu à une poutre et impuissante ? Et que c'est ce sur quoi tu devrais te concentrer, plutôt que de t'engager dans une nouvelle mission de sauvetage ?

— Merci, docteur. Mais Dean est bien réel. Ruth Lennox était bien réelle. Quant à ce dernier truc...

Elle se retourna, sur le dos, le regard perdu au plafond.

— Je ne sais pas ce que c'est, avoua-t-elle.

— Arrête-moi tout ça. Reste ici. Reste avec moi.

— Tu serais mieux avec quelqu'un d'heureux.

Elle ajouta :

— Et qui pourra te donner des enfants.

— J'ai fait mon choix.

— Mais...

— J'ai choisi. Si tu veux me quitter parce que tu ne m'aimes plus, alors, je dois me résigner. Mais si tu veux me quitter parce que tu m'aimes et que cela te fait peur, je ne l'accepterai pas.

— Écoute-moi.

— Non.

— Sandy...

— Non.

Il se cala sur un coude et se pencha sur elle.

— Aie confiance en moi. Laisse-moi une chance de te faire confiance. Je te suivrai en enfer si tu le veux. Je t'attendrai à la porte. Mais je ne me laisserai pas chasser.

— Vous êtes très têtu, monsieur.

Corps à corps, bouche contre bouche. S'affranchissant de leurs limites, tandis que le jour se déverse dans la nuit, et que renaît l'aurore.

Quelques heures plus tard, Frieda emballait sa brosse à dents, vérifiait qu'elle avait bien son passeport, prenait congé comme si elle allait juste chez le marchand de journaux du coin. Elle avait toujours détesté les adieux.

Vingt-deux

C'était le week-end, et Karlsson avait annulé tous ses rendez-vous de façon à pouvoir passer deux journées entières avec Mikey et Bella. Il était oppressé à l'idée que, dans quelques jours, ils seraient partis, loin de lui. Ne resterait plus que des photos à contempler sur son bureau, des petites voix métalliques à l'autre bout de la ligne, des images saccadées sur Skype. Chaque minute passée avec eux lui semblait précieuse. Il dut se retenir de serrer Bella trop fort dans ses bras, de trop caresser les cheveux de Mikey, ou bien l'enfant s'éloignait de lui en se trémoussant. Il ne fallait pas qu'ils sachent combien leur départ le tourmentait ni qu'ils éprouvent à son endroit la moindre anxiété ou culpabilité.

Il les emmena à la piscine d'Archway, où il y avait un toboggan en spirale du côté profond du bassin et des machines à vagues qui les firent hurler de joie comme de peur. Il les lança en l'air, se laissa docilement couler et grimper sur les épaules. Il plongea sous l'eau turquoise, les yeux ouverts, et vit leurs jambes blanches s'agiter en tous sens parmi les autres. Il les regarda se précipiter dans le petit bain, silhouettes poussant des cris perçants, les yeux rosis par le chlore.

Ils allèrent à l'aire de jeux et il les fit monter sur les balançoires, fit tourner le tourniquet au point d'en être étourdi, rampa dans un long tube en plastique à leur suite, escalada un tas de pneus en caoutchouc. Mes enfants, pensait-il, mon garçon, ma petite fille. Il grava leurs sourires dans sa tête pour plus tard. Ils mangèrent des glaces et allèrent déjeuner dans un Pizza Express. Où qu'il porte le regard, il lui semblait voir des pères célibataires. Il avait fait des erreurs, il avait toujours fait passer son travail d'abord, pensant n'avoir pas le choix, et il avait raté le rituel du coucher, l'affolement du matin. Souvent, plusieurs jours de suite s'étaient écoulés où il n'avait pas du tout vu ses enfants. Il partait avant qu'ils se réveillent, rentrait après qu'ils s'étaient endormis : il lui était même arrivé, une fois, d'écourter ses vacances et de reprendre l'avion avant les autres. Il avait laissé sa femme prendre le relais et n'avait pas mesuré les conséquences avant qu'il ne soit bien trop tard pour revenir en arrière. Était-ce là le prix qu'il avait à payer ?

Ils jouèrent à un jeu de société qu'il fit en sorte de perdre, et il leur montra un tour de magie très simple qu'il avait appris, avec des cartes : à les entendre s'égosiller, on aurait dit qu'il était un sorcier. Puis il mit une vidéo et tous trois s'installèrent ensemble dans le canapé, ses petits au milieu, blottis contre lui rempli de tristesse.

Lorsque le téléphone sonna, il l'ignora et celui-ci finit par s'arrêter. Mais il retentit de nouveau. Comme Mikey et Bella levaient vers lui un regard interrogateur et s'écartaient, il se leva à contrecœur, se dirigea vers l'appareil et s'empara du combiné.

— Oui ?

— C'est Yvette.

— On est dimanche.

— Je sais, mais...

— Je suis avec mes enfants.

Il ne lui avait pas dit qu'ils partaient. Il ne voulait pas que quiconque le sache au bureau et qu'on le prenne en pitié. Ils se mettraient à l'inviter à boire un verre après le boulot, cesseraient de le percevoir comme un patron pour ne plus voir en lui qu'un pauvre type.

— Oui.

Elle semblait énervée.

— Je voulais juste vous tenir au courant. Vous m'avez dit que je devrais.

— Allez-y.

— Ruth Lennox est allée quelque part avant de rentrer chez elle : dans un appartement, près d'Elephant and Castle. On a réussi à retrouver le propriétaire. Il était en déplacement et il a fallu un peu de temps. Il a semblé soulagé de constater que nous ne prenions contact avec lui qu'au sujet d'un meurtre, ajouta-t-elle sur un ton ironique. Il a confirmé que l'appartement était loué à un certain Paul Kerrigan, géomètre expert de son état.

— Et ?...

— J'ai parlé à Mr Kerrigan. Et y a quelque chose. Je ne sais pas quoi, au juste. Il ne voulait pas en parler au téléphone. On a rendez-vous avec lui demain matin.

Un silence s'abattit. Yvette patienta, puis ajouta tristement :

— Je pensais que vous voudriez savoir.

— À quelle heure ?

— Huit heures et demie, sur le chantier sur lequel il travaille actuellement. Le projet Crossrail, sur Tottenham Court Road.

— J'y serai.

— Pensez-vous...

— J'ai dit : j'y serai.

Karlsson raccrocha, regrettant déjà de s'être montré si sec. Ce n'était pas la faute d'Yvette.

Plus tard, une fois Mikey et Bella repartis en compagnie de leur mère, et après être allé faire un jogging, il arpenta le jardin, s'accordant une unique cigarette. Les oiseaux chantaient dans le crépuscule, ce qui ne faisait que le rendre plus amer et abattu. Il rentra et s'empara du téléphone, puis s'assit sur le canapé où ses enfants se trouvaient encore quelques heures plus tôt. Il tenait le téléphone et le contemplait comme si l'objet pouvait lui dire quelque chose. Enfin, et avant d'avoir pu se raviser, il composa le numéro de Frieda. Il fallait qu'il parle à quelqu'un et elle était la seule personne à laquelle il supportait de se confier. La sonnerie retentit en vain, indéfiniment : il pouvait presque l'entendre résonner dans sa maison vide et ordonnée. Elle n'était pas là. Il composa le numéro de son portable, même s'il savait qu'elle ne l'allumait presque jamais, pas plus qu'elle n'écoutait les messages qu'on y laissait – et comme de juste, tomba directement sur sa messagerie vocale.

Il ferma ses yeux, fatigués et endoloris, en attendant que s'estompe cette sensation. La perspective de travailler le délivrait de ses considérations sur l'existence.

— Alors, c'était comment ? s'enquit Sasha plus tard, ce soir-là.

— Quand je suis sortie du métro, répondit Frieda, en rentrant de l'aéroport, ça m'a fait tout bizarre. L'espace d'un instant, Londres m'a semblé changé. Crasseux, sous-développé, assez pauvre. C'était comme d'émigrer dans le tiers-monde.

— C'est plutôt à New York que je m'intéressais.

— T'as vu les films, répondit Frieda. T'y es sans doute allée plusieurs fois. Tu sais bien comment c'est.

— Quand je parlais de New York, c'est de Sandy que je voulais parler.

— Il pense que je devrais y emménager, répondit Frieda. Il dit que je devrais habiter un endroit moins dangereux.

— Et vivre avec lui.

— Oui, ça aussi.

— Et ça te tente ?

— Je disais non avant, réfléchit Frieda. Aujourd'hui…
je ne sais plus. Il me manque. Mais j'ai des choses à
faire ici, à terminer. Au fait, quand vais-je faire la
connaissance de ce nouveau compagnon, madame ?

Frieda, ma chérie, j'ai l'impression d'avoir rêvé.
Toi ici, dans cette ville, cet appartement, ce lit. Tout
semble différent, à présent. Merci d'être venue, et
rappelle-toi ce que j'ai dit. Nous avons partagé trop
de choses désormais pour nous quitter. Nous voilà
embarqués ensemble.

Vingt-trois

À 8 h 20, debout au bord d'un vaste cratère au cœur de la ville, Karlsson contemplait l'activité se déroulant sous ses yeux : de petites pelleteuses cheminaient en cahotant sur la terre barattée, des grues déposaient de longues canalisations dans des tranchées, des hommes en vestes jaunes, coiffés de casques, se rassemblaient par petits groupes, ou prenaient place au sommet des machines, actionnant leurs bras métalliques articulés. Plusieurs cabines en préfabriqué étaient installées sur le pourtour du site, aussi permanentes, semblait-il, pour certaines, que les immeubles auprès desquels elles étaient dressées.

Il vit Yvette s'avancer vers lui. Elle lui semblait solide et compétente, avec ses grosses chaussures et ses cheveux bruns retenus strictement en arrière. Il se demanda de quoi il avait l'air à ses yeux : il se sentait vulnérable, dépassé. Un mal de crâne lui martelait la tête, consécutif aux trois whiskies ingérés la veille, et il avait un creux dans le ventre.

— B'jour ! lança-t-elle avec entrain.

— Salut.

— Il a dit qu'il nous attendrait dans son bureau.

Yvette indiqua d'un petit geste de la tête la cabine

principale, à quelques mètres de là, pourvue de marches en bois menant à la porte.

Ils se frayèrent un chemin sur le terrain défoncé et gravirent les marches, puis Yvette frappa à la porte, qui s'ouvrit presque aussitôt. L'homme qui se tenait devant eux portait lui aussi une veste jaune, même si la sienne était passée sur un pantalon en velours marron et une chemise à rayures grises. Doté d'une forte carrure, il avait les traits froissés et les yeux marron. Même s'il ne pouvait avoir dépassé 45 ans, ses cheveux épais étaient d'un gris argenté.

— Paul Kerrigan ?

— Lui-même.

Yvette lui tendit sa plaque.

— Inspectrice Yvette Long, dit-elle. Nous nous sommes parlé au téléphone. Et voici l'inspecteur divisionnaire Malcolm Karlsson.

Karlsson plongea ses yeux dans le regard brun et doux de l'homme et eut une intuition. Il le salua de la tête.

— Entrez, je vous en prie.

Ils pénétrèrent dans la cabine, qui sentait le bois et le café. Il y avait là un bureau, une table montée sur des tréteaux, ainsi que plusieurs chaises. Karlsson s'assit d'un côté et laissa Yvette mener l'interrogatoire. Il savait déjà qu'ils avaient atteint un tournant décisif : il sentait littéralement l'enquête bouger sous leurs pieds, se transmuer en quelque chose de tout autre, et de tout à fait inattendu.

— C'est Michael Reader qui nous a communiqué votre nom.

— Oui.

Ce n'était pas une question.

— Il a dit que vous lui louiez le 37 A de Shawcross Street, et ce, depuis près de dix ans.

Kerrigan cilla. Karlsson l'examina attentivement.

— C'est exact, depuis juin 2001.

Il baissa les yeux sur ses grandes mains calleuses.

— La raison pour laquelle nous vous posons la question, c'est que nous cherchons à reconstituer les derniers déplacements de Ruth Lennox, assassinée il y a douze jours. Un chauffeur de taxi l'a déposée à cette adresse le jour de sa mort.

— Oui, répondit-il à nouveau.

Il semblait passif et sans défense. Il attendait simplement qu'émerge la vérité.

— Vous y étiez ?

— Oui.

— Vous connaissiez Ruth Lennox ?

Silence dans la pièce. Karlsson prêta l'oreille aux bruits en provenance du chantier : le vrombissement des moteurs, les cris des hommes.

— Oui, répondit Paul Kerrigan d'une voix toute douce.

Ils l'entendirent déglutir.

— Je suis désolé de n'être pas venu vous trouver plus tôt. J'aurais dû le faire. Mais je n'en voyais pas l'intérêt. Elle était morte, c'était fini. J'ai cru pouvoir éviter que les choses n'empirent, qu'il n'y ait plus de douleur encore.

— Vous aviez une liaison ?

Il lança un regard rapide à Yvette puis à Karlsson, puis posa ses deux mains sur la table devant lui.

— J'ai une épouse, répondit-il. Et deux fils qui sont fiers de moi.

— Vous comprenez bien qu'il s'agit d'une enquête pour meurtre, répliqua Yvette, l'œil vif.

— Oui, nous avions une liaison.

Il cligna des yeux, serra ses deux mains l'une contre l'autre.

— J'ai du mal à le dire à haute voix.

— Et vous l'avez vue le jour où elle a été tuée ?

— Oui.

Karlsson prit enfin la parole.

— Peut-être feriez-vous mieux de nous raconter toute l'histoire.

Paul hocha lentement la tête.

— Oui, dit-il. Mais je...

Il s'interrompit.

— Quoi ?

— Je ne veux pas que quiconque l'apprenne.

Il se tut un instant.

— Je ne sais pas par où commencer.

— En nous racontant simplement par ordre chronologique ce qui s'est passé, mettons. Commencez par le commencement.

Son regard s'égara par la fenêtre, comme s'il ne pouvait se lancer face à eux.

— J'ai rencontré Ruth il y a dix ans. Nous habitons relativement près l'un de l'autre. On a fait connaissance lors d'une vente de charité pour les jeunes mères et les enfants.

Il sourit.

— Elle vendait des falafels et je donnais un coup de main pour les billets de loterie dans le stand d'à côté. On s'est bien entendus. C'était facile avec elle, tout le monde l'aimait. Elle était gentille, pragmatique, et vous donnait le sentiment que tout irait bien. Je ne savais rien de tout ça à l'époque, bien sûr. J'ai juste pensé qu'elle était sympa, c'est tout. Vous devez penser que le mot « sympa » n'est pas très romantique. Mais nos rapports n'étaient pas de cet ordre.

Il fit un effort visible pour poursuivre :

— On s'est retrouvés après, juste pour un café. Ça nous paraissait tout naturel.

— Êtes-vous en train de nous dire, coupa Yvette, que Ruth Lennox et vous avez été amants pendant dix ans ?

— Oui. On a pris l'appartement au bout de quelques mois. On a choisi ce quartier parce qu'on ne risquait pas d'y tomber sur l'une de nos connaissances. On n'est jamais allés chez l'un ou chez l'autre. On se voyait les mercredis après-midi.

Yvette se pencha en avant.

— Alors tous les mercredis après-midi, pendant dix ans, Ruth Lennox et vous vous êtes retrouvés dans cet appartement ?

— Sauf quand on était en vacances. Parfois, on n'y arrivait pas.

— Et personne n'était au courant ?

— Eh bien... en fait, mon associé est au courant. En tout cas, il sait que chaque mercredi, je ne suis pas joignable. Il ferme les yeux. Il doit trouver ça drôle...

Il s'interrompit brusquement.

— Personne d'autre ne savait quoi que ce soit. Nous étions prudents. Une fois ou deux, on s'est croisés dans la rue près de chez nous et on a fait mine de ne pas se voir. On n'a pas même échangé un sourire. Rien. On ne s'appelait jamais, on ne s'envoyait pas de messages.

— Et si l'un de vous devait annuler le rendez-vous ?

— On se prévenait la semaine d'avant, si possible. Si l'un de nous deux allait à l'appartement et que l'autre n'était pas arrivé au bout d'un quart d'heure, on savait qu'il était arrivé quelque chose.

— Tout ça me paraît remarquablement arrangé, commenta Yvette, un peu dépassionné.

Il décroisa les mains.

— Je ne m'attends pas à ce que vous compreniez, mais j'aime ma femme, et Ruth aimait son mari. Jamais nous n'aurions pu leur faire de mal, ni à nos enfants, pour tout l'amour du monde. Ça, c'était à part. Personne n'en souffrirait. On ne parlait même pas de nos familles quand on était ensemble.

Il se tourna de nouveau vers la fenêtre.

— Je n'arrive pas à croire que je ne la reverrai plus jamais. Je n'arrive pas à croire que je n'irai plus ouvrir la porte, et qu'elle ne sera plus là, avec son visage souriant. Je rêve d'elle et, à mon réveil, je me sens si calme, et là, je me souviens.

— Il faut que vous nous parliez de mercredi dernier, dit Yvette.

— Il s'est déroulé comme à l'accoutumée. Elle est venue vers midi et demi. J'y étais déjà. J'arrive toujours avant elle. J'avais apporté du pain et du fromage pour le déjeuner et quelques fleurs, que j'avais mises dans un vase qu'elle avait acheté un an plus tôt, et j'avais mis le chauffage en route : même s'il faisait bon ce jour-là, il faisait un peu froid dans l'appart.

— Continuez.

— Donc...

Il semblait avoir du mal à parler, à présent.

— Elle est venue et... je dois tout vous dire ?

— Juste l'essentiel, pour l'instant. Vous avez fait l'amour, si je comprends bien.

Yvette parlait d'un ton cassant, même à ses propres oreilles.

— On a fait l'amour, oui. Ensuite, on a pris un bain ensemble avant de déjeuner. Après elle est partie, j'ai refermé et suis parti de mon côté une demi-heure après, environ.

— Quelle heure pouvait-il être ?

— Elle est partie vers 3 heures, peut-être un poil plus tôt, trois heures moins dix, par là. Comme elle le faisait toujours. Donc j'ai dû partir à trois heures et demie ou quatre heures moins le quart.

— Est-ce qu'on vous a vus ?

— Je ne le pense pas. On n'a jamais croisé quiconque dans l'immeuble.

— Savez-vous où elle allait ?

— Elle rentrait toujours directement chez elle ensuite.

— Et vous ?

— Parfois, je retournais travailler. Ce jour-là, je suis rentré chez moi.

— Votre femme y était-elle ?

— Non. Elle est arrivée vers 6 heures, je crois.

— Donc vous n'avez vu personne entre le moment où vous avez quitté Shawcross Street et celui où votre femme est arrivée à la maison deux heures plus tard, environ ?

— Pas que je me souvienne.

— Quand avez-vous appris la mort de Ruth Lennox ? demanda Karlsson.

— C'était dans les journaux le lendemain. C'est Elaine – ma femme – qui m'a montré. On voyait sa photo, elle était souriante. Au début, j'ai eu l'idée idiote qu'il s'agissait de nous – que quelqu'un l'avait appris et l'avait divulgué dans la presse. Je n'arrivais pas à parler. Elle a dit : « N'est-ce pas terrible ? Est-ce que nous la connaissions ? »

— Et qu'avez-vous répondu ?

— Je n'en sais rien. Elaine a dit : « N'a-t-elle pas l'air gentille ? Pauvres enfants. » Ce genre de trucs. Je ne sais pas ce que j'ai répondu. Tous mes souvenirs se sont brouillés, à présent. Je ne sais pas comment j'ai tenu, ce soir-là. Ben était rentré et il y avait du bruit et l'agitation normale, il devait faire ses devoirs, Elaine nous a préparé à dîner. Un hachis Parmentier. J'ai porté la fourchette à ma bouche, et j'ai avalé. Puis j'ai pris une douche, en y restant pendant des heures. Rien ne me semblait plus réel.

— Vous sentiez-vous coupable ?

— De quoi ?

— D'avoir entretenu une liaison pendant dix ans.

— Non.

— Alors que vous étiez marié.

— Je ne me suis jamais senti coupable, répéta-t-il. Je savais qu'Elaine et les garçons ne l'apprendraient jamais. Ça ne faisait de mal à personne.

— Ruth se sentait-elle coupable ?

— Je n'en sais rien. Elle ne l'a jamais dit, en tout cas.

— Êtes-vous certain que votre femme n'était pas au courant ?

— Je l'aurais su, dans le cas contraire.

— Et le mari de Ruth, Russell Lennox ? Savait-il quoi que ce soit, ou nourrissait-il des soupçons ?

— Non.

— C'est Ruth Lennox qui vous l'a dit ?

— Elle m'aurait dit s'il avait eu des soupçons, j'en suis sûr.

Il n'en semblait pas certain, cependant.

— Et ce jour-là, y avait-il quelque chose de changé, chez elle ?

— Non. Elle était telle que je l'ai toujours connue.

— C'est-à-dire ?

— Calme, enjouée, gentille.

— Elle a toujours été calme, toujours été enjouée et gentille ? Pendant dix ans ?

— Elle avait des hauts et des bas, comme tout le monde.

— Et elle était plus en haut, ou en bas, ce mercredi-là ?

— Ni l'un ni l'autre.

— Juste dans la moyenne, vous voulez dire ?

— Je veux dire qu'elle allait bien.

Yvette regarda Karlsson pour voir s'il avait d'autres questions.

— Mr Kerrigan, commença Karlsson. Votre relation avec Ruth Lennox ressemble étrangement à un mariage à mes yeux, plutôt qu'à une liaison. Régulier, calme, sans histoire.

Plan-plan, songea-t-il, presque ennuyeux.

— Que voulez-vous suggérer ?

Il semblait fâché, à présent. Ses mains se refermèrent, et il serra les poings.

— Je n'en sais rien.

Karlsson songea à Frieda : qu'aurait-elle demandé à cet homme, assis passivement devant eux, les épaules avachies, avec ses grandes mains qui ne tenaient pas en place ?

— Vous comprenez bien que cela change tout ?

— Comment ça ?

— Vous n'êtes pas idiot. Ruth Lennox avait un secret. Un grand, un gros secret.

— Mais personne n'était au courant.

— Vous, si.

— Oui. Mais je ne l'ai pas tuée ! Si c'est ce que vous pensez... Écoutez, je vous le jure, je ne l'ai pas tuée. Je l'aimais. Nous nous aimions.

— Il n'est pas facile de garder un secret, commenta Karlsson.

— On était prudents. Personne ne savait.

Karlsson remarqua l'expression triste, inquiète, de Kerrigan.

— Est-il possible qu'elle ait envisagé d'y mettre fin ?

— Non, c'est impossible.

— Donc, rien n'avait changé.

— Non.

Son visage bouffi respirait la détresse.

— Faudra-t-il qu'ils l'apprennent ?

— Vous voulez parler de son mari ? De votre femme ? On verra. Mais il ne sera sans doute pas facile de garder le silence.

— Combien de temps ?

— Avant quoi ?

— Avant que je sois obligé de le lui dire ?

Karlsson ne répondit pas. Il considéra Paul Kerrigan quelques instants, puis hasarda :

— Tout mensonge engendre des conséquences.

Vingt-quatre

Quand Rajit Singh ouvrit la porte, il était vêtu d'une grosse veste noire.

— C'est le chauffage, expliqua-t-il. Quelqu'un devait venir le réparer aujourd'hui.

— Je n'en ai que pour une minute, répondit Frieda. Je n'aurai même pas besoin de retirer mon manteau.

Il la conduisit dans un salon dans lequel chaque meuble, les fauteuils, le canapé, la table, semblait jurer avec le reste. Un tableau représentant une tour Eiffel en velours et aux couleurs vives était accroché au mur. Il remarqua son expression.

— Quand j'ai commencé mes études, j'habitais une résidence en plein cœur du West End. Tout est arrangé pour vous, l'endroit où vous dormez, celui où vous mangez, les amis que vous vous faites. Mais une fois qu'on entame ses stages de troisième cycle, on doit se démerder tout seul. J'ai eu de la chance de trouver ça, croyez-le ou non. Je le partage avec deux étudiants chinois en ingénierie, que je ne vois jamais.

— Vous vivez un peu partout, commenta Frieda.

— Moi ? répliqua Singh. Je n'habite qu'ici.

— Non, je veux dire : vous, et les autres. Seamus Dunne, celui qui est venu me voir, il habite à Stockwell.

J'ai rendu visite à Duncan Bailey chez lui, à Romford. J'irai tout à l'heure à Waterloo, rencontrer Ian Yardley.

Singh prit place dans le fauteuil et indiqua le canapé. Frieda préféra rester debout de façon à pouvoir bouger un peu. Même s'il faisait beau dans la rue dehors, une température glacée régnait dans la maison.

— Nous ne formons pas une bande, répondit-il. On ne peut pas dire qu'on soit potes, à proprement parler.

— Vous n'êtes que les élèves du Pr Bradshaw.

— Exactement. Nous sommes ceux qui se sont portés volontaires pour cette expérience astucieuse. Celle qui semble vous avoir porté sur les nerfs.

— Quel thérapeute avez-vous « consulté » ?

Les traits de Singh se durcirent.

— Vous essayez de me piéger ? dit-il. Vous comptez nous poursuivre en justice ?

— Non, répondit Frieda. C'est pour moi et moi seule. Mettons juste que je suis curieuse.

— Écoutez, répliqua Singh, on n'a aucun rapport avec l'article paru dans le journal. Je pensais que ça paraîtrait dans une revue de psychologie que personne ne lirait et voilà tout. Je ne sais pas comment c'est arrivé.

— Peu importe. Ce n'est pas ça qui m'intéresse. Parlez-moi juste de votre contribution à cette histoire.

— Je suis tombé sur la psy qui a réussi le test. Une femme, nommée Geraldine Fliess. Apparemment, elle a écrit un livre qui soutient que nous serions tous des psychopathes en puissance, ou un truc du genre. Bref, je suis allé la trouver, lui ai débité mon boniment, comme quoi je m'étais montré cruel envers les animaux, et que je nourrissais le fantasme de m'en prendre physiquement à des femmes. Par la suite, elle a repris contact, pour me demander qui était mon médecin traitant, et d'autres questions de ce genre.

— Que lui avez-vous répondu ?

— Le Pr Bradshaw nous a dit que si quelqu'un prenait nos propos au sérieux, s'ils percevaient vraiment le danger, nous devions le lui rapporter, simplement, et il leur parlerait de l'expérience menée. Pour nous éviter de finir arrêtés, vous comprenez.

— Et on vous aurait arrêté pour quoi ?...

— Ça va, ça va, répondit Singh avec irritation. Elle a vu juste, et vous, non. Ce n'est pas la fin du monde. Laissez tomber, c'est tout.

— Mais ce qui m'intéresse, c'est l'histoire que vous avez racontée, tous. Ça s'est fait comment ?

— Rien de bien brillant là-dedans. Bradshaw nous a listé les caractéristiques types du psychopathe et on a seulement dû se mettre d'accord sur une histoire, la répéter, et la jouer.

— Je me fiche du portrait type, répliqua Frieda. Ce qui m'intéresse plus, ce sont les autres détails. D'où venaient ceux qui n'avaient rien à voir avec le portrait clinique du psychopathe ? Genre, cette histoire sur les cheveux coupés. Ça sort d'où, ça ?

— Pourquoi cette question ?

Frieda réfléchit un instant et regarda autour d'elle. Il ne faisait pas simplement froid, l'endroit dégageait aussi une légère odeur d'humidité. Il ne semblait pas y avoir un seul objet qui n'ait été laissé là par le propriétaire et c'était le genre de choses abandonnées qu'on trouve dans les vide-greniers, collectifs ou privés.

— Je pense qu'il est difficile de faire mine d'être un patient, dit Frieda. Pour la plupart des gens, le plus difficile est de demander de l'aide. Une fois qu'ils sont assis dans une pièce avec moi, ils ont déjà pris une décision pénible. Je crois qu'il est tout aussi difficile de faire semblant de demander de l'aide.

— Je ne comprends pas de quoi vous parlez.

— Quand je suis entrée, vous avez présenté des excuses pour l'état de la maison.

— Je n'ai pas présenté d'excuses. J'ai dit que j'avais eu de la chance de trouver ça.

— Vous avez dit que, lorsque vous étiez en licence, tout était arrangé pour vous, mais que vous deviez désormais vous débrouiller par vous-même. Vous m'avez dit que vous ne voyiez jamais vos colocataires.

— Dans ma bouche, c'était une bonne chose.

— Sans doute n'avez-vous pas envie de m'entendre le dire...

— Vous savez, j'ai comme l'impression que vous vous apprêtez à dire quelque chose à mon sujet qui ne sera pas un compliment.

— Pas du tout. Mais je me demande si, en vous portant volontaire pour cette expérience, l'opportunité d'aller voir un thérapeute sans réellement consulter ne vous donnait pas une occasion d'exprimer quelque chose. Une forme de tristesse, le sentiment qu'on ne s'occupait pas de vous.

— N'importe quoi. Voilà exactement ce que font les psys dans votre genre. Vous interprétez ce que vous disent les gens histoire d'avoir de l'emprise sur eux. Et là, s'ils contestent, ils ont l'air faibles. Ce que vous rejetez, c'est le fait de vous être retrouvée impliquée dans une expérience qui vous a humiliée. D'après ce que j'ai entendu dire, il y a un passif entre vous et le Dr Bradshaw et, si j'ai eu un rôle là-dedans, j'en suis bien désolé. Mais n'essayez pas de jouer au plus fin avec moi.

— On n'a pas l'impression que vous vivez ici, rétorqua Frieda. Vous n'avez pas accroché un tableau, pas mis un tapis, ni même laissé traîner un livre. Vous êtes même habillé comme si vous étiez dehors.

— Comme vous pouvez le sentir vous-même, il fait froid. Quand le type aura réparé la chaudière, je retirerai ma veste, je vous le promets.

Frieda sortit un calepin de sa poche, nota quelque chose sur une page, la déchira et la remit à Singh.

— S'il vous venait l'envie de me parler de ce que vous avez raconté – je veux dire, de n'importe quoi à part le portrait type débile de Robert Hare – vous pouvez me joindre à ce numéro.

— Je ne comprends pas ce que vous attendez de moi, rétorqua Singh avec colère, alors que Frieda quittait les lieux.

L'appartement de Ian Yardley se trouvait dans une petite ruelle juste à côté d'un marché à ciel ouvert. Plutôt proche de la Tamise, mais suffisamment loin pour qu'on ne puisse plus voir le fleuve. Frieda pressa une sonnette et perçut un son inintelligible dans l'interphone, suivi d'un cliquetis. Elle poussa sur la porte, mais celle-ci resta fermée. Un nouveau son s'échappa du haut-parleur, suivi d'un bourdonnement électronique, d'un déclic, et la porte s'ouvrit. Frieda gravit un escalier recouvert de moquette jusqu'à un palier comportant deux portes, numéro un et deux. La numéro un s'ouvrit et une brune sortit la tête.

— Je cherche...

— Je sais, coupa la femme. Je ne vois pas de quoi il s'agit. Entrez, je vous en prie. Mais une minute, seulement.

Frieda la suivit à l'intérieur. Yardley était installé à table, en train de lire le journal du soir et de boire une bière. Vêtu d'un pull d'uniforme et d'un pantalon sombre, il arborait une épaisse chevelure bouclée et des lunettes à la monture carrée et transparente. Ses pieds étaient nus. Il se tourna et lui sourit.

— J'ai ouï dire que vous harceliez les gens, dit-il.

— Je crois que vous avez appelé mon vieil ami Reuben.

— Le grand Reuben McGill, railla-t-il. Il m'a un peu déçu, je dois l'avouer. Quand on s'est vus, on aurait dit un type qui n'avait pas la pêche. Il n'avait pas l'air de réagir du tout à ce que je racontais.

— Vous souhaitiez le faire réagir ? s'enquit Frieda.

— C'est quoi, ces conneries... commenta la femme dans son dos.

— Oh, désolé, répondit Ian. Je n'ai pas fait convenablement les présentations. Voici Polly, mon amie.

Elle pense que je n'aurais pas dû vous laisser entrer. Elle est plus méfiante que moi. Puis-je vous offrir un verre ? Une bière ? Il y a du vin blanc ouvert au frigo.

— Non merci.

— Pas pendant le service ?

Frieda entreprit de poser certaines des questions qu'elle avait soumises à Rajit Singh, mais ne put pousser bien loin son interrogatoire. Polly ne cessait de l'interrompre, de lui demander où elle voulait en venir, pendant que Ian se contentait de sourire, comme s'il savourait le spectacle. Soudain, son sourire s'effaça.

— Mettons les choses au clair, voulez-vous ? Si vous êtes venue ici pour une revanche un peu pathétique, alors vous perdez votre temps. Le protocole a été intégralement visé par le comité d'éthique au préalable, et nous sommes couverts. Je peux vous montrer les papiers, si ça vous intéresse de le lire. Je sais que c'est embarrassant quand il est démontré que l'empereur est nu. À supposer que vous soyez un empereur. Ou une impératrice.

— Comme j'ai tenté de l'expliquer, reprit Frieda, je ne suis pas ici pour discuter de l'expérience, mais...

— Oh, mais bouclez-la, à la fin, s'emporta Polly.

— Si vous me laissez seulement terminer une phrase, je vais poser deux questions ; après quoi, je m'en vais.

— Comment ça, après quoi, vous vous en allez ? Comme si vous aviez seulement le droit d'être ici, déjà ! J'ai une autre idée.

Polly pointa un doigt agressif sur l'épaule de Frieda. C'était proche de l'endroit toujours bandé, ce qui la fit un peu tressaillir.

— Vous avez été ridiculisée. Alors, gérez. Et allez-vous-en, parce que Ian n'a rien à dire et que vous commencez à le harceler, et à me porter sur les nerfs.

Elle se mit à repousser brutalement Frieda à plusieurs reprises, comme si elle voulait la mettre à la porte.

— Arrêtez, dit Frieda, levant les mains pour se défendre.

— Vous dégagez, maintenant, cria Polly en poussant de plus belle.

Frieda posa une main sur la poitrine de la femme et la repoussa contre le mur, où elle la maintint. Elle se pencha en avant de façon que leurs visages ne soient plus qu'à quelques centimètres l'un de l'autre et parla d'un ton calme, en détachant les mots :

— J'ai dit : « stop ».

Yardley se leva.

— C'est quoi, ce bordel ?

Frieda se retourna et, dans le même mouvement, ôta sa main, avant de reculer. Elle ne comprit pas vraiment ce qui se passa ensuite. Elle perçut comme un mouvement à côté, puis sentit Polly se jeter sur elle. Mais elle trébucha sur un petit tabouret et s'effondra avec lourdeur dessus.

— J'y crois pas ! s'écria Yardley. Vous débarquez chez nous et vous déclenchez une bagarre.

Polly tenta de se relever tant bien que mal mais Frieda se posta au-dessus d'elle.

— N'y pensez même pas, asséna-t-elle. Vous restez où vous êtes.

Elle se tourna vers Yardley.

— Reuben vous a parfaitement cerné, si vous voulez mon avis.

— Vous me menacez, plaida-t-il. Vous êtes venue ici pour m'agresser et me menacer.

— Cette histoire de cheveux n'avait aucun rapport avec vous, n'est-ce pas ? demanda Frieda.

— Quelle histoire de cheveux ?

— Vous êtes bien trop narcissique, rétorqua Frieda. Vous cherchiez à impressionner Reuben et il n'a pas marché.

— Mais de quoi parlez-vous, bordel ?

— Ce n'est pas grave, répliqua Frieda. J'ai obtenu ce que j'étais venu chercher.

Sur ce, elle partit.

Jim Fearby ressortit une grande carte de la Grande-Bretagne. Faute de place suffisante au mur, il l'étala par terre dans le salon, en posant un objet (un mug, une boîte de conserve de haricots blancs, un livre et une canette de bière) sur chaque coin. Il enleva ses chaussures et foula la carte aux pieds, la contemplant de haut en fronçant les sourcils. Puis il punaisa une épingle nantie d'un drapeau à l'endroit où l'on avait retrouvé le corps de Hazel Barton ; une autre à l'endroit où Vanessa Dale avait été abordée par un homme à bord d'une voiture de couleur possiblement argentée.

Il épingla sa photo sur le grand tableau d'affichage en liège, à côté de celle de Hazel Barton. Deux, ça ne faisait pas vraiment un schéma, mais c'est un début.

Vingt-cinq

Le seul patient que voyait encore Frieda était Joe Franklin. Les autres étaient nombreux à attendre son retour, et lui envoyaient des e-mails pour lui demander quand elle pensait être remise. Certains lui causaient du souci. Ils jouaient des coudes à la lisière de sa conscience, avec leur douleur et leurs problèmes. Elle se disait de quelques-uns qu'elle ne les reverrait peut-être jamais plus. Elle avait annoncé que d'ici quinze jours, début mai, elle reprendrait ses anciennes fonctions quoi que puisse lui recommander son médecin, mais entre-temps, deux fois par semaine et souvent plus, elle se rendait dans son cabinet de l'immeuble de luxe à Bloomsbury. Ce jour-là, elle avait été heureuse d'avoir une excuse pour partir de chez elle parce qu'à huit heures moins le quart, Josef avait débarqué. Quand Frieda l'avait laissé, il allait et venait d'un pas sonore entre sa camionnette et la maison, tout en lui adressant un large sourire derrière des tas de cartons.

Après sa séance avec Joe, Frieda resta debout dos à la pièce ordonnée, au fauteuil rouge, à l'esquisse au fusain estompée représentant un paysage au mur. Elle balayait des yeux le terrain cahoteux au-dehors, où les buissons et les fleurs sauvages se frayaient un chemin vers la lumière. Elle laissait les pensées affluer dans son esprit. Son ancienne vie semblait bien éloignée, un fantôme d'elle-même. La femme assise dans le fauteuil, heure après heure, jour après jour, s'estompait à mesure qu'elle la visualisait. Elle avait toujours cru que le centre de son existence était cette pièce, mais il semblait avoir désormais basculé : Hal Bradshaw et ses quatre chercheurs, Karlsson et ses affaires de meurtre et de disparition, Dean Reeve lâché dans la nature quelque part, à l'affût : ces divers éléments l'en avaient tirée.

Elle se concentra sur les quatre étudiants en psychologie et leur coup médiatique, s'efforça de distinguer les événements tels qu'ils s'étaient déroulés, le fait qu'on l'avait piégée, et l'humiliation que l'affaire ait été rendue publique. Elle ne savait pas pourquoi elle n'arrivait pas à la mettre de côté. Cette histoire la poursuivait, sa signification changeait sans cesse. Il y avait quelque chose qui refusait de lâcher prise, un bout de ficelle se tortillant entre ses mains. Parfois, la nuit, allongée dans le noir oppressant, elle pensait à eux quatre, et à ce qu'ils lui avaient dit. Aux lames des ciseaux en train de s'ouvrir et de se refermer, à cette image de tendresse et de dangereuse puissance.

Son portable sonna dans sa poche.

— Frieda.

— Karlsson.

— Vous avez allumé votre téléphone.

— Je vois pourquoi vous êtes devenu détective.

Il rit, puis ajouta :

— Vous aviez raison.

— Formidable. À quel sujet ?

— Ruth Lennox. Elle était trop parfaite pour être honnête.

— Je ne crois pas avoir dit ça. J'ai dit qu'on aurait dit une actrice interprétant le rôle de sa vie.

— Exactement. Nous avons découvert qu'elle entretenait une liaison. Depuis dix ans, chaque mercredi. Que dites-vous de ça ?

— Que ça fait long, dix ans.

— Il y a mieux encore, mais je ne peux pas en parler maintenant. Je dois aller voir le mari.

— Il était au courant ?

— Forcément.

— Pourquoi me le dites-vous ?

— J'ai pensé que vous aimeriez le savoir. Je me suis trompé ?

— Je ne sais pas.

— Je peux passer prendre un verre ensuite ? Je vous mettrai au jus. Ça peut aider de parler sérieusement avec quelqu'un d'extérieur.

Quelque chose dans sa voix, qui approchait le plus, chez lui, de la prière, retint Frieda de refuser.

— Pourquoi pas, répondit-elle avec réserve.

— Je serai là à 19 heures.

— Karlsson...

— Je vous appelle si je vois que je vais être en retard.

Les Lennox avaient réintégré leur foyer. On avait ôté le tapis. Les murs avaient été lessivés, mais certaines taches de sang restaient visibles. Le verre brisé et les objets épars avaient disparu.

À l'arrivée de Karlsson et d'Yvette, la porte leur fut ouverte par une femme vêtue d'un tablier de cuisine. Il sentit une odeur de gâteau en train de cuire.

— Nous nous sommes déjà vus, dit la femme, remarquant l'expression de Karlsson, mais vous avez oublié qui je suis, je me trompe ?

— Non, je me souviens bien de vous.

Il revit le bébé dans l'écharpe, le petit garçon à ses côtés, le teint blême de fatigue, la petite derrière sa poussette, comme si elle essayait de copier sa mère.

— Je suis Louise Weller, la sœur de Ruth. J'étais là le jour où c'est arrivé.

Elle les fit entrer.

— Vous séjournez ici ? s'enquit Karlsson.

— Je m'occupe des miens, autant que je peux, répondit-elle. Il faut bien que quelqu'un le fasse. Les choses ne se feront pas toutes seules.

— Mais vous avez des enfants, vous-même.

— Eh bien, le bébé reste tout le temps ici avec moi, cela va de soi. Ma belle-sœur s'occupe des deux autres quand ils ne sont pas à la garderie. Les circonstances sont exceptionnelles, ajouta-t-elle sur un ton de reproche, comme s'il l'avait oublié.

Elle le regarda d'un œil critique.

— J'imagine que vous êtes venu voir Russell.

— Vous deviez être proche de votre sœur, répliqua Karlsson.

— Qu'est-ce qui vous fait dire ça ?

— Vous êtes ici pour aider les siens, alors que vous avez une famille. Tout le monde ne ferait pas ça.

— C'est mon devoir, affirma-t-elle. Il n'est pas difficile de faire son devoir.

Karlsson l'examina de plus près. Il avait le sentiment qu'elle cherchait à lui démontrer qui était aux commandes, ici.

— Vous voyiez souvent votre sœur ?

— Nous habitons à Fulham, à l'autre bout de la ville. J'ai déjà de quoi faire et nous menons des vies très différentes. On se voyait quand on pouvait. Et à Noël, évidemment, à Pâques.

— Elle avait l'air heureuse ?

— Quel rapport ?.... Elle a été tuée par un cambrioleur, non ?

— Nous tentons juste de nous faire une idée de l'existence de votre sœur. Je m'intéressais à son état d'esprit, comme vous avez pu le voir.

— Elle allait bien, répondit sèchement Louise. Rien ne clochait chez ma sœur.

— Et était-elle heureuse en famille ?

225

— On n'a pas assez souffert comme ça ? lança-t-elle en jetant un regard à Yvette avant de le reporter sur Karlsson. Menez-vous votre petite enquête dans l'espoir de déterrer des choses désagréables ?

Yvette ouvrit la bouche pour réagir mais Karlsson lui décocha un regard pressant et elle se retint. Quelque part, hors de vue, le bébé se mit à pleurer.

— Je venais de l'endormir.

Louise poussa un long soupir excédé.

— Vous trouverez mon beau-frère à l'étage. Il a une pièce à lui tout en haut.

L'antre de Russell Lennox était un réduit à l'arrière de la maison, donnant sur le jardin. Karlsson et Yvette pouvaient à peine s'y loger. Yvette s'appuya au mur d'un côté, près d'un poster de Steve McQueen serrant dans la main un gant de base-ball. Lennox était assis devant un petit bureau en pin, surmonté d'un ordinateur. L'écran de veille était un portrait de famille. Ils posaient devant une mer bleue, avec des lunettes, tous. Karlsson se dit qu'elle avait dû être prise quelques années plus tôt. Les enfants étaient plus petits que dans son souvenir.

Avant de prendre la parole, il examina Lennox, tâchant d'évaluer son état d'esprit. Il semblait maître de lui, rasé de près, vêtu d'une chemise bleue repassée, par sa belle-sœur, à n'en pas douter.

— Comment allez-vous ? s'enquit Karlsson.

— Vous n'êtes pas au courant ? rétorqua Lennox. On a tué ma femme.

— Et j'exprimais ma sollicitude. J'aimerais savoir comment vous allez. J'aimerais savoir comment vont vos enfants.

Lennox répondit d'un ton agressif, mais sans croiser le regard de Karlsson. Il se contenta de fixer le tapis.

— Si vous tenez vraiment à le savoir, Dora a peur d'aller à l'école, Judith pleure tout le temps et je n'arrive pas à parler à Ted, du tout. C'est simple, il refuse de communiquer avec moi. Mais je ne veux pas de votre sollicitude. Je veux juste connaître le fin mot de cette histoire.

Il leva enfin les yeux vers Karlsson.

— Êtes-vous venu me faire part des progrès de cette enquête ?

— D'une certaine façon, répondit Karlsson. Mais j'ai également besoin de vous poser quelques questions.

Il patienta un moment. Il voulait y aller en douceur, mais Lennox ne dit rien.

— Nous essayons de reconstituer un panorama plus complet de la vie de votre femme.

Il lança un regard en coin à Yvette.

— Certaines questions vous sembleront peut-être indiscrètes.

Lennox se frotta les yeux, comme s'il essayait de se réveiller.

— Je suis au-delà de tout ça, dit-il. Posez toutes les questions que vous voudrez, faites comme bon vous semblera.

— Bien, répondit Karlsson, donc... Une question : diriez-vous de votre relation avec votre femme qu'elle était heureuse ?

Lennox tressaillit légèrement, plissant les yeux.

— Comment osez-vous seulement demander une chose pareille ? répondit-il. Vous étiez ici quand c'est arrivé. Le jour même. Vous nous avez vus, tous. Vous avez vu quel effet ça nous a fait. C'est quoi cette insinuation tordue ?

— Je pose une question.

— Alors, je vous répondrai simplement, par : oui, nous étions heureux. Content ? Et maintenant, à mon tour de vous poser une simple question : que se passe-t-il ?

— L'enquête a présenté un rebondissement imprévu, expliqua Karlsson.

En s'écoutant parler, il se sentit affreusement gêné par ses propos. S'il s'exprimait d'un ton détaché, c'est qu'il redoutait ce qui allait se produire.

Frieda lui remit un mug de thé et il en but plusieurs gorgées avant de le reposer sur la table.

— Seigneur, j'en avais besoin, murmura-t-il. Juste avant de le lui dire, j'avais l'impression d'être dans un rêve. C'était comme si je me tenais devant une grande baie vitrée, une pierre à la main, ronde et robuste comme une balle de cricket. Je m'apprêtais à la balancer dans la fenêtre et je regardais la vitre, lisse, plane, conscient que, quelques secondes plus tard, elle serait par terre, en pièces.

Il s'interrompit. Frieda se rasseyait avec son propre mug de thé, qu'elle n'avait pas encore touché.

— Comme vous le constatez, je m'améliore. Je ne vous ai pas encore interdit d'analyser l'image, de l'interpréter pour y trouver un sens caché. Si ce n'est que je viens de le faire, du coup. Bref, vous voyez ce que je veux dire.

— Comment a-t-il réagi ? s'enquit Frieda.

— Vous voulez dire, que s'est-il passé quand la pierre a fracassé la vitre ? Elle a volé en éclats, voilà ce qui s'est passé. Ça l'a ravagé. Il avait perdu sa femme, et je la lui enlevais à nouveau, il devait retraverser toute l'épreuve. Au moins, il lui restait ses souvenirs, et je les ai pollués.

— Vous vous exprimez un peu trop à la façon d'un psy, commenta Frieda.

— Ça ne manque pas de sel, venant de vous. Comment peut-on s'exprimer « un peu trop » à la façon d'un psy ?

Il but une nouvelle gorgée de thé.

— Plus les gens se comportent en thérapeutes, plus ils sont proches de leurs sentiments, mieux ça vaut.

— Les seules personnes qui devraient se comporter comme des thérapeutes sont les thérapeutes, répliqua Frieda. Et encore, seulement dans le cadre de leur travail. Les policiers doivent se comporter en policiers.

Donc, pour revenir à ma question, sa réaction a-t-elle éclairé quelque peu l'enquête ?

Karlsson reposa son mug.

— Au début, il a nié farouchement et soutenu qu'il avait une parfaite confiance en elle, et que nous avions fait erreur. Mais après, Yvette lui a exposé en détail ce que nous avions appris au sujet de Paul Kerrigan, à propos de l'appartement, des jours où ils se retrouvaient, depuis combien de temps ça durait. Il a fini par entendre raison. Il n'a pas pleuré, n'a pas crié. Il avait juste l'air vidé.

— Mais avez-vous eu l'impression qu'il était au courant ?

— Je n'en sais rien. Franchement, je n'en sais rien. Comment serait-ce possible ? Dix, onze ans. Elle fréquentait cet homme, elle couchait avec lui. Comment se peut-il qu'il n'ait pas senti son odeur sur elle ? Qu'il ne l'ait pas lu dans ses yeux ?

— Vous pensez qu'il devait avoir des soupçons, au moins ?

— Frieda, vous passez vos journées assise à recueillir les secrets les plus noirs des gens. Vous arrive-t-il de penser, simplement, que les clichés sur les relations humaines se révèlent vrais ? Ce que ça fait de tomber amoureux, d'avoir un enfant, puis de se séparer. Et de vivre avec quelqu'un pendant des années et se rendre compte qu'on ne le connaît pas.

— De qui parlons-nous, à présent ?

— Euh... eh bien, de moi, un peu, mais surtout de Russell Lennox. Ce que j'espérais, évidemment, c'était que nous allions lui révéler la liaison, qu'il allait craquer, tout avouer, affaire classée.

— Mais il ne l'a pas fait.

— J'aurais dû vous emmener.

— À vous entendre, j'ai l'impression d'être un chien.

— Pardon, j'aurais dû vous proposer de me faire la faveur de venir. J'aurais aimé que vous soyez là

229

pour voir sa tête à l'instant où je le lui ai appris. Vous remarquez ces trucs-là.

— Mais il y avait Yvette.

— Elle est pire que moi, et Dieu sait si je suis nul. Il n'y a qu'à poser la question à mon ex. Elle répondrait que je ne savais pas ce qu'elle ressentait, et je dirais que, si elle tenait à ce que je le sache, elle n'avait qu'à en parler et... Bref, vous voyez le topo.

— S'il a pu rester assis en votre compagnie le jour du meurtre, répondit Frieda, sans craquer, alors ce qui s'est passé aujourd'hui n'a pas dû lui poser de problème. Et je ne vous aurais pas été de la moindre utilité.

— Ça vous manque ? demanda Karlsson. Honnêtement.

Frieda garda le silence un long moment.

— Je n'en sais rien, répondit-elle enfin. Peut-être, parfois, comme quand j'ai appris que Ruth Lennox avait une double vie. Mais j'ai fait de mon mieux pour ne plus y penser.

— Oh mon Dieu !... s'exclama Karlsson, alarmé. Vous êtes en convalescence et me voilà en train de vous entraîner à nouveau dans tout ça.

— Non ! Ça n'a rien à voir. Je suis ravie de vous revoir. C'est comme de recevoir une visite du monde extérieur. Certaines sont désagréables, mais celle-ci fait partie des bonnes.

— Ah bon, souffla Karlsson. Écoutez, Frieda. Je viens tout juste d'apprendre, pour ce fichu coup monté. J'aimerais lui tordre le cou, à ce prétentieux Hal Bradshaw.

— Ce qui n'arrangerait sans doute pas mon cas.

— Il a une dent contre vous, hein ? Vous l'avez ridiculisé, il ne le supporte pas et ne l'oubliera jamais. Pas étonnant qu'il arbore un sourire aussi suffisant depuis quelques jours.

— Vous suggérez qu'il a mis ce stratagème sur pied rien que pour m'atteindre ?

— Il en est capable. Si cela n'avait tenu qu'à moi, je n'aurais plus jamais à me farcir son délire sur l'art du crime. Malheureusement, le préfet est un fan.

Il hésita, puis ajouta :

— Je ne devrais sans doute pas vous dire ça, mais je vais le faire quand même. Au début de l'enquête sur l'affaire Lennox, j'ai signifié au préfet que je ne voulais plus que nous fassions appel à Bradshaw. Je croyais émettre une suggestion informelle, mais Crawford m'a alors sorti Bradshaw de son chapeau et m'a obligé à répéter devant lui ce que je venais de lui dire. Il n'y a rien qu'il aime plus que de confronter les uns et les autres.

— Quel rapport avec moi ?

— Bradshaw a commencé à dire du mal de vous, alors j'ai pris votre défense et expliqué qu'il était jaloux de vous parce que vous l'aviez ridiculisé. C'est sans doute moi qui l'ai provoqué, sans le vouloir. J'aimerais qu'il y ait quelque chose que je puisse faire.

— Il n'y en a pas. Et s'il vous vient une idée, je vous en prie, abstenez-vous.

— En tout cas, je ne le laisserai pas mettre la main sur les petits Lennox.

— Vous allez le leur dire ?

— Oui, encore que leur père le fera peut-être à ma place. Pauvres gosses. Leur mère se fait assassiner, pour commencer, et ensuite, on leur démolit tout leur passé. Vous connaissez le fils, déjà, non ?

— Je l'ai rencontré. Pourquoi me regardez-vous comme ça ?

— J'ai une proposition à vous faire.

— Ma réponse est non.

C'est Riley qui découvrit les bouteilles. Elles étaient dans la petite cabane du jardin, remplie par une minuscule tondeuse à gazon, une pelle, une bêche, des râteaux, une grande bâche déchirée, une brouette, un tas de pots de fleurs en plastique vides, des vieux pots de confiture, un carton de carrelage de salle de bain. Quelqu'un avait cherché à les dissimuler, vu qu'elles étaient poussées dans un coin derrière les pots de peinture entamés, et qu'on les avait soigneusement recouvertes d'une housse de protection. Il les contempla un moment, avant d'aller chercher Yvette.

Yvette les attrapa une à une et les examina. Vodka, whisky de mauvaise qualité : de l'alcool pour se procurer de l'ivresse, pas du plaisir. Appartenaient-elles aux enfants, ou aux parents ? S'agissait-il de bouteilles anciennes ou récentes ? Elles semblaient neuves. Et cachées.

Vingt-six

Karlsson devait trouver un adulte qui puisse convenir. Souvent, l'adulte de circonstance pour un jeune est l'un des parents mais, dans le cas des Lennox, l'un était décédé et l'autre n'était absolument pas indiqué compte tenu des circonstances. Il envisagea de demander à Louise Weller d'être présente à la place mais Judith Lennox répondit qu'elle préférerait *mourir* plutôt que de parler de sa mère devant sa tante, et Ted avait marmonné que sa tante prenait son pied avec ce drame.

— Impossible de la tenir à l'écart, dit-il. On ne veut ni de ses gâteaux, ni de sa religion, ni de son sale gosse.

Aussi l'adulte idoine fut-il une femme désignée par les services sociaux, qui se présenta au commissariat, ponctuelle et débordante de bonne volonté. Soixante ans, menue comme un oiseau, elle avait l'œil vif et brillant d'excitation comme de nervosité. Il s'avéra que c'était là sa toute première intervention. Elle s'était entraînée, bien évidemment, elle avait lu tout ce qu'il était possible de lire et, qui plus est, s'il y avait bien une chose dont elle pouvait s'enorgueillir, c'était de sa faculté d'entente avec les jeunes. Les adolescents étaient si souvent mal compris, n'est-ce pas ? Souvent, tout ce qu'il leur fallait, c'était quelqu'un pour les écouter et prendre leur parti, raison pour laquelle elle était ici. Elle sourit, les joues légèrement rougies.

— Parfait, conclut Karlsson d'un ton sceptique. Vous comprenez que nous allons réaliser trois entretiens, l'un après l'autre, avec chacun des enfants Lennox. L'aîné, Ted, n'est plus mineur à proprement parler : il vient d'avoir 18 ans. Comme vous le savez, vous n'êtes ici que pour vous assurer qu'ils sont correctement traités et, si vous aviez l'impression qu'ils ont besoin de quoi que ce soit, vous devez le dire.

— Un âge si douloureux et difficile, répliqua Amanda Thorne. Encore enfant, et pas encore adulte.

— C'est moi qui mènerai les entretiens, et ma collègue, le Dr Frieda Klein, sera également présente.

Quand il avait informé Yvette qu'il se faisait seconder par Frieda pour parler à Ted, Judith et Dora, plutôt qu'elle, elle l'avait dévisagé avec une expression si chargée de reproches qu'il avait failli changer d'avis. Sa colère, il pouvait gérer, pas son désarroi. Les joues brûlantes, elle avait bredouillé « impeccable », que ça ne posait pas de problème, que cette décision lui appartenait et qu'elle comprenait.

Ted passa le premier. Il entra dans la pièce d'un pas traînant, vêtu de guenilles et désemparé le cheveu en bataille, les lacets défaits, les ourlets effilochés. Ses joues n'étaient pas rasées et son cou présentait des rougeurs : il paraissait sale et mal nourri. Il refusa de s'asseoir, et préféra rester debout près de la fenêtre. Le printemps s'était installé au jardin. Il y avait des jonquilles dans les plates-bandes et l'arbre fruitier était en fleur.

— Vous vous souvenez de moi ? demanda Frieda.

— Je ne savais pas que vous étiez des leurs, répliqua-t-il.

— Merci d'accepter de nous recevoir, commença Karlsson. Avant que nous commencions, je te présente

Amanda Thorne. Elle est ce qu'il convient d'appeler l'adulte de circonstance. Cela signifie...

— Je sais ce que ça veut dire. Et je ne suis plus un gosse. Je n'ai pas besoin d'elle ici.

— Non, mon chou, intervint Amanda, se levant et traversant la pièce à sa rencontre. Tu n'es plus un enfant. Tu es un jeune homme qui vient de traverser une épreuve terrible, terrible...

Ted la dévisagea avec mépris. Elle ne sembla pas le remarquer.

— Je suis ici pour te soutenir, continua-t-elle. S'il y a quoi que ce soit que tu ne comprends pas, il faut me le dire et je pourrai expliquer. Si tu te sens mal à l'aise ou perdu, tu peux me le dire.

Ted baissa les yeux sur son visage incliné, souriant.

— La ferme.

— Pardon ?

— On s'y met ? coupa Karlsson.

Ted croisa les bras, contempla, dédaigneux, la vue par la fenêtre, refusant de croiser leurs regards.

— Ben, allez-y. Allez-vous me demander si j'étais au courant pour m'man et sa double vie ?

— Tu l'étais ?

— Maintenant, je le sais. Papa m'a raconté. Enfin... il a commencé à le faire et après il s'est mis à pleurer, puis il a balancé la fin.

— Donc tu sais que ta mère voyait quelqu'un d'autre ?

— Non. Tout ce que je sais, c'est que c'est ce que vous pensez.

— Tu n'y crois pas ?

Ted décroisa les bras et se tourna vers eux.

— Vous savez ce que je crois ? Je crois que vous allez déterrer le moindre petit détail de sa vie et l'amocher, le noircir.

— Ted, je suis vraiment désolé, mais il s'agit d'un meurtre, répliqua Karlsson. Tu dois bien comprendre que nous sommes obligés de mener une enquête en bonne et due forme.

— Dix ans !

Ces mots sortirent comme un cri, ses traits étaient déformés par la colère.

— Depuis mes 8 ans, et Dora en avait 3. Si j'étais au courant ? Non. Qu'est-ce que ça me fait que tout n'ait été qu'un mensonge, une comédie ? À votre avis ?

Il se tourna furieusement vers Amanda Thorne.

— Alors, l'adulte référent. Dites-moi ce que je suis censé ressentir. Ou alors vous.

Il agita une main aux ongles sales en direction de Frieda.

— C'est vous, la thérapeute. Dites-moi tout.

— Ted, répliqua Frieda. Tu dois répondre aux questions.

— Vous savez quoi ? Certains de mes amis disaient qu'ils auraient aimé l'avoir pour mère. Ils ne le diront plus, maintenant.

— Veux-tu dire que tu n'en avais absolument aucune idée ?

— Tu veux faire une pause ? intervint Amanda Thorne.

— Non, il ne veut pas, rétorqua sèchement Karlsson.

— Évidemment que je n'en savais rien. C'était une bonne mère, une bonne épouse, la voisine idéale. Mrs Perfection, putain...

— Mais est-ce que cela te semble plausible à présent ?

Ted se tourna vers Frieda. Tout en os, on aurait dit qu'il risquait de se briser en un tas de fragments pointus si quiconque le touchait ou tentait de le prendre dans ses bras.

— Comment ça ?

— Tu dois brusquement, et dans la douleur, reconsidérer ta mère sous un autre angle – pas comme la personne que tout le monde décrit, rassurante, calme, et généreuse. Quelqu'un d'un tout autre aspect, avec des besoins et des désirs propres, et une existence entière qu'elle vivait en secret, séparée de vous tous. Et ce que je te demande, c'est si, avec du recul, cela te semble plausible.

— Non. J'en sais rien... J'ai pas envie d'y penser. C'était ma mère. Elle était... (Il ferma les yeux un instant.)... réconfortante.

— Exactement. Un être asexué.

— Je ne veux pas y penser, répéta-t-il. Je ne veux pas d'images dans ma tête. Tout est pourri, maintenant.

Il s'éloigna d'eux vivement, une fois de plus. Frieda eut le sentiment qu'il était au bord des larmes.

— Donc, reprit Karlsson en rompant le silence, ce que tu nous dis, c'est que tu n'as jamais soupçonné quoi que ce soit.

— Elle jouait horriblement mal, elle était nulle au jeu de mime, par exemple. Et elle n'aurait pas su mentir, même si sa vie avait été en jeu. Elle devenait toute rouge, et on se moquait tous d'elle. C'est une blague, dans la famille. Mais il s'avère que c'était une actrice et une menteuse de premier ordre, finalement, non ?

— Peux-tu nous parler du jour où elle a été tuée, le mercredi 6 avril ?

— Pour vous dire quoi ?

— Quand tu es parti de chez toi, ce que tu as fait dans la journée, à quelle heure tu es rentré. Ce genre de choses.

Ted dévisagea Frieda, l'œil hagard, puis répondit :

— OK. Mon alibi, vous voulez dire. J'ai quitté la maison vers l'heure habituelle. Huit heures et demie, par là. Je devais être tôt au lycée, qui ne se trouve qu'à quelques minutes de là, parce que j'avais un examen blanc en art. Auquel je viens d'apprendre que j'ai obtenu un A +, en passant.

Il afficha un sourire féroce.

— Pas mal, non ? Ensuite, j'ai passé le reste de la journée au bahut. Et après, j'ai retrouvé Judith, on a traîné dehors un moment, et on est rentrés ensemble.

Pour tomber sur des policiers absolument partout. Ça vous va ?

— Ça me va.

Venait ensuite Judith Lennox. Elle franchit la porte en silence, à la manière d'un fantôme, les dévisageant chacun à tour de rôle de ses yeux bleu pâle. Ses cheveux avaient besoin d'un shampoing et elle portait un vieux bas de survêtement accompagné d'un pull vert informe appartenant sans doute à son père. Il lui descendait pratiquement aux genoux et les longues manches lui couvraient les mains, mais malgré tout, elle était ravissante, avec la fraîcheur et le teint de pêche de la jeunesse, que des journées passées à pleurer n'avaient pu altérer.

— Je n'ai rien à dire, annonça-t-elle.

— C'est tout à fait légitime, mon petit, murmura Amanda Thorne. Tu n'es pas obligée de dire quoi que ce soit.

— Si vous pensez que c'est papa, c'est tout simplement débile.

— Qu'est-ce qui te fait dire ça ?

— C'est évident. M'man le trompait, alors vous pensez qu'il a dû l'apprendre et qu'il l'a tuée. Mais papa l'adorait et, de toute façon, il n'en savait rien, mais rien du tout. Il ne suffit pas de penser quelque chose pour que ce soit vrai.

— Bien sûr que non, répliqua Karlsson.

Frieda étudia la fille. Elle avait 15 ans, serait bientôt femme. Elle avait perdu sa mère et ce que signifiait avoir une mère : désormais, elle devait redouter de perdre son père aussi.

— Quand vous avez appris, pour votre mère... commença-t-elle.

— Je suis rentrée avec Ted, répondit Judith. On s'est pris par la main quand on l'a appris.

Elle laissa échapper un petit sanglot.

— Pauvre Ted. Et lui qui croyait maman parfaite.

238

— Et pas vous ?

— C'est différent pour les filles.

— Que voulez-vous dire ?

— C'était son petit chouchou. Dora, sa petite dernière. Moi, je lui piquais son rouge à lèvres... enfin, non, pas vraiment. Elle n'était pas trop branchée maquillage, ce genre-là. Mais vous voyez ce que je veux dire. Enfin bref, je suis l'enfant du milieu.

— Mais vous êtes sûre que personne ne savait ?

— Qu'elle trompait papa tout le temps ? Non. J'ai encore du mal à y croire.

Elle se frotta la figure, fort.

— On dirait un film, j'sais pas, moi, pas la vraie vie. C'est pas le genre de choses qu'elle ferait. C'est complètement débile. C'est une femme mûre, même pas belle...

Elle s'interrompit, les traits tordus.

— Ce n'est pas ce que je voulais dire, mais bref, vous voyez. Elle a les cheveux grisonnants, elle porte des sous-vêtements sans fantaisie, et elle ne se soucie même pas de ce dont elle a l'air.

Soudain, elle parut prendre conscience qu'elle parlait de sa mère au présent. Elle s'essuya les yeux.

— Papa ne soupçonnait rien, je le jure. Il est dégoûté. Fichez-lui la paix. Fichez-nous la paix.

L'entretien avec Dora Lennox n'eut rien d'un véritable entretien. Elle était maigrichonne, apathique et à bout, barbouillée d'avoir tant pleuré. Si son père avait pris des années durant les jours qui avaient suivi le décès de sa femme, Dora, pour sa part, était redevenue une toute petite enfant. Elle avait besoin de sa mère. Elle avait besoin de quelqu'un qui la prenne dans ses bras et la berce, pour effacer toute cette horreur. Frieda posa une main sur sa tête humide, chaude. Amanda Thorne roucoula et lui assura que tout irait bien, apparemment inconsciente de l'ineptie de ses propos. Karlsson contemplait la petite, le front soucieux. Il ne savait pas par où commencer. Trop de douleur régnait sous ce toit. Elle vous picotait littéralement la peau. Dehors, les jonquilles resplendissaient dans le printemps doux et lumineux.

Quand Yvette interrogea Russell Lennox à propos des bouteilles, il se contenta de la dévisager comme s'il n'avait pas compris un mot.

— Savez-vous qui les y a mises ?

Il haussa les épaules.

— Quel rapport avec le reste ?

— Rien, peut-être, mais je dois poser la question. Il y en avait des douzaines cachées dans la cabane. Peut-être existe-t-il une simple explication mais cela suggère que quelqu'un buvait en cachette.

— Je ne vois pas pourquoi. L'abri est rempli de merdes.

— Qui se sert de la cabane ?

— Que voulez-vous dire ?

— Qui y va ? Votre femme s'y rendait ?

— Ce n'était pas Ruth.

— Ou peut-être votre fils et ses copains...

— Non. Pas Ted.

— C'est vous qui avez mis ces bouteilles là-bas ?

Un silence envahit la pièce.

— Mr Lennox ?

— Oui ! répondit-il avec humeur, en détournant les yeux comme s'il ne pouvait supporter de croiser son regard.

— Diriez-vous...

Yvette s'interrompit. Elle n'était pas très douée pour ça. Elle posait les questions de manière trop abrupte. Elle ne savait pas comment s'exprimer clairement, sans pour autant avoir l'air de porter un jugement. Elle tenta d'imaginer Karlsson en train de mener cet interrogatoire.

— Avez-vous un problème avec l'alcool ? demanda-t-elle avec brusquerie.

240

Russell Lennox redressa la tête.

— Non, absolument pas.

— Mais ces bouteilles...

Elle repensa à la vodka et au whisky bon marché : personne n'irait boire ça sauf à avoir un problème.

— Les gens pensent que parce que vous buvez, vous êtes alcoolique, et ils pensent que si vous êtes alcoolique, c'est que vous avez un problème sous-jacent plus important.

Il s'exprimait rapidement, les mots se précipitaient dans sa bouche.

— Ça n'a duré qu'un temps, c'était idiot. Pour m'aider à tenir le coup. Je les ai planquées dans la cabane parce que je savais que tout le monde m'accuserait comme vous le faites maintenant. Rendrait la chose honteuse. Il était plus simple de les cacher. Point barre. Je comptais les jeter dès que l'occasion se présenterait.

Yvette essaya de faire le tri dans son discours.

— De vous aider à tenir le coup pour quoi ?

— Le coup. C'est tout.

On aurait dit son fils.

— C'était quand ?

— Pourquoi ?

— Récemment ?

Russell Lennox porta sa main à la figure, couvrant à moitié sa bouche. Il émit un son indistinct entre ses doigts.

— Vous buvez toujours ?

— Vous êtes mon médecin traitant, à présent ?

Ses mots étaient étouffés.

— Vous allez me dire que ce n'est pas bon pour moi ? Vous croyez que je ne le sais pas ? Peut-être comptez-vous me parler des dégâts au foie, d'addiction, de la nécessité de prendre conscience de ce que je fais et de chercher de l'aide.

— Buviez-vous à cause de problèmes dans votre mariage ?

Il se leva.

— Vous voyez des indices partout, n'est-ce pas ? La vie privée de ma femme, le fait que je boive trop.

— La victime d'un meurtre n'a pas de vie privée, répliqua Yvette. Ces deux aspects sont importants, selon moi.

— Que voulez-vous que je vous dise ? J'ai trop bu, un temps. C'était idiot. Comme je ne voulais pas que les gosses le sachent, je l'ai caché. Je n'en suis pas fier.

— Et vous dites qu'il n'y avait pas de raison particulière ?

Russell Lennox était lessivé. Il se rassit face à Yvette, s'effondrant dans son fauteuil.

— Vous attendez de moi que je vous présente des faits clairs et nets, mais il n'y avait rien de précis. Je vieillis, ma vie me semblait fade, aucun changement, plus rien d'excitant. Peut-être Ruth ressentait-elle la même chose.

— Peut-être, répondit Yvette. Mais votre femme savait-elle que vous buviez ?

— Quel rapport avec le fait qu'elle soit morte ? Vous pensez que je l'ai tuée parce qu'elle avait découvert mon péché secret ?

— C'est le cas ?

— Elle s'en doutait. Elle avait le don de flairer les faiblesses des gens.

— Donc elle savait.

— Elle le sentait sur moi. Elle était plutôt méprisante – ce qui ne manque pas de sel, n'est-ce pas, vu ce qu'elle faisait de son côté ?

— Dont vous soutenez toujours que vous l'ignoriez totalement.

— Je ne le *soutiens* pas. Je n'en savais effectivement rien.

— Et vous maintenez que votre union était heureuse ?

— Vous êtes mariée ?

Yvette sentit une bouffée de chaleur lui remonter dans le cou et sur la figure. Elle se vit à travers ses yeux

– une brune robuste, pataude, solitaire, aux grands pieds et aux fortes mains dépourvues d'alliance.

— Non, souffla-t-elle.

— Aucune union ne se porte bien quand on commence à fouiner et détailler les failles. Jusqu'à aujourd'hui, j'aurais dit que, même s'il nous arrivait de nous disputer et que nous tenions parfois la présence de l'autre pour acquise, notre couple était harmonieux, et solide.

— Et à présent ?

— Maintenant, il ne rime plus à rien. On l'a réduit à néant, et je ne peux même pas lui demander pourquoi.

Frieda venait tout juste d'arriver chez elle quand on sonna à la porte. Elle l'ouvrit, et tomba sur deux agents de police, un homme et une femme.

— Vous êtes le Dr Frieda Klein ? demanda l'homme.

— C'est Karlsson qui vous envoie ?

Les deux agents se dévisagèrent.

— Désolé, répondit l'homme, je ne vois pas de qui vous voulez parler.

— Bref, qu'est-ce qui vous amène ?

— Pouvez-vous confirmer que vous êtes bien Frieda Klein ?

— Oui, je le peux. Il y a un problème ?

L'agent fronça les sourcils.

— Je dois vous informer que nous devons vous interroger au sujet d'une supposée affaire d'agression ayant provoqué des dommages corporels avérés.

— Quelle affaire ? Une agression dont je suis censée avoir été témoin ?

Il secoua la tête.

— Nous répondons à une plainte déposée contre vous en personne.

— Mais de quoi parlez-vous ? !...

L'agente consulta son calepin.

— Étiez-vous présente dans l'appartement numéro 4, du numéro 2 de Marsh Side, le 17 avril ?

— Hein ?

— Présentement occupé par Mr Ian Yardley.

— Oh, pour l'amour du ciel... lâcha Frieda.

— Vous reconnaissez que vous y étiez ?

— Oui, j'admets m'y être trouvée mais...

— Nous devons nous entretenir avec vous à ce sujet, dit l'homme. Mais nous ne pouvons pas le faire sur le pas de la porte. Si vous le souhaitez, nous vous emmenons dans une salle d'audience.

— Ne pouvez-vous simplement entrer, que nous tirions ça au clair ?

— D'accord, concéda l'homme et nous allons vous poser quelques questions.

Dans leurs encombrants uniformes, tous deux faisaient paraître plus petite la maison de Frieda. Ils s'assirent gauchement, comme s'ils n'avaient pas l'habitude d'être à l'intérieur. Frieda prit place en face, et attendit qu'ils parlent. L'homme ôta sa casquette et la déposa sur le bras du fauteuil. Il avait les cheveux roux et bouclés, la peau très blanche.

— On nous a signalé un incident, commença-t-il.

Il sortit un calepin de la poche de sa veste, l'ouvrit lentement et l'examina avec attention, comme s'il le voyait pour la première fois.

— Je dois vous informer dès à présent que nous enquêtons pour voie de fait simple, ainsi que pour agression occasionnant des lésions corporelles.

— Quelle lésion corporelle ? s'indigna Frieda, tout en s'efforçant de garder son calme.

Dans le même temps, elle essayait de se remémorer l'incident. Se pouvait-il que la femme se soit cogné la tête en tombant ? L'agent replongea le nez dans son calepin.

— Une plainte a été déposée par Mr Ian Yardley, propriétaire de l'appartement, et par Polly Welsh. Hum, à ce stade, je dois vous prévenir que vous n'êtes pas en état d'arrestation et que vous êtes libre d'interrompre cet interrogatoire à tout moment. Et je dois également vous informer que vous avez le droit de garder le silence mais que cela peut nuire à votre défense si vous ne mentionnez pas quelque chose, lorsqu'on vous pose la question, que vous exposeriez par la suite devant la cour. Tout ce que vous pourrez dire pourra être utilisé contre vous.

Quand il eut fini son laïus, l'agent rougit. Il faisait penser à un petit garçon récitant un discours à l'assemblée de l'école.

— On est obligés de dire ça à chaque fois.

— Et que j'ai droit à un avocat.

— Vous n'êtes pas en état d'arrestation, docteur Klein.

— Quelle était ladite « lésion corporelle » ? s'enquit Frieda. Elle a été blessée ?

— Je crois qu'il y a eu des contusions et qu'elle a dû faire appel à un médecin.

— Est-ce que cela passe pour des lésions corporelles avérées ?

— Il est question, intervint la femme, de dommages psychologiques. De problèmes de sommeil, de traumatismes.

— Dommages psychologiques…, répéta Frieda. Est-il possible qu'un certain Dr Hal Bradshaw soit en lien avec ce diagnostic ?

— Je n'ai pas le droit de faire de commentaires sur ce point, répondit l'homme. Mais vous admettez que vous étiez sur les lieux le jour de l'incident.

— Oui, confirma Frieda. N'ont-ils pas attendu un peu longtemps pour signaler l'incident ?

— D'après ce que j'ai entendu dire, répliqua l'homme, Miss Welsh était trop traumatisée au début pour en parler. Elle avait besoin d'être rassurée et soignée avant d'être en mesure de se manifester. Nous nous efforçons de faire preuve de plus de sensibilité dans la réponse que nous apportons aux femmes qui subissent des violences.

— C'est une bonne chose, en effet, répondit Frieda. Voulez-vous savoir ce qui s'est passé ?

— Votre version des faits nous intéresserait, oui, répondit l'homme.

— J'ai pris rendez-vous pour aller voir Ian Yardley et lui poser des questions, commença Frieda.

— Vous lui en vouliez, à ce que je comprends. Vous aviez le sentiment qu'il vous avait humiliée.

— C'est ce qu'il a dit ?

— C'est ce que suggère notre enquête.

— Je n'étais pas fâchée contre lui, non. Mais son amie...

— Miss Welch.

— Elle s'est montrée agressive dès mon arrivée. Elle m'a bousculée à plusieurs reprises et a tenté de me pousser hors de l'appartement. Je l'ai repoussée. Quand elle a tenté de riposter, elle a trébuché sur une chaise, je crois. Tout s'est passé très vite. Là-dessus, je suis partie. Fin de l'histoire.

L'homme consulta son carnet.

— Une déposition soutient que vous avez poussé Miss Welsh contre un mur et que vous l'y avez maintenue. Est-ce exact ?

— Oui, c'est exact. C'est elle qui a commencé par me pousser. Je lui ai demandé d'arrêter et, comme elle n'en faisait rien, je l'ai repoussée contre le mur. Mais pas méchamment, juste pour qu'elle s'arrête. Ensuite, je l'ai relâchée, et c'est là qu'elle m'a foncé dessus et qu'elle est tombée. Je ne la touchais même pas à ce moment-là.

— Elle est tombée, c'est tout, vérifia la femme.

— C'est ça.

L'homme retourna à ses notes.

— Avez-vous des antécédents de bagarre en public ?

— Que voulez-vous dire ?

Il tourna une page.

— Connaissez-vous un certain James Rundell ? On nous a parlé d'une bagarre dans un restaurant, avec d'importants dommages matériels, qui s'est soldée par votre arrestation.

— Qui vous a parlé de ça ?

— Ce sont des informations qui nous ont été transmises.

— Quel rapport ?

— Nous essayons juste d'établir s'il y a des concordances. Et ce James Rundell, n'est-il pas impliqué dans cette affaire, lui aussi ?

— Tout juste, répondit Frieda. Rundell est l'un des autres psychothérapeutes visés dans cette...

Elle s'interrompit, s'efforçant de trouver le mot approprié.

— ... de ce projet, conclut-elle enfin.

— « Visés ». Ça laisse entendre que le sujet vous fâche.

— Non, ce n'est pas le cas.

L'homme nota quelque chose dans son calepin.

— Vous vous fâchez avec Rundell et vous le confrontez dans un restaurant, vous l'agressez. Vous vous fâchez avec Ian Yardley et vous le confrontez chez lui, s'ensuit une rixe. Vous ne voyez pas un schéma ?

— Les deux affaires n'ont aucun lien, répondit Frieda. Et il n'y a pas eu de bagarre chez Ian Yardley.

Soudain, l'homme lança des regards autour de lui, tel un chien qui aurait flairé une odeur.

— C'est quoi ?

C'étaient les coups en provenance de la salle de bain, à l'étage. Ils avaient fini par faire tellement partie de la vie de Frieda qu'elle avait presque cessé de les entendre.

— Vous tenez vraiment à le savoir ? Après tout, j'ai un alibi. Je suis ici, en bas, avec vous.

La policière fronça les sourcils à son adresse.

— Les violences faites aux femmes n'ont rien de drôle, déclara-t-elle.

— C'est bon, rétorqua Frieda. J'ai ma dose. Si vous voulez m'inculper, alors allez-y. Sinon, il n'y a plus rien à ajouter.

Avec une grimace de concentration, l'homme nota plusieurs lignes, puis ferma son carnet et se leva.

— De vous à moi... ajouta-t-il, à votre place, je prendrais un avocat. Nous avons mené des affaires plus bénignes que celle-ci devant un jury. Mais même si nous n'en faisons rien, vous risquez fort un procès au civil.

— Et si j'ai besoin de vous joindre ? s'enquit Frieda.

— J'allais vous le dire, répondit l'homme.

Il griffonna quelque chose dans son calepin, en déchira une page et la remit à Frieda.

— Si vous avez quoi que ce soit à ajouter. Mais nous reprendrons contact, de toute façon.

Une fois qu'ils furent repartis, Frieda s'assit durant plusieurs minutes, le regard fixe. Puis elle chercha dans son carnet d'adresses et composa un numéro.

— Yvette, dit-elle. Désolée, c'est Frieda. Vous avez une seconde ?

Merci pour ta lettre. Elle ne me quitte plus. Ça te ressemble bien d'écrire une vraie lettre – sur du papier de qualité, à l'encre, avec une grammaire précise et sans abréviations. Je ne me rappelle même pas quand on m'a envoyé une lettre pour la dernière fois. Ma mère, peut-être, il y a des années de ça. Elle m'écrivait sur du papier très fin, aux rabats autocollants. Je n'arrivais jamais à déchiffrer son écriture minuscule, étriquée.

Ma mère. La tienne. Toutes ces choses dont nous n'avons encore jamais parlé, toi et moi. On devrait passer un mois dans un phare, cernés par des mers démontées, avec assez de vivres et de boissons pour n'avoir jamais besoin de sortir. On pourrait parler, lire, dormir, faire l'amour et échanger des secrets. Rattraper tout ce temps perdu. Sandy xxxx

Vingt-sept

Yvette et Karlsson firent ensemble et à pied le trajet séparant la maison des Lennox de celle des Kerrigan. Il leur fallut moins de dix minutes. Yvette avait du mal à ne pas se laisser distancer par ses longues foulées. Elle avait un sale rhume : la gorge irritée, les glandes endolories, et des élancements dans la tête. Elle se sentait à l'étroit dans ses vêtements, qui lui semblaient rêches.

La maison était plus petite que celle de Ruth et Russell, une construction mitoyenne en brique rouge dans une ruelle étroite, avec un minuscule jardin devant intégralement recouvert de gravier. Elaine Kerrigan ouvrit la porte avant que le carillon ait cessé de sonner. Elle resta plantée devant eux : une grande femme au long visage cireux, aux cheveux décolorés pris dans un chignon lâche, des lunettes autour du cou, retenues par une chaîne. Elle portait une chemise à carreaux trop grande pour elle sur un ample pantalon en coton. Le soleil la cueillit alors qu'elle les dévisageait, et elle leva sa main – bague de fiançailles et alliance à l'annulaire – pour se protéger de ses rais éblouissants.

Elle sait, songea Yvette. Son mari a dû passer aux aveux et tout lui déballer.

Elle les introduisit dans le salon. Le soleil filtrait au travers de la vaste baie et répandait sa lumière sur le tapis vert et le canapé à rayures. Il y avait des jonquilles sur le manteau de la cheminée, réfléchies par le miroir. Yvette s'entraperçut dedans – rougeaude et pataude, avec ses lèvres sèches. Elle les humecta. Elaine Kerrigan prit place et leur fit signe de faire de même. Elle posa ses longues mains délicates au creux de ses genoux et se redressa.

— Je me suis demandé quel comportement adopter, dit-elle, d'une voix à la fois lente et agréable, avec un soupçon d'accent qu'Yvette ne put identifier. Tout ça paraît tellement irréel. Je sais que je suis l'épouse trompée, mais je n'arrive pas à le ressentir, pas encore. C'est juste tellement...

Elle baissa les yeux sur ses mains, les releva à nouveau.

— Paul n'est a priori pas le genre d'homme avec qui on pourrait choisir d'avoir une aventure.

— Quand vous l'a-t-il appris ? demanda Yvette.

— À son retour hier soir. Il a attendu que son thé soit sur la table et il a tout déballé. J'ai cru qu'il plaisantait, au début.

Elle fit la grimace.

— C'est fou, non ? J'ai du mal à croire que ça m'arrive. Et cette femme est morte... A-t-il dit que c'était moi qui le lui avais appris ? Que je l'ai lu dans le journal ? Je trouvais qu'elle avait l'air gentille. Je me demande si elle a pensé à moi pendant tout ce temps.

— Ce doit être un choc, nous le comprenons, répondit Yvette. Pour des raisons évidentes, nous sommes tenus d'établir les faits et gestes des gens le jour de la mort de Ruth Lennox.

— Vous voulez parler de mon mari ? Je ne me rappelle pas. J'ai regardé dans son agenda mais il n'y a rien à cette date. Ce n'était qu'un mercredi quelconque. Paul affirme qu'il était ici, sans l'ombre d'un doute, au moment où ça s'est passé, mais je ne sais plus si c'est moi qui suis rentrée la première du boulot, ou lui, ou s'il est arrivé plus tard que d'habitude. S'il s'était passé quelque chose d'anormal, je m'en souviendrais, j'imagine.

— Et pour ce qui est de vos fils ?

Elle tourna la tête. Suivant son regard, Karlsson et Yvette virent la photo à côté des jonquilles, de deux garçons, deux jeunes gens même, aux cheveux bouclés l'un et l'autre, avec le visage large de leur père. L'un avait une cicatrice au-dessus de la lèvre et son sourire s'étirait légèrement de travers.

— Josh est à l'université de Cardiff. Il n'était pas encore revenu pour les vacances de Pâques, à ce moment-là. L'autre, Ben, a 18 ans, et il passe son bac cette année. Il vit ici. Il n'est pas très précis pour tout ce qui touche aux dates. Pas plus qu'avec le reste, d'ailleurs. Je ne leur ai pas encore parlé de cette liaison. Ensuite, ne me restera plus qu'à leur parler du meurtre. Ça va être chouette... Combien de temps ça a duré ?

— Pardon ?

— Elle a duré combien de temps, cette histoire ?

— Votre mari ne vous l'a pas dit ?

— Il a dit que c'était plus qu'un flirt, mais qu'il m'aimait toujours et qu'il espérait que je lui pardonnerais.

— Dix ans, asséna posément Yvette. Ils se voyaient les mercredis après-midi. Ils louaient un appartement.

Elaine Kerrigan se redressa. Ses traits se relâchèrent, comme si la peau se détendait.

— Dix ans...

Ils l'entendirent déglutir.

— Et vous n'étiez pas au courant ?

— Dix ans, dans un appartement...

— Nous devrons procéder à des fouilles ici aussi, l'informa Yvette.

— Je comprends.

Elaine Kerrigan s'exprimait toujours poliment, mais sa voix avait faibli.

— Avez-vous remarqué quoi que ce soit d'inhabituel dans son comportement ?

— Ces dix dernières années ?

— Ces dernières semaines, mettons.

— Non.

— Il ne semblait pas contrarié, chagriné ou distrait ?

— Je ne crois pas.

— Vous ne saviez pas que plusieurs centaines de livres disparaissaient chaque mois du compte bancaire de votre mari pour payer un autre loyer ?

— Non.

— Vous ne l'avez jamais croisée ?

— Cette femme ?

Elle ébaucha pour eux un sourire las.

— Je ne crois pas. Mais elle vivait près d'ici, n'est-ce pas ? Peut-être que si.

— Nous vous serions reconnaissants si vous pouviez tenter d'établir à quelle heure, précisément, vous et votre mari êtes rentrés chez vous ce mercredi-là – demandez à des collègues au bureau, par exemple.

— Je ferai de mon mieux.

— Inutile de nous raccompagner.

— D'accord. Merci.

Elle ne se leva pas quand ils partirent, mais resta assise toute droite dans le canapé, une expression absente sur son long visage.

— Vous prenez un verre ? proposa Yvette à Karlsson, en s'efforçant d'adopter un ton dégagé – comme si la réponse lui importait peu, quelle qu'elle soit. Sa voix lui parut grinçante.

— J'ai mon après-midi et je ne serai pas là demain alors je…

— Pas de problème. Ce n'était qu'une suggestion. Au fait, il y avait un truc que je voulais vous dire. Frieda m'a appelée.

— À quel sujet ?

Alors qu'Yvette rapportait les détails de l'interrogatoire de Frieda par la police, Karlsson afficha d'abord un sourire et finalement une mine lasse.

— Je lui ai dit qu'elle ferait mieux de vous en parler, mais elle a répondu que vous en aviez sans doute assez d'elle. Après cette histoire avec Rundell, vous voyez.

— C'est quoi, son problème ? s'agaça Karlsson. Il existe des videurs de boîtes de nuit moins impliqués qu'elle dans des bagarres.

— Elle ne les cherche pas toujours.

— Soit, mais apparemment, elles surgissent où qu'elle aille. Bref, c'est vous qu'elle a appelée. Vous feriez bien de passer un ou deux coups de fil.

— Je suis désolée. Je ne voulais pas vous déranger avec cette histoire.

Karlsson hésita, face à son visage enflammé.

— Désolé d'avoir aboyé. Je serai avec mes enfants, ajouta-t-il avec douceur. Ils s'en vont bientôt.

— Je ne savais pas... pour combien de temps ?

Il s'aperçut qu'il était incapable de le lui dire.

— Pas mal de temps. (Voilà tout ce qu'il trouva à répondre.) Alors, je voudrais en profiter au maximum.

— Bien sûr.

Mikey s'était fait couper les cheveux, très court, il était comme hérissé de poils, tous doux. Son crâne apparaissait et ça lui décollait les oreilles. Ceux de Bella avaient été coupés aussi, son visage était auréolé de boucles souples. Tous deux semblaient plus jeunes, encore plus vulnérables. Karlsson se sentait trop grand et massif à côté d'eux. Son cœur gonflait dans sa poitrine, il s'accroupit et les serra contre lui. Mais ils se débattirent pour se dégager. Ils étaient excités : leurs corps palpitaient d'impatience. Ils avaient envie de lui parler de l'appartement dans lequel ils allaient habiter, avec des balcons des deux côtés, et un oranger dans la cour. Un ventilateur dans chaque pièce, parce qu'il faisait très chaud en été. Ils avaient leurs nouveaux vêtements d'été, shorts, robes, sandales. Il ne pleuvait pratiquement jamais là-bas – les pluies, en Espagne, tombent surtout dans les plaines. Il y avait une piscine extérieure quelques rues plus loin et, le week-end, ils pourraient aller sur la côte en train. Ils devraient porter un uniforme dans leur nouvelle école. Ils connaissaient déjà quelques mots. Ils savaient dire : *¿ Puedo tomar un helado por favor ?* Et *gracias*, ainsi que *mi nombre es Mikey, mi nombre es Bella.*

Karlsson sourit, sourit. Il aurait voulu qu'ils ne s'en aillent jamais, comme il aurait aimé qu'ils soient déjà partis : attendre de leur dire au revoir était pire que tout.

Vingt-huit

Le lendemain matin, quand Frieda reçut l'appel de Rajit Singh, elle convint de le recevoir à son cabinet, qui demeurait vide tant d'heures chaque semaine, désormais, avec son fauteuil rouge abandonné. Plus tard, ce jour-là, elle devait voir Joe Franklin, aussi pouvait-elle rester sur place en attendant, à passer au crible ses pensées en friche. Elle parcourut aussi vite que le permettait sa jambe blessée les rues étroites, le dédale de magasins familier. Elle avait l'impression de suivre un fil, aussi ténu que celui de l'araignée, au sein d'un labyrinthe sombre et tortueux. Pourquoi n'arrivait-elle pas à lâcher cette histoire ? Il ne s'était agi que d'un racontar falsifié, aux ressorts évidents, conçu pour la faire trébucher et la faire passer pour idiote et incompétente. Elle aurait dû se sentir furieuse, humiliée, ainsi exposée aux regards ; au lieu de quoi, elle était troublée et comme contrainte d'agir. Elle s'éveillait la nuit et ses pensées, surgissant de ses rêves embourbés, butaient sur cette histoire. C'était comme si on tirait faiblement, mais de manière insistante, sur ce fil.

Singh arriva à l'heure dite. Il portait encore sa grosse veste noire – de fait, il semblait vêtu de la même façon que le jour où Frieda l'avait vu. La lassitude lui décomposait les traits et il prit place pesamment dans le fauteuil qui lui faisait face, comme s'il s'agissait bel et bien d'une séance de thérapie.

— Merci, dit-il.

— De quoi ?

— De me recevoir.

— Je crois que c'est moi qui vous ai demandé de prendre contact avec moi.

— Ouais, mais on s'est foutu de votre gueule, non ?

— C'est l'impression que vous avez ?

— Je ne sais pas pour les autres, mais je me suis senti un peu merdique devant toute cette couverture médiatique.

— Parce que vous avez eu le sentiment que ce que vous aviez fait n'était pas bien ?

— Ça semblait une bonne idée sur le coup. Je veux dire, comment peut-on évaluer les compétences des thérapeutes ? Les profs ont les inspecteurs, mais les psys peuvent faire tous les dégâts qu'ils veulent dans l'intimité de leurs petits cabinets, personne n'en saura jamais rien. Et si ça ne plaît pas aux patients, le psy n'a plus qu'à retourner le problème contre eux : si vous n'aimez pas, c'est que le problème est chez vous, pas chez moi. Le système s'autojustifie.

— Ça ne vous ressemble pas. On croirait entendre du Hal Bradshaw. Ce qui ne signifie pas que ce soit mal. Il existe bel et bien un problème relatif à l'inspection des psys.

— Ouais, peut-être bien, mais quand l'expérience a reçu toute cette attention, ça ne m'a plus semblé bien. Tout le monde trouvait ça drôle, mais ensuite, quand je vous ai rencontrée...

Il s'interrompit.

— Je n'avais pas l'air aussi folle que l'avait avancé Bradshaw ?

Singh remua dans son fauteuil, mal à l'aise.

— Il a dit que vous étiez totalement imprévisible. Que vous – et les gens comme vous – pouviez faire de gros dégâts.

— Alors il s'est mis en tête de nous évaluer ?

— C'est comme ça qu'il doit voir les choses, j'imagine. Mais ce n'est pas pour ça que je suis ici. Il n'y a rien que je puisse faire à ce sujet. Vous avez dit que je devrais reprendre contact si j'avais quoi que ce soit à ajouter.

— Et c'est le cas ?

— Ouais. Enfin, je crois. Je... euh... comment dire ? Je ne suis pas au meilleur de ma forme, en ce moment. Comme vous l'avez remarqué. Je n'aime pas mon boulot autant que je le devrais – je croyais qu'il y aurait plus de séminaires, de discussions, de recherches en groupes, ce genre de trucs, mais la plupart du temps, je me retrouve tout seul, à traîner à la bibliothèque.

— Tout seul.

— Ouais.

— Et vous êtes seul dans votre vie personnelle, également ?

— Vous vous demandez sans doute quel rapport ça peut bien avoir avec cette histoire, dit-il.

— Expliquez-moi.

Singh baissa les yeux au sol. Il semblait soupeser le bien-fondé de ce qu'il s'apprêtait à dire.

— J'étais avec quelqu'un, lâcha-t-il enfin. Pendant longtemps... enfin, longtemps pour moi, en tout cas. Je n'ai pas eu tant de liaisons que ça... enfin bref, aucun rapport. On est restés ensemble un an et demi, c'est pas mal. Agnes, elle s'appelait. *S'appelle*. Elle n'est pas morte. Mais ça s'est pas trop bien passé, ou terminé, bref. Mais ce n'est pas ce que je suis venu vous dire. Ce qu'il y a, c'est que c'est Agnes qui m'a refilé le détail des cheveux coupés. Je ne sais pas pourquoi il compte tant à vos yeux. Ce n'était qu'une histoire qu'elle m'avait racontée. Mais je rédigeais les notes pour tout le monde et je me suis dit qu'il fallait une touche de couleur, et ça m'est revenu à l'esprit. Ne me demandez pas pourquoi. Du coup, je l'ai intégrée.

— Donc c'est de votre ex-petite amie que vous tenez cette histoire où l'on coupe les cheveux de son père ?

— Je voulais vous le dire pour que vous voyiez que ça ne signifie pas grand-chose. Ce n'était qu'une pauvre histoire débile. Et qui a surgi au hasard. Elle m'est juste revenue à l'esprit, et je m'en suis servi. J'aurais pu faire appel à n'importe quoi.

— Avez-vous modifié le moindre détail ?

— Je me rappelle pas vraiment.

Il fit une grimace.

— On était couchés, et elle me caressait les cheveux en disant qu'ils étaient devenus vraiment longs et qu'une coupe ne leur ferait pas de mal. Et est-ce que je voulais qu'elle s'en occupe. Ensuite, elle a raconté un truc à propos de son père – en tout cas, je crois qu'il s'agissait de son père. Je me rappelle plus quoi. C'était peut-être quelqu'un d'autre. Mais elle parlait de tenir les ciseaux dans la main, et de la sensation de puissance et de tendresse que ça procurait en même temps. J'imagine que si ça s'est gravé dans mon esprit, c'est que ça semblait très intime. Même si elle ne m'a jamais coupé les cheveux, pour finir.

— Donc, l'histoire correspondait à des souvenirs de votre ex-petite amie ?

— Oui.

— Agnes.

— Agnes Flint. Pourquoi ? Vous comptez lui parler *à elle aussi*, maintenant ?

— Je pense, oui.

— Je pige pas. Pourquoi est-ce si important ? On s'est moqué de vous, je suis désolé. Mais quelle importance, tout ça ?

— Je peux avoir son numéro ?

— Elle ne fera que vous raconter la même chose.

— Ou alors une adresse e-mail.

— Peut-être que Hal avait raison à votre sujet, finalement.

Frieda ouvrit son carnet et ôta le bouchon de son stylo.

— Je vous le dirai si vous lui demandez de répondre à mes appels.

— Elle ne répondra pas juste parce que quelqu'un d'autre lui a demandé de le faire.

Singh poussa un soupir sonore, s'empara du carnet et griffonna un numéro de mobile ainsi qu'une adresse e-mail.

— Là, contente ?

— Merci. Voulez-vous un conseil ?

— Non.

— Vous devriez aller faire un jogging. J'ai vu des chaussures de course dans votre salon – ensuite, vous prenez une douche, vous vous rasez, vous vous habillez de neuf, et vous sortez de votre petit appartement glacé.

— C'est tout ?

— C'est un début.

— Je vous croyais thérapeute.

— Je vous suis reconnaissante, Rajit.

— Allez-vous dire à Agnes que je vous ai raconté... ?

— Non.

Jim Fearby prit son petit-déjeuner dans la station-service proche de l'hôtel où il avait passé la nuit : un mini-sachet de corn-flakes, un verre de jus d'orange tiré de la grande bonbonne en plastique dans laquelle surnageait mollement une fausse orange, un mug de café. Il regagna sa chambre pour aller récupérer son baise-en-ville et se brosser les dents, tout en regardant les programmes du matin à la télévision. Quand il quitta la pièce, on aurait dit – comme toujours – que personne n'y avait séjourné.

Sa voiture était sa maison. Après avoir fait le plein d'essence, il s'assura d'avoir tout le nécessaire : son carnet et plusieurs stylos, sa liste de noms, avec les numéros et les adresses soigneusement notés à côté de certains d'entre eux, le dossier contenant les informations utiles qu'il avait préparé la veille, les questions. Il baissa la vitre et fuma une cigarette, la première de la journée, puis régla le GPS. Il n'était qu'à dix-neuf minutes de sa destination.

Sarah Ingatestone habitait un village situé à quelques kilomètres de Stafford. Il avait appelé deux jours plus tôt et convenu de la rencontrer à neuf heures et demie, après la promenade de ses deux chiens. Des terriers, petites créatures nerveuses et pas commodes, qui jappaient et voulurent lui mordre les chevilles quand il sortit de la voiture. Il fut tenté de leur cogner le nez de sa mallette, mais Sarah Ingatestone l'observait depuis le pas de sa porte : il dut se forcer à sourire et à les gratifier de roucoulements enjôleurs.

— Ils ne vous feront aucun mal, lança-t-elle. Café ?

— Avec grand plaisir.

Il fit un pas de côté pour éviter l'une des bêtes et s'avança vers elle.

— Merci d'avoir accepté de me recevoir.

— Je suis tentée de me raviser. Je me suis renseignée sur vous, sur Google. C'est vous qui avez fait sortir ce George Conley de prison.

— Je ne dirais pas que ça ne dépendait que de moi seul.

— Pour qu'il puisse recommencer.

— Il n'y a aucune preuve qui...

— Peu importe. Entrez, et asseyez-vous.

Ils s'installèrent dans la cuisine. Sarah Ingatestone lui prépara du café instantané pendant que Fearby disposait ses outils devant lui : son cahier à spirale, identique à celui qu'il avait des dizaines d'années auparavant quand il était reporter débutant, son tas de feuilles dans le dossier rose, trois stylos soigneusement alignés l'un à côté de l'autre, même s'il se servait toujours de son crayon pour prendre en sténo. Ils n'échangèrent pas un mot avant qu'elle ait posé les deux mugs sur la table et pris place sur une chaise en face de lui. Il l'examina alors véritablement pour la première fois : des cheveux grisonnants, coupés court, à la garçonne, des yeux gris-bleu dans un visage qui, sans être âgé, n'en comportait pas moins des rides et des creux profonds. Des rides d'inquiétude, pas de rire, songea Fearby. Ses vêtements étaient usés, miteux, couverts de poils de chiens. Elle avait beau s'appeler Mrs Ingatestone, il n'y avait pas trace d'un monsieur dans la maison.

— Vous avez dit qu'il s'agissait de Roxanne.

— Oui.

— Pourquoi ? Ça fait plus de neuf ans, presque dix. Personne ne s'intéresse plus à elle à présent.

— Je suis journaliste.

Mieux valait rester dans le flou.

— J'explore quelques pistes liées à un article sur lequel je travaille en ce moment.

Elle croisa les bras, non dans un geste de défense mais plutôt de protection, comme si elle s'attendait à ce qu'une pluie de coups lui tombe dessus.

— Demandez toujours, dit-elle. Peu m'importe dans quel but vous le faites, en fait. J'aime bien prononcer son nom à haute voix. Ça la rend vivante.

Aussi se lança-t-il, déroulant ses questions, tandis que son crayon se déplaçait à vive allure, consignant ses signes hiéroglyphiques.

Quel âge avait Roxanne lors de sa disparition ?

— Dix-sept ans. Dix-sept ans et trois mois. Son anniversaire était en mars – elle est Poissons. Non pas que je croie à ça. Elle aurait... – elle a – 27 ans aujourd'hui.

Quand avez-vous vu votre fille pour la dernière fois ?

— Le 2 juin 2001.

À quelle heure ?

— Ça devait être vers les six heures et demie du soir. Elle allait boire un verre en vitesse avec une amie. Elle n'est jamais revenue.

261

Elle y est allée en voiture ?

— Non. C'était à trois pas d'ici, à dix ou quinze minutes à pied, pas plus.

En suivant la route ?

— Oui. Une route tranquille, la plupart du temps.

Donc, elle n'aurait pas pris un raccourci – par les champs, ou autre ?

— Aucune chance. Elle s'était toute pomponnée – avec une petite jupe et des talons hauts. C'est à ce sujet qu'on s'est disputées, d'ailleurs – j'ai dit qu'elle ne serait pas capable de faire cinq mètres, et encore moins un kilomètre, dans cette tenue.

Est-elle jamais arrivée chez son amie ?

— Non.

Combien de temps son amie a-t-elle attendu avant d'avertir quiconque ?

— Apparemment, elle a tenté de joindre Roxanne sur son portable au bout de quarante-cinq minutes, environ. Je n'en ai rien su avant le lendemain matin. Nous – mon mari et moi – sommes allés nous coucher vers dix heures et demie. Nous n'avons pas attendu.

Sa voix était atone. Elle étalait les réponses comme des cartes sur une table.

Vous habitiez ici quand Roxanne a disparu ?

— Non. Mais pas loin. On a déménagé quand... après... bref, mon mari et moi nous sommes séparés trois ans plus tard. Ce n'était plus possible... Ce n'était pas sa faute, plutôt la mienne, à vrai dire. Et la sœur de Roxanne, Marianne, est partie, elle aussi, à l'université, mais elle ne revient pas souvent et je ne lui en veux pas. J'ai attendu aussi longtemps que j'ai pu dans une maison que tout le monde avait désertée et, pour finir, je n'ai plus tenu, moi non plus. Je mettais des bouillottes dans son lit quand il faisait froid, au cas où. Alors je suis venue ici, et j'ai pris les chiens.

Auriez-vous la gentillesse de m'indiquer où vous habitiez, sur cette carte ?

Fearby la sortit de son dossier et l'étala sur la table. Sarah Ingatestone chaussa ses lunettes de lecture, l'examina, puis posa son doigt sur un point. Fearby prit l'un de ses stylos et le marqua, à l'encre, d'une petite croix.

Vous dites que vous vous étiez disputées ?

— Non. Si. Pas sérieusement. Elle avait 17 ans. Elle avait du caractère. Quand je le leur ai dit, les policiers ont pensé... mais ce n'est pas ça. Je le sais.

Elle noua ses mains nerveusement, le dévisagea d'un air farouche.

— Elle n'était pas du genre à garder rancune.

La police la croit morte ?

— Tout le monde la croit morte.

Vous la croyez morte, vous aussi ?

— Je ne peux pas. Je suis obligée de me raccrocher à l'idée qu'elle va revenir.

Ses traits vacillèrent, se durcirent à nouveau.

— Vous pensez que je n'aurais pas dû déménager ? Que j'aurais dû rester là où nous avions vécu tous ensemble ?

Pouvez-vous me décrire Roxanne ? Vous avez une photo ?

— Là.

Des cheveux bruns, brillants, aux épaules ; des sourcils sombres ; les yeux bleu-gris de sa mère mais plus écartés sur son visage étroit, ce qui lui donnait l'air légèrement interdit ; un gros grain de beauté sur la joue ; un grand sourire, un peu de travers – il y avait quelque chose d'asymétrique et de fragile dans son apparence.

— Mais elle ne lui rend pas justice. Elle était petite et maigrelette mais si jolie et pleine de vie.

Un petit ami ?

— Non, pas que je sache. Elle avait eu des copains auparavant mais rien de sérieux. Il y en avait un qu'elle aimait bien.

Et son caractère ? Était-elle timide ou extravertie, par exemple ?

263

— Timide, Roxanne ? C'était une fille très avenante – effrontée, même. Elle avait son franc-parler et elle était assez soupe au lait – mais elle était prête à tout pour aider les gens. C'était une brave petite, vraiment. Un peu sauvage, mais elle avait bon cœur.
Aurait-elle adressé la parole à un étranger ?
Oui.
Serait-elle montée dans la voiture d'un étranger ?
Non.
Quand Fearby se leva pour partir, elle lui saisit le bras.
— Vous croyez qu'elle est en vie ?
— Mrs Ingatestone, je n'ai aucune raison de...
— Non. Mais le pensez-vous ? À ma place, vous la croiriez vivante ?
— Je n'en sais rien.
— Ne pas savoir, c'est comme d'être enterrée vive moi-même.

Jim Fearby se rangea sur une aire de repos et sortit sa liste de noms. L'un d'eux était déjà barré. À côté du nom de Roxanne Ingatestone, cependant, il porta une coche. Non, il ne la pensait pas vivante.

Vingt-neuf

Joe Franklin s'était montré plus enjoué qu'il ne l'avait été depuis longtemps, mais il connaissait des épisodes de dépression chronique, Frieda le savait. Pendant des mois, il était lourd, maussade et abattu, à peine capable d'assumer les obligations courantes, souvent incapable de venir jusqu'à son cabinet ou de sortir un mot une fois qu'il y était parvenu. La chape de plomb se relevait et, un temps, il émergeait dans un monde plus lumineux, épuisé et soulagé. Mais il finissait toujours par ressombrer dans le noir abîme qui l'habitait. Aller la voir lui permettait de se raccrocher faiblement à la vie, mais ces séances étaient aussi une façon de se surprotéger.

Durant sa propre thérapie, Frieda s'était souvent sentie comme au milieu du désert, dévorée par les flammes d'un soleil impitoyable, desséchée, assoiffée, en proie à des remords impardonnables, sans refuge d'aucune sorte. Joe, à l'inverse, venait chez elle à la façon d'un animal rampant dans une tanière. Il s'y dérobait à lui-même et peut-être se montrait-elle trop tolérante. Le réconfort, plutôt que la connaissance de lui-même. Et pourtant, dans quelle mesure est-il bon de se confronter à soi-même ?

Elle en était là de ces réflexions, et prenait ses notes consécutives à la séance, tandis que le soleil de printemps filtrait de biais au travers de la fenêtre et s'allongeait telle une lame au sol, quand son portable vibra dans sa poche. Elle le sortit : Sasha.

— Je partais du boulot. Tu es libre ?

— Oui.

— Je peux venir te voir ?

— Très bien. Je serai chez moi dans une demi-heure, environ – ça te va ?

— Parfait. J'apporte une bouteille de vin. Et Frank.

— Frank ?

— Ça ne pose pas de problème ?

— Bien sûr que non.

— Je me sens un peu nerveuse... comme si j'allais le présenter à ma famille. J'aimerais qu'il te plaise.

Frieda rentra chez elle à pied, dans la douceur du couchant. Des pétales de fleurs parsemaient le trottoir. Elle songea à Rajit Singh et à l'histoire qu'il avait racontée, qui appartenait à une autre. Ce soir, elle enverrait un message à Agnes Flint. Et elle songea à Joe, puis au bonheur qu'elle avait perçu dans la voix de Sasha. Alors qu'elle ouvrait sa porte d'entrée, elle se demanda combien de temps s'écoulerait avant qu'elle puisse prendre un bain chaud à nouveau, sans que de la poussière ne tourbillonne dans les pièces.

La porte butta contre quelque chose et elle fronça les sourcils, puis se glissa dans son entrée. Deux sacs se trouvaient là, qui bloquaient le passage. Une veste, aussi, par terre, à côté. Des voix et des rires s'échappaient de la cuisine. Elle perçut une odeur de cigarette. Elle actionna l'interrupteur, mais n'obtint pas de lumière.

— Y a quelqu'un ? lança-t-elle, et les voix cessèrent.

— Frieda !

Josef apparut sur le seuil de la cuisine. Il portait sa tenue de chantier, mais tenait un verre débordant de vodka à la main et semblait avoir du mal à marcher droit.

— Venez vous joindre à nous.

— Que se passe-t-il ? À qui sont ces sacs ?

— Coucou, Frieda.

Chloë surgit aux côtés de Josef. Elle portait un pull, aux yeux de Frieda, mais il devait faire office de robe, vraisemblablement, puisqu'il n'y avait pas de jupe en dessous. Son visage était barbouillé de traces de maquillage et elle avait, elle aussi, un verre de vodka à la main.

— Je te suis tellement reconnaissante. Tellement, tellement reconnaissante.

— Comment ça, reconnaissante ? Qu'est-ce que j'ai fait ? Jack !

Jack descendait l'escalier.

— Mais que se passe-t-il ? Une fête ?

— Un rassemblement, répondit Jack, l'air penaud. C'est Chloë qui m'a dit de venir.

— Ah oui ? Et pourquoi la lumière ne marche-t-elle pas ?

— Ah...

Josef engloutit d'une traite une bonne lampée de sa vodka.

— Problèmes avec électricité.

— Comment ça ? Ce sont des sacs, Chloë ?

— Frieda, rugit une voix avec entrain.

— Reuben ? Mais que fait Reuben ici ?

Frieda passa devant Josef et Chloë d'un pas décidé pour se rendre dans la cuisine. On avait allumé des bougies, sur les rebords de fenêtre et les meubles et de la fumée flottait dans les airs, formant des nuées bleues. Il y avait une bouteille de vodka ouverte, ainsi qu'un cendrier contenant plusieurs mégots écrasés. Le chat fit claquer la chatière et s'enroula autour des jambes de Frieda, miaulant piteusement pour obtenir son attention. Reuben, la chemise à moitié déboutonnée et les pieds sur une chaise, leva son verre pour la saluer.

— Je suis venu voir mon bon ami Josef, dit-il. Et ma bonne amie Frieda, évidemment.

Frieda ouvrit la porte d'un geste brusque pour chasser la fumée.

— Quelqu'un va-t-il m'expliquer ce qui se passe ? Et pour commencer, pourquoi la lumière ne marche plus ? Qu'est-ce que vous avez fichu ?

Josef la regarda avec une expression blessée et présenta ses deux mains, paumes en l'air.

— Les fils ont été coupés par erreur.

— Vous voulez dire : « *J'ai* sectionné les fils. »

— Compliqué.

— Que font tes sacs dans l'entrée, Chloë ? Tu pars ? Et où ça ?

Chloë partit d'un bref rire craintif, suivi d'un hoquet.

— Euh... je serais plutôt arrivée ?

— Hein ?

— Je suis venue habiter chez toi.

— Non, hors de question.

— M'man a pété un câble. Elle a même foutu ce pauvre Kieran à la porte, et elle m'a frappée avec une brosse. Je peux plus vivre avec elle, Frieda. Tu peux pas m'y obliger.

— Tu ne peux pas habiter ici.

— Pourquoi ? J'ai nulle part où aller, sinon.

— Non.

— Je peux dormir dans ton atelier.

— J'appelle Olivia.

— Je n'y retourne pas ! Je préférerais être à la rue.

— Vous pouvez venir chez nous, offrit Reuben, magnanime. Ça serait marrant.

— Ou chez moi, suggéra Jack. J'ai un lit double.

Frieda dévisagea tour à tour Reuben, Josef et Jack, avant de fixer Chloë.

— Une nuit, concéda-t-elle.

— Je ne te gênerai pas. Je ferai la cuisine.

— Une nuit, alors pas besoin de cuisiner. Et il n'y a plus de baignoire ni d'électricité, de toute façon.

On sonna à la porte.

— Ça doit être Sasha, conclut Frieda. Versez trois grandes vodkas.

Frank était plutôt petit, robuste, avec le cheveu coupé au ras du cuir chevelu et des yeux sombres mélancoliques, affligé d'un léger strabisme divergent pour l'un, de sorte qu'il semblait tant regarder Frieda qu'au-delà de son épaule. Sa poignée de main était ferme, son attitude presque timide. Il était vêtu d'un costume bien coupé et portait une mallette, parce qu'il était venu directement du bureau.

— Entrez, dit Frieda. Mais soyez prévenus : c'est le boxon.

Peut-être était-ce mieux ainsi, cependant. L'endroit ne se prêtait plus aux chichis. Il ôta sa veste, s'envoya cul sec une gorgée de vodka, puis se retrouva, on ne sait comment, convaincu par Reuben de préparer des omelettes pour tout le monde, ce qu'il fit avec beaucoup de lenteur et une grande application. Chloë se planta près de lui, dans sa pseudo-robe absurde, battant les œufs à la fourchette sans le quitter des yeux, une expression grave sur sa figure barbouillée. Elle était pompette, gloussait, même au bord des larmes, tanguait tout en fouettant et en renversant de l'œuf par terre. Reuben, Jack et Josef montèrent les sacs de Chloë à l'étage en grand fracas : on les entendait rire et renverser des objets. Sasha et Frieda s'attablèrent ensemble pour préparer une salade verte, devisant tranquillement. Sasha sentait que Frieda approuvait – ou en tout cas, ne désapprouvait pas – son choix, et se sentit envahie de bonheur.

Trente

— Je pense que je devrais rester, déclara Elaine Kerrigan.

— Il a 18 ans, répliqua fermement Yvette. C'est un adulte, au regard de la loi.

— C'est ridicule. Il n'y a qu'à voir sa chambre.

Silence.

— Patientez ici. Je vais aller le chercher.

Yvette et Munster prirent place au salon et attendirent.

— Il ne t'arrive pas de penser qu'on ne fait qu'empirer les choses partout où on va ? demanda-t-elle. Dans l'ensemble ? Qu'à la fin, une fois qu'on a terminé, le niveau de bonheur général est un peu moins élevé qu'il ne l'était avant ?

— Non, je ne trouve pas, répondit Munster.

— Ben moi, si.

La porte s'ouvrit et Ben Kerrigan fit son entrée. Yvette vit tout d'abord ses pieds chaussés de chaussettes dépareillées, l'une rouge, l'autre à rayures vert et ambre, avec un gros orteil dépassant du bout. Puis son regard remonta sur un pantalon en velours d'un gris délavé, une chemise à fleurs bleue, des cheveux longs de couleur bistre retombant en masse informe.

Il s'affala dans le canapé, une jambe repliée devant lui, et repoussa ses cheveux en arrière.

— Tu es au courant, pour ton père et cette femme, commença Yvette, après qu'ils se furent présentés.

— Vaguement.

— Quel effet ça t'a fait ?

— À votre avis ?

— À toi de me le dire.

— Ça ne m'a pas fait particulièrement plaisir. Ça vous étonne ?

— Non, ça ne m'étonne pas. Ça t'a mis en colère ?

— Pourquoi ça m'aurait mis en colère ?

— Parce que ton père a trahi ta mère.

— Peu importe ce que ça me fait.

— Pourrais-tu nous dire où tu étais le mercredi 6 avril ?

Ben sembla interloqué, puis manifesta un amusement sans joie.

— Vous plaisantez ?

— Non.

— Très bien. Je suis lycéen, j'étais au lycée.

— Et tu peux le prouver ?

Il haussa les épaules.

— Je suis en terminale. On sort parfois, quand on a un trou. On doit le faire avec quelqu'un. Des fois, on va prendre un café ou alors... on fait un tour, vous voyez.

— Mais pas toute la journée, répliqua Yvette. Et quand tu prends un café, tu le bois avec quelqu'un. Ton tour, tu le fais accompagné. Et ils peuvent se porter garants, pour toi ?

— J'en sais rien. Peut-être, peut-être pas.

— Minute, coupa Munster. Ce que tu vas faire, pour commencer, c'est prendre la situation au sérieux. Une femme a été tuée. Des enfants ont perdu leur mère. On n'a pas de temps à perdre à suivre de fausses pistes. Alors, ce qu'on attend de toi, c'est que tu nous témoignes du respect, déjà, et deuxièmement, que tu te sortes le doigt du cul, que tu consultes ton agenda ou ton téléphone, que tu parles à tes potes et que tu nous sortes une version plausible de ce que tu as fait ce mercredi-là, minute par minute. Parce que si on doit le faire nous-mêmes, ça risque de ne pas nous mettre de très bonne humeur. Tu comprends ?

— C'est ça, ouais, rétorqua Ben. Et alors, y en a que pour moi ? Vous comptez emmerder Josh, aussi ?

— Ton frère se trouvait à près de deux cent cinquante kilomètres de là, pour autant que nous le sachions, mais nous vérifierons de son côté.

— Je peux y aller, maintenant ? fit Ben. J'ai des devoirs à faire.

Quand ils furent de retour dans la voiture, Yvette demanda s'ils pouvaient faire un détour par Warren Street.

— Un rapport avec Frieda ? s'enquit Munster.

— Et pourquoi pas ?

— Je disais ça comme ça...

Quand Frieda ouvrit la porte, Yvette remarqua par-dessus son épaule qu'il y avait du monde. Elle reconnut Josef, mais pas les autres. L'espace de quelques instants, les deux femmes se dévisagèrent, après quoi Frieda recula et invita Yvette à entrer. Elle secoua la tête.

— Pourquoi m'avez-vous appelée au sujet de cette plainte ? demanda-t-elle.

— Si ça vous pose un problème, répondit Frieda, dites-le, simplement.

— Ce n'est pas ce que je voulais dire.

Yvette jeta des regards alentour pour voir si Munster écoutait, mais il était ailleurs, assis à l'avant de la voiture, avec ses écouteurs sur les oreilles.

— Depuis que vous vous êtes fait blesser, on ne s'était plus vraiment parlé.

— On ne s'était plus parlé du tout.

— Ouais, ben...

Yvette se mordit la lèvre.

— Bref, je n'avais pas dit les choses que j'avais l'intention de dire. Du coup, quand vous avez appelé, je ne savais pas comment interpréter votre appel.

— Vous n'avez pas à l'interpréter, répondit Frieda. Je vous l'ai dit au téléphone : je pensais que Karlsson en avait assez de réparer les dégâts.

— Et maintenant, c'est à moi ?...

— Comme j'ai dit, si ça pose un problème...

— J'ai appelé le poste de Waterloo. Écoutez, Frieda, ce que vous avez fait n'était pas raisonnable. Soit, ce salopard de Bradshaw s'est mis en tête de vous humilier. À votre place, je serais allée le trouver pour m'expliquer avec lui. Mais ça, ça ne se fait pas. Sinon, on s'expose à toutes sortes d'ennuis.

— Donc vous pensez que j'ai des ennuis ?

— J'ai parlé avec l'agent que vous avez vu. Je lui ai parlé de notre relation avec vous, de ce que vous avez fait pour nous. Alors j'espère qu'il passera l'éponge.

— Yvette, tout était faux : ils ont raconté n'importe quoi.

— Je vous crois sur parole. Mais quand ces histoires se retrouvent devant les jurés, on ne sait jamais de quel côté penchera la balance. Autre chose : mieux vaut ne pas se retrouver sous l'emprise d'un type comme Bradshaw.

— Merci, répondit Frieda. Vraiment. J'espère que vous ne vous êtes pas mise en difficulté pour moi. Mais je veux juste que vous sachiez que lorsque je suis allée trouver Ian Yardley, ça n'avait rien à voir avec Bradshaw.

— C'était à quel sujet, alors ?

— Je n'en sais rien, répondit Frieda. Une impression, c'est tout.

— Je me méfie de vos impressions.

Frieda allait fermer la porte, quand elle se ravisa.

— C'était quoi, ce dont vous vouliez me parler ? Je veux dire, à part ma prétendue bagarre.

Yvette porta le regard sur les invités de Frieda.

— Une autre fois.

Trente et un

Josh Kerrigan se roulait des cigarettes, répartissant d'épaisses touffes de tabac le long du papier Rizla, qu'il faisait tourner adroitement entre le pouce et l'index, léchant le bord avant de reposer le fin tube rectiligne à côté de ceux qu'il avait déjà constitués. Il en avait six jusqu'ici et s'attaquait à la septième. Yvette avait du mal à se concentrer sur ce qu'il disait. Peut-être était-ce le but recherché : il lui faisait bien comprendre qu'elle n'était qu'un simple dérangement. Elle commençait à en avoir un peu sa claque des fils Kerrigan.

— Josh, dit-elle, je peux comprendre que tu sois affecté...

— J'ai l'air affecté ?

Il passa le Rizla sur le bout de sa langue.

— ... mais je regrette, je ne partirai pas avant que tu aies répondu à mes questions.

— Pas de problème.

Il posa la septième cigarette à côté des autres et l'aligna du bout du doigt, à petits coups secs, inclinant la tête pour les examiner. Il avait une petite cicatrice verticale juste au-dessus de la lèvre qui la relevait légèrement, et lui conférait l'ébauche d'un sourire perpétuel.

— Où étais-tu le mercredi 6 avril ?

— À Cardiff. Ça ira, comme alibi ?

— Ça n'en est pas encore un, du tout. Alors, comment peux-tu prouver que tu étais à Cardiff ?

— Le mercredi 6 avril ?

— Oui.

— J'ai cours le mercredi, jusqu'à 5 heures. Je ne pense pas que j'aurais pu rentrer à Londres à temps pour assassiner l'amante de mon père, si ?

— Tu n'avais pas cours ce mercredi-là. Vous étiez en vacances.

— Alors j'étais sans doute ailleurs.

— Il va falloir prendre ceci avec moins de légèreté.

— Qu'est-ce qui vous fait penser que je ne le fais pas ?

Il s'attaqua à la cigarette suivante. Au moins ne restait-il plus beaucoup de tabac dans la boîte, juste assez pour une, voire deux autres.

— J'aimerais que tu réfléchisses sérieusement à l'endroit où tu te trouvais ce mercredi, et aux gens avec qui tu étais.

Il leva la tête et Yvette vit luire un instant ses yeux bruns.

— Sans doute avec ma petite amie, Shari. On a commencé à sortir ensemble à la fin du trimestre, et c'était assez chaud. C'est fou ce que vous apprenez sur la vie sexuelle des Kerrigan.

— Sans doute, ou certain ?

— Les dates et moi...

— Tu n'as pas d'agenda ?

— D'agenda ?

Il eut un large sourire moqueur comme si quelque chose de drôle lui avait échappé.

— Non, je n'ai pas d'agenda.

— Quand es-tu revenu à Londres pour les vacances ?

— Quand ? Vers la fin de la semaine, je crois. Vendredi ? Samedi ? Faudra poser la question à m'man. Je sais que j'étais de retour le samedi, parce qu'il y avait une fête. Donc, vendredi, sans doute.

275

— Tu es revenu en train ?

— Oui.

— Donc tu peux vérifier sur le billet, ou consulter ton relevé bancaire pour confirmer la date.

— À supposer que j'aie payé par carte. Ce dont je ne suis pas sûr.

Il était enfin à court de tabac. Il souleva les cigarettes délicatement une à une et les rangea dans la boîte vide. Yvette crut voir ses mains trembler, mais peut-être se l'imaginait-elle : son expression ne trahissait rien.

— Tu ne soupçonnais pas du tout la liaison de ton père ?

— Non.

— Quel effet ça te fait ?

— Vous voulez dire, est-ce que ça me fâche ? demanda-t-il d'une voix doucereuse, en haussant un sourcil brun. Oui. Surtout après tout ce qu'a traversé m'man. Est-ce que ça me fâche au point de tuer quelqu'un ? Je crois que si je devais tuer quelqu'un, ce serait mon père.

— Je ne pense vraiment pas pouvoir vous aider.

Louise Weller portait un tablier, une fois de plus. Peut-être ne le quittait-elle jamais, songea-t-il. Elle devait tout le temps être en train de ranger le désordre ou de préparer des repas, de frotter les sols, d'aider ses enfants à barbouiller des feuilles de papier de peinture. Les manches de sa chemise étaient relevées.

— Quel âge ont vos enfants ? demanda-t-il, suivant le fil de ses pensées.

— Benjy a 13 semaines.

Elle baissa les yeux sur le bébé endormi dans le transat à côté d'elle, et dont les paupières tressaillaient sous l'effet des rêves.

— Ensuite il y a Jackson, qui vient d'avoir 2 ans, et Carmen, 3 ans et des poussières.

— Vous êtes bien occupée.

Karlsson se sentait fatigué rien que d'y penser, et en même temps pris d'une forme de folle nostalgie de ces temps de chaos et d'épuisement. L'espace d'un bref instant, il se laissa aller à imaginer Mikey et Bella à Madrid, puis chassa l'image en cillant des yeux.

— Votre mari vous aide ?

— Mon mari ne va pas très bien.

— Je suis désolé de l'apprendre.

— Mais ce sont de bons petits, poursuivit Louise Weller. Nous leur apprenons à bien se tenir.

— J'aimerais vous poser quelques questions d'ordre général sur votre sœur.

Louise Weller haussa les sourcils.

— Je ne vois pas pourquoi. Quelqu'un est entré par effraction et l'a tuée. Maintenant, c'est à vous de trouver qui. Et vous prenez bien du temps pour le faire.

— Les choses ne sont peut-être pas aussi simples qu'il y paraît.

— Ah oui ?

Karlsson avait passé des années au sein de la Police de Londres. Il avait appris à des mères que leur enfant avait perdu la vie, il avait révélé à des épouses que leur mari avait été assassiné, il s'était retrouvé un nombre incalculable de fois sur des seuils pour annoncer de mauvaises nouvelles, il avait vu d'innombrables visages se vider de toute expression sous l'effet du choc, avant de se déformer, de se décomposer. Et pourtant, il ressentait un malaise à l'idée d'expliquer à Louise Weller que sa sœur avait mené une double vie. Pour ridicule que ce soit, il avait l'impression de trahir la défunte auprès de la pudibonde survivante.

— Votre sœur… commença-t-il. Il s'avère que sa vie était compliquée.

Louise Weller ne fit pas un geste ni ne dit mot. Elle se contenta d'attendre.

— Vous n'êtes pas au courant ?

— Je ne comprends pas de quoi vous parlez.

— Mr Lennox ne vous a rien dit ?

— Non, rien.

— Donc vous ne soupçonniez nullement que Ruth pouvait avoir un secret qu'elle taisait à sa famille ?

— Il va falloir me préciser à quoi vous faites allusion.

— Elle avait une liaison.

Elle resta sans réaction. Karlsson se demanda si elle l'avait seulement entendu. Enfin, elle prit la parole.

— Dieu merci, notre mère ne l'aura jamais appris.

— Vous n'en saviez rien ?

— Bien sûr que non. Je lui aurais fait part de mon sentiment à ce sujet !

— Quel aurait été votre sentiment à ce sujet ?

— C'était une femme mariée. Elle avait trois enfants. Regardez-moi cette belle maison. Elle n'a jamais compris à quel point elle avait de la chance.

— Que voulez-vous dire par là ?

— Les gens sont très égoïstes de nos jours. Ils placent la liberté avant la responsabilité.

— Elle est morte, repartit Karlsson d'une voix douce.

Soudain, et sans qu'il sache pourquoi, il éprouvait le besoin de prendre la défense de Ruth Lennox.

Le bébé s'éveilla, son visage se crispa, et il poussa un cri pitoyable. Louise Weller le prit dans ses bras et déboutonna tranquillement sa chemise avant de le mettre au sein tout en lançant un regard vif à Karlsson comme si elle le défiait d'émettre une objection.

— Est-ce qu'on peut revenir aux points qui nous occupent ? demanda Karlsson, en s'efforçant de ne pas plus regarder le sein dénudé que de détourner les yeux. Votre sœur, Ruth, qui a été tuée, et qui avait une liaison. Vous dites que vous n'en aviez aucune idée ?

— Non.

— Elle ne vous a jamais rien dit qui, avec le recul, aurait pu suggérer qu'il se passait quelque chose ?

— Non.

— Le nom de Paul Kerrigan évoque-t-il quoi que ce soit pour vous ?

— C'est comme ça qu'il s'appelle ? Non. Je ne l'ai jamais entendu.

— Vous n'avez jamais remarqué la moindre tension dans son couple ?

— Ruth et Russell étaient dévoués l'un à l'autre.

— Vous n'avez jamais eu l'impression qu'il y avait le moindre problème ?

— Non.

— Avez-vous remarqué que lui buvait beaucoup ?

— Hein ? Russell ? Boire ?

— Oui. Vous ne l'avez pas vu ?

— Non, jamais. Je ne l'ai jamais vu ivre. Mais on dit que ce sont les gens qui boivent en secret qui ont un problème.

— Et vous n'avez jamais eu le sentiment, à y repenser aujourd'hui, qu'il était au courant ?

— Non.

Ses yeux brillèrent.

— Mais je me demande pourquoi il ne m'en a pas parlé après l'avoir appris, reprit-elle.

— Ce n'est pas quelque chose qui se confie comme ça, répliqua Karlsson.

— Ses enfants sont au courant ?

— Oui.

— Et pourtant, ils ne m'en ont rien dit. Pauvres petits. Apprendre ça au sujet de sa mère...

Elle regarda Karlsson avec dégoût.

— Faire votre boulot, ça doit être comme de retourner la merde. Je ne comprends pas comment vous supportez ça.

— Il faut bien que quelqu'un le fasse.

— Il est des choses qu'il est préférable de ne pas savoir. Tout le monde va l'apprendre, maintenant, j'imagine.

— C'est probable, en effet.

De retour chez lui, Karlsson finit de ranger le désordre qu'avaient semé ses enfants. Il avait du mal à croire que celui-ci l'ait jamais irrité. À présent, il le remplissait seulement d'une tendresse empreinte de nostalgie : les figurines en plastique fichées dans le canapé, les affaires de piscine humides par terre dans la salle de bain, les crayons gras éparpillés sur le tapis. Il défit leurs deux lits et fourra les draps dans le lave-linge, puis, avant d'avoir le temps de s'en empêcher, composa le numéro de Frieda. Il ne reconnut pas la voix qui lui répondit.

— Bonjour. Qui êtes-vous ?

— Chloë.

Des coups formidables résonnaient à l'arrière. C'est tout juste s'il distingua les mots de son interlocutrice :

— Z'êtes qui ? demanda-t-elle.

— Malcolm Karlsson, répondit-il d'un ton solennel.

— Ah, l'inspecteur.

— Oui.

— Vous voulez que j'appelle Frieda ?

— Pas la peine, ça peut attendre.

Il reposa le combiné, se sentant un peu idiot, puis composa un autre numéro.

— Allô, Sadie à l'appareil.

— C'est Mal'.

Sadie était la cousine d'un ami de Karlsson, qu'il avait croisée quelques fois au fil des ans, avec son épouse, ou en compagnie du petit ami du moment de Sadie. La dernière fois, c'était lors d'un déjeuner quelques semaines auparavant, où ils étaient venus seuls l'un et l'autre, et à l'issue duquel, alors qu'ils partaient en même temps, elle avait suggéré qu'ils se revoient, qu'ils prennent un verre.

— Alors, je peux te l'offrir, ce verre ? proposa-t-il.

— Bonne idée, répondit-elle du tac au tac, et sa vivacité lui rappela ce qu'il avait toujours apprécié chez elle : son franc enthousiasme et le fait qu'elle ne lui cache pas qu'elle le trouvait à son goût. Quand ça ?

— Que dirais-tu de « tout de suite » ?

— Tout de suite ?

— Mais t'es sans doute occupée.

— Ben, en fait, non. Je me demandais juste si mes cheveux n'avaient pas besoin d'un shampoing.

Il rit, et sentit son moral remonter.

— Ce n'est pas un entretien d'embauche.

Ils se retrouvèrent dans un bar à vin de Stoke Newington et descendirent une bouteille de blanc. Tout allait de soi. Ses cheveux lui allaient bien tels qu'ils étaient, tout comme la façon qu'elle avait de lui sourire ou d'opiner pour signifier son accord. Elle était vêtue de couches de vêtements superposées, colorées, légères, et avait mis du rouge à lèvres. Son parfum lui parvint, par bouffées. Elle posa sa main sur son bras en lui parlant, se pencha vers lui. Son souffle lui caressait la joue et ses pupilles étaient dilatées dans la salle faiblement éclairée.

Ils rentrèrent chez elle parce qu'il ne voulait pas se retrouver chez lui, même si c'était plus proche. Elle s'excusa pour le désordre, qui lui importait peu. L'alcool l'avait un peu amorti, il était fatigué, et tout ce qu'il voulait, c'était se perdre un moment.

Elle prit une bouteille de vin blanc ouverte dans la porte du réfrigérateur et remplit deux verres. Elle leva vers lui des yeux remplis d'attente, et il se pencha pour l'embrasser. Alors qu'ils se déshabillaient, il songea que cela faisait bien longtemps que ça ne lui était pas arrivé. Il ferma les yeux et la sentit contre lui, avec sa peau douce, son odeur qu'il découvrait. Les choses pouvaient-elles réellement être aussi simples ?

Paul Kerrigan n'était pas ivre, à proprement parler, mais après trois pintes de bière et rien dans le ventre depuis le sandwich au fromage qu'il n'avait pas terminé au déjeuner, il n'y voyait plus très clair et se sentait dans un état second, un peu « à l'ouest ». Il était censément sur le trajet du retour, mais n'avait vraiment pas envie de rentrer chez lui, de voir le visage long et triste de sa femme, les regards hostiles, narquois, de ses fils. Il était comme un étranger sous son propre toit, un imposteur détesté. Aussi marchait-il lentement à présent, ressentant le poids pesant de son corps à chaque pas, le battement du sang sous son crâne endolori. Il avait besoin de faire le point sur tous ces événements, mais tout lui coûtait ce soir, et il avait l'esprit vaseux.

Un mois plus tôt, Ruth était encore en vie et Elaine n'était au courant de rien, ses garçons débordaient d'affection taquine envers lui. Désormais, à son réveil, chaque matin, il devait reprendre conscience, péniblement, que c'était terminé.

Parvenu au coin de sa rue, il s'arrêta. Le pub déversait ses clients sur le trottoir dans un grand brouhaha soudain. Il n'entendit pas les pas derrière lui, ni ne tourna la tête à temps pour voir qui abattit quelque chose de lourd à l'arrière de sa tête. Il tangua, trébucha et s'écroula en une masse informe sur la chaussée. Un coup l'atteignit de nouveau, dans son dos, cette fois-ci. Il eut le temps de se dire que ça lui ferait bien mal plus tard. Tout comme sa joue, qui s'était râpée sur le bitume dans sa chute. Il sentait un goût de sang, et il y avait aussi du gravier dans sa bouche. Au travers du grondement qui retentissait sous son crâne, il entendait les habitués du bar, comme un grésillement, au loin. Il aurait aimé appeler à l'aide mais sa langue avait gonflé et il était plus simple de garder les yeux fermés et d'attendre que les pas s'éloignent.

Enfin, il se remit péniblement debout et continua d'un pas trébuchant dans la rue, jusque devant chez lui. Faute de pouvoir obliger ses doigts à tenir la clé, il tambourina sans fin à la porte, jusqu'à ce qu'Elaine lui ouvre. L'espace d'un instant, elle le dévisagea comme si elle avait un monstre devant elle, ou un fou. Ensuite, sa main vola à sa bouche dans un geste d'horreur de bande dessinée, qu'il aurait trouvé drôle dans son ancienne vie sans histoires...

— C'est pas moi.

Les yeux de Russell Lennox étaient injectés de sang. Il dégageait l'odeur douceâtre de l'alcool. Depuis qu'on avait découvert les bouteilles chez lui, planquées dans la cabane du jardin, c'était comme s'il s'était autorisé à boire pour de bon – maintenant que le secret n'en était plus un.

— Il serait parfaitement compréhensible que...

— Je n'ai rien fait. J'étais ici. Tout seul.

— Quelqu'un peut-il le confirmer ?

— Je vous ai dit que j'étais ici.

— On dirait que vous avez bu plus que de raison.

— C'est illégal ?

— L'homme qui entretenait une liaison avec votre femme vient de se faire méchamment rouer de coups, à moins de dix minutes de chez vous.

— Il ne l'avait pas volé. Mais ce n'est pas moi.

Voilà tout ce qu'il répétait, sans fin, pendant que Dora l'observait au travers de la rampe, avec son petit visage tout pâle qui se détachait dans la pénombre.

Couchée dans son lit, Frieda cherchait le sommeil. Elle resta allongée bien droite, à fixer le plafond, puis se tourna sur le côté, réarrangea l'oreiller, ferma les yeux. Le chat dormait à ses pieds. Elle se focalisa sur l'image d'une rivière peu profonde dévalant sur des cailloux, mais l'eau se mit à faire des bulles et des visages surgirent du fond. Des pensées s'agitèrent dans son esprit vaseux. Son corps était meurtri.

C'était inutile. Elle entendait Chloë en bas, au rez-de-chaussée. Elle parlait à quelqu'un sur Skype depuis des heures à ce qu'il lui semblait, parfois à voix haute, avec emphase, et éclatait de rire de temps à autre. À moins qu'elle ne pleurât ? Frieda consulta son réveil. Il était près d'une heure du matin et Chloë avait cours le lendemain, elle-même avait une longue journée à assumer. Poussant un soupir, elle sortit de son lit, écarta furtivement les rideaux pour voir la lune, à moitié pleine, avant de descendre.

Chloë leva les yeux de son ordinateur, la mine coupable. Frieda y vit l'image de Ted Lennox, qui la dévisageait de sa figure adolescente pâlichonne. Elle recula pour rester hors du champ de la caméra.

— Je ne savais pas que t'étais encore réveillée.

— Je n'y tenais pas.

— Il faut que je parle à Ted.

— Tu parlais plutôt fort. Et je pense qu'il est temps pour toi d'aller au lit.

— Je n'ai pas sommeil.

— Tu vas te coucher, Chloë. Tu as cours demain.

Frieda s'avança de façon à pouvoir voir Ted et être vue de lui. Il avait une mine épouvantable.

— Toi aussi, Ted.

— Je peux pas boire un thé, d'abord ? Avec un tout petit peu de lait, quémanda Chloë.

— Tu n'es pas à l'hôtel.

— Désolée.

Chloë ne semblait pas désolée le moins du monde. Elle fit une grimace à l'adresse de l'écran et haussa les sourcils de manière théâtrale.

— Monte tes affaires. Et ne touche à rien dans mon atelier.

Frieda regagna sa chambre mais, pendant un long moment, pas son lit. Elle resta debout à la fenêtre, à l'écoute de la nuit.

Trente-deux

Quand Karlsson s'éveilla, il ne savait plus guère où il était. Il remua dans le lit et sentit une chaleur, vit la courbe d'une épaule et songea : elle est revenue. Mais là, il se souvint et eut un coup au cœur, et ce fut comme si le monde avait terni. Il chercha sa montre à tâtons pour finir par la trouver à son poignet. Six heures moins vingt. Il se recoucha sur le dos. À ses côtés, Sadie émit un murmure indistinct. N'était-ce pas là ce qu'il avait voulu ? Une histoire simple, sans complications, douce, agréable ? Une douleur sourde naquit dans sa tête et se répandit dans tout son corps. Il ressentait une immense fatigue. Avec beaucoup de précaution, il s'extirpa du lit et commença à s'habiller.

— Tu n'es pas obligé de t'enfuir, déclara Sadie dans son dos.

Elle s'était redressée et s'appuyait sur un coude. Ses traits étaient gonflés de sommeil.

— Je pourrais te préparer un petit-déjeuner, dit-elle avec gentillesse.

— Faut vraiment que j'y aille, répliqua Karlsson. Je dois repasser chez moi et me changer avant d'aller bosser. Vraiment, je n'ai pas le temps.

— Je peux au moins te préparer un thé, ou un café.

— Ça ira, merci.

Karlsson ressentit une soudaine bouffée de panique, il en étouffait presque. Il enfila son pantalon et referma la braguette. Tout lui semblait prendre un temps infernal et il sentait, posé sur lui, le regard de Sadie, personnage d'une triste farce. Il enfonça ses pieds dans ses chaussures, qui lui semblèrent trop étroites. Il s'empara de sa veste et se tourna vers elle. Elle était toujours dans la même position.

— Sadie, je suis désolé, je...

Il ne trouva rien à ajouter.

— Ça va, pas de problème.

Elle se détourna de lui et s'enveloppa dans la couette de sorte qu'il n'apercevait plus que sa nuque. Il vit son soutien-gorge sur le pied du lit. Il eut une pensée pour elle en train de l'enfiler la veille, au matin, puis de l'enlever la veille au soir. Il fut brusquement tenté de s'asseoir, de tirer sur la couette et de se confier à Sadie, de lui expliquer ce qu'il ressentait, pourquoi ça n'allait pas marcher, pourquoi ils n'étaient pas faits l'un pour l'autre, pourquoi sa compagnie n'était souhaitable pour personne. Mais ce ne serait pas juste envers elle. Il en avait déjà assez fait comme ça.

Il sortit dans la rue paisible. Le ronronnement de la circulation était perceptible au loin mais l'on entendait surtout le chant des oiseaux, sous un ciel bleu éclairé par les premières lueurs du matin. Ça ne collait pas. Il aurait dû pleuvoir, faire gris, et froid.

Frieda était attablée dans sa cuisine tandis que Josef préparait le café et débarrassait les restes du petit-déjeuner de Chloë. Ce qu'il y avait de bien avec Josef – et elle devait se raccrocher aux bonnes choses, étant donné les circonstances –, c'était qu'elle n'avait pas à faire la conversation. Ainsi pouvait-elle simplement rester assise à table, le regard dans le vide. Il posa enfin un mug de café devant elle et prit place avec le sien.

— Pas facile aider, commença-t-il. Il y a blague ukrainienne, trois personnes qui aident une vieille dame à traverser la route. Et une autre dit : pourquoi s'y mettre à trois ? Et eux répondent : parce que la vieille dame ne veut pas traverser la route.

Il but une gorgée de son café.

— C'est drôle en ukrainien.

— Donc, où en sommes-nous ? s'enquit Frieda.

— Ce sera fini aujourd'hui, même si je dois me tuer pour finir. Ce soir, vous prendrez un bain dans votre belle baignoire.

— Chouette.

— Et Chloë ? Elle reste ici ?

— Je n'en sais rien, répondit Frieda. Il faut que je comprenne ce qui se passe. On verra.

Josef examina Frieda en affichant une expression inquiète.

— Vous n'êtes pas fâchée, dit-il. Vous devriez être fâchée.

— Comment ça ?

Josef fit un geste pour désigner ce qui les entourait.

— J'ai voulu faire mieux avec votre nouvelle baignoire mais c'est difficile d'aider. Et j'ai rendu les choses pires.

— Ce n'était pas votre faute...

— Stop. La baignoire n'est pas venue, puis elle est venue et repartie. Et l'électricité a été coupée.

— Ah ça, c'était agaçant.

— Vous avez besoin d'aide, et j'ai rendu les choses pires et maintenant, il y a Chloë. J'ai vu en haut, y en a partout dans votre atelier.

— Ah oui ? Seigneur, je ne suis pas encore montée. C'est si terrible que ça ?

— Assez. Des affaires de fille et des vêtements partout sur vos affaires. Des trognons de pomme, aussi. Des serviettes mouillées, des mugs avec des trucs qui poussent dedans. Mais comme je dis, vous devriez être fâchée. Vous devriez vous énerver, au moins. Vous battre, non ?

287

— Je ne suis pas fâchée, Josef. À moins que je ne sois trop fatiguée pour être fâchée.

Elle retomba dans le silence.

— Mais mieux vaut que cette baignoire soit en place d'ici ce soir ou bien...

Une sonnerie retentit et il fallut un moment à Frieda pour comprendre que c'était la sienne. Elle provenait de sa veste, posée sur une chaise. Elle dénicha l'appareil après avoir longuement fouillé dans ses poches, puis entendit une voix de femme :

— Vous êtes bien Frieda Klein ?

— Oui.

— Ici Agnes Flint. Vous avez laissé un message.

Sitôt que Jim Fearby vit la photo, il sentit qu'il pouvait éliminer Clare Boyle de sa liste. Cette fille avait – enfin, avait eu – le visage rond, des cheveux blonds bouclés. Sa mère, Valerie, l'avait invité à s'asseoir et lui avait offert thé et gâteaux, puis avait sorti tout un tas de photos d'un tiroir. Elle s'installa dans le fauteuil d'en face et évoqua sa fille, et les ennuis qu'elle n'avait jamais cessé de lui causer.

— A-t-elle jamais fugué ? demanda Fearby.

— Elle s'est mise à fréquenter des gens peu recommandables, expliqua Valerie. Parfois, elle ne rentrait pas de la nuit. Plusieurs jours d'affilée, même. Si je me fâchais, elle s'emportait. Il n'y avait rien que je puisse faire.

Fearby reposa son bloc-notes. Vraiment, il pouvait partir sur-le-champ, mais devait rester assez longtemps pour se montrer poli. Il examina Valerie Boyle. Il avait le sentiment d'être en mesure de ranger ces mères par catégorie, à présent. Certaines traversaient des épisodes de deuil comme on souffre d'une maladie chronique : le mal les rendait grises, avec des rides fines mais profondes, et quelque chose d'éteint dans le regard, comme si plus rien ne méritait qu'on portât dessus le regard. Ensuite, venaient les mères dans le genre de celle-ci. Valerie Boyle dégageait un je-ne-sais-quoi de mal assuré et de craintif, et donnait l'impression de parer un coup, comme si elle avait été prise à partie dans une situation délicate risquant de dégénérer à tout moment.

— Il y avait du grabuge à la maison ? s'enquit Fearby.

— Non, non, s'empressa-t-elle de répondre. Elle avait des problèmes avec son père. Il pouvait se montrer un peu violent sur les bords. Mais, comme je disais, elle n'était pas facile. Puis un beau jour, elle a disparu, simplement. La police n'a jamais fait grand-chose.

Fearby se demanda s'il n'avait été question que de violences, ou s'il avait pu s'agir de sexe, également. Et cette femme qui lui faisait face : s'était-elle contentée de regarder les choses advenir sans intervenir ? La fille n'aurait pas eu d'autre choix que de s'enfuir, en fin de compte. Elle était sans doute quelque part à Londres, parmi ces milliers de jeunes gens amenés à prendre la fuite, d'une façon ou d'une autre. Peut-être vivait-elle avec l'une de ces « mauvaises fréquentations » évoquées par sa mère. Fearby lui souhaita en silence bonne chance.

Mais quand Fearby parvint en voiture au petit lotissement aux abords de Stafford, il sut qu'il tenait une piste. Situé à quelques minutes seulement de la ville, le groupe de maisons était à la lisière de la campagne entouré d'espaces vides laissés en friche, de terrains de jeux, de bosquets. Des panneaux indiquaient des sentiers. Là, on y était plus, déjà. La mère de Daisy Logan n'avait nulle envie de le laisser entrer. Elle lui parla par l'entrebâillement de la porte, toujours retenue par sa chaîne. Fearby expliqua qu'il était journaliste, qu'il voulait trouver ce qui était arrivé à sa fille, qu'il n'en aurait que pour une minute, mais elle demeura inflexible. Elle n'avait pas envie d'en parler.

Ça remontait à sept ans, maintenant. La police avait renoncé, ils avaient clos le dossier.

— Deux minutes, c'est tout, plaida Fearby, une.

— C'est quoi, que vous cherchez ?

Fearby entraperçut des yeux noirs, hagards. Il en avait l'habitude à présent, et pourtant, il ressentait encore un pincement au cœur à l'idée de traquer des gens jusqu'à leur domicile, pour rouvrir d'anciennes plaies. Mais que pouvait-il faire d'autre ?

— J'ai lu l'histoire de votre fille, répondit-il, une vraie tragédie. Je voulais savoir si vous aviez vu venir quoi que ce soit. Était-elle malheureuse ? Avait-elle des difficultés à l'école ?

— Elle adorait l'école, répondit la femme. Elle venait d'entrer en terminale. Elle voulait devenir vétérinaire.

— Quel était son tempérament ?

— Vous me demandez si Daisy a fugué ? La semaine qui a suivi celle où... bref, elle devait faire un voyage, avec son école. Elle avait trouvé un boulot à mi-temps et travaillé six mois pour se l'offrir. Vous savez, mon mari est ici, à domicile, en invalidité temporaire. Ça l'a brisé. On n'arrête pas de repenser à cette soirée. Elle allait retrouver sa meilleure amie. Elle prenait toujours le raccourci qui traverse le champ communal. Si seulement on l'avait accompagnée... On n'arrête pas de le revivre, sans cesse.

— Vous ne pouvez pas vous en vouloir, dit Fearby.

— Si, on peut.

— Je suis vraiment désolé, répliqua Fearby. Mais auriez-vous une photographie ?

— Aucune à vous donner, répondit la femme. On en a remis aux journalistes, à l'époque, et à la police. Personne ne nous a jamais rien rendu.

— Juste pour la voir.

— Un instant, répondit la femme.

Il resta sur le seuil et patienta. Au bout de quelques minutes, un bruit suggéra qu'elle détachait la chaîne. La femme lui tendit un portrait. Il regarda la fille, un visage jeune et enthousiaste. Il songea, comme il le faisait toujours, aux événements à venir, à ce dont ces traits seraient témoins. Il nota mentalement les cheveux noirs, quelque chose dans le regard. Il sortit son téléphone.

— Ça ne vous ennuie pas ? demanda-t-il.

La femme haussa les épaules. Il prit une photo avec son portable et remit l'original à la femme.

— Et alors, vous comptez faire quoi ? railla la femme. Qu'est-ce que vous comptez faire pour notre Daisy ?

— Je vais découvrir tout ce que je peux, répondit Fearby. Si je trouve quoi que ce soit, même le plus petit détail, je vous en informe.

— Vous retrouverez Daisy ?

Fearby marque une pause.

— Non. Non, je ne pense pas.

— Alors, ne vous donnez pas cette peine, conclut la femme en refermant la porte.

Si Frieda était curieuse de rencontrer la femme qui avait brisé le cœur de Rajit Singh, elle se fit la réflexion qu'elle avait dû se tromper de porte quand Agnes Flint vint ouvrir celle de la maison. La jeune femme avait un visage rond et lisse, avec des cheveux bruns et drus ramenés n'importe comment en arrière. Elle portait un pull noir et un jean. Mais elle sortait de l'ordinaire avec ses grands yeux marron et son expression légèrement ironique, qui semblaient à présent jauger Frieda.

— Je ne sais pas de quoi il s'agit, dit-elle.

— Accordez-moi juste une minute, plaida Frieda.

— Entrez, alors. Je suis au dernier étage.

Frieda gravit l'escalier à sa suite.

— Ça n'a l'air de rien vu de dehors, lança Agnes par-dessus son épaule. Mais attendez d'y être.

Elle ouvrit la porte et Frieda entra sur ses talons. Elles se trouvaient dans un salon pourvu de grandes baies.

— Je vois ce que vous voulez dire, commenta-t-elle.

L'appartement donnait sur un enchevêtrement de rails de chemins de fer. De l'autre côté se dressait un entrepôt, et au-delà, les immeubles de la rive sud de la Tamise.

— Certains détestent l'idée de vivre près des voies ferrées, dit Agnes, mais moi, j'aime. C'est comme d'habiter près d'une rivière où circuleraient des choses étranges. Et les trains sont suffisamment loin. Les banlieusards ne me voient pas quand je suis au lit.

— J'aime bien, reconnut Frieda. C'est intéressant.

— Ah, ben comme ça, on est deux.

Silence.

— Et alors, vous êtes allée voir ce pauvre vieux Rajit.

— Pourquoi l'appelez-vous comme ça ?

— Vous l'avez vu. Ce n'était pas un rigolo quand on était ensemble.

— Il était un peu déprimé.

— Tiens donc. Il vous envoie plaider sa cause ?

— Ça ne s'est pas bien terminé ?

— Est-ce que ça se termine jamais bien ?...

Un grondement se fit entendre au-dehors, au passage d'un train.

— Ils seront à Brighton dans une heure, commenta Agnes. Ça vous ennuie si je vous pose une question ? Je veux dire, vu que vous êtes venue jusqu'ici ?

— Allez-y.

— Qu'est-ce que vous faites là ? Quand vous avez téléphoné, j'étais curieuse. Rajit vous aura sans doute confié qu'il n'était pas du genre à renoncer facilement. Il a téléphoné. Il a débarqué. Il m'a même écrit des lettres.

— Où il disait quoi ?

— Je les ai jetées sans les ouvrir. Du coup, quand vous avez appelé, je me suis posé des questions. Est-ce qu'il envoyait des émissaires pour défendre sa cause ? Une sorte de pigeon voyageur ?... Vous êtes l'une de ses amies ?

— Non, je ne l'ai rencontré qu'une fois.

— Alors qui êtes-vous ?

— Je suis psychothérapeute.

— Il est venu vous consulter en tant que patient ?

— Pas exactement.

Un sourire s'étala alors sur la figure d'Agnes, qui venait de comprendre.

— Oh, mais je sais qui vous êtes. C'est *vous*, n'est-ce pas ?

— Ça dépend de ce que vous entendez par « vous ».

— Alors, de quoi s'agit-il ? D'une sorte de revanche perverse ?

— Non.

— Ne vous méprenez pas sur moi. Je ne vous juge pas. Si quelqu'un m'avait ridiculisée de la sorte, je l'aurais étripé.

— Mais ce n'est pas la raison de ma venue.

— Ah non ? C'est quoi, alors ?

— C'est au sujet de quelque chose qu'a dit Rajit.

Frieda considéra sa quête absurde, allant trouver successivement plusieurs individus pour leur rapporter un fragment de conversation qui semblait de plus en plus détaché de son contexte – une image dont elle ne parvenait pas à se défaire, mais qui brillait, aiguë et vive, dans l'obscurité de ses pensées. Elle devrait y mettre un terme, se dit-elle. Revenir à sa vie d'avant. Elle sentait qu'Agnes Flint attendait sa réponse.

— En fait, Rajit n'est pas l'étudiant qui est venu me trouver. Mais les quatre chercheurs ont tous raconté la même histoire, une histoire censée démontrer qu'ils représentaient un danger évident.

— Ouais, j'ai lu un article dessus.

— Dans cette histoire, il y avait un détail frappant, dont Rajit m'a dit qu'il venait de vous.

— Je ne pige pas.

— Au sujet de quelqu'un qui couperait les cheveux de son père – enfin… les cheveux de votre père, j'imagine, si cette histoire émane bien de vous et qu'il l'a modifiée à son profit.

— Moi en train de couper les cheveux de mon père.

— Oui. Le sentiment de puissance et de tendresse que cela vous procurait.

— Ça me fout un peu les jetons, cette histoire.

— Il a dit que vous lui aviez raconté cette histoire alors que vous étiez allongés au lit, tous les deux, que vous lui caressiez les cheveux en lui disant qu'ils avaient besoin d'une coupe.

— Ah. Oui. Et alors ?

Et alors ? Frieda ne sut quoi répondre à ça. Elle répondit avec lassitude :

— Donc, ce n'était qu'un souvenir, pour vous, un simple souvenir ?

— Ce n'était pas mon souvenir.

— Comment ça ?

— C'était un truc que m'avait raconté une amie, une fois. Je ne crois pas qu'elle ait mentionné son père, en fait. Peut-être qu'il s'agissait de son copain ou de son frère, ou d'un ami. Je me rappelle pas. Je ne sais même pas pourquoi je me souviens d'elle en train de le raconter. Ce n'était qu'un détail, et qui remonte à des lustres. Ça m'est resté à l'esprit, pour une raison obscure. Bizarre de penser que Rajit ait pu l'inclure dans son laïus et la faire circuler.

— Oui, répondit Frieda, lentement. Donc votre amie vous l'a raconté, et vous, vous l'avez raconté à Rajit.

— En remanié, oui.

— En effet.

Agnes observa Frieda d'un air narquois.

— Et quelle importance cela peut-il bien avoir ?

— Comment s'appelle votre amie ?

— Je ne vous le dirai pas tant que vous n'aurez pas répondu à ma question : quelle importance ?

— Je n'en sais rien. Sans doute aucune.

Frieda fixa les yeux vifs, intelligents d'Agnes : elle lui inspirait de la sympathie.

— La vérité, c'est que ça me tracasse et que je ne sais pas pourquoi, mais que j'ai l'impression que je dois suivre le fil.

— Le fil ?

— Oui.

— Lila Dawes. En vrai, elle s'appelle Lily, mais personne ne l'appelle comme ça.

— Merci. Comment la connaissez-vous ?

— Je ne la vois plus. On était à l'école ensemble, c'était ma meilleure amie.

Ce même sourire ironique, à nouveau.

— Elle était un peu loufoque, mais jamais méchante. On est restées en contact après qu'elle a laissé tomber ses études, à l'âge de 16 ans, mais pas longtemps. Nos vies étaient trop différentes. J'étais sur une voie et elle... euh, elle n'allait nulle part, en fait.

— Donc vous n'avez aucune idée de l'endroit où elle pourrait se trouver aujourd'hui ?

— Non.

— Vous fréquentiez quelle école ?

— Celle près de Croydon. John Hardy School.

— C'est à Croydon que vous avez grandi, toutes les deux ?

— Vous connaissez le coin ?

— Non, pas du tout.

— C'est à côté de Croydon. Juste à côté.

— Vous vous rappelez son adresse ?

— C'est marrant. Je suis incapable de me rappeler ce qui m'est arrivé la semaine dernière, mais je me souviens d'absolument tous les détails de ma jeunesse. Ledbury Close. Au numéro 8. Vous allez tenter de la retrouver ?

— Je pense.

Agnes hocha lentement la tête.

— J'aurais dû le faire moi-même, dit-elle. Je me demande souvent ce qu'elle est devenue... si elle va bien.

— Vous pensez que ça pourrait ne pas être le cas ?

— Elle n'allait pas bien la dernière fois que je l'ai vue.

Frieda attendit qu'Agnes poursuive.

— Elle était partie de chez elle et elle était toxico.

Elle frissonna.

— Elle faisait peine à voir, toute maigre, avec des boutons sur le front. Je ne sais pas comment elle se procurait l'argent pour se payer sa came. Elle n'avait pas de vrai boulot. J'aurais dû faire plus, vous ne croyez pas ?

— Je n'en sais rien.

— Elle avait des ennuis, je le voyais bien, et j'avais juste envie de partir en courant, comme si c'était contagieux. J'ai essayé de la chasser de mes pensées. De temps à autre, je pense à elle, et ensuite, je refoule, à nouveau. Vous parlez d'une amie...

— Sauf que vous vous êtes rappelé cette histoire, et que vous l'avez transmise.

— Ouais. Je la revois, là, en train de me la raconter. Hilare.

— De quoi avait-elle l'air à l'époque où vous la fréquentiez ?

— Elle était petite et maigre, avec de longs cheveux bruns qui lui retombaient toujours dans les yeux, et un immense sourire. Il lui dévorait la moitié de la figure. Elle était sublime, à sa façon. Dans le genre petit singe, ou gamine des rues. Elle portait des vêtements excentriques qu'elle trouvait dans des friperies. Elle avait la cote avec les garçons.

— Elle a des parents, des proches ?

— Sa mère est morte quand elle était petite. Peut-être que les choses auraient tourné différemment si elle avait eu une mère. Son père, Lawrence, était adorable... il en était gaga, mais n'arrivait pas à la contrôler, pas même quand elle était petite. Et elle a deux frères, Ricky et Steve, plus âgés, de plusieurs années.

— Merci, Agnes. Je vous dirai si je la retrouve.

— Je me demande de quoi elle a l'air, aujourd'hui. Peut-être qu'elle s'est casée, qu'elle mène une vie

respectable, avec des gosses, un mari, un boulot. Difficile à imaginer… Qu'est-ce que je lui dirais ?
— Ce que vous dicte votre cœur.
— Que je l'ai laissée tomber. C'est tellement bizarre, tout de même, que tout ressorte là, comme ça… juste à cause de cette histoire idiote que j'ai racontée au pauvre Rajit.

Frieda,
Tu n'as pas répondu à mes derniers appels ni à mes mails.
Dis-moi que tout va bien, je t'en prie.
Sandy xxxxx

Trente-trois

Frieda s'en revenait d'un pas lent. Elle sentait la tiédeur l'engourdir, elle entendait ses pieds battre doucement le trottoir. Des gens affluaient et refluaient, les traits floutés et vagues. Elle était comme hors d'elle-même : le cours de ses pensées semblait appartenir à une autre. Elle était fatiguée, elle le savait, après toutes ces nuits éveillées, ces rêves mouvementés.

Elle ne rentra pas directement chez elle mais bifurqua pour aller s'asseoir un moment dans Lincoln's Inn Fields. C'était un petit square verdoyant, tout juste en fleurs. Vers midi, il était souvent plein de juristes en costumes chic en train d'avaler leur déjeuner, mais pour l'instant, calme, exception faite de deux jeunes femmes jouant au tennis sur le court situé à l'autre extrémité. Frieda s'adossa à l'un des grands et vieux platanes. Sa circonférence était admirable et son écorce tachetée. Elle ferma les yeux et offrit son visage au soleil filtrant au travers des feuilles. Peut-être devrait-elle faire ce que lui recommandait Sandy et partir à New York, où elle serait en sécurité et auprès de l'homme qu'elle aimait, qui l'aimait et qui la connaissait comme nul autre au monde. Mais alors elle ne serait plus en mesure de s'asseoir à l'ombre de ce vieil arbre magnifique et de laisser le soir tomber autour d'elle.

Quand elle se releva, le soleil baissait sur l'horizon et l'air commençait à fraîchir. Elle songea rêveusement à son bain, puis pensa à Chloë : elle sortit son portable. Olivia avait une voix épuisée. Frieda se demanda si elle avait bu.

— J'imagine que Chloë t'a raconté toutes sortes de mensonges abominables sur moi.

— Non.

— Ne fais pas semblant. Ne faites pas semblant, aucun de vous. Je sais ce que vous pensez, tous.

— Je ne...

— Mauvaise mère. Fichue. Plus rien à foutre d'elle.

— Écoute, Olivia, ça suffit !

Frieda perçut son ton, coupant et sévère.

— Il va falloir parler de tout ça, c'est clair, mais non, je ne me lave pas les mains de ton sort. J'appelle pour parler de Chloë.

— Elle me déteste.

— Elle ne te déteste pas. Mais ce serait sans doute une bonne chose qu'elle reste chez moi quelques jours le temps que tu fasses un peu le tri dans ta vie.

— On dirait que tu parles d'un tiroir à chaussettes.

— Mettons, une semaine, continua Frieda.

Elle eut une pensée pour sa maison ordonnée, douillette, envahie par le foutoir et les scènes de Chloë et ressentit une pointe de panique.

— Je viendrai te voir demain soir et on pourra parler de ce qui t'arrive et tâcher d'élaborer un plan pour le surmonter. 18 h 30.

Elle éteignit le téléphone et le remit dans sa poche. Son propre plan était de rentrer chez elle, de prendre un long, très long bain, très chaud, dans sa nouvelle et magnifique salle de bain, puis de se fourrer au lit, de tirer la couette sur sa tête, de chasser toute pensée. En espérant qu'elle ne rêverait pas ou, au moins, qu'elle ne se rappellerait pas ses rêves.

Elle ouvrit sa porte d'entrée. Plusieurs paires de chaussures crottées gisaient sur le tapis à côté d'une sacoche en cuir et d'une veste qui ne lui disait rien. Une odeur infecte s'échappait de la cuisine. Quelque chose brûlait et une alarme émettait un son si perçant que Frieda eut l'impression qu'elle lui sortait de la tête. L'espace d'un instant, elle fut tentée de repartir, de s'éloigner, simplement, de tout ce qui pouvait bien se passer ici. À la place, elle s'approcha de l'alarme fixée au plafond de l'entrée et pressa le bouton pour l'arrêter, puis appela Chloë. Elle n'obtint pas de réponse mais le chat passa devant elle à toute allure et gravit l'escalier comme une fusée.

La cuisine était envahie de fumée. La poignée de sa poêle était boursouflée et tordue, constata Frieda, voilà d'où devait provenir l'odeur désagréable. Il y avait des bouteilles de bière, des verres vides, une coupe ravissante, qui avait fait office de cendrier, et deux assiettes sales sur la table, poisseuse et tachée. Elle pesta et ouvrit la porte de derrière à la volée. Chloë était au milieu du jardin, avec Ted, assis dos au mur du fond, les genoux remontés jusqu'au menton. Plusieurs mégots de cigarette gisaient, épars, autour de lui, ainsi qu'une bouteille de bière, à ses pieds.

— Chloë.

— Je ne t'ai pas entendue entrer.

— C'est franchement le bordel, là-dedans.

— On allait ranger.

— J'ai parlé à Olivia. Tu peux rester ici une semaine.

— Super.

— Mais à certaines conditions. Tu es ici sous mon toit et tu dois respecter les lieux, comme la propriétaire. Tu ranges et tu nettoies derrière toi, pour commencer, et correctement. Tu ne fumes pas à l'intérieur. Bonjour, Ted.

Il leva la tête et la dévisagea. Le contour de ses yeux était rouge et ses lèvres exsangues.

— Salut, répondit-il avec effort.

— Ça fait combien de temps que tu es ici ?

— J'allais partir.

— Vous êtes allés en cours aujourd'hui, tous les deux ?

Chloë haussa les épaules et la défia du regard.

— Il y a des choses plus importantes, tu sais. Au cas où tu l'aurais oublié, la mère de Ted s'est fait tuer.

— Je suis au courant.

— Si tu devais choisir entre deux heures de biologie et venir en aide à ton ami, tu ferais quoi ?

— On aide ses amis après les deux heures de biologie.

Elle examina Ted.

— Quand as-tu mangé pour la dernière fois ?

— On allait se faire des crêpes, répondit Chloë, mais ça a raté.

— Je vais faire des toasts.

— Je ne compte pas vous parler de quoi que ce soit, si c'est à ça que vous pensez.

— Ce n'était pas le cas.

— C'est la seule chose qu'ils veulent, tous, apparemment. Que je leur parle de ce que je ressens, que je pleure, pour qu'ils puissent me prendre dans leurs bras et me dire que tout ira bien, au final.

— Je vais juste préparer des toasts. Ton père sait que tu es ici et que tu as séché les cours, Ted ?

— Non. Je suis plus un gosse.

— Je le sais bien.

— Mon père a d'autres sujets de préoccupation. Ma mère baisait avec un autre type.

— Ça a dû être pénible pour toi de l'apprendre.

— Vous tenez à savoir ce que j'en pense ? Parce que je ne compte pas en parler, ni de ça, ni d'autre chose.

Quelqu'un toqua fort à la porte de manière insistante, alors que Frieda n'attendait personne.

— Rentrez, maintenant, dit-elle aux deux jeunes gens. Je vais voir qui c'est.

C'était Judith, vêtue d'une chemise d'homme sur un jean informe retenu par une corde, et de tongs cassées. Un bandana de couleur vive était noué autour de ses boucles châtaines. Ses yeux, écartés, semblaient plus bleus que lorsque Frieda l'avait vue pendant cet épouvantable entretien, et ses lèvres pleines, maquillées de rouge à lèvres orange, formaient une moue boudeuse.

— Je cherche Ted. Il est ici ?

— J'allais lui faire des toasts. Tu en veux ?

— D'ac.

— Par ici.

Frieda mena la fille dans la cuisine. Judith salua Ted d'un signe de tête, qui lui répondit de la même façon, puis leva une main distraite à l'adresse de Chloë, qu'elle connaissait, manifestement.

— Louise est en train de virer les vêtements de maman.

— Elle a pas le droit ! s'écria Ted d'une voix cassante.

— Ben, c'est ce qu'elle fait quand même.

— Mais pourquoi est-ce qu'elle peut pas dégager et rentrer chez elle ?

— Dora s'est enfermée dans sa chambre, et chiale. Et papa gueule.

— Après toi ou Louise ?

— Tout le monde, en fait. À moins que ce ne soit personne.

— Il est bourré, sans doute.

— Arrête !

Elle leva les mains comme pour se couvrir les oreilles.

— Regarde les choses en face, Judith. M'man baisait avec un autre et papa est un ivrogne.

— Arrête ! Ne sois pas aussi cruel.

— C'est pour ton bien.

Mais il semblait honteux de lui-même.

— Tu veux bien rentrer avec moi ? demanda sa sœur. C'est mieux si on est ensemble, là-bas.

— Voici vos toasts, coupa Frieda. Servez-vous de miel.

— Du beurre, c'est tout.

— Je suis vraiment désolée pour votre mère.

Judith haussa ses maigres épaules. Ses yeux bleus scintillèrent dans son visage piqué de taches de son.

— Au moins, t'as Ted, plaida Chloë avec insistance. Au moins, vous pouvez vous serrer les coudes. Imagine, si t'étais seule.

— Vous étiez ensemble quand vous l'avez appris, non ? s'enquit Frieda. Mais en avez-vous reparlé entre vous, depuis ?

Aucun des deux ne répondit.

— En avez-vous parlé à qui que ce soit ?

— Vous voulez dire, à quelqu'un comme vous ?

— Un ami, ou un proche, ou quelqu'un comme moi.

— Elle est morte. Les mots n'y peuvent rien. On est tristes. Les mots n'y changeront rien.

— Y a bien eu cette femme, l'autre, là, envoyée par la police, corrigea Judith.

— Ah ouais...

Le ton de Ted, sarcastique, était chargé de mépris.

— Celle-là. Elle passe son temps à hocher la tête comme si elle comprenait notre douleur mieux que personne. N'importe quoi... Ça me donne envie de gerber.

Des plaques rouges envahissaient son visage. Il se renversa en arrière sur sa chaise, de façon à ne plus reposer que sur un pied et se mit à tourner lentement sur lui-même.

— M'man détestait quand il faisait ça, dit Judith en faisant un geste en direction de son frère. C'était presque devenu une blague, chez nous.

— Maintenant, je peux le faire autant que je veux et plus personne n'en aura rien à fiche.

— Faux, répliqua Frieda. Je rejoins votre mère, là-dessus. C'est très agaçant. Et dangereux.

— On peut rentrer, s'te plaît ? Je n'ai pas envie de laisser papa tout seul avec Louise qui le persécute... On devrait rentrer, insista-t-elle après un instant d'hésitation.

Ted reposa sa chaise et se leva, grand échalas débraillé.

— Bon, d'ac. Merci pour le toast.

— Pas de quoi.

— Salut, dit Judith.

— Au revoir.

— On pourra revenir ? demanda Judith, avec un soudain trémolo dans la voix.

— Oui, répliqua Chloë avec force et conviction. Quand tu veux, jour et nuit. On est là... n'est-ce pas, Frieda ?

— Oui, concéda Frieda non sans lassitude.

Elle se rendit dans la salle de bain d'un pas lourd. La baignoire était là, dans toute sa splendeur. Elle tourna les robinets, qui marchaient. Mais il n'y avait pas de bonde. Elle regarda sous la baignoire et dans le placard, mais elle n'y était pas. Celle du lavabo était trop petite, et celle de la cuisine, une chose énervante en métal, se vissait. Elle n'aurait pas son bain, finalement.

Karlsson et Yvette arrivèrent chez les Lennox peu après le départ de Judith. Les cris avaient cessé, pour laisser place à un silence pesant, une atmosphère tendue. Russell Lennox était dans son bureau, assis devant sa table, le regard dans le vague. Dora était dans sa chambre. Ses pleurs avaient cessé, mais elle était roulée en boule sur son lit, la figure encore humide et gonflée par les larmes. Louise Weller avait fait le ménage. Elle avait lavé le sol de la cuisine, passé l'aspirateur dans l'escalier, et s'apprêtait à commencer le tri des vêtements de sa sœur, quand on sonna à la porte.

— Nous allons devoir examiner les affaires de Mrs Lennox une nouvelle fois, expliqua Yvette.

— J'allais commencer à trier ses vêtements.

— Peut-être pas tout de suite, lui ordonna Karlsson. Nous vous dirons quand vous pourrez le faire.

— On voudrait aussi savoir quand pourra avoir lieu l'enterrement.

— Ça ne devrait plus tarder. Nous vous le ferons savoir dans un jour ou deux.

— Ce n'est pas normal.

Karlsson fut pris d'une furieuse envie de l'envoyer balader, mais répondit d'un ton affable que la situation n'était facile pour personne.

Ils montèrent à l'étage, dans la chambre qu'avaient partagée les Lennox pendant plus de vingt ans. Louise Weller avait déjà commencé le travail, manifestement : plusieurs sacs en plastique étaient remplis de chaussures, et on aurait dit qu'elle avait jeté l'essentiel des quelques accessoires de maquillage que pouvait bien posséder Ruth dans la corbeille à papier.

— On cherche quoi ? demanda Yvette. Ils ont déjà examiné tout ça.

— Je ne sais pas. Il n'y a sans doute rien. Mais cette famille ne manque pas de secrets. Qu'est-ce qu'il nous reste à découvrir ?

— Le problème, c'est qu'il y a tellement de choses. Elle gardait tout. On inspecte les cartons au grenier, ceux dans lesquels elle conservait les bulletins scolaires des enfants ? Et les ordis des uns et des autres ? On a examiné ceux des parents bien sûr, mais chaque enfant a son portable et il y en a quelques autres, des vieux qui ne marchent plus, à l'évidence, mais qui n'ont pas été jetés.

— Cette femme a retrouvé son amant dans un appartement de location pendant dix ans. Avait-elle une clé ? Ou le moindre document qui pourrait nous en apprendre plus là-dessus ? Est-il exact qu'elle n'envoyait jamais d'e-mails ou de textos, pas plus qu'elle n'en recevait ? Je suis parti du principe que cette liaison a forcément un lien avec sa mort, mais peut-être qu'il y a autre chose.

Yvette eut un sourire sarcastique.

— Genre, si elle était capable d'adultère, de quoi d'autre était-elle capable ?

— Ce n'est pas exactement ce que je voulais dire.

Debout dans cette chambre, Karlsson se fit la réflexion qu'ils savaient bien des choses au sujet de Ruth Lennox, sans la connaître du tout pour autant. Ils savaient quel dentifrice et quel déodorant elle utilisait. Quelle était la taille de ses soutiens-gorge, de ses petites culottes et de ses chaussures. Quels livres elle lisait, quels magazines. Ils savaient quelle crème elle appliquait sur son visage, quelles recettes elle suivait, ce qu'elle mettait dans son chariot au supermarché d'une semaine à l'autre, quel thé avait sa préférence, quel vin elle buvait, quels programmes elle regardait à la télévision, quels coffrets de CD et de DVD elle possédait. Ils savaient à quoi ressemblait son écriture, quels Bic et quels stylos elle utilisait, ils connaissaient les gribouillis qu'elle faisait sur la tranche des blocs-notes. Ils avaient étudié son visage sur les photos figurant çà et là dans la maison et dans les albums. Ils avaient lu les cartes postales qu'elle avait reçues de la part de douzaines d'amis sur des dizaines d'années, en provenance d'un nombre de pays incalculable. Ils avaient feuilleté des cartes de vœux pour la fête des mères, pour son anniversaire, pour Noël. Ils avaient inspecté et réinspecté ses e-mails, et s'étaient assurés qu'elle n'avait jamais utilisé Facebook, LinkedIn ou Twitter.

Mais ils ne savaient pas pourquoi, ni comment elle avait réussi à gérer une liaison de dix ans au nez et à la barbe de ses proches. Ils ignoraient si elle se sentait coupable. Et pour quelle raison il avait fallu qu'elle meure.

Mû par une impulsion, il poussa la porte de la chambre de Dora. La pièce respirait l'ordre et la tranquillité. Tout était rangé, bien à sa place : les affaires dans les tiroirs, une pile de papiers sur le bureau, des manuels scolaires sur les étagères au-dessus, son pyjama plié sur l'oreiller. Dans l'armoire, ses vêtements – ceux d'une fille qui n'avait pas encore envie de devenir une adolescente – pendaient, au-dessus de paires de chaussures sages. Karlsson se sentait triste rien qu'à regarder cet ordonnancement anxieux. Une mince tache rose attira son attention sur le haut de l'armoire. Levant le bras, il ramena une poupée de chiffon, avant d'inspirer subitement, le souffle coupé. Elle avait un visage rose et plat, des jambes qui retombaient mollement, des cheveux de coton rouge coiffés en tresses, mais elle avait été éventrée et l'on avait ouvert, à petits coups de ciseaux, l'espace entre ses jambes. Il la garda dans ses mains quelques instants, l'air sombre.

— Oh ! s'exclama Yvette, qui venait d'entrer dans la pièce. C'est horrible.

— Oui, n'est-ce pas ?

— Vous croyez que c'est elle qui l'a fait ? À cause de ce qu'elle a appris sur sa mère ?

— Probablement.

— Pauvre petite.

— Mais je vais devoir lui poser la question.

— Je pense avoir trouvé quelque chose. Regardez.

Ouvrant la main, elle révéla une petite plaquette de pilules, disposées en cadran. Karlsson les regarda en fronçant les sourcils.

— C'était dans ce long placard, là, à côté de la salle de bain – celui rempli de serviettes et de gants de toilette, de crème pour le corps, de tampons et de tout ce dont ils ne savaient quoi faire.

— Et ?...

— La pilule, expliqua Yvette. Dans une chaussette.

— Drôle d'endroit pour ranger ses contraceptifs.

— Oui. Surtout qu'elle avait un stérilet.

Le portable de Karlsson sonna. Il le sortit de sa poche et fronça les sourcils quand il vit le nom affiché. Il avait reçu deux brefs textos ainsi qu'un message vocal de Sadie, qui lui demandait de le rappeler. Il s'apprêtait à laisser officier le répondeur une fois de plus, quand il fut pris d'une hésitation : manifestement, elle ne comptait pas laisser tomber, et il ferait sans doute tout aussi bien d'en finir.

— Désolé de n'avoir pas rappelé. J'étais occupé et...

— Non. Tu ne m'as pas rappelé parce que tu ne voulais plus me revoir et que tu te disais que si tu ignorais mes appels, je finirais bien par disparaître.

— Ce n'est pas vrai.

— Ah non ? Moi, je crois que si.

— J'ai fait une erreur, Sadie. Je t'aime beaucoup, et nous avons passé une bonne soirée, mais ce n'est pas le moment, pour moi.

— Je n'appelle pas pour t'inviter à sortir, si c'est ça qui t'inquiète. J'ai reçu le message cinq sur cinq. Mais il faut qu'on se voie.

— Je ne crois pas que ce soit une bonne idée.

— C'est une très bonne idée. Il faut que tu t'assoies en face de moi, que tu me regardes droit dans les yeux, et que tu t'expliques.

— Sadie, écoute...

— Non. Toi, tu écoutes. Tu te comportes comme un ado balourd. Tu m'as invitée à dîner, on a passé une chouette soirée, on a fait l'amour – enfin... à ce qu'il m'a semblé, en tout cas. Et ensuite, tu t'es tiré comme un voleur, comme si tu étais gêné. Je mérite mieux que ça.

— Je suis désolé.

— J'ai droit à une explication. On se retrouve dans le même bar à vin demain, 20 heures. Ça ne prendra qu'une demi-heure, peut-être même moins. Tu pourras m'expliquer pourquoi tu t'es comporté de la sorte, et ensuite, rentrer chez toi. Et je ne te rappellerai plus.

Sur quoi, elle raccrocha. Karlsson baissa les yeux sur l'appareil dans sa main et haussa les sourcils. Plutôt impressionnante, cette Sadie.

Trente-quatre

Frieda avait toujours une impression un peu étrange quand elle passait sur la rive sud du fleuve, alors aller à Croydon lui faisait carrément l'effet de se rendre en pays étranger. Elle avait dû localiser la ville sur un plan, puis se rendre à la gare Victoria et prendre un train. Il était rempli de banlieusards se rendant à Londres, mais repartit quasi à vide. Londres, monstrueuse créature, aspirait au matin littéralement les gens en son sein. Ce n'est qu'en fin d'après-midi qu'elle les recracherait à nouveau. Alors que le train traversait le fleuve, Frieda reconnut Battersea, la centrale électrique abandonnée. Elle vit même, ou crut voir, où devait se trouver l'appartement d'Agnes Flint, juste à côté du grand marché. Passé Clapham Junction et Wandsworth Common, les lieux devenaient de plus en plus vagues et anonymes à ses yeux, une succession d'aperçus fugitifs, parcs, cimetière, arrières de maisons, centre commercial, casse automobile, puis, à la vitesse de l'éclair, une personne étendant du linge, un enfant rebondissant sur un trampoline bleu. Même si les rues ne lui disaient plus rien désormais, elle continuait de regarder par la fenêtre. Elle ne pouvait s'en empêcher. Les maisons et les immeubles ne se cachaient pas des trains comme ils le faisaient des voitures : on ne voyait pas leurs façades d'apparat, mais les pans, derrière, dont les propriétaires ne se souciaient guère, ceux auxquels personne ne prêterait vraiment attention, pensaient-ils : clôtures cassées, déchets divers, appareils délaissés.

En sortant de la gare, elle eut besoin d'un plan pour trouver son chemin et même cela ne fut pas facile. Elle le fit tourner bien des fois entre ses mains avant de comprendre quelle sortie elle avait empruntée. Elle ne s'en trompa pas moins de direction et dut consulter de nouveau la carte et s'orienter, en voyant où Peel Way rejoignait Clarence Avenue. Elle fut obligée de repasser devant la gare, puis d'emprunter une suite de rues résidentielles pour parvenir dans Ledbury Close. Le numéro 8 était une maison individuelle aux façades recouvertes d'un enduit granité, qui ne se distinguait en rien de ses voisines, si ce n'est qu'elle était légèrement mieux entretenue – une plus grande attention était apportée au détail. Frieda remarqua les nouvelles fenêtres, les encadrements fraîchement repeints d'une laque blanche. De part et d'autre de la porte d'entrée, un pot en céramique violet contenait un buisson miniature, taillé en spirale. Ils étaient si nets qu'on les aurait dits coupés aux ciseaux.

Frieda pressa la sonnette. Comme elle ne semblait pas émettre un son, Frieda appuya derechef, toujours sans résultat. Plantée là, elle se sentit irritée et indécise. Soit il n'y avait personne, soit la sonnette ne marchait pas et elle restait là pour rien, soit elle n'était pas cassée et elle dérangeait quelqu'un avant même de l'avoir rencontré. Elle se demanda si elle devait sonner à nouveau au risque d'empirer la situation, ou tambouriner à la porte et encore aggraver son cas, ou simplement patienter, en espérant qu'il se passerait quelque chose. Et pourquoi s'en faisait-elle pour si peu pour commencer ? Puis elle entendit un bruit venu de l'intérieur, et vit une forme brouillée au travers de la vitre dépolie de la porte. Elle s'ouvrit sur un grand homme bien bâti, non pas gros mais si grand que l'embrasure en était obstruée. Il était quasiment chauve, quoique couronné de cheveux gris en bataille. Sa figure avait la rougeur de celui qui passe du temps dehors et il portait un gros pantalon de travail gris, une chemise à carreaux bleus et blancs, et de grosses bottes de cuir sombre, jaunies par la boue séchée.

— Je n'étais pas sûre que la sonnette marche, s'excusa Frieda.

— C'est ce que tout le monde me dit, répondit l'homme, dont les rides se creusèrent au coin des yeux. Ça sonne à l'arrière de la maison. Je l'ai fait installer comme ça parce que je consacre beaucoup de temps au jardin. J'y ai passé toute la matinée.

Il indiqua, d'un geste, le ciel bleu.

— Par un jour pareil.

Il scruta Frieda d'un air interrogateur.

— Êtes-vous bien Lawrence Dawes ? demanda-t-elle.

— Oui, c'est bien moi.

— Je m'appelle Frieda Klein. Je suis venue parce que...

Qu'allait-elle dire ?

— Si je suis ici, c'est que je cherche votre fille, Lila.

Le sourire de Dawes s'évanouit. Soudain, il semblait plus âgé, plus fragile.

— Lila ? Vous cherchez ma Lila ?

— Oui.

— Je ne sais pas où elle est. Je n'ai plus de nouvelles.

Il leva les mains en un geste impuissant. Frieda vit ses ongles, salis par le jardinage. Alors, comme ça, c'était tout ? Avait-elle fait tout ce chemin jusqu'à Croydon rien que pour ça ?

— Est-ce que je peux m'entretenir avec vous à son sujet ?

— Pour quelle raison ?

— J'ai rencontré quelqu'un qui la connaissait, expliqua Frieda, une de ses anciennes amies, Agnes Flint.

Dawes hocha lentement la tête.

— Je me souviens d'Agnes. Lila traînait souvent avec une petite bande, elle en faisait partie. Avant que les choses ne tournent mal.

— Puis-je entrer ? demanda Frieda.

Dawes parut méditer la chose, avant de hausser les épaules.

— Venez au jardin. J'allais justement me préparer du thé.

Il devança Frieda dans la maison. C'était manifestement une maison d'homme – un homme très organisé – vivant seul. Au-delà d'une porte, elle vit un grand écran de télévision et des rangées de DVD sur des étagères. Il y avait un ordinateur. Sous les pieds, un épais tapis de couleur crème, qui assourdissait tous les sons.

Cinq minutes plus tard, ils étaient debout sur la pelouse de derrière, un mug de thé à la main. Le jardin était bien plus grand que ne s'y attendait Frieda, s'étendant jusqu'à trente, quarante mètres, peut-être, à l'arrière de la maison. Il y avait un gazon soigneusement tondu avec une allée de gravier sinueuse serpentant au milieu. Ainsi que des buissons et des plates-bandes, et des petites taches de couleur : crocus, primevères, tulipes précoces. Le fond du jardin était plus sauvage, et au-delà s'élevait un mur, large et haut.

— J'essayais de ranger un peu, après l'hiver, expliqua Dawes.

— Ça me paraît plutôt nickel, répondit Frieda.

— C'est une lutte constante. Regardez, par là.

Il indiqua le jardin d'à côté. Il était rempli d'herbes hautes, de ronces, avec un rhododendron négligé, deux ou trois arbres fruitiers à l'abandon.

— Ça doit être un logement social. Il va y avoir des Irakiens, ou des Somaliens. Des gens gentils, pour la plupart. Discrets. Mais ils restent quelques mois, puis déménagent. Un jardin comme celui-ci prend des années. Vous entendez ?...

Frieda tourna la tête.

— Quoi ?

— Suivez-moi.

Dawes la précéda le long du sentier qui s'éloignait de la maison. À présent, Frieda percevait un son, un faible murmure qu'elle n'arrivait pas à identifier, semblable à une conversation étouffée dans une pièce voisine. Au fond du jardin, il y avait une barrière et Frieda se posta à côté de Dawes pour regarder par-dessus. Elle constata alors – et faillit en rire, tant la chose était improbable – qu'il y avait une pente de l'autre côté, et qu'en son sein ruisselait un petit filet d'eau dans la largeur du jardin, avec un sentier de l'autre côté, puis le haut mur qu'elle avait déjà repéré. Elle vit Dawes sourire devant sa surprise.

— Ça me fait penser aux enfants, dit-il. Quand ils étaient petits, on faisait des bateaux en papier qu'on confiait au courant, pour les regarder s'éloigner. Je leur disais que d'ici trois heures, ces bateaux atteindraient la Tamise et qu'ensuite, si la marée était avec eux, ils iraient jusqu'à la mer.

— Ça vient d'où ? s'enquit Frieda.

— Vous ne savez pas ?

— J'habite le nord de Londres. La plupart de nos rivières ont été enterrées il y a bien longtemps.

— C'est la Wandle, expliqua Dawes. Vous connaissez forcément la Wandle.

— De nom, seulement.

— Elle surgit à un kilomètre de là, environ. De là, elle passe devant des anciennes usines et des décharges, sous des routes. J'en longeais le cours, autrefois. L'eau était mousseuse et jaune, elle puait, à l'époque. Mais ici, ça va. Je laissais les enfants jouer dedans. C'est bien le problème, avec un cours d'eau, non ? On est à la merci de tous ceux qui sont en amont. Ce qu'ils

313

font à leur rivière, ils l'infligent à la vôtre. Ce que les gens font en aval, peu importe.

— Sauf pour ceux qui sont *encore plus* en aval, rétorqua Frieda.

— Ce n'est pas mon problème, répliqua Dawes, qui sirota son thé. Mais j'ai toujours aimé l'idée d'habiter près d'une rivière. On ne sait jamais ce qui va y flotter. Je vois que vous aimez ça, vous aussi.

— C'est vrai, convint Frieda.

— Et alors, que faites-vous, quand vous n'êtes pas à la recherche de jeunes filles disparues ?

— Je suis psychothérapeute.

— Vous êtes en congé, aujourd'hui ?

— En quelque sorte.

Ils firent demi-tour et retraversèrent le jardin dans l'autre sens.

— Et vous ?

— Moi, je fais ça, répondit Dawes. Je soigne mon jardin, je retape la maison. Je m'occupe, de mes mains. Je trouve ça reposant.

— Et avant ça ?

Un lent sourire s'ébaucha sur sa figure.

— Je faisais l'inverse, exactement l'inverse. J'étais représentant pour une société vendant des photocopieuses. J'ai passé ma vie sur la route.

D'un geste, il invita Frieda à s'asseoir sur un banc en fer forgé. Il prit place à côté, sur une chaise.

— Vous savez, il existe une expression que je n'ai jamais comprise. Quand les gens disent d'une chose qu'elle est ennuyeuse, ils disent : « c'est comme de regarder pousser l'herbe ». Ou « c'est comme de regarder sécher la peinture ». C'est précisément ce qui fait mon bonheur, de regarder mon herbe pousser.

— Si je suis ici, reprit Frieda, c'est que j'aimerais vraiment retrouver votre fille.

Dawes reposa son mug avec précaution dans l'herbe à côté de son pied. Quand il se tourna vers Frieda, ses yeux brillaient d'une intensité renouvelée.

— J'aimerais la retrouver, moi aussi, dit-il.

— Quand l'avez-vous vue pour la dernière fois ?

Il y eut une longue pause.

— Vous avez des enfants ?

— Non.

— C'est la seule chose qui me tenait à cœur. Tout le temps que je passais sur les routes, tout ce temps passé à travailler, à faire un métier que je détestais – ce que je désirais, c'était être père, et j'ai été père. J'avais une femme merveilleuse, et j'avais deux fils, puis est venue Lila. J'adorais les garçons, jouer au ballon avec eux, les emmener pêcher, tout ce qu'on est censé faire. Mais quand j'ai vu Lila, à l'instant où elle est née, j'ai pensé : « Tu es ma petite... »

Il s'interrompit et renifla, et Frieda vit ses yeux briller. Il toussa.

— C'était la plus mignonne petite fille du monde, futée, drôle, jolie comme un cœur. Et puis... bref, pourquoi arrive-t-il ce qu'il arrive ? Sa mère, ma femme, est tombée malade, et l'est restée pendant des années, avant de mourir. Lila avait 13 ans. Soudain, je n'ai plus pu l'atteindre. Je croyais jusque-là que nous étions unis par un lien spécial et, soudain, ça a été comme si je parlais une langue étrangère. Ses amis ont changé, elle s'est mise à sortir de plus en plus, puis à découcher. J'aurais dû mieux faire, mais j'étais si souvent sur les routes.

— Et ses frères ?

— Ils avaient déjà quitté la maison, à l'époque. Ricky est dans l'armée, Steve vit au Canada.

— Et alors, que s'est-il passé ?

Dawes écarta les mains en un geste impuissant.

— Je n'ai pas su m'y prendre, déclara-t-il. Quoi que je fasse, ce n'était pas assez, ou alors pas ce dont elle avait besoin. Quand je tentais de faire preuve d'autorité, ça ne faisait que l'éloigner. Si j'essayais de me montrer gentil, ça venait trop tard. Plus j'avais envie qu'elle reste, plus elle me rejetait. Je n'étais que son vieux père rasant. À l'âge de 17 ans, elle habitait surtout chez des amis. Je la voyais de temps à autre, à quelques jours d'écart, puis des semaines. Elle me traitait un peu comme un étranger. Puis je ne l'ai plus vue du tout. J'ai tenté de la retrouver, mais sans succès. Au bout d'un moment, j'ai arrêté d'essayer, même si je n'ai jamais cessé de penser à elle, comme elle n'a jamais cessé de me manquer. Ma petite...

— Savez-vous comment elle subvenait à ses besoins ?

Frieda vit sa mâchoire se crisper. Sa figure était devenue blême.

— Elle avait des problèmes. Des histoires de drogue, je pense. Elle ne mangeait plus correctement, depuis des années.

— Ses amis, vous savez comment ils s'appellent ?

Dawes secoua la tête.

— Je savais qui étaient ses amies quand elle était plus jeune. Comme cette Agnes, dont vous avez fait la connaissance. Elles étaient adorables, comme peuvent l'être des filles ensemble, à rire, à faire du shopping, se figurant qu'elles étaient plus âgées qu'en réalité. Mais elle les a laissées tomber, s'est mise à la colle avec une nouvelle bande qu'elle n'a jamais ramenée à la maison et ne m'a jamais présentée.

— Quand elle est partie pour de bon, avez-vous une idée de l'endroit où elle habitait ?

De nouveau, il secoua la tête.

— C'était quelque part dans le quartier, répondit-il. Mais elle a dû déménager par la suite.

— Avez-vous signalé sa disparition ?

— Elle avait quasiment 18 ans. Une fois, je me suis tellement inquiété que je suis allé au commissariat. Mais quand j'ai mentionné son âge, l'agent au guichet n'a même pas voulu enregistrer mon signalement.

— C'était quand, ça ? Je veux dire, la dernière fois que vous l'avez vue ?

Il fronça les sourcils.

— Oh, Seigneur... Ça va faire plus d'un an, maintenant. C'était en novembre, pas de cette année, mais de celle d'avant. Je n'en reviens pas. Mais c'est l'une des choses que j'imagine quand je travaille, là, dehors. Qu'elle franchira la porte, comme elle le faisait autrefois.

Frieda resta assise un moment, songeuse.

— Vous allez bien ? s'enquit Dawes.

— Pourquoi vous dites ça ?

— Je suis peut-être mal placé pour en parler, mais vous me semblez fatiguée, et plutôt pâlotte.

— Vous ne savez pas de quoi j'ai l'air en temps normal.

— Vous avez dit que c'était votre jour de congé. C'est bien vrai ?

— Oui. Plus ou moins.

— Vous êtes psy. Vous parlez aux gens.

Frieda se leva, prête à partir.

— C'est exact, répondit-elle.

Dawes se leva à son tour.

— J'aurais dû trouver quelqu'un comme vous pour Lila, dit-il. Ce ne sont pas vraiment mes méthodes. J'ai du mal à parler aux gens. Ce que je fais, à la place, c'est m'occuper, réparer. Mais à vous, on se confie volontiers.

Il balaya les alentours du regard, gêné.

— Vous allez chercher Lila ?

— Je ne saurais même pas par où commencer.

— Si vous apprenez quoi que ce soit, vous me le direz ?

Alors qu'il la raccompagnait, Dawes dénicha un bout de papier, nota son numéro de téléphone dessus et le donna à Frieda. Au moment où elle s'en emparait, une idée lui vint à l'esprit.

— Vous a-t-elle jamais coupé les cheveux ? demanda-t-elle.

Il toucha son crâne dénudé.

— Y a jamais eu grand-chose à couper.

317

— Ou vous, les siens ?

— Non. Elle avait des cheveux magnifiques, elle en était fière.

Il se força à sourire.

— Elle ne m'aurait jamais laissé m'en approcher. Pourquoi cette question ?

— Un truc, que m'a dit Agnes...

De retour dans la rue, Frieda consulta le plan et se mit en route, non pas pour la gare d'où elle était venue mais en direction de la suivante sur la ligne. Elle se trouvait à trois kilomètres de là. Ça irait. Elle avait besoin de faire trois pas et elle se sentait plus alerte à présent, plus attentive à son environnement dans cette partie inconnue de la ville. Elle se retrouva à longer une deux voies, tandis que les camions la dépassaient dans un grondement. De part et d'autre s'élevaient des cités HLM, de celles qu'on avait érigées à la hâte après la guerre et qui tombaient à présent en ruine. Certains appartements étaient condamnés, aux autres du linge pendait des petits balcons. L'endroit ne semblait guère idéal pour s'y promener, mais c'est alors qu'elle bifurqua dans une rue de petites maisons victoriennes accolées les unes aux autres, et le calme se fit, soudain. Elle ne s'en sentait pas moins mal à l'aise, à des lieues de chez elle.

Alors qu'elle se rapprochait de la gare, elle passa devant une cabine téléphonique et s'arrêta. Il n'y avait même plus de téléphone dedans : on l'avait arraché. Elle l'examina ensuite de plus près. Les parois de verre comportaient des douzaines de petits autocollants : jeune modèle, professeur de langues étrangères, enseignant sans concessions, *escort-girls* de luxe. Frieda sortit un calepin de son sac et nota les numéros de téléphone. Cela lui prit plusieurs minutes, et deux adolescents qui passaient par là se mirent à ricaner et crièrent quelque chose qu'elle fit mine de n'avoir pas entendu.

De retour chez elle, elle passa un appel.

— Agnes ?

— Oui ?

— Frieda Klein.

— Oh... vous avez trouvé quelque chose ?

— Je n'ai pas trouvé Lila, si c'est ce que vous voulez dire. Elle s'est évanouie dans la nature, apparemment. Son père ne la retrouve pas. Ce ne sont pas les nouvelles que vous espériez, mais je me suis dit que vous aimeriez le savoir.

— Oui. Oui, en effet. Merci.

S'ensuivit une pause.

— Je vais aller trouver la police pour signaler sa disparition. J'aurais dû le faire il y a des mois.

— Ça ne servira sans doute pas à grand-chose, lui rappela Frieda d'une voix douce. C'est une adulte.

— Il faut que j'agisse, d'une manière ou d'une autre. Je ne peux pas rester comme ça, sans rien faire.

— Je le comprends.

— Je vais le faire sur-le-champ. Encore qu'après avoir traîné tant d'années, je ne vois pas en quoi une heure de plus ou de moins changerait quoi que ce soit.

Jim Fearby avait presque parcouru les trois cinquièmes de sa liste. Elle comportait vingt-trois noms, relevés dans les journaux locaux et les sites signalant les personnes portées disparues. Il avait déjà coché trois d'entre eux ; porté un point d'interrogation à côté du quatrième, il en avait barré d'autres. Il lui restait neuf familles à aller voir – neuf mères qui le dévisageraient la mine accablée, de leurs yeux hagards. Neuf drames de plus, neuf petits assortiments de photos à ajouter à la collection de visages de jeunes femmes qu'il avait punaisés sur son tableau en liège, dans son bureau.

Elles le dévisageaient, maintenant, alors qu'il s'adossait à son fauteuil son verre de whisky sec et une cigarette à la main. Il ne fumait jamais dans la maison autrefois, mais désormais, plus personne n'était là pour s'en soucier. Il les étudia une à une : la première, Hazel Barton, avec son sourire rayonnant – il avait l'impression de bien la connaître, à présent. Venait ensuite Vanessa Dale, celle qui s'en était tirée. Roxanne Ingatestone, avec ses traits asymétriques et ses yeux gris-vert. Daisy Crewe, débordante de vitalité, avec une fossette discrète sur l'une des joues. Vanessa Dale avait survécu, Hazel Barton était morte. Qu'en était-il des deux autres ? Il écrasa sa cigarette et en ralluma une dans la foulée, inspirant fort la fumée pour la faire descendre jusqu'au fond des poumons. Il contempla si longtemps ces visages qu'ils lui semblèrent littéralement s'animer sous son regard, lui rendre ce dernier, et lui demander de les retrouver.

Ce bref e-mail était bien énigmatique. Que se passe-t-il ? Dis-moi comment tu vas, raconte-moi comment vont Reuben, et Josef, et Sasha ? Et Chloë, alors ? J'aime connaître le déroulement de tes journées par le menu : ça me manque. Tu me manques. Sandy xxx

Trente-cinq

Frieda avait prévu de retrouver Sasha à 20 heures. Son amie avait quelque chose à lui annoncer. Frieda n'avait pu déterminer au son de sa voix au téléphone s'il s'agissait de bonnes ou de mauvaises nouvelles, mais elle savait que c'était important. Auparavant, cependant, et comme elle l'avait promis, elle alla rendre visite à Olivia.

Elle ne savait pas vraiment à quoi s'attendre, mais eut un choc à l'apparition d'Olivia. Elle se présenta à la porte vêtue d'un pantalon rayé retenu par un cordon, d'un caraco taché et de tongs en plastique. Le vernis de ses ongles de pied était écaillé, ses cheveux, gras, mais surtout, son visage, bouffi et pâle, n'était pas maquillé. Frieda se fit la réflexion qu'elle ne l'avait jamais vue sans. Sitôt sortie du lit, le matin, elle appliquait soigneusement fond de teint, eye-liner, mascara en couches épaisses, un rouge franc sur les lèvres. Sans cela, elle semblait vulnérable et abattue. Il était difficile d'éprouver de la colère à son endroit.

— T'as oublié que je venais ?

— Pas vraiment. Je ne savais pas quelle heure il était.

— 18 h 30.

— Seigneur... Le temps file quand on dort.

Elle força un rire, qui sonna faux.

— Tu es malade ?

— Je me suis couchée tard, hier soir. Je faisais une sieste, c'est tout.

— Je nous prépare un thé ?

— Du thé ?

— Oui.

— Un verre m'irait mieux.

— Du thé, d'abord. Il faut qu'on discute.

— Du fait que je suis une mauvaise mère, par exemple.

— Non.

Elles se rendirent de conserve dans la cuisine, en triste état, comme à l'accoutumée. Un désordre un peu semblable à celui qu'avait semé Chloë dans la cuisine de Frieda, avec des verres et des bouteilles absolument partout, des ordures débordant des sacs-poubelle sur les carreaux poisseux, des mares de cire renversée sur la table, une odeur de renfermé dans l'air. Frieda commença par empiler les affaires dans l'évier pour faire de la place.

— Elle s'est enfuie, tu sais, commença Olivia, qui ne semblait pas remarquer l'état de la pièce. Elle t'a peut-être raconté que je l'ai foutue à la porte, mais ce n'est pas vrai. Elle m'a dit des choses terribles, avant de se tailler.

— Elle soutient que tu l'as frappée avec une brosse.

— Si je l'ai fait, ce n'était qu'avec une brosse à poils souples. Ma propre mère me frappait avec une cuillère en bois.

Frieda plongea les sachets de thé dans la théière et dénicha deux mugs dans l'évier, qu'elle entreprit de laver.

— Les choses ont un peu dérapé, ici, commenta Frieda. Tu vas devoir mettre de l'ordre avant que Chloë ne revienne.

— On n'est pas tous comme toi, chaque chose à sa place. Ce qui ne signifie pas que je ne m'en sorte pas.

— Tu as l'air malade. Tu as passé l'après-midi au lit. La maison est dans un état épouvantable. Chloë est partie. D'après ce que je comprends, Kieran aussi.

— Il est trop bête. Je lui ai dit de dégager, mais je ne pensais pas qu'il me prendrait au mot.

— Tu bois beaucoup ?

— Tu n'as pas à me dire comment je dois vivre, tu sais.

— Chloë est chez moi et nous devons établir ensemble combien de temps elle va y passer, et quand tu seras suffisamment remise pour qu'elle puisse rentrer. Elle ne peut pas revenir tout de suite, si ?

— Je ne vois pas pourquoi ce ne serait pas possible.

— Olivia, c'est encore une enfant. Elle a besoin de limites, comme elle a besoin d'ordre.

— Je savais que tu allais me dire que j'étais une mère incapable.

— Ce que je veux dire, c'est que Chloë a besoin qu'on la réveille le matin, qu'on lui parle le soir. Elle a besoin d'une cuisine propre et d'un frigo plein, d'une chambre où elle puisse faire ses devoirs, d'un senti-ment de stabilité.

— Et moi ? Et mes besoins à moi, alors ?

L'espace de quelques minutes, un silence s'abattit. Olivia sirotait son thé et Frieda empila assiettes et poêles, porta des sacs-poubelle dans l'entrée. Au bout d'un moment, Olivia lâcha d'une petite voix :

— Elle me déteste ?

— Non. Mais elle se sent furieuse, et abandonnée.

— Je n'avais pas l'intention de la frapper. Je n'avais pas l'intention de dire à Kieran d'aller se faire voir. Je n'avais pas les idées claires. Je me sentais juste à bout.

— Et peut-être avais-tu trop bu, aussi.

— Tu peux changer de disque ?

Frieda ne répondit rien à ça et, quelques instants plus tard, Olivia reprenait :

— Je m'entends dire des trucs affreux. J'entends ma voix éructer des obscénités. Mais c'est comme si je n'arrivais pas à m'arrêter, pourtant. Je sais que je les regretterai plus tard.

Frieda s'attaqua aux poêles à l'aide d'une éponge à récurer. Elle se sentait terriblement lasse, accablée face au chaos d'Olivia.

— Tu dois reprendre ta vie en main, déclara-t-elle.

— Formidable. Facile à dire. Je commence par où ?

— Commence par le commencement. Nettoie la maison de la cave au grenier. Bois un peu moins, voire plus du tout. Rien que ça, ça pourrait te permettre de te sentir mieux. Lave-toi les cheveux, désherbe le jardin.

— C'est ça que tu dis à tes patients ? De se laver les cheveux et de nettoyer leur putain de jardin ?

— Ça m'arrive.

— Ce n'est pas comme ça que je voyais ma vie, tu sais.

— Non, mais je pense… commença Frieda.

— Comme disait l'autre, on a tous besoin d'amour.

— Quel autre ?

— Oh, un type, c'est tout.

Olivia commençait à s'animer.

— En fait, c'était plutôt gênant, pour tout dire. J'ai fait sa connaissance hier soir, alors que j'étais dans un état assez lamentable. J'en avais tellement marre de tout, du coup, je suis allée dans un chouette bar à vin et j'ai bu quelques verres, et c'est en rentrant que je suis tombée dessus.

Un petit rire lui échappa, comme un glapissement – un mélange de honte et de jubilation.

— La gentillesse des étrangers, tu vois de quoi je veux parler.

— Que s'est-il passé ?

— Passé ? Rien de ce à quoi tu penses, Frieda. Ne me regarde pas avec cet air-là. J'ai trébuché dans la rue et il s'est trouvé là. Mon bon Samaritain. Il m'a aidée à me relever et à m'épousseter, puis a proposé de me raccompagner, histoire que je rentre chez moi saine et sauve.

— Gentil de sa part, commenta Frieda d'une voix sèche. Il a voulu entrer ?

— Je ne pouvais pas le congédier comme ça. On a bu un autre verre ensemble. Et après, il est parti, au bout d'un moment.

— Bien.

— Apparemment, il te connaissait.

— Moi ?

— Oui. Je crois me rappeler qu'il t'adressait ses amitiés. Ou son affection, je ne sais plus.

— Comment s'appelait-il ?

— J'sais pas. Je lui ai demandé et il m'a répondu que peu importaient les noms. Il a dit qu'il en avait plusieurs, et qu'il était facile d'en changer. Il expliquait qu'on pouvait changer de nom comme on change de vêtements, et que je devrais essayer moi-même, un jour. J'ai répondu que je voulais m'appeler Jemima !

Elle partit d'un de ses éclats de rire rauque.

Mais l'air avait fraîchi autour de Frieda. Elle s'assit en face d'Olivia et se pencha vers elle, par-dessus la table, s'exprimant avec un empressement maîtrisé.

— À quoi ressemblait cet homme, Olivia ?

— À quoi il ressemble ? Ben... J'en sais rien. Il n'avait rien d'extraordinaire.

— Non, franchement, insista Frieda. Dis-moi.

Olivia adopta la mine boudeuse d'une écolière.

— Il avait les cheveux gris, coupés très court. Plutôt costaud, j'imagine. Pas grand. Pas petit non plus.

— De quelle couleur étaient ses yeux ?

— Ses yeux ? T'es toute bizarre, Frieda. Tu m'empêches de réfléchir. Marron. Oui, il avait les yeux marron. Je lui ai dit que ses yeux ressemblaient à ceux d'un chien qu'on avait, autrefois, donc ils étaient forcément marron, non ?

— A-t-il dit ce qu'il faisait ?

— Non, je ne pense pas. Pourquoi ?

— Tu es sûre qu'il a dit qu'il me connaissait ?

— Il a dit qu'il t'était venu en aide, récemment. Que tu te souviendrais.

Frieda ferma les yeux un instant. Elle vit Mary Orton plonger son regard dans le sien, alors qu'elle se mourait, par terre. Elle vit un couteau levé vers elle – puis, comme un frémissement à la périphérie de son champ de vision, elle vit, ou plutôt, sentit, une forme, une silhouette dans les ombres. Quelqu'un l'avait sauvée.

— Il a dit quoi d'autre ?

— J'ai dû parler plus que lui, je pense, répondit Olivia.

— Dis-moi tout ce que tu peux te rappeler.

— Tu me fais peur, là...

— S'il te plaît.

— Il savait que j'avais une fille nommée Chloë, et qu'elle habite chez toi en ce moment.

— Continue.

— Rien d'autre. Tu me donnes mal à la tête.

— Il n'a pas mentionné un Terry, une Joanna, ni Carrie.

— Non.

— Il ne t'a pas confié de message ?

— Juste ses amitiés, ou sa tendresse. Ah si, il a été question de jonquilles.

— De jonquilles... c'était quoi, cette histoire ?

— Je crois me souvenir qu'il a dit qu'il t'avait offert des jonquilles.

Oui. Dean avait envoyé une petite fille à sa rencontre, dans le parc, porteuse d'un bouquet de jonquilles et d'un message. Quatre mots que Frieda traînait depuis partout avec elle : « Votre heure n'était pas venue. »

Elle se leva.

— Tu l'as laissé seul, un moment ?

— Non ! Enfin, je suis allée aux toilettes, mais à part ça... il n'a rien volé, si c'est ce que tu suggères. Il s'est juste montré gentil avec moi.

— Combien de clés as-tu en double ?

— Hein ? C'est complètement idiot. De toute façon, j'en sais rien. J'ai les miennes, Chloë a les siennes, et il doit y en avoir quelques autres qui traînent ici et là, mais je n'ai aucune idée de l'endroit où elles se trouvent.

— Écoute, Olivia. Je vais demander à Josef de venir changer toutes les serrures de la maison, et d'installer des systèmes de sécurité dignes de ce nom sur tes fenêtres.

— T'as perdu la boule ?

— J'aimerais mieux. Il viendra demain à la première heure, sois levée à l'heure, pour une fois.

— Que se passe-t-il ?

— Rien, je l'espère. C'est juste une précaution.

— Tu pars ?

— J'ai rendez-vous avec Sasha. Mais, Olivia, ne t'avise plus jamais de laisser entrer des étrangers sous ton toit.

Trente-six

Avant son rendez-vous avec Sadie, Karlsson passa vingt minutes avec Dora Lennox. Ils s'installèrent ensemble à la cuisine, pendant que Louise s'activait à grand bruit dans le salon et l'entrée. Karlsson se fit la réflexion que tout, chez Dora, était pâle et inconsistant : son étroit visage blanc, ses lèvres exsangues, ses petites mains délicates, qui ne cessaient de tripoter la salière. Ses veines bleues se voyaient sous son teint de lait. Il se sentit brutal quand il exhiba la poupée de chiffon et qu'il entendit le gémissement étouffé qu'elle émit à sa vue.

— Je suis désolé de t'imposer ça, Dora, mais on a trouvé ceci dans ta chambre.

Elle la dévisagea, avant de détourner le regard.

— Elle est à toi ?

— C'est horrible.

— C'est toi qui as fait ça, Dora ?

— Non !

— Ce n'est pas grave si c'est toi. Personne ne sera fâché contre toi. J'ai juste besoin de savoir si c'est toi qui as fait ça ou non.

— Je voulais juste la cacher.

— À qui ?

— J'sais pas. Tout le monde. Je ne voulais pas la voir.

— Donc, tu l'as un peu découpée, avant de la cacher ? insista Karlsson. Pas de problème.

— Non. C'est pas moi ! Elle est pas à moi. Je voulais la mettre à la poubelle mais je me suis dit que quelqu'un risquait de la voir.

— Si elle n'est pas à toi, à qui est-elle, alors ?

— J'en sais rien. Pourquoi vous me demandez ça ? s'écria-t-elle d'une voix hystérique.

— Dora. Écoute. Tu n'as rien fait de mal, mais j'ai besoin de savoir comment ceci est arrivé dans ta chambre, si elle n'est pas à toi.

— Je l'ai trouvée, répondit-elle dans un murmure.

— Trouvée où ?

— J'étais à la maison un jour, toute seule, malade. J'avais de la fièvre et je ne suis pas allée à l'école. Il n'y avait personne d'autre. M'man a dit qu'elle reviendrait tôt du travail et elle m'a laissé un sandwich près de mon lit. Je n'arrivais pas à lire parce que j'avais mal à la tête, mais je n'arrivais pas à dormir non plus, et je suis juste restée couchée dans mon lit, à écouter les bruits dans la rue. Tout d'un coup, ça a claqué, en bas, et quelqu'un a poussé quelque chose par la fente de la boîte aux lettres, mais je me suis dit que ça devait être de la pub, ou ce genre-là. Plus tard, quand j'ai dû aller aux toilettes, je l'ai vue du haut des escaliers et je suis descendue. Je l'ai ramassée et j'ai vu...

Elle eut un petit haussement d'épaules et se tut, levant les yeux vers Karlsson.

— Tu dis que quelqu'un a glissé ça dans la boîte aux lettres ?

— Oui.

— Coupée comme ça ?

— Oui. Ça m'a fait peur. J'sais pas pourquoi, mais il fallait absolument que je la cache.

— Et c'est arrivé de jour, quand personne n'aurait dû se trouver là ?

— J'avais la fièvre, se défendit-elle.

Karlsson hocha la tête. Il se disait qu'un jour normal, c'est Ruth Lennox qui aurait trouvé la poupée mutilée. Un message. Un avertissement.

Cette fois-ci, Sadie n'avait mis ni maquillage ni parfum. Elle était arrivée en avance et avait commandé un jus de tomate, et accueilli Karlsson comme s'il était un collègue de travail. Il se pencha pour l'embrasser sur la joue, mais elle se détourna, de sorte qu'il lui embrassa l'oreille à la place.

— Prends-toi un verre, si tu veux. Ensuite, on pourra parler.

Il alla commander une demi-pinte de bière, puis s'installa sur la chaise d'en face.

— Je ne sais pas ce qu'il y a à dire, commença-t-il. Je me suis comporté comme un idiot. Je t'ai toujours bien aimée, Sadie, et je n'avais aucune envie de te faire du mal.

— Mais tu m'en as fait. Si j'avais su que tu ne voulais que tirer un coup ton soir de congé, je ne t'aurais pas laissé approcher.

— Je suis désolé.

Un silence s'abattit, et elle le dévisagea froidement. Il se retrouva contraint de parler, pour rompre cette glace et ramener un peu de chaleur sur ses traits inflexibles.

— Ce qu'il y a, reprit-il, c'est que je ne suis pas très bien, en ce moment.

— On est nombreux dans ce cas.

— Je sais. Ce n'est pas une excuse. Mes enfants – Mikey et Bella, tu les as vus quand ils étaient plus jeunes –… ils sont partis avec leur mère.

— Partis, genre, en vacances, tu veux dire ?

— Non. Elle s'est trouvé un nouveau compagnon – qu'elle va épouser, je crois, ce qui fait de lui leur beau-père, en fait –, à qui on a offert un poste à Madrid, et ils y sont partis. Tous les quatre, comme une chouette petite famille.

Il perçut dans sa propre voix une amertume, qu'il détesta.

— Bref, les voici partis pour deux ans. Je les verrai, mais ça ne sera plus pareil. Certes, les choses avaient déjà changé depuis qu'ils avaient déménagé, ça va de soi. Je les avais plus ou moins perdus, déjà, mais là, j'ai l'impression de les avoir perdus pour de bon. Et maintenant qu'ils sont partis, je...

Il s'interrompit brusquement. Soudain, il était incapable de continuer, incapable d'expliquer à Sadie qu'il se demandait à quoi bon vivre, désormais. Qu'en se réveillant, chaque matin, il devait faire un effort pour se confronter au monde.

— J'ai pensé combler le vide, un peu, avoua-t-il mollement. Pour tenir le coup.

— Combler le vide avec moi ?

— J'imagine. Je me sens détaché de tout, comme si cela arrivait à quelqu'un d'autre et que je n'étais que le spectateur du film. Du coup, en me réveillant ce matin-là avec toi allongée à mes côtés, j'ai... bref, j'ai compris que j'avais commis une erreur et que je n'étais prêt ni pour toi, ni pour personne.

— Et voilà tout ?

— Oui.

— Tu aurais dû y songer avant.

— Tu as raison.

— Je suis un être humain, je suis moi, Sadie, que tu qualifiais d'amie.

— Je sais.

— Je suis désolée de ce que tu traverses. Ça doit être dur.

Elle se leva, abandonnant son jus de tomate inachevé sur la table.

— Merci de t'être montré honnête envers moi, au moins. Si jamais tu avais besoin de réconfort, à nouveau, trouve quelqu'un d'autre.

Frieda arriva chez elle juste avant Sasha. Elle appela Josef, qui proposa de se rendre chez Olivia sur-le-champ, de poser des verrous sur les portes avant et arrière et de changer toutes les serrures le lendemain matin. Ensuite elle appela Karlsson, mais tomba sur sa boîte vocale. Elle ne laissa pas de message – que pourrait-elle bien lui dire ? « Je pense que Dean Reeve était chez ma belle-sœur hier soir ? » Il ne la croirait pas. Elle ne savait même pas si elle se croyait elle-même, mais elle était envahie par la peur.

Sasha débarqua peu après 20 heures, avec un plat à emporter encore fumant au fond du sac. Elle était vêtue d'une ample robe orange et ses cheveux auréolaient doucement sa figure. Elle avait les joues un peu rosies et le regard brillant, constata Frieda. Elle sortit un *naan* d'un sachet en papier kraft humide et l'étala sur une assiette. Frieda alluma des bougies et sortit une bouteille de vin du réfrigérateur. Elle songea combien il était étrange qu'elle parvienne à dissimuler son angoisse et sa peur avec autant de succès, même devant Sasha. Sa voix était ferme ; ses mains, tandis qu'elle versait le vin, étaient fermes.

— Chloë est toujours là ?

— Oui. Mais elle voit son père ce soir et du coup, je suis tranquille pour une fois.

— Ça t'ennuie ?

— Je ne crois pas que j'avais le choix.

— Ce n'était pas la question.

— Parfois quand je rentre, expliqua Frieda, elle a pris ses aises, totalement. Il y a du bazar partout, des affaires d'école suspendues dans tous les coins, de la vaisselle sale dans l'évier. Il arrive même que je tombe sur ses amis, aussi. Sans parler de Josef. C'est le bordel, et même l'odeur de la maison a changé. Du coup, j'ai l'impression d'être un intrus sous mon propre toit. Plus rien n'est à moi de la même façon. C'est tout juste si je me retiens de m'enfuir.

— Au moins, ce sera bientôt fini. Elle n'est ici que pour une semaine, non ?

— C'est ce qui était convenu. Ça m'a l'air bon, dis. Du vin ?

— Un demi-verre, que je puisse trinquer avec toi.

Elles s'attablèrent en face l'une de l'autre et Frieda leva son verre.

— Alors, raconte.

Sasha ne leva pas le sien, mais se contenta d'afficher un sourire radieux.

— Tu sais quoi, Frieda, le monde me paraît plus net et plus lumineux. Je sens l'énergie me transcender. Chaque matin, je me réveille et le printemps dehors est aussi en moi. Je sais que tu t'inquiètes à l'idée que je puisse être blessée à nouveau – mais tu as rencontré Frank. Il n'est pas comme ça. Et, de toute façon, est-ce que ça ne fait pas partie du jeu quand on tombe amoureux ? De s'ouvrir à la possibilité de ressentir de la joie, au risque d'avoir de la peine ? S'autoriser à faire confiance ? Je sais que j'ai commis des erreurs par le passé. Mais cette fois-ci, c'est différent. Ou en tout cas, c'est l'impression que j'ai. Je suis plus forte que je ne l'étais, moins malléable.

— J'en suis très heureuse, répondit Frieda. Sincèrement.

— Bien ! Vous vous entendrez bien, je le sais. Il te trouve formidable. Mais je ne suis pas seulement ici pour glousser sur Frank, comme une ado. Il y a autre chose qu'il faut absolument que je te dise. Je n'en ai encore parlé à personne mais...

On sonna à la porte.

— Qui cela peut-il bien être ? Il est trop tôt pour que ce soit Chloë et de toute façon, elle a la clé.

La sonnerie retentit une fois de plus, puis on toqua. Frieda s'essuya les lèvres, prit une gorgée de vin et se leva.

— Qui que ce soit, je le chasse, déclara-t-elle.

Sur le pas de la porte se tenait Judith Lennox. Elle portait une veste d'homme trop grande pour elle et des jodhpurs, pour ce qu'en voyait Frieda. Dora était à son côté, avec ses longs cheveux châtains noués en tresse, les traits livides et tirés.

— Bonsoir, dit Judith d'une petite voix. Vous avez dit qu'on pouvait venir.

— Judith.

— Je ne voulais pas laisser Dora toute seule. Je me suis dit que ça ne vous ennuierait pas.

Frieda les dévisagea tour à tour.

— Mon père est sorti boire, continua Judith. Et je ne sais pas où est Ted. Je ne peux pas rester plus longtemps dans cette maison avec tante Louise ou il y aura un second meurtre.

Dora émit un sanglot étranglé.

— Entrez, dit Frieda.

Elle ne savait pas quel sentiment surpassait l'autre : la pitié pour les deux filles à sa porte, ou sa colère grandissante à l'idée d'avoir à les prendre en charge.

— Sasha, je te présente Judith et Dora.

Sasha leva la tête, très surprise.

— Des amies de Chloë.

— Pas vraiment, corrigea Judith. C'est Ted qu'est un ami de Chloë. Elle, je ne la connais que vaguement. Dora ne l'a jamais rencontrée, pas vrai, Dora ?

— Non, confirma Dora dans un murmure.

Elle était quasi translucide, songea Frieda – des veines bleutées sous la peau blême, des cernes bleues sous les yeux, un cou qui semblait presque trop fin pour soutenir sa tête, des genoux osseux, des jambes grêles avec un gros hématome sur l'un de ses tibias. C'était elle qui avait trouvé sa mère sans vie, se rappela-t-elle.

— Asseyez-vous, dit-elle. Vous avez dîné ?

— Je n'ai pas faim, répliqua Dora.

— Pas depuis le petit-déjeuner, répondit Judith. Et tu n'as rien avalé au petit-déj', Dora.

— Tenez.

Frieda sortit deux assiettes supplémentaires qu'elle fit glisser sous le nez des filles.

— On a bien assez pour toutes.

Elle lança un regard à Sasha, qui restait médusée.

— Judith et Dora ont perdu leur mère tout récemment.

Sasha se pencha vers elles, avec une expression de douceur soulignée par la lueur des bougies.

— Je suis vraiment désolée.

— On l'a tuée, précisa Judith avec brutalité. Chez nous.

— Non ! C'est affreux !

— Ted et moi, on pense que c'était son amant.

— Arrête, plaida Dora d'une voix pitoyable.

Frieda remarqua qu'en l'absence de Ted, Judith endossait sa colère et son amertume destructrice.

— Je peux avoir du vin ?

— Quel âge as-tu ?

— Quinze ans. Vous n'allez pas me dire que je ne devrais pas boire de vin parce que je n'ai que 15 ans ? railla-t-elle d'une voix grinçante.

Elle eut un ricanement bref et déplaisant. Ses yeux bleus étincelèrent.

— On est un soir de semaine, et je te connais à peine. Tu auras de l'eau.

Judith haussa les épaules.

— Comme vous voudrez. J'en ai pas vraiment envie, en fait.

— Sers-toi de riz, Dora, proposa Sasha, d'une voix caressante.

Elle est en mal d'enfant, songea Frieda. Elle est tombée amoureuse, et elle rêve de bébés.

Dora déposa une cuillère à café de riz dans son assiette et le touilla sans conviction. Sasha couvrit de sa main celle de la petite, qui posa alors sa tête sur la table et se mit à pleurer, ses épaules minces prises de secousses, tandis que frémissait son corps rachitique tout entier.

— Oh ma chérie... s'attendrit Sasha. Oh, ma pauvre petite.

Elle s'agenouilla auprès de l'enfant et la prit avec tendresse dans ses bras. Au bout d'un moment, Dora se tourna soudain vers elle, enfouissant sa figure trempée dans l'épaule de Sasha, s'agrippant à elle comme si elle se noyait.

Judith se contentait de les dévisager, l'air impassible.

— Je peux vous parler ? chuchota-t-elle à Frieda, entre les sanglots et les hoquets.

— Bien sûr.

— Dehors.

Judith indiqua le jardin d'un geste brusque de la tête.

Frieda se leva et ouvrit la porte donnant à l'arrière. L'air était encore doux après cette chaude journée et elle sentait le parfum des herbes qu'elle avait plantées.

— Qu'y a-t-il ? demanda-t-elle.

Judith la regarda, avant de détourner les yeux. Elle faisait à la fois plus vieille et plus jeune que son âge : une adulte et une enfant. Frieda patienta. Son curry ne serait bientôt plus qu'une masse graisseuse figée.

— Je ne me sens pas très bien, commença Judith.

Ce fut comme si l'air environnant fraîchissait. Frieda sut ce qu'elle s'apprêtait à dire. C'était le genre de chose qu'elle aurait dû dire à sa mère.

— De quelle façon ? s'enquit-elle.

— J'ai un peu la nausée.

— Le matin ?

— Surtout.

— Es-tu enceinte, Judith ?

— J'en sais rien. Peut-être.

Sa voix n'était plus qu'un marmonnement boudeur.

— Tu as fait un test ?

— Non.

— Il faut absolument que tu en fasses un le plus vite possible. Ils sont très fiables.

Elle tenta de déchiffrer l'expression de la fille.

— Tu peux en trouver en vente libre chez le pharmacien, ajouta-t-elle.

— Je le sais.

— Mais tu as peur parce qu'alors, tu serais fixée.

— J'imagine...

— À supposer que tu sois enceinte, sais-tu à quand ça remonte ?

Judith haussa les épaules.

— Je n'ai que quelques jours de retard.

— À la suite d'une histoire d'un soir ?

— Non.

— Tu as un petit ami ?

— Si l'on peut dire...

— Tu lui as dit ?

— Non.

— Et à ton père ?

Elle laissa échapper son rire bref – de dérision, sans joie.

— Non !

— Écoute. Il faut que tu saches si tu es enceinte ou non, pour commencer. Et si oui, tu vas devoir décider ce que tu veux faire. Il existe des personnes à qui tu peux parler. Tu n'es pas obligée de gérer ça seule. Y a t-il d'autres adultes vers qui tu pourrais te tourner ? Un membre de ta famille, un prof ?

— Non.

Frieda referma presque les yeux. Elle se laissa envahir par le poids.

— Bon... Tu peux faire le test ici, si tu veux, et ensuite, on en parle.

— Vraiment ?

— Vraiment.

— Et peut-être devrais-tu envisager d'en parler à ton père.

— Vous ne comprenez pas.

— Peut-être ne réagira-t-il pas comme tu le crois.

— Je suis sa petite fille. Il ne veut même pas que je me maquille ! Je sais très bien comment il va réagir.

La mort de m'man, la police partout, et maintenant, *ça*. Ça va le tuer. Quant à Zach...

Elle s'interrompit et fit la grimace. Sa petite frimousse trahissait toutes ses émotions.

— C'est ton petit ami, Zach ?

— Il sera furieux contre moi.

— Pourquoi ? Il faut être deux, tu sais, et là c'est toi seule qui dois assumer les conséquences.

— Je suis censée prendre la pilule. Je la prends, d'ailleurs. C'est juste que je l'ai oubliée, un temps.

— Zach est dans ton école ?

Elle se renfrogna.

— Ça veut dire quoi ?

— Ça veut dire : non.

Frieda la dévisagea et Judith soutint son regard.

— Quel âge a Zach ?

— Quel rapport avec le reste ?

— Judith ?

— Vingt-huit ans.

— Je vois. Et toi, 15. Ça fait une sacrée différence.

— Merci. Je peux faire le calcul.

— Tu es mineure.

— Ce n'est qu'une règle débile inventée par les vieux pour empêcher les jeunes de faire ce qu'ils faisaient eux-mêmes au même âge. Je suis plus une gosse.

— Dis-moi un truc, Judith. Ta mère était-elle au courant, pour Zach ?

— Je ne lui en ai jamais parlé. Je savais ce qu'elle dirait.

— Donc, elle ne soupçonnait rien ?

— Pourquoi l'aurait-elle fait ?

Judith fixa la cuisine éclairée. Dora était assise la tête calée sur une main, en train de parler : Sasha écoutait avec la plus grande attention.

— Sauf que... ajouta-t-elle.

— Sauf ?

— Elle a peut-être découvert que je prenais la pilule, je pense.

— Qu'est-ce qui te fait penser ça ?

— Je savais qu'elle les trouverait si je les laissais en évidence, quelque part. Elle avait le nez pour ça – pour flairer les secrets des gens. Si je les avais rangées dans mon tiroir à sous-vêtements ou dans ma trousse de toilette ou sous le matelas, elle les aurait dénichés aussitôt. Comme la beuh de Ted. Du coup je les ai mises dans une chaussette dans le placard à côté de la salle de bain, que personne n'ouvre plus d'une fois dans l'année, sauf pour y fourrer des trucs dont on ne se sert pas. Mais je crois qu'elle les a trouvées. Je suis peut-être parano, mais je pense qu'elle a déplacé l'aiguille de façon à ce qu'elle indique le bon jour. Je me contentais d'en prendre une sans me soucier que le jour corresponde, mais quelqu'un l'a changé. Deux fois. J'en suis sûre.

— Peut-être était-ce sa façon de te dire qu'elle était au courant.

— J'sais pas. Ça me paraît un peu débile. Pourquoi ne pas le dire, simplement ?

— Parce qu'elle savait que tu lui en voudrais et que tu serais fermée à tout dialogue ?

— Peut-être bien...

Judith se retourna.

— Donc vous pensez qu'elle était au courant ?

— Ça se peut.

— Et qu'elle attendait que je me confie à elle ?

— C'est une éventualité.

— Mais je ne l'ai jamais fait.

— Non, en effet.

— C'est comme si je ne l'avais jamais connue. Je n'arrive pas à me rappeler sa tête, vraiment.

— C'est très difficile.

Frieda prit sa décision.

— Écoute, Judith. Il y a une pharmacie de garde à deux minutes d'ici. Si je peux, je t'achète un test de grossesse, et tu le fais ici, tout de suite.

— Maintenant ?

— Oui.

— Je crois pas en être capable.

— Au moins tu seras fixée. Le pire, c'est de ne pas savoir.

Son vieux mantra. Qui commençait à être un peu usé, pour le coup. Les traits tendus de la fille luirent dans l'obscurité. Frieda mit une main sur son épaule et la ramena dans la cuisine.

— Ton curry est tout froid, dit Sasha en s'approchant d'elle pour poser une main réconfortante sur son bras.

— Ouais, bah... La prochaine fois, on ira au restau. Je dois sortir, deux minutes.

— Pour aller où ?

— À la pharmacie, acheter deux ou trois trucs.

— Elle croit qu'elle est enceinte, c'est ça ? demanda Sasha, à voix basse.

— Mais enfin, comment sais-tu une chose pareille ?

— Tu vas lui chercher un test ?

— Oui, si c'est ouvert.

Sasha déclara alors, tout en se détournant, et d'une voix désinvolte :

— J'en ai un dans mon sac. Elle peut le prendre.

— Oh, Sasha !

Des images fusèrent dans l'esprit de Frieda, Sasha ne levant pas son verre, Sasha s'adressant à Dora sur un ton qu'elle ne lui connaissait pas, empreint de tendresse maternelle, et son hésitation, plus tôt dans la soirée, comme si elle s'apprêtait à lui avouer quelque chose.

— C'est ça que tu voulais me dire !

— Oui.

— Et alors ?

— On en parlera plus tard.

Judith n'était pas enceinte. Ses nausées et son retard seraient plutôt dus au choc et au chagrin, lui apprit Frieda. Mais elle devait réfléchir sérieusement à la question, ajouta-t-elle, et non se contenter de persévérer dans cette vie. Elle avait 15 ans et une liaison avec un homme de plus de treize ans son aîné.

— Il faut que tu en parles à quelqu'un, dit-elle.

— Ben, je vous en parle, non ?

Frieda poussa un soupir. La fatigue lui provoquait des élancements dans la tête.

— Quelqu'un d'autre que moi, corrigea-t-elle.

Elle prépara à Judith un mug de thé, et à Dora, épuisée d'avoir tant pleuré, du chocolat chaud.

— Je vais vous appeler un taxi, dit-elle. Votre père et votre tante doivent être inquiets.

Judith renifla avec dédain.

Sur quoi, on sonna à la porte à nouveau.

— Ça doit être Chloë, suggéra Frieda.

— J'y vais.

Sasha se leva et eut un geste réconfortant pour Frieda, puis se dirigea vers la porte.

Ce n'était pas Chloë, mais Ted. Défoncé, à l'évidence.

— Chloë n'est pas encore revenue ? s'enquit-il.

— Non. J'allais justement appeler un taxi, lui apprit Frieda, en attrapant le combiné. Vous rentrerez ensemble, tous les trois.

Elle communiqua son adresse à la société et raccrocha.

— Pas question. Papa a bu comme c'est pas permis et tante Louise est très, très en colère, dans le genre crise de nerfs. Je dors pas là-bas cette nuit.

— Ben dans ce cas, moi non plus, couina Judith.

Ses yeux bleus brillaient d'une espèce d'excitation apeurée.

— Et Dora non plus. Tu veux, Dora ?

Dora la dévisagea, interdite.

— Le taxi sera là dans cinq minutes. Vous rentrez tous chez vous.

— Non, rétorqua Ted. Je peux pas retourner là-bas.

— Vous ne pouvez pas nous forcer, ajouta Judith.

Dora reposa la tête sur la table de la cuisine et ferma les yeux. Ses paupières semblaient translucides.

— Non, je ne peux pas, en effet. Vous allez où, alors ?

— Quelle importance ?

— Quelle importance… ? Tu as 18 ans maintenant, je crois, tu es un grand garçon, et tu peux te prendre en charge. Du moins, en théorie. Judith n'a que 15 ans, et Dora 13. Regarde-la. Tu as un ami chez qui dormir ?

— On ne peut pas rester ici ? fit soudain Dora. On ne peut pas rester chez vous, juste pour cette nuit ? On se sent bien, ici.

— Non, rétorqua Frieda.

Elle sentait le regard de Sasha posé sur elle.

Elle fut tentée de s'emparer d'une assiette et de la projeter contre le mur. Elle se vit prendre une chaise et la fracasser contre la fenêtre, que l'air frais se rue dans cette cuisine étouffante, empestant le curry, la sueur et le chagrin. Ou mieux, encore, s'enfuir de chez elle, en claquant la porte derrière elle – elle serait libre, par une nuit d'avril, sous les étoiles et la lune, avec un vent doux sur le visage, et ils pourraient tous gérer leur chagrin bordélique sans elle.

— Je vous en prie, implora Dora. On sera très sages et on ne fera aucun désordre.

Ted et Judith gardèrent le silence, se contentant de la dévisager, et patientèrent.

— Frieda… dit alors Sasha, d'une voix où perçait une mise en garde, non. Tu ne peux pas assumer ça.

— Une nuit, répondit Frieda. Une nuit, une seule. Vous m'entendez ? Et vous appelez chez vous pour prévenir votre tante et votre père, s'il est en état de comprendre.

— Oui !

— Et quand le taxi arrivera, je le renvoie mais je lui demande de revenir à la première heure demain matin pour vous ramener chez vous. Vous allez tous à l'école. Compris ?

— Compris.

— On dort où ? demanda Dora.

342

Frieda songea à son merveilleux atelier si calme tout en haut de la maison, désormais jonché des affaires de Chloë. Elle songea à son salon, avec ses livres sur les étagères, le canapé au coin de la cheminée, la table d'échecs près de la fenêtre. Chaque chose à sa place. Son refuge contre le monde et ses tracas.

— Par ici, dit-elle en indiquant l'entrée.

— Vous avez des sacs de couchage ?

— Non.

Elle se leva. Son corps lui semblait si lourd qu'il lui fallut faire preuve d'un gigantesque effort de volonté rien que pour le mouvoir. Ça tambourinait dans sa tête.

— Je vais chercher des couettes et des draps, et vous vous servirez des coussins du canapé et du fauteuil.

— Je gère.

Sasha s'exprimait d'une voix empressée. Elle regarda Frieda avec un air soucieux, inquiet, même.

— Je peux prendre un bain ? demanda Ted.

Frieda le dévisagea. La nouvelle bonde était dans son sac.

— Non ! Tu ne peux pas. Interdit ! Le lavabo, ça ira.

La sonnette retentit à nouveau et Sasha alla congédier le taxi. Puis, presque aussitôt, Chloë arriva, agacée et remontée comme à chaque fois qu'elle voyait son père. Elle se jeta au cou de Ted, de Frieda, de Sasha.

— Dehors, répliqua Frieda. Je range la cuisine, et ensuite, je me couche.

— On va le faire, lança gaiement Chloë. Laisse-le-nous.

— Non. Passez à côté, je m'en occupe. Et maintenant, vous allez tous vous coucher : vous vous levez à 7 heures, et vous partez peu après. Pas un bruit. Et si quiconque se sert de ma brosse à dents, je le fous dehors, quelle que soit l'heure.

Tu as disparu de l'écran radar, on dirait. Où es-tu passée ? Réponds-moi !
Sandy xxxxx

Trente-sept

— C'est marrant, non ? dit Riley.

— Quoi donc ? demanda Yvette.

— On est là, en train de fouiller dans des affaires, d'ouvrir des tiroirs, de lire des journaux intimes. Tous les trucs qu'on a envie de faire, mais qu'on n'est pas censés faire. J'aimerais bien pouvoir les mettre en pratique chez ma petite amie par exemple.

— Non, ça n'a rien de marrant, répliqua Yvette. Et tu ne devrais pas le dire, même devant moi.

Riley examinait le classeur dans le salon des Kerrigan. Ils avaient déjà fouillé la chambre principale et la cuisine. Paul Kerrigan n'était resté à l'hôpital qu'une nuit après son passage à tabac et n'était pas là dans l'immédiat, mais sa femme les avait laissés entrer, lèvres pincées, sans un mot. Elle ne leur avait pas proposé de café, ni de thé, et tout en fouillant les biens du couple, soulevant des sous-vêtements, allumant des ordinateurs, lisant des lettres privées, remarquant au passage le dépôt de salissures dans la baignoire et les trous de mites dans certains des pulls de Paul Kerrigan, ils l'entendirent claquer des portes, heurter des casseroles. Lorsque Yvette l'avait vue, la dernière fois, elle était hébétée et épuisée de chagrin. À présent, elle semblait furieuse.

— Tenez, lança-t-elle en entrant dans la pièce. Vous seriez peut-être passés à côté. Ils se trouvaient dans son panier à vélo dans le placard sous l'escalier.

Elle tenait un petit paquet carré entre le pouce et l'index, avec un air dégoûté.

— Des capotes, confirma-t-elle, avant de les lâcher sur la table, comme si elles étaient usagées.

— Pour ses rendez-vous du mercredi, j'imagine.

Yvette s'efforça de conserver une expression neutre. Elle pria pour que Riley s'abstienne de commentaire, ou de réagir.

— Merci.

Elle ramassa le paquet pour le mettre dans le scellé judiciaire.

— Il ne s'en servait pas avec vous ? claironna Riley à l'adresse d'Elaine Kerrigan.

— J'ai eu un cancer il y a plusieurs années et depuis la chimio, je suis stérile, répondit celle-ci.

Ses traits durcis trahirent de la souffrance, fugacement.

— Donc, non, pas besoin.

— Ce qui signifie... commença Yvette.

— Il y a autre chose que je ferais mieux de vous dire. Paul n'est rentré qu'assez tard, ce jour-là.

— Nous parlons bien du 6 avril.

— Oui. Je suis rentrée bien avant lui. Je m'en souviens parce que j'ai fait une tarte au citron meringuée et que je m'inquiétais qu'elle ne retombe. Marrant, les trucs pour lesquels on s'inquiète, non ? Bref, quoi qu'il en soit, il était en retard. Il devait être 20 heures passées.

— Pourquoi ne pas nous l'avoir dit avant ?

— Les souvenirs ne vous reviennent pas tous d'un coup.

— Ouais, je vois ça, rétorqua Yvette. Vous allez devoir nous faire une nouvelle déposition.

Elle lança un regard à Riley. Il y avait une lueur dans ses yeux, comme s'il réprimait un sourire, presque.

— Il a pris une longue douche en arrivant, reprit Elaine, et il a mis directement ses vêtements dans la machine. Il a dit qu'il avait eu une journée difficile sur le chantier, et qu'il avait besoin de se débarrasser de la crasse avant le dîner.

— Il est crucial que vous nous disiez tout ce que vous savez, dit Yvette. Je sais à quel point vous devez être furieuse, mais j'aimerais être sûre qu'il n'existe aucun lien entre le fait que vous ayez découvert ceci et votre nouvelle version des événements, qui porte gravement préjudice à la situation de votre mari.

— J'en veux à Paul, si c'est ce que vous voulez dire, répondit Elaine. Je suis assez contente qu'il se soit fait tabasser. C'est comme si quelqu'un l'avait fait pour moi. Mais je ne fais que vous rapporter ce dont je me souviens. C'est mon devoir, non ?

Sur le départ, ils croisèrent les deux fils Kerrigan. Ils avaient les mêmes traits que leur père, mais les yeux de leur mère, et tous deux dévisagèrent les inspecteurs avec de la haine, sembla-t-il à Yvette.

Entre-temps, Chris Munster fouillait l'appartement où Paul Kerrigan et Ruth Lennox s'étaient retrouvés chaque mercredi après-midi durant les dernières années, exception faite des vacances. Il dressait un inventaire. Consciencieusement, il nota tout ce qu'il trouvait : deux paires de pantoufles, à lui, et à elle, deux peignoirs, même chose, une unique étagère dans la chambre, remplie de livres – une anthologie de poèmes sur l'enfance, une autre d'écrits sur les chiens, une *Histoire des Peuples de Langue Anglaise*, par Winston Churchill, un recueil d'articles humoristiques, un album de bandes dessinées que Munster ne trouva pas particulièrement drôle – autant d'ouvrages destinés à être lus par fragments, supposait-il. Les draps du lit avaient été enlevés pour y rechercher des traces de fluides corporels, mais restaient un dessus-de-lit matelassé aux couleurs vives passé en travers d'une petite chaise ainsi qu'une longue lirette au sol. Les rideaux étaient à carreaux, jaunes, tout pimpants. L'armoire en pin brut était vide, exception faite de deux chemises (appartenant à Paul) et d'une robe d'été à la fermeture éclair arrachée.

Dans la salle de bain, propre et vide : deux brosses à dents, deux gants de toilette, deux serviettes, de la mousse à raser, du déodorant (un pour lui, un autre pour elle), du fil dentaire, un bain de bouche. Il les imagina tous deux en train de se laver soigneusement, de se brosser les dents, de se gargariser au bain de bouche, de s'inspecter dans le miroir au-dessus du lavabo pour vérifier qu'aucun détail ne trahirait leurs occupations, avant de renfiler leurs vêtements sages et de retourner à leur autre vie.

Dans le salon-cuisine, quatre livres de recettes, accompagnant une batterie de cuisine élémentaire (casseroles, poêles, cuillères en bois, deux ou trois moules à gâteaux), ainsi que quelques assiettes, bols, verres sans pied. Quatre mugs qui rappelaient pas mal à Munster ceux qu'il avait vus chez les Lennox. Elle avait fort bien pu les acheter en même temps. Il y avait une bouteille de vin blanc dans le petit réfrigérateur et deux autres de vin rouge sur le plan de travail. Une jacinthe morte courbait la tête dans sa terre desséchée. Deux oignons flétrissaient sur le rebord de la fenêtre. Une nappe rayée était passée sur la table en bois au centre de la pièce. Des puzzles sur le côté, plusieurs, présentant divers niveaux de difficulté, un jeu de cartes, une radio numérique, un calendrier au mur, sans rien d'écrit dessus. Un coussin rouge brodé de sequins pailletés sur le canapé deux places.

Dix ans de mensonge, songea-t-il. Rien que pour ça.

— Kerrigan n'a plus d'alibi, commenta Karlsson.
— Enfin... peut-être pas, répliqua Yvette. Je ne sais plus au juste quelle version de Mrs Kerrigan croire.
— Donc, vous prenez le parti de monsieur.

— Y a pas de risque qu'Yvette prenne le parti de monsieur, gloussa Riley. Elle peut pas le blairer.

— Et à quoi pouvaient bien lui servir les capotes ? dit Karlsson. Si elles n'étaient pas pour sa femme ?

— Ni pour Mrs Lennox, compléta Yvette. Comme nous le savons, elle s'était fait mettre un stérilet.

— Ça ne l'empêchait pas forcément de mettre des capotes, dit Riley.

— Et pourquoi ?

Riley semblait mal à l'aise, à présent. Il ne devrait pas être nécessaire de dire une chose pareille à Karlsson.

— Ben... Pour ne pas attraper quelque chose en couchant avec Ruth Lennox. Vous savez bien ce qu'on dit, quand on couche avec quelqu'un, on couche avec tous ses partenaires, et les partenaires de ses partenaires, et ainsi de s...

— OK, on voit le topo, coupa Yvette.

Soudain, Karlsson songea à Sadie. Cette aventure avait déjà été assez fâcheuse comme ça. Ce n'était pas possible, ou bien ?... Il chassa cette pensée. Elle était trop pénible pour qu'il s'attarde dessus.

— Vous croyez ? demanda-t-il.

— Non, infirma résolument Yvette. Si les capotes avaient été pour Ruth Lennox, il les aurait laissées à l'appartement or Munster n'y a rien retrouvé. Il devait y avoir quelqu'un d'autre.

— Plausible, répliqua Karlsson. La question est : Ruth Lennox était-elle au courant ?

— L'autre question est : pourquoi cette plaquette de pilules dans son placard ?

— Et puis, ajouta Yvette, j'ai réfléchi à cette histoire de poupée.

— Continuez.

— Nous partons du principe qu'elle a été adressée à Ruth Lennox et que c'était un avertissement, ce qui signifierait que quelqu'un avait découvert ce qui se passait chez eux.

— Oui ?

— Et si elle avait quand même été destinée à Dora ? Nous savons qu'elle était persécutée à l'école durant les mois qui ont précédé la mort de sa mère. Peut-être que ce sont des gosses qui savaient qu'elle était malade et qu'elle serait seule chez elle qui ont fait ça.

— Pourquoi ? s'indigna Riley.

— Parce que les gosses sont cruels.

— Mais c'est tout bonnement horrible...

— Ils n'y auraient vu qu'un jeu, répliqua Yvette.

Chacun perçut la note d'amertume dans sa voix, et ses joues s'échauffèrent.

— Vous avez peut-être raison, s'empressa de répondre Karlsson pour masquer le malaise. Peut-être qu'on tire des conclusions trop hâtives.

— Quoi qu'il ait pu se passer, pauvre petite, dit Riley.

— Les pilules appartenaient à Judith Lennox, déclara Frieda.

Elle avait débarqué au commissariat à la première heure, ce matin-là. Karlsson remarqua les cernes autour de ses yeux, la fatigue sur son visage. Elle refusa de s'asseoir, préférant se tenir à la fenêtre.

— Voilà qui résout un mystère.

— Elle a 15 ans.

— Il n'est pas si rare pour un jeune de 15 ans d'avoir une vie sexuelle, répliqua Karlsson. Au moins, elle prend ses précautions.

— Son petit ami est bien plus âgé, il approche la trentaine.

— Ça fait une grosse différence.

— Et Judith pense que sa mère avait peut-être découvert leur liaison.

— Je vois.

— J'ai pensé qu'il fallait que vous le sachiez. J'ai prévenu Judith que je vous en informerais.

— Merci.

— Il s'appelle Zach Greene.

Elle regarda Karlsson noter le nom à la hâte sur le bloc-notes devant lui.

— Vous voulez un café ?

— Non.

— Vous allez bien ?

Elle étudia la question, se demandant s'il était souhaitable de lui parler de Dean, et de sa crainte qu'il ne se soit rendu chez Olivia.

— Ça n'a pas d'importance, répondit-elle enfin.

— Moi, je pense que si.

— Il faut que j'y aille.

— Vous n'avez pas encore repris le boulot, si ?

— À peine.

— Alors asseyez-vous deux minutes, s'il vous plaît, et dites-moi ce qui se passe.

— Je dois y aller, j'ai des trucs à faire.

— Quels trucs ?

— Vous ne pourriez pas comprendre. Je ne comprends pas moi-même.

— Essayez.

— Non.

— Je vais le garder.

Sasha et Frieda étaient installées dans un petit café proche de Regent's Canal. Des canards menaient leurs flottilles de canetons au milieu des détritus et des brindilles dansant sur les eaux brunes.

— C'est ce que tu as décidé.

— *On a* décidé.

— C'est si rapide, répliqua Frieda. Il y a un mois, tu le connaissais à peine.

— Je sais... mais ne prends pas cette mine inquiète. J'aimerais que tu te réjouisses pour moi.

— Mais je me réjouis.

— Je n'ai jamais été plus certaine de quoi que ce soit dans ma vie, ni plus heureuse. Même si ça n'avait duré qu'une semaine, je n'en aurais pas été moins certaine.

Je vais emménager avec Frank et je vais avoir un bébé. Ma vie change du tout au tout.

— Tu mérites d'être heureuse, répondit Frieda sincèrement.

Et elle songea à Sandy, en Amérique. Il semblait très loin, désormais. Parfois, c'est tout juste si elle arrivait à se rappeler son visage ou le son de sa voix.

— Merci.

— Je ne sais pas tricoter.

— Tu n'as pas besoin de le faire.

— Ni parler aux bébés.

— Non, je ne t'imagine pas faisant des gouzi-gouzi, en effet.

Elles rirent, puis reprirent leur sérieux. Sasha serra la main de Frieda dans les siennes.

— Tu m'es très chère, commença-t-elle, tandis que ses grands yeux se noyaient de larmes.

— Ça y est, t'as déjà les hormones perturbées.

— Non. Sans toi, je ne sais pas ce que je serais devenue.

— Tu t'en serais très bien tirée.

— Je ne le pense pas. Mais, Frieda... est-ce que tu vas bien ?

— Pourquoi ça n'irait pas ?

— Je m'inquiète pour toi. On s'en fait tous.

— Ce n'est pas la peine.

— Tu veux bien me promettre de me dire si quelque chose ne va pas ?

Mais Frieda changea de sujet. C'était une promesse qu'elle ne pouvait tenir.

Trente-huit

Josef jeta un œil au carnet que lui tendait Frieda.

— Et j'ai aussi des numéros de téléphone, ajouta Frieda, relevés sur les autocollants d'une paroi de cabine téléphonique.

— Donc, j'appelle ces numéros, dit Josef.

— Je sais que c'est beaucoup vous demander. Mais si j'appelais, elles se méfieraient en entendant une voix de femme et je devrais m'expliquer, et ça ne marcherait sans doute pas, du coup.

— Vous l'avez déjà dit, Frieda.

Frieda but une gorgée de sa tasse. Le thé était froid.

— C'est que je me sens coupable à l'idée de vous demander d'appeler une prostituée. Plusieurs prostituées, d'ailleurs. Je vous suis reconnaissante, vous avez déjà tant fait pour moi.

— Trop, peut-être, répondit Josef avec un sourire. J'appelle maintenant, alors ?

Frieda fit glisser son portable sur la table. Il s'empara de l'appareil.

— On commence par le prof de français.

Il composa le numéro et Frieda ne put s'empêcher de se demander s'il avait déjà fait ça auparavant. Au fil des ans, plusieurs de ses patients lui avaient confié avoir recours à des putes, ou rêver de le faire. Durant ses études de médecine, elle s'était rendue dans des fêtes où avait débarqué une stripteaseuse, à une ou deux occasions. Était-ce la même chose, ou complètement différent ? « Remets-toi », lui avait lancé un étudiant rubicond, se souvint-elle. « Détends-toi. »

Josef notait quelque chose dans le calepin. Les instructions semblaient compliquées. Enfin, il lui rendit l'appareil.

— Spenzer Court.

— Spenser, corrigea Frieda.

— Oui. Pas loin de Carey Road.

Frieda consulta son plan de Londres.

— C'est à quelques rues d'ici, commenta-t-elle. On peut y aller à pied.

Un portail situé au fond de Carey Road donnait dans la cité HLM. Le premier bloc s'appelait Wordsworth Court et ils parcourent un niveau de plain-pied, constitué de garages fermés et de poubelles d'acier géantes. Frieda s'arrêta un instant. Il y avait des sacs éventrés un peu partout, un chariot de supermarché couché sur le flanc, une télévision cassée, probablement jetée du haut d'un étage. Une femme voilée de pied en cap poussait un landau à l'autre bout.

— Vous savez quoi, je n'ai jamais compris ce genre d'endroit, déclara-t-elle, jusqu'à ce qu'un jour, je me retrouve dans une ville de montagne en Sicile, et que soudain, je pige. C'était ça, l'idée, dans la conception de ce genre d'ensemble. Il était prévu que ça ressemble à la petite ville italienne dans laquelle l'architecte avait passé ses vacances, remplie de squares où joueraient les enfants, et il y aurait des marchés et des jongleurs, des passages secrets où les gens pourraient se croiser et papoter, aller faire un tour le soir. Mais ça n'a pas tout à fait marché.

— C'est comme Kiev, répliqua Josef. Mais ces villes pas trop bien quand il fait moins vingt.

Ils atteignirent Spenser Court et gravirent un escalier jusqu'au troisième étage, se frayant un chemin parmi de vieux cartons alimentaires. Ils longèrent la coursive. Josef consulta le carnet puis leva les yeux sur l'appartement en face de lui. La fenêtre à côté de la porte était protégée par des barreaux, mais également cassée et bouchée de l'intérieur à l'aide de Placoplâtre.

— C'est ici, expliqua-t-il. Difficile d'être d'humeur pour sexe.

— C'est comme ça depuis toujours. À Londres, en tout cas.

— À Kiev, aussi.

— Il va falloir qu'on la calme, dit Frieda. Qu'on la rassure.

Elle sonna à la porte. Un bruit se fit entendre à l'intérieur. Frieda regarda Josef en coin. Ressentait-il la même chose qu'elle ? Une étrange nausée, de la culpabilité sur ce qui se passait dans sa ville ? Était-elle simplement prude ou naïve ? Elle savait bien comment marchait le monde. Josef semblait attendre en paix. On entendit farfouiller, après quoi la porte s'entrouvrit de quelques centimètres et Frieda entraperçut un visage derrière la chaîne tendue : jeune, très petite, rouge à lèvres, cheveux décolorés. Frieda allait dire quelque chose quand la porte se referma en claquant. Elle attendit qu'on défasse la chaîne, qu'on ouvre le battant pour de bon, mais il n'y eut qu'un silence. Josef et elle se dévisagèrent. Frieda pressa de nouveau la sonnette mais n'obtint pas de réponse. Elle se pencha, poussa la trappe de la boîte aux lettres et jeta un œil à l'intérieur. Quelque chose lui barrait la vue.

— On veut juste vous parler, lança-t-elle.

Pas de réponse. Elle tendit son téléphone à Josef.

— Essayez de l'appeler. Dites-lui qui vous êtes.

Il semblait perplexe.

— Qui je suis vraiment ?

— Dites que vous êtes l'homme qui a pris rendez-vous.

Il appela et patienta.

— Je laisse un message ? demanda-t-il.

— Non, pas la peine. Elle a probablement cru qu'on était des services d'immigration ou de la police, ou des personnes venues lui chercher des ennuis.

— C'est vous.

— Quoi ?

— C'est vous. Elle voit une femme, elle pense qu'on va lui faire quelque chose.

Frieda s'appuya à la rambarde du balcon et baissa les yeux.

— Vous avez raison, dit-elle. C'était idiot, comme plan. Je suis désolée de vous avoir traîné jusqu'ici pour rien.

— Non. Y a pas de mal. Je garde votre téléphone. Vous me laissez le plan. Je vous ramène au café, vous vous installez, vous prenez un bon thé et un gâteau. Je reviens dans une heure.

— Je ne peux pas vous demander ça, Josef. Ce n'est pas bien. Et c'est peut-être dangereux.

Josef sourit à cette idée.

— Dangereux ? Si vous me protégez pas ?

— Ça me gêne.

— On y va, maintenant.

De retour dans Carey Road, Frieda préleva quelques billets dans son porte-monnaie et les lui remit.

— Il faut leur demander si elles connaissent une fille appelée Lily Dawes. Lila. C'est surtout comme ça qu'elle se faisait appeler, je crois. J'aimerais avoir une photo à leur montrer mais je ne sais pas comment m'en procurer. Donnez-leur vingt livres quoi qu'il arrive, et vingt autres si elles vous apprennent quoi que ce soit. Ça vous paraît assez ? Je n'y connais rien, dans ce domaine.

— Ça va, je crois.

— Et soyez prudent.

— Toujours.

Frieda le laissa là. Quelques instants plus tard, elle jeta un regard en arrière et le vit parler au téléphone.

Elle retourna dans le café et commanda une autre tasse de thé, à laquelle elle ne toucha pas. La seule chose qu'elle aurait voulu, vraiment, c'était poser sa tête sur ses mains et dormir. Elle avait le sentiment qu'elle ferait mieux de lire, ou de réfléchir. Elle sortit son carnet de croquis et passa vingt minutes à esquisser les grands platanes de Lincoln's Inn Fields. Elle n'arrivait pas à les rendre correctement et se dit qu'elle y retournerait bientôt, et qu'elle le referait d'après les modèles vivants. Elle rangea son carnet et balaya le café des yeux. Un couple était attablé près de la porte. Elle croisa le regard de l'homme, qui la dévisagea d'un air hostile, aussi se contenta-t-elle ensuite de fixer le vide droit devant elle. Quand elle sentit qu'on lui touchait l'épaule, elle sursauta comme si elle s'était endormie, quoiqu'elle fût sûre du contraire. C'était Josef.

— Ça fait déjà une heure ?

Il baissa les yeux sur l'appareil avant de le lui rendre.

— Une heure et demie, corrigea-t-il.

— Et alors ? Avez-vous appris quoi que ce soit ?

— Pas ici, répondit Josef. On trouve un pub. Vous m'offrez un verre.

Ils en aperçurent un sitôt de retour sur la chaussée et s'y rendirent en silence. À l'intérieur, plusieurs adolescents étaient agglutinés autour d'une machine à jeux très sonore.

— Que prenez-vous ? s'enquit Frieda.

— Vodka. Grande vodka. Et cigarettes.

Frieda régla une double vodka, un paquet de cigarettes, une boîte d'allumettes, accompagnés d'un verre d'eau du robinet pour elle. Josef considéra son verre avec réprobation.

— Chaud comme l'eau du bain, dit-il. Mais *budmo*.

— Hein ?

— Ça veut dire qu'on vivra toujours.

— Mais non, vous le savez bien.

— Moi je crois si, répondit-il d'un air farouche, avant de descendre sa vodka d'une traite.

— Je vous en offre une autre ? proposa-t-elle.

— Maintenant, sortir, pour cigarette.

Ils passèrent dehors. Josef en alluma une et inspira profondément, ce qui évoqua à Frieda des jours enfuis de longue date, devant les grilles de son école, à l'heure du déjeuner. Il lui tendit le paquet, mais elle secoua la tête.

— Alors ?

Il avait l'air triste, quand il répondit :

— Je parle à quatre femmes. Une de l'Afrique, de Somalie, je crois. Elle parle anglais comme moi mais bien, bien pire. Je comprends un petit peu. Il y avait un homme, aussi. Il voulait plus que vingt livres pour elle. Bien plus. Fâché, le monsieur.

— Oh mon Dieu, Josef. Que s'est-il passé ?

— C'est normal. J'ai expliqué.

— Il aurait pu avoir une arme.

— Une arme, problème, oui. Mais pas d'arme. J'explique à lui et je repars. Mais rien. Après, je vois une fille de Russie, et après une autre de je sais pas où. Roumanie, peut-être. La dernière fille, celle que je viens de voir, elle dit quelques mots et j'ai forte intuition, et je lui parle en ukrainien. Gros choc pour elle.

Il ébaucha un sourire, mais on lisait quelque chose de dur dans ses yeux.

— Je suis vraiment désolée, Josef.

Il écrasa le mégot de sa cigarette sur le mur du pub et en alluma une autre.

— Ah... C'est pas si grave. Vous croire que j'allais dire : « Oh, une petite fille de mon village ! » Je suis plus un enfant, Frieda. Ce n'est pas que les plombiers et les coiffeurs qui viennent ici, depuis mon pays.

— Je ne sais pas quoi dire.

— Je ne dis pas que c'est bon métier. Je vois son appartement. C'est sale, humide, et je vois des traces de drogues. Pas bien, ça...

— Voulez-vous que nous fassions quelque chose pour l'aider ?

— Ah... lâcha-t-il à nouveau, comme s'il balayait sa proposition d'un revers de la main. On commence ici, et on ne sait plus où ça s'arrête. Je sais, ça. C'est dur à voir, mais je sais ça.

— C'est moi qui aurais dû faire tout ça. C'est mon problème, pas le vôtre.

Josef la regarda, la mine soucieuse.

— Pas bon pour vous faire ça maintenant, répondit-il. Vous pas bien. Nous, tous les deux tristes pour elle, pour Mary. Mais vous blessée, vous aussi. Pas complètement guérie.

— Ça va...

Josef laissa échapper un petit rire.

— C'est ça que dit tout le monde, et ça veut rien dire. « Comment allez-vous ? » « Ça va... »

— Ça veut dire que vous n'avez pas besoin de vous en faire. Et j'aimerais aussi ajouter que je suis désolée de vous avoir fait perdre votre temps.

— Perdre ?

— Oui. Je suis désolée de vous avoir traîné jusqu'ici.

— Non. Pas perdu. La femme, la Roumaine. Je crois, Roumaine... Elle prend aussi drogues, je crois. Ça se voit dans les yeux.

— Euh, pas toujours...

— Moi, je le vois. Je lui parle de votre Lily. Je crois qu'elle la connaît.

— Comment ça, vous croyez ?

— Elle connaît une Lila.

— Qu'est-ce qu'elle a dit, sur elle ?

— Elle la connaît un peu. Mais cette Lila, elle était un peu... Comment vous dites quand quelqu'un fait un peu partie, mais pas complètement ?

— Parasite ?

— Parasite ?

Josef soupesa l'expression.

— Oui, peut-être. Cette fille, Maria, connaissait un peu Lila. Lila prend aussi des drogues, je pense.

Frieda tenta d'assimiler ce que venait de lui dire Josef.

— Est-ce qu'elle savait où on peut la trouver ?

Josef haussa les épaules.

— Elle a pas vu elle depuis un moment. Deux mois, trois mois... Un peu plus, un peu moins... Ils ne comptent pas le temps comme nous.

— Savait-elle où Lila était partie ?

— Non, elle savait pas.

— Elle a dû déménager, regretta Frieda. Je ne saurais même pas par où commencer. C'est formidable, Josef. Mais je crains que ce ne soit la fin de la piste.

Puis elle remarqua l'ébauche d'un sourire sur sa figure.

— Quoi ?

— Cette Lila, reprit-il. Elle a petit ami. Peut-être petit ami pour les drogues, ou le sexe ?

— Qui est-ce ?

— Shane. Un homme appelé Shane.

— Shane... répéta Frieda. Elle a un numéro où on peut le joindre ? Ou une adresse ?

— Non.

— Elle connaissait son nom de famille ?

— Shane, elle a dit. Seulement Shane.

Elle réfléchit de toutes ses forces et murmura quelque chose pour elle-même.

— Vous dites quoi ?

— Rien, rien de spécial. C'est bien, Josef. C'est incroyable que vous ayez trouvé. Je n'aurais jamais cru qu'on obtiendrait quoi que ce soit. Mais qu'est-ce qu'on en fait, maintenant ?

Josef plongea dans son regard ses yeux bruns et tristes.

— Rien.

— Rien ?

— Vous voulez sauver cette fille, encore. Je le sais. Mais vous ne pouvez pas. Trop tard.

— Trop tard, répéta Frieda, d'une voix sourde. Oui. Vous avez peut-être raison.

Ce soir-là, Frieda installa la bonde dans la baignoire. Elle avait acheté de l'huile à verser dans l'eau, ainsi qu'une bougie qu'elle comptait allumer. Ça faisait longtemps, maintenant, qu'elle s'imaginait allongée dans l'eau brûlante, mousseuse, dans le noir, avec la bougie, et la lune filtrant par la fenêtre pour seules lumières. Mais à présent, l'heure venue, elle s'aperçut que l'humeur n'y était pas. Ce ne serait qu'un bain. Elle ôta la bonde et s'offrit à la douche à la place, chassant en vitesse les miasmes de la journée. Le bain attendrait. Ce serait sa récompense, le couronnement de ses efforts.

Trente-neuf

Avant d'interroger Paul Kerrigan, Karlsson parla à Bella et Mikey via Skype, assis dans son bureau, le regard posé tour à tour sur leurs portraits encadrés sur sa table de travail et sur leur image tressautant à l'écran. Ils étaient excités, distraits. Ils n'avaient pas réellement envie de lui parler et leurs yeux ne cessaient de s'égarer hors du champ. Bella lui parla d'une nouvelle amie appelée Pia, qui avait un chien. Elle avait un gros bonbon dans la joue qui faisait une bosse, et on comprenait mal ce qu'elle racontait. Mikey tournait sans arrêt la tête pour articuler on ne sait quoi avec véhémence à l'adresse de quelqu'un, dans la pièce. Karlsson n'arrivait pas à trouver de sujet de conversation. Il se sentait étrangement emprunté. Il leur parla du temps qu'il faisait et les interrogea sur l'école, comme un vieil oncle qu'ils connaîtraient à peine. Il tenta une grimace, qui ne les fit pas rire, abrégea la conversation et se rendit dans la salle d'audience.

Le visage de Kerrigan, enflé, restait marqué par l'agression. Sa joue portait une ecchymose mauve et jaune et sa lèvre était fendue. De grands cernes de fatigue lui soulignaient également les yeux, et de profonds

sillons lui encadraient la bouche. Il avait la mâchoire
tombante d'un vieil homme. Il n'était pas rasé, le col
de sa chemise était crasseux et l'un des boutons défait,
de sorte que son ventre étonnamment blanc et doux
apparaissait. Assis dans la salle, il semblait gauche et
abattu. Il avait la peau rouge sous les narines et ne
cessait d'éternuer, de tousser, de se moucher. Karlsson
l'interrogea une fois de plus sur ses allées et venues le
mercredi 6 avril. Son visage abîmé disparaissait tout
entier dans son grand mouchoir blanc.

— Désolé, balbutia-t-il. Je ne comprends pas pourquoi vous me reposez la question. Je sors de l'hôpital,
vous savez.

— Si je vous le demande, c'est que je veux tirer les
choses au clair. Ce qui est loin d'être le cas pour l'instant. Qu'avez-vous fait après avoir quitté Ruth Lennox ?

— Je vous l'ai dit. Je suis rentré chez moi.

— À quelle heure ?

— En fin d'après-midi, tard, début de soirée, plutôt.
J'ai dîné avec Elaine.

Ses traits flasques se plissèrent.

— Elle avait fait un dessert, précisa-t-il avec lenteur
et netteté, comme si son menu pouvait constituer un
alibi.

— Vous n'êtes rentré qu'assez tard, ce soir-là,
Mr Kerrigan.

— Qu'est-ce que vous voulez insinuer ?

— Votre femme nous a dit que vous n'étiez pas
rentré avant 20 heures, quasiment.

— Elaine a dit ça ?

— Oui, et que vous aviez pris une douche et mis
vos vêtements à laver.

Paul Kerrigan hocha lentement la tête.

— Ce n'est pas vrai, commenta-t-il.

— Nous voulons juste établir ce que vous avez fait
entre le moment où Ruth Lennox a quitté l'appartement et celui où vous êtes rentré chez vous, plusieurs
heures après.

— Elle m'en veut. Elle cherche à me punir. Vous devez bien le comprendre.

— Êtes-vous en train de me dire qu'elle a menti sur l'heure de votre retour ?

— Tout est fichu... Ruth est morte, ma femme me déteste et mes fils me méprisent. Et maintenant, elle veut se venger.

— Savez-vous quel moyen de contraception employait Ruth ? demanda Karlsson.

Paul Kerrigan cligna des yeux.

— De contraception ? Mais de quoi parlez-vous ?

— Vous avez couché avec elle pendant dix ans. Vous deviez savoir.

— Oui, elle s'était fait mettre un stérilet.

— Donc vous me dites que vous saviez qu'elle faisait usage d'un contraceptif.

— C'est ce que je viens de dire !

— Et pourtant votre femme a trouvé des préservatifs dans votre panier à vélo.

Karlsson étudia attentivement les traits rouges et boursouflés de Kerrigan.

— Si votre femme n'est plus fertile et que Ruth Lennox avait un stérilet, pourquoi aviez-vous des préservatifs ?

Un long silence s'abattit. Karlsson attendit patiemment, impassible.

— C'est compliqué, dit enfin Kerrigan.

— Alors mieux vaudrait me l'expliquer.

— J'aime ma femme, même si vous ne le croirez pas. Et notre union était heureuse, jusqu'à maintenant. Ruth n'y a rien changé. J'avais deux vies parallèles, et elles ne se croisaient pas. Si Elaine ne l'avait pas appris, rien de tout ceci n'aurait eu d'importance. Je tenais juste à ce que mon mariage reste en dehors de tout ça.

— Vous alliez m'expliquer, au sujet des préservatifs.

— Je ne sais pas comment dire ça à voix haute.

— Mais il va bien falloir.

— J'ai des besoins que ma femme ne peut combler.

Karlsson commençait à se sentir nauséeux, mais devait passer outre.

— Manques que comblait Ruth Lennox, j'imagine.

Kerrigan eut un geste impuissant.

— Au début, oui. Mais ensuite, ça s'est mis à ressembler à un autre mariage. Ça me convenait, d'une certaine façon. Mais j'avais besoin d'autre chose.

— Et ?

— Il y a quelqu'un d'autre. Depuis un certain temps.

— Qui ?

— Vous avez besoin de le savoir ?

— Mr Kerrigan, ce n'est pas à vous de demander ce que j'ai besoin de savoir. Contentez-vous de répondre à mes questions.

— Elle s'appelle Sammie Kemp. Samantha. Elle a fait de l'administratif pour moi, de temps à autre. C'est comme ça qu'on s'est connus. C'était sympa, c'est tout.

— Ruth Lennox était-elle au courant de votre relation avec Samantha Kemp ?

— Ce n'était pas à proprement parler une relation.

— Elle le savait ?

— Elle l'a peut-être soupçonné.

— Vous auriez dû nous en parler avant.

— Ça n'a rien à voir avec Ruth.

— Vous a-t-elle confronté à ce sujet ?

— Elle s'attendait à quoi ? Elle savait bien que je n'étais pas fidèle, que je couchais avec ma femme, alors...

Karlsson faillit en rire.

— Malin, vraiment, vous parviendriez presque à vous convaincre vous-même. Mais Ruth Lennox ne voyait pas les choses sous cet angle ?

— Ce n'est pas comme si elle ignorait que l'histoire touchait à sa fin.

— Vous alliez la quitter ?

— Pas d'après elle, non, rétorqua Paul Kerrigan avec une amertume qu'il ne put retenir.

Sa figure s'empourpra.

— Résumons : vous aviez une liaison avec une autre femme, Samantha Kemp, et vous vouliez mettre un terme à votre relation avec Ruth Lennox, qui ne l'entendait pas de cette oreille.

— Je voulais que la décision soit prise d'un commun accord, sans récriminations. Dix belles années. Peu de gens peuvent en dire autant.

— Mais Ruth Lennox n'envisageait pas ça de la même façon. Elle était en colère ? Vous a-t-elle menacé de tout dire à votre femme ?

— Jamais elle n'aurait fait une chose pareille.

— Pouvons-nous en rester, pour l'instant, à vos faits et gestes avérés plutôt qu'à ce qu'elle aurait fait, d'après vous, si on ne l'avait pas assassinée ?

— J'étais avec Sam ce mercredi-là.

— Avec Samantha Kemp ?

— Oui.

— Il est tout à fait regrettable que vous ne nous l'ayez pas dit plus tôt.

— Ben je vous le dis, maintenant.

— Donc vous êtes passé de la compagnie de Ruth Lennox à celle de Samantha Kemp, ce mercredi après-midi-là.

— Oui.

— Où ça ?

— Chez elle.

— Je vais avoir besoin de ses coordonnées.

— Elle n'a rien à voir avec cette histoire.

— Désormais, si.

— Ça ne va pas lui faire plaisir.

— Vous vous rendez compte que ceci change complètement la donne ? Vous aviez un secret, que ne partageait qu'une seule autre personne. Vous et Ruth Lennox deviez vous en remettre l'un à l'autre. Ce qui était sans doute facile tant que vous teniez tous deux à faire durer cette histoire. Pendant dix ans, vous vous êtes couverts, et avez fait le nécessaire pour que rien ne se sache. Le problème a surgi quand l'un des deux a voulu rompre.

— Ce n'était pas comme ça.

— Elle vous tenait dans sa main.

— Vous faites erreur. Elle n'a jamais menacé de révéler notre liaison et j'étais en compagnie de Samantha Kemp dès l'instant où j'ai quitté l'appartement jusqu'à celui où je suis rentré chez moi. Vérifiez, si vous ne me croyez pas.

— Ne vous inquiétez pas pour ça, nous le ferons.

— Si c'est tout, j'ai des choses à faire.

Il se leva de sa chaise en la faisant grincer par terre. Karlsson le dévisagea sans rien dire, jusqu'à ce qu'il finisse par se rasseoir.

— Je n'ai rien fait, si ce n'est me comporter comme un idiot, reprit-il.

— Vous nous avez menti.

— Pas sur mon innocence. J'aimais Ruth.

— Mais vous comptiez rompre ?

— Je n'avais pris aucune décision, au sens où vous l'entendez. Je sentais juste que les choses touchaient à leur fin.

— Elle aurait pu foutre votre mariage en l'air.

— Elle l'a bien fait, pour finir, non ? D'outre-tombe.

— Comment allait-elle bien pouvoir vous retenir ?

— J'ai déjà dit qu'elle ne comptait pas le faire. Elle était juste fâchée. Vous dénaturez mes propos pour qu'ils collent à vos soupçons.

— À mon avis, vous nous cachez toujours autre chose. Nous finirons bien par trouver quoi.

— Il n'y a rien à trouver.

— On verra.

— Puisque je vous dis qu'y a rien... Sous tout ce merdier, il n'y a qu'un peu de merde de plus.

Plus loin dans le couloir, Yvette interrogeait Zach Greene, le petit ami de Judith Lennox. Il travaillait à temps partiel pour une société de service et de conseils en informatique, installée dans un entrepôt reconverti, à deux pas de Shoreditch High Street. C'était un homme grand, maigre, aux petites pupilles dans des yeux presque jaunes. Il avait des poignets osseux, de longs doigts tachés de nicotine, et ses cheveux châtains coupés très court en brosse souple. Yvette distinguait une cicatrice en « V » courant du haut de sa tête jusqu'au-dessus de son oreille gauche, délicate. Il avait des lèvres en bouton de rose et des sourcils bien dessinés, comme ceux d'une femme, un piercing dans le nez et un tatouage dépassant à peine de sa chemise. Tout, chez lui, était contraste : il semblait à la fois doux et robuste, faible et agressif, plus âgé qu'il ne l'était et bien plus jeune. Il sentait un parfum fleuri et le tabac. Sa chemise était vert pastel et ses pieds chaussés de solides bottes de l'armée. Il était plutôt attirant, dans le genre dérangeant, un peu flippant, et face à lui, Yvette se sentait mal fagotée et embarrassée.

— Je sais que c'est contraire à la loi, en principe, lâcha-t-il.

— Non, c'est contraire à la loi, point barre.

— Mais qu'est-ce qui vous fait croire que nous avons réellement couché ensemble ?

— C'est ce qu'avance Judith Lennox. Si elle ment, vous n'avez qu'à le dire.

— Qu'est-ce qui vous fait croire que je savais quel âge elle a ?

— Et vous, vous avez quel âge ?

— Vingt-huit ans.

— Judith Lennox en a 15.

— Elle fait plus vieille.

— Ça fait une grande différence d'âge.

— Jude est une jeune femme. Elle sait ce qu'elle veut.

— C'est une enfant.

Il haussa imperceptiblement une épaule.

— Au regard de la loi, ce n'est qu'une question de pouvoir, non ? La loi est là pour empêcher l'*abus* de pouvoir. Mais y en a pas, dans notre cas. De mon point de vue, nous sommes tous deux des adultes consentants.

— Reste qu'elle est mineure, vous êtes coupable d'un délit.

L'espace d'un bref instant, l'anxiété affleura sur son visage. Il fit la grimace.

— C'est pour ça que je suis ici ?

— Vous êtes ici parce qu'on a tué sa mère.

— Écoutez, j'en suis profondément désolé, mais je ne vois pas le rapport.

— Aviez-vous déjà croisé Mrs Lennox ?

— Je l'ai aperçue. On n'a jamais fait connaissance.

— Elle n'était pas au courant, pour vous ?

— Jude pensait qu'elle ne comprendrait pas. Et je ne tenais pas particulièrement à la contredire.

— Vous êtes bien certain que vous ne vous êtes jamais rencontrés ?

— Je m'en rappellerais, je pense.

— Et à votre connaissance, Mrs Lennox ignorait votre existence ?

— Pour ce que j'en sais, oui.

— Soupçonnait-elle que Judith avait une liaison ?

— Je n'ai jamais vu cette femme. Pourquoi ne pas poser la question à Jude ?

— C'est à vous que je la pose, rétorqua sèchement Yvette.

Elle le vit ébaucher son petit sourire en coin.

— Pour autant que je sache, elle ne soupçonnait rien. Mais les mères ont comme un sixième sens, non ? Donc, peut-être qu'elle a remarqué qu'il se passait quelque chose.

— Où étiez-vous le soir où on l'a assassinée, le mercredi 6 avril ?

— Hein ? Vous vous imaginez vraiment que j'aurais tué quelqu'un parce que je ne voulais pas que cette personne découvre que je fréquentais sa fille ?

— Il s'agit d'un délit. Vous êtes passible de prison.

— N'importe quoi. Elle a presque 16 ans. Ce n'est plus une petite fille avec des nattes et des genoux croûtés. Vous l'avez vue. À tomber raide. Je l'ai rencontrée en boîte. Où il faut avoir 18 ans pour entrer, en passant. Et montrer sa carte d'identité.

— Combien de temps êtes-vous restés ensemble ?

— Comment ça, *ensemble* ?

— Oh, arrêtez... Répondez, c'est tout.

Il ferma les yeux. Yvette se demanda s'il percevait l'hostilité qui pulsait en elle de là où il se trouvait.

— Je l'ai rencontrée il y a neuf semaines, expliqua-t-il. Pas long, hein ?

— Et elle prend la pilule ?

— Il va falloir poser la question à Jude, pour ce genre de détails.

— Vous êtes toujours ensemble ?

— J'en sais rien.

— Vous ne savez pas ?

— Non. Vraiment.

L'espace d'un instant, son masque sembla glisser.

— Elle ne supportait plus de me toucher. Elle ne voulait même plus que je la prenne dans mes bras. J'ai l'impression qu'elle se sent responsable de tout ça. Ça vous paraît sensé ?

— Oui.

— Ce qui me rend responsable à mon tour, quelque part.

— Je vois.

— Pas pour de vrai, s'empressa-t-il d'ajouter.

— Non.

— Donc, je pense que c'est fini, pour tout dire. Vous devriez être contente. Je suis dans les clous, à nouveau.

— Je ne dirais pas ça comme ça, répliqua Yvette.

Ce soir-là, on sonna à la porte de la maison des Lennox. Russell Lennox, au dernier étage, attendit que quelqu'un aille répondre. Mais Ted était sorti et

Judith sans doute aussi, songea-t-il – il aurait dû le savoir, évidemment. Ruth l'aurait su. Dora était dans sa chambre, et déjà au lit. Et pour une fois, Louise n'était pas là, en train de passer l'aspirateur avec son fichu bébé attaché à sa taille, ou de cuisiner, comme elle le faisait sans cesse. La sonnette retentit une fois de plus et Russell poussa un soupir. Il descendit pesamment l'escalier.

La femme qui se tenait sur le seuil ne lui disait rien, et elle ne se présenta pas aussitôt, se contentant de le dévisager comme si elle cherchait quelqu'un. Elle était grande et anguleuse, plutôt que mince, avec de longs cheveux noués lâchement en arrière et des lunettes retenues autour du cou par un cordon. Elle portait une longue jupe en patchwork, à l'ourlet taché de boue.

— J'ai pensé qu'il fallait que je vienne.

— Désolé... vous êtes ?

Sans répondre, elle se contenta de hausser les sourcils, presque amusée.

— Vous devriez me reconnaître, dit-elle enfin. Je suis le second dindon de la farce.

— Oh ! Vous voulez dire...

— Elaine Kerrigan, confirma-t-elle en avançant sa longue main fine, que serra Russell, avant de ne plus savoir comment la lâcher.

— Mais que faites-vous ici ? demanda-t-il. Que voulez-vous ?

— Ce que je veux ? Vous voir, j'imagine. Je veux dire, voir quelle tête vous avez.

— Quelle tête j'ai ?...

— Vous semblez claqué, déclara-t-elle, et des larmes montèrent soudain aux yeux de Russell.

— Je le suis.

— Mais en fait, je suis venue vous remercier.

— De quoi ?

— D'avoir cassé la gueule à mon mari.

— Je ne sais pas de quoi vous parlez.

— Grâce à vous, il a un bel œil au beurre noir.

— Vous faites erreur.

— Et une lèvre enflée, ce qui fait qu'il ne peut plus parler normalement. Et que je n'ai plus à écouter ses mensonges.

— Mrs Kerrigan...

— Elaine. Vous avez fait ce que je rêvais de faire. Je vous en suis reconnaissante.

Russell s'apprêtait à protester une fois de plus, puis renonça et se fendit d'un sourire.

— Mais il n'y a pas de quoi, répondit-il. Entrez, je vous en prie. Vous êtes peut-être la seule personne au monde à laquelle j'aie envie de parler.

Quarante

Cette fois-ci, Frieda n'eut pas besoin de presser la sonnette. Lawrence Dawes était sur le pas de sa porte, en compagnie d'un autre homme. Dawes se trouvait au sommet d'une échelle, et l'autre la maintenait. Quand Frieda se présenta, il tourna la tête, sourit et descendit les barreaux avec précaution.

— Désolé, dit-il, j'ai oublié votre nom.

Frieda le lui rappela, et il hocha la tête.

— J'ai un vrai problème avec les noms, je vous prie de m'en excuser. Je me souviens très bien de vous. Je vous présente mon ami, Gerry. Il me donne un coup de main pour le jardin, et moi pour le sien, ensuite on boit un verre pour fêter ça. Et cette femme est psychiatre, alors fais gaffe à ce que tu dis.

Gerry avait plus ou moins le même âge que Dawes, mais pas du tout la même allure. Il était vêtu d'un short à carreaux qui lui arrivait aux genoux et d'une chemise à manches courtes également à carreaux, mais d'un autre genre, l'ensemble fatiguait pour le moins la vue. Ses jambes et ses bras étaient fins, secs, et très bronzés. Il arborait une petite moustache grise très légèrement irrégulière.

— Vous êtes voisins ? s'enquit Frieda.

— Presque, répondit Gerry. On partage la même rivière.

— Gerry se trouve quelques maisons plus loin, en amont par rapport à moi, répondit Dawes. Il peut polluer mon courant, et je ne peux pas polluer le sien.

— Vieux bougre, va... rétorqua Gerry.

— On vient de soigner mes roses, ajouta Dawes. Elles ont bien poussé, là, et on essaie de les palisser. Genre, autour de la porte, vous voyez ? Vous aimez les roses ?

— Oui, plutôt, répondit Frieda.

— On allait boire un thé, continua Dawes.

— Ah oui ? répliqua Gerry.

— On est toujours sur le point de boire un thé. Soit on vient de le prendre, soit on s'apprête à le boire, ou les deux. Vous vous joignez à nous ?

— Quelques minutes, seulement, répliqua Frieda. Je ne veux pas vous empêcher de travailler.

Dawes remisa son échelle – « Les gosses piquent tout ce qui traîne », justifia-t-il – et ils traversèrent la maison pour se rendre à l'arrière, sur la pelouse. Frieda prit place sur le banc et les deux hommes ressurgirent avec, à la main, des mugs, une théière, un pot de lait et une assiette de biscuits au chocolat. Ils disposèrent le tout sur une petite table en bois. Dawes versa le thé et tendit un mug à Frieda.

— Je sais ce que vous pensez, dit-il.

— Quoi ? se défendit Frieda.

— Vous êtes psychiatre.

— Euh, psychothérapeute, plutôt.

— Chaque fois que vous venez, je suis en train de bricoler. Je retourne le jardin, je prends soin de mes roses. Ce que vous pensez, c'est que je me dis que si j'embellis suffisamment ma maison, ma fille aura envie d'y revenir.

Il sirota son thé.

— J'imagine que ça doit être un des problèmes, quand on fait votre métier.

— Quoi donc ? s'étonna Frieda

— On ne peut jamais s'asseoir simplement dans son jardin, et boire une agréable petite tasse de thé en papotant, sans se poser de questions. Les gens se disent : Ah, si je dis ça, elle va penser ça, et si je dis ça, elle pensera ça. Ça doit être difficile pour vous de la mettre en veilleuse.

— Je ne pensais rien de tout ça, du tout. En vérité, je ne faisais réellement que boire ce thé sans penser à vous le moins du monde.

— Ah, bien, répliqua Dawes. Et donc, à quoi pensiez-vous, alors ?

— Au petit ruisseau au fond de votre jardin. Je me demandais si je pouvais l'entendre, mais je n'y arrive pas.

— Quand il a plu davantage, on l'entend, même de l'intérieur de la maison. Servez-vous.

Il fit glisser l'assiette de biscuits en direction de Frieda, qui secoua la tête.

— Je vous remercie, ça va.

— Vous n'avez pas l'air d'aller bien, non, rétorqua Dawes. Vous avez la tête de quelqu'un qui a besoin qu'on l'engraisse. Tu ne trouves pas, Gerry ?

— Ne vous laissez pas embêter, répliqua Gerry. On dirait ma vieille mère. Toujours à vouloir que tout le monde vide son assiette.

Ils restèrent assis en silence quelques minutes. Frieda crut percevoir, à peine, le doux murmure du courant.

— Alors, quel bon vent vous amène ? finit par demander Dawes. C'est votre jour de congé, à nouveau ?

— Je ne travaille pas vraiment, pour l'instant. Je suis en congés tout court.

Dawes lui resservit du thé et du lait.

— Vous savez ce que je crois ? dit-il. Je pense que vous êtes en congé parce que vous êtes censée vous reposer. Au lieu de quoi, vous vous êtes mise en chasse.

— Je me fais du souci pour votre fille, répondit Frieda. Vous pouvez le comprendre ?...

Le sourire s'évanouit sur la figure de Dawes.

— Je me fais du souci pour elle depuis sa naissance. Je me rappelle encore la première fois que je l'ai vue : couchée dans le berceau à côté du lit de ma femme, dans la salle. Je me suis penché sur elle, et elle avait une petite fossette sur le menton, comme moi. Regardez.

Il se toucha le bout du menton.

— Et je lui ai dit alors – à moins que ce ne soit à moi-même –, que j'allais la protéger à jamais. Je ferais en sorte qu'il ne lui arrive jamais rien. Et j'ai échoué. J'imagine qu'on ne peut jamais protéger une enfant autant qu'on le voudrait, surtout une fois qu'elle a grandi. Mais j'ai échoué, aussi gravement qu'il est possible de le faire.

Frieda regarda les deux hommes. Gerry avait le nez plongé dans son thé. Peut-être n'avait-il jamais entendu son ami parler aussi ouvertement ni avec autant d'émotion jusqu'ici.

— La raison pour laquelle je suis ici, reprit Frieda, c'est que je voulais vous tenir au courant de ce que j'avais fait. J'espérais pouvoir trouver votre fille mais je ne suis pas parvenue à grand-chose. J'ai eu des nouvelles par quelqu'un qui la connaissait vaguement.

— Qui ça ?

— Une dénommée Maria. Ce n'est même pas moi qui l'ai rencontrée, et les infos dont je dispose sont donc de seconde main. Mais apparemment, elle a mentionné un certain Shane, plus ou moins ami avec votre fille. Ou, en tout cas, plus ou moins en relation avec elle. Je n'ai pas de nom de famille, et je ne sais rien de lui. Je me suis demandé si ce nom vous disait quelque chose.

— Shane ? répéta Dawes. C'était un petit ami ?

— Je n'en sais rien. Je n'ai que son nom. Il pouvait s'agir d'un ami, ou d'une sorte d'associé. À moins qu'il ne s'agisse que d'un malentendu, pour finir. Cette femme était assez vague, je crois.

Dawes secoua lentement la tête.

— Je ne connais personne de ce nom. Mais comme je vous l'ai dit lors de notre première rencontre, ces dernières années, je ne savais plus rien des amis de ma fille. Je crois qu'elle fréquentait différents milieux. Les seuls noms qu'il me reste datent de l'école, et elle avait cessé de les voir, tous.

— Mr Dawes...

— Larry, je vous en prie.

— Larry, j'espérais que vous pourriez me donner les noms de ses amis. Si je leur parlais, peut-être que je pourrais obtenir quelque chose.

Dawes lança un regard à son ami.

— Je suis désolé, répondit-il. Je suis sûr que vous êtes quelqu'un de bien et je suis touché qu'on puisse se soucier de ma fille. Dieu sait si la plupart l'ont déjà oubliée. Mais si vous avez des doutes, pourquoi ne pas aller trouver la police ?

— Parce que c'est tout ce dont je dispose : des doutes, des intuitions. Je connais des gens, dans la police, et ça ne leur suffira pas.

— Et pourtant, vous êtes venue jusqu'ici deux fois, et juste parce que vous aviez des « intuitions ».

— Je sais, répliqua Frieda. Ça a l'air idiot, mais je ne peux pas m'en empêcher.

— Je suis désolé, redit Dawes. Je ne peux pas vous aider.

— Il me faudrait juste quelques numéros de téléphone.

— Non. Je suis passé par là trop de fois. Pendant des mois j'ai cherché, je me suis rongé les sangs et j'ai nourri de faux espoirs. Si vous trouvez quoi que ce soit de substantiel, alors dites-le à la police, simplement, ou alors venez me voir, et je ferai ce que je pourrai. Mais je ne peux pas remuer tout ça, à nouveau... c'est au-dessus de mes forces, c'est tout.

Frieda reposa son mug sur la table et se leva.

— Je comprends. C'est bizarre. Ça devrait être facile de trouver une personne disparue, de nos jours.

— Quelquefois, oui, répondit Dawes. Mais quand quelqu'un veut vraiment disparaître, alors il peut rester introuvable.

— Vous avez raison. Peut-être qu'en fait, je ne suis venue que pour vous dire que j'étais désolée.

Dawes sembla décontenancé.

— Désolée ? Et pourquoi donc ?

— Diverses raisons. J'ai tenté de retrouver votre fille et j'ai échoué. Et je me suis maladroitement mêlée de votre chagrin. J'ai un don pour ça, on dirait.

— Peut-être parce que c'est votre métier, Frieda ?

— Oui, mais en général, les gens me le demandent avant que je ne m'en mêle.

Dawes eut soudain l'air lugubre.

— Vous venez de réaliser ce que j'ai compris voici un moment, maintenant. On croit pouvoir protéger les gens, prendre soin d'eux mais parfois, ils ne font que se dérober.

Frieda regarda les deux hommes, assis là comme un vieux couple paisible.

— Et je vous ai interrompu dans votre travail, également, ajouta-t-elle.

— Il a besoin qu'on l'interrompe, corrigea Gerry avec un sourire. Autrement, il ne s'arrête jamais de jardiner, de construire, de retaper, de repeindre.

— Merci pour le thé. J'ai passé un bon moment, assise au jardin en votre compagnie, messieurs.

— Vous retournez à la gare ? s'enquit Gerry.

— Oui.

— Je pars du même côté, je vous accompagne.

Ils repartirent ensemble. Gerry insista pour lui porter son sac, bien que Frieda n'y tienne pas du tout. Il marchait d'un bon pas à ses côtés, dans ses carreaux multicolores et dépareillés, sa moustache de travers, un sac à main en cuir incongru pendu à son épaule, et durant quelques minutes, nul ne prit la parole.

— Vous avec un jardin ? s'enquit enfin Gerry.

— Pas vraiment. Une courette, plutôt.

— La terre, c'est ce qui compte le plus. Le plaisir d'y plonger ses mains, de manger ce qu'on a produit soi-même. Vous aimez les fèves ?

— Oui, répondit Frieda.

— De la plante à la poêle. Y a rien de tel. Lawrence jardine pour ne pas ressasser.

— Au sujet de sa fille, vous voulez dire ?

— Il l'adorait.

— Je suis désolée si j'ai remué des souvenirs douloureux.

— Non. Ce n'est pas comme s'il oubliait jamais. Il ne fait que l'attendre, et se demande toujours où il a fauté. Mais mieux vaut rester actif. Bêcher, amender sa terre, semer, récolter.

— Je comprends.

— Je crois, oui. Mais n'allez pas faire renaître l'espoir chez lui si ça ne doit mener à rien.

— Ce n'est pas mon intention.

— C'est l'espoir qui le détruira. Rappelez-vous de ça, et allez-y doucement.

Sur le trajet du retour, à bord du train, Frieda regardait par la fenêtre sans rien voir. Elle ressentait une forme d'inachèvement, d'échec douloureux, et par-dessus tout, une grande lassitude.

Elle passa un dernier coup de fil. Ensuite, elle aurait fait tout ce qui était en son pouvoir, se dit-elle, pour venir en aide à une fille qu'elle n'avait jamais rencontrée et avec laquelle elle n'avait aucun lien, et dont l'histoire s'était pourtant à jamais gravée dans son esprit.

— Agnes ? dit-elle, quand la femme répondit. Ici Frieda Klein.

— Vous avez trouvé quelque chose ?

— Rien du tout. Je voulais juste vous poser une question.

— Quoi ?

— Apparemment, Lila connaissait un dénommé Shane. Ça vous dit quelque chose ?

— Shane ? Non, je ne crois pas. J'ai rencontré plusieurs de ses nouveaux copains, surtout dans ce pub minable, l'Ancre. Ils traînaient tout le temps là-bas. Peut-être qu'il y avait un Shane dans le tas, mais je ne me souviens pas de lui. Je ne me rappelle aucun de leurs noms.

— Merci.

— Vous ne la retrouverez pas, hein ?...

— Non. Je ne pense pas.

— Pauvre Lila. Je ne sais pas pourquoi vous vous êtes donné tant de mal. Vous en avez plus fait pour elle que tous ceux qui la connaissaient. Comme si votre vie en dépendait.

Ces derniers mots frappèrent douloureusement Frieda. L'espace d'un instant, elle garda le silence. Puis elle dit :

— On tente le coup une dernière fois ? Ensemble ?

Peut-être Chloë t'aura-t-elle dit que j'ai appelé chez toi et que je lui ai parlé. Elle a dit que tu allais bien. Mais elle semblait un peu distraite. Il y avait beaucoup de bruit dans le fond. Tu ne le sais sans doute pas, mais j'ai aussi appelé Reuben, qui m'a dit que tu n'allais *pas* bien, que tout le monde s'inquiète pour toi mais que personne n'arrive vraiment à t'atteindre. Que se passe-t-il, putain, Frieda ? Va-t-il falloir que je saute dans un avion et que je tambourine à ta porte jusqu'à ce que tu sois obligée de me répondre enfin ? Sandy.

Quarante et un

— Je ne pige pas.

Agnes, vêtue d'un bas de survêtement informe et d'un haut à capuche gris aux manches élimées, était assise à côté de Frieda dans un taxi. Elle semblait fatiguée. Il pleuvait et, au travers des fenêtres mouillées, plongées dans l'obscurité, elles ne distinguaient que les lueurs mouvantes des voitures et les masses informes des bâtiments. Frieda songea qu'elle aurait pu être chez elle à cette heure-ci, dans une maison vide, enfin, après tant de semaines de dérangement. Elle aurait pu s'allonger dans sa nouvelle baignoire, ou bien jouer aux échecs, ou s'installer dans son atelier, dessiner et réfléchir, les yeux rivés sur la nuit pluvieuse.

— Piger quoi ? répliqua-t-elle doucement.

— J'étais au lit, avec un roman et une tasse de thé, tout bien confortable. Et voilà que vous me téléphonez à l'improviste et que tout d'un coup, je me retrouve en route pour un petit pub minable rempli de filles complètement défoncées avec Dieu sait quoi, et d'hommes tatoués à l'œil torve, pour la seule raison que Lila y traînait dans le temps. Pourquoi ?

— Pourquoi y allez-vous ?

— Non. Moi, je sais pourquoi j'y vais : Lila était ma copine. S'il existe une chance que je la retrouve, je dois le faire. Mais pourquoi y allez-vous, *vous* ? Qu'est-ce que vous en avez seulement à fiche, pour commencer ?

Frieda était fatiguée de se poser la même question. Elle ferma les yeux et pressa ses doigts froids sur ses globes oculaires fiévreux et endoloris. Elle voyait le visage blanc de Ted Lennox, tel un pétale sur de l'eau noire, et le regard farouche, accusateur, de Chloë.

— De toute façon, on y est, conclut Agnes dans un soupir. Jamais je n'aurais cru que je remettrais les pieds ici un jour.

Frieda ordonna au chauffeur de taxi de les attendre, et toutes deux sortirent sous la pluie. Une musique rythmée s'échappait de l'Ancre, et quelques fumeurs s'étaient agglutinés à côté de la porte. L'extrémité de leurs cigarettes rougeoyait et des relents de fumée nauséabonds s'attardaient autour d'eux.

— Finissons-en. Vous voulez que je cherche toute personne que je pense avoir vue traîner avec Lila ?

— Oui.

— Il y a deux ans.

— C'est ça.

— Parce que nous devons trouver un dénommé Shane.

— Oui.

— Vous êtes sûre que ça va bien ?

Elles jouèrent des épaules parmi les fumeurs pour entrer dans le pub, si l'on pouvait l'appeler ainsi. Frieda se rendait rarement au pub : elle détestait l'odeur de bière et l'irritante musique rock, les lumières des juke-box. Et voilà qu'elle sentait des douzaines de regards posés sur elles sur leur passage : l'endroit ne devait pas être de ceux où venaient boire les étrangers par hasard. C'était une salle sombre qui s'étirait à perte de vue, remplie de gens, d'hommes surtout, attablés ou debout au bar ou dans les coins. Quelques femmes traînaient en marge des groupes ; Frieda aperçut leurs jupes courtes et leurs cuisses blanches à peine couvertes, leurs chaussures à talon aiguille et leur maquillage ; elle perçut leurs rires, aigus, hystériques. Il faisait chaud dans cette longue pièce mal éclairée, et ça sentait le renfermé. Un homme trébucha et manqua tomber devant elles, petit et trapu, avec de la salive, luisante, sur la joue, tandis que le verre qu'il tenait à la main s'écrasait par terre dans un éclaboussement.

— On commande à boire ? s'enquit Agnes.

— Non.

Ensemble, elles se frayèrent un chemin dans la foule, tandis qu'Agnes scrutait les visages un à un, clignant des yeux, le front barré par la concentration.

— Alors ? demanda Frieda.

— J'en sais rien. Lui, peut-être.

Elle se glissa, épaule rentrée, en direction d'une petite table au fond d'une stalle. Une femme était assise sur les genoux d'un homme, ils s'embrassaient et se tripotaient sans vergogne, à côté d'un autre homme qui les observait, imperturbable, comme s'ils étaient des animaux au zoo. Il était rachitique, avec des cheveux peroxydés, un teint pâle et une ligne de minuscules boutons rouges courant comme des points de suture le long de son front.

— Bien.

Frieda s'avança et lui tapa sur l'épaule. Il la regarda. Ses pupilles étaient immenses, et lui conféraient une tête d'extraterrestre.

— Je peux vous dire un mot ? demanda-t-elle.

— Qui êtes-vous ?

— Je cherche Shane.

— Shane.

Ce n'était pas une question, rien qu'un écho.

— Shane quoi ?

Le couple d'à côté cessa de se bécoter et se sépara. La femme se pencha en avant et but une grande gorgée du verre posé sur la table. Son visage était dénué d'expression.

— Shane, qui connaissait Lila Dawes.

— Je connais aucune Lila.

— Mais vous connaissez Shane ?

— J'ai connu un Shane, dans le temps, mais ça fait un bail que je l'ai pas vu. Il vient plus ici.

— L'est en taule, intervint la femme d'à côté, d'une voix neutre.

Elle reboutonnait sa chemise – de travers, constata Frieda. L'homme sur les genoux duquel elle était assise tenta de la ramener à lui mais elle le repoussa.

— Vous le connaissez ?

— Vous connaissez Lila ? ajouta Agnes d'une voix anxieuse, presque implorante.

— C'était une des filles qui traînaient avec Shane, non ?

— Pourquoi Shane est-il allé en prison ?

— Il a frappé quelqu'un, je crois, répondit la blonde, avec une bouteille.

— Il y est encore ?

— J'en sais rien. Faudrait poser la question à Stevie, il connaît Shane.

— Où puis-je trouver Stevie ?

— Juste derrière vous, dit une voix.

Se retournant, Frieda et Agnes découvrirent une armoire à glace, à la tête rasée, et au visage étrangement doux et féminin.

— Vous lui voulez quoi, à Shane ?

— Le trouver, c'est tout.

— Pourquoi ?

— Il connaissait mon amie, coupa Agnes, d'une voix qui trembla légèrement.

Frieda posa une main sur son bras pour la rassurer.

— Quelle amie ?

— Lila. Lila Dawes.

— Lila ? Shane avait tellement d'amis.

— C'était un mac ? demanda Frieda, d'une voix froide et claire dans la pièce surchauffée.

— Vous devriez faire gaffe à ce que vous dites, répliqua Stevie.

— Il est toujours en prison ?

— Non, il n'a fait que quelques mois. Bonne conduite.

— Vous savez où je peux le trouver, à présent ?

Stevie sourit, non pas à Frieda mais au blond assis à table.

— Vous savez ce qu'il fait, notre Shane, aujourd'hui ? Il travaille dans un refuge pour chevaux, dans l'Essex. Il nourrit les poneys maltraités par leurs propriétaires. Ils en ont de la chance, hein, ces poneys.

— Où ça, dans l'Essex ?

— Pourquoi tenez-vous à le savoir ? Z'avez un cheval, dont vous ne voulez plus ?

— Je veux lui parler.

— Pas loin d'une autoroute.

— Quelle autoroute ?

— La A12. Un nom débile. Genre Marguerite ou Tournesol.

— Lequel des deux ?

— Tournesol.

— Merci, répondit Frieda.

— C'est ça. Et allez vous faire foutre.

Jim Fearby était pratiquement parvenu au bout de sa liste : originaire du sud de Londres, Sharon Gibbs, 19 ans, avait été vue pour la dernière fois un mois auparavant, à peu près. Ses parents n'avaient pas immédiatement signalé sa disparition – d'après le rapport de police qu'il avait sous les yeux, elle était plus ou moins « sans attaches » ; l'une de celles qui peuvent disparaître à dessein. Même au travers de ce langage bureaucratique, Fearby percevait de l'indifférence, une absence d'espoir. Encore une impasse, on dirait.

Mais quand il se planta face à sa grande carte et qu'il étudia de nouveau les petits drapeaux punaisés dessus, il ressentit le frémissement d'excitation qui lui avait permis de tenir bon durant cette étrange enquête diligentée par lui seul. Il lui parut clairement qu'un schéma s'offrait à lui. Mais ensuite – quand enfin il se rassit dans son bureau avec son whisky, ses clopes, enfumant la pièce et encrassant la fenêtre, entouré de ses boules de papier froissé, de ses cendriers débordant de mégots, de ses cartons de plats à emporter, de ses mugs de café à moitié bus, de ses piles de livres feuilletés puis délaissés –, le schéma s'estompa.

Il regarda autour de lui, considérant soudain les objets comme les verrait un étranger. C'était le souk, pas de doute là-dessus, mais un chaos de maniaque. Les murs étaient tapissés de cartes, de photos de filles et de jeunes femmes, de Post-it avec des numéros notés dessus. On aurait dit l'intérieur d'un pervers obsessionnel, d'un psychopathe. Si sa femme était entrée à présent, ou ses enfants... Il pouvait se figurer leurs expressions incrédules et de dégoût. Il était vêtu d'habits élimés, il avait besoin de se raser, de se faire couper les cheveux, il puait le tabac et l'alcool. Mais s'il avait raison, si les visages qui le fixaient depuis ses murs avaient tous été éliminés par la même personne, alors tout cela serait justifié et il serait un héros. Certes, s'il avait tort, il finirait pauvre vieux fou solitaire, un échec ambulant.

Ça ne servait à rien de raisonner ainsi : il était allé trop loin et en avait trop fait. Il devait se raccrocher à son intuition du début et persévérer, maintenir ses doutes à distance. Il soupira et s'empara de son baise-en-ville, des clés de sa voiture, de ses cigarettes, et referma la porte de sa maison sale aux relents confinés, avec soulagement.

Brian et Tracey Gibbs habitaient un appartement situé au premier étage dans les quartiers sud de Londres, à l'endroit où la densité citadine se dissolvait en banlieues. Ils étaient pauvres, Fearby le comprit aussitôt. Leur appartement était petit et le salon où ils l'invitèrent à entrer avait besoin d'être repeint. Il savait, d'après la coupure de journal, qu'ils avaient une quarantaine d'années, mais ils paraissaient plus âgés – et il ressentit une bouffée de colère. Les classes moyennes, aisées, peuvent ruser avec le temps, alors que les Gibbs et leurs semblables sont usés par les années, peu à peu effacés. Brian Gibbs était maigre et comme désolé d'être là. Tracey Gibbs était plus forte et, au début, plus agressive. Elle tenait à dire à Fearby qu'ils avaient fait de leur mieux, qu'ils avaient été de bons parents, qu'ils n'avaient jamais rien fait pour mériter ça. Leur seule enfant. Ce n'était pas leur faute. Tout ce temps-là, son époux garda le silence, assis à côté d'elle.

— Quand l'avez-vous vue pour la dernière fois ? demanda Fearby.

— Il y a six semaines, plus ou moins.

— Et quand avez-vous signalé sa disparition ?

— Il y a trois semaines et demie. On ne savait pas, s'empressa-t-elle d'ajouter, sur la défensive. C'est une adulte. Elle habite chez nous mais va et vient à sa guise. Il se passait parfois des jours sans que…

Elle hésita.

— Vous savez comment c'est.

Fearby hocha la tête. Il le savait, en effet.

— Je peux voir une photo ?

— Ici.

Tracey Gibbs pointa du doigt un portrait encadré de Sharon : un visage rond, au teint clair, des cheveux bruns coupés au carré, bien nets, une petite bouche souriant à l'adresse de l'appareil. Fearby avait vu trop de jeunes femmes souriant pour la photo, récemment.

— Elle va s'en sortir ? implora Brian Gibbs, comme si Fearby était Dieu le Père.

— Je l'espère, répondit-il. Croyez-vous qu'elle soit partie de son plein gré ?

— C'est ce que pensent les flics.

La réplique, assénée d'un ton amer, émanait de la mère.

— Et vous non ?

— Elle s'est mise à fréquenter des gens louches.

— Qui donc ?

— Le pire, c'était ce Mick Doherty. Je lui ai dit ce que je pensais de lui mais elle n'a rien voulu entendre.

Elle entrecroisa ses doigts, fort : son alliance lui rentrait dans les chairs et le vernis de ses ongles était écaillé, constata Fearby. Elle semblait négligée. Le vieux pull-over de Brian Gibbs présentait des trous de mites. Une fêlure courait sur le mug de thé qu'ils lui avaient remis et son rebord était ébréché.

— Je vois, dit-il d'une voix qu'il tenta de garder neutre et encourageante.

— Je sais où il travaille. La police ne s'est même pas donné cette peine mais je peux vous dire où le trouver.

— D'accord.

Il nota l'adresse. Il n'avait rien à perdre, se dit-il, et rien d'autre à faire, de toute façon, nulle part où se rendre, à présent.

Quarante-deux

Karlsson ouvrit le dossier. Yvette prenait des notes dans son calepin, Riley et Munster avaient l'air de s'ennuyer, Hal Bradshaw envoyait un texto. Il remarqua le regard furieux de Karlsson et reposa le téléphone sur la table mais continua de lancer des coups d'œil dessus. Karlsson ôta sa montre et l'allongea à côté du dossier.

— Nous allons consacrer cinq minutes à cette affaire, commença-t-il, parce que c'est à peu près tout ce dont je suis capable et ensuite, il faudra partir chacun de son côté et tenter de la résoudre. Vous savez ce que j'aimerais ? J'aimerais que Billy Hunt l'ait tuée et qu'il soit enfermé en lieu sûr derrière des barreaux et que nous n'ayons pas ouvert cette boîte de Pandore et découvert toutes ces histoires d'adultère, d'alcoolisme, de drogues, et de coucheries avec mineure.

— Peut-être que c'est Billy Hunt, après tout, suggéra Riley.

— Ce n'est pas Billy Hunt.

— Peut-être que son alibi est défectueux. Peut-être que l'heure indiquée par les caméras de surveillance n'était pas la bonne.

— Soit, répondit Karlsson. Vérifiez. Si vous pouvez faire tomber son alibi, vous êtes un héros. Sur ce, retour à la réalité. Vous vous rappelez quand nous avons découvert le corps, il y a plusieurs jours ? Je me demandais qui pouvait bien vouloir tuer cette gentille mère de trois enfants. Maintenant, ça se bouscule au portillon. On commence par qui ? Il y a Russell Lennox, déjà : mari trompé, problème d'alcool, tendance à la violence.

— Rien ne nous dit que c'est lui qui a tabassé Paul Kerrigan.

— Non, mais je serais prêt à le parier.

— Et il n'était pas au courant de la liaison de sa femme, corrigea Munster.

— Vous voulez dire qu'il *soutient* qu'il n'en savait rien.

— Il y avait son empreinte sur le rouage, en plus de celles de Billy, interjeta Yvette.

— Parce que cet objet lui appartenait. Mais bon, il n'en reste pas moins que c'est très vraisemblable. Il confronte sa femme, s'empare de ce machin, cette roue, là. Y a juste cette histoire d'alibi qui coince, évidemment. Alors on continue de faire pression sur lui. Leurs enfants étaient à l'école, et ce ne sont que des enfants. Mais voilà que nous avons Judith, et son jules, le cauchemar de n'importe quel parent. Ruth découvre son existence, convient d'un rendez-vous chez eux, brandit la loi, et le menace. Il s'empare du rouage. Je l'aime pas, ce Zach Greene. Il me plaît pas du tout. Ce qui ne constitue malheureusement pas un élément à charge. Quelqu'un a quelque chose à ajouter ?

Il regarda autour de lui.

— Me disais bien... Mais on ferait bien de faire pression sur lui un peu plus. Où a-t-il dit qu'il était, cet après-midi-là, Yvette ?

Yvette rosit.

— En fait, il ne l'a pas dit, marmonna-t-elle.

— Comment ça ?

389

— Je lui ai posé la question. Mais maintenant que vous en parlez, je me rends compte qu'il ne m'a pas répondu. Il m'a baratiné sur le fait qu'ils étaient des adultes consentants, il a détourné mon attention.

Karlsson la dévisagea.

— Il a détourné votre attention ? répéta-t-il d'un ton aimable et froid.

— Désolée. C'était idiot de ma part. Je vais le rappeler.

Il consulta ses papiers un instant. Il n'avait pas envie de lui passer un savon devant Riley et Bradshaw mais il lui fallut prendre sur lui.

— Passons à la suite. Nous avons les Kerrigan. Il veut rompre avec elle. Ou alors, elle apprend, pour son autre liaison. Elle le confronte. Il s'empare de la roue.

— Elle le ferait chez elle ? coupa Yvette. Ça ne serait pas plus logique à l'appart ?

— Elle a pu le menacer à l'appart, répondit Bradshaw. Elle a pu lui dire qu'elle comptait informer sa femme. Pour lui, la confronter et la tuer chez elle, çe serait un prêté pour un rendu. En la démasquant sous son propre toit, dans sa maison de famille.

Karlsson fronça les sourcils à l'adresse de Bradshaw.

— Je croyais que votre hypothèse était que le meurtrier était un solitaire, sans domicile fixe, qu'il n'avait pas de liens familiaux, et que son meurtre était une forme d'amour.

— Ah, oui, se rappela Bradshaw. Mais à dire vrai, Kerrigan était un solitaire, séparé de ses proches, et en raison de cet appartement de location, il était de fait sans domicile fixe et on peut soutenir que le meurtre était une ultime manifestation d'amour désespérée, la fin d'un amour.

Ce que Karlsson aurait réellement aimé faire, c'était se pencher, saisir le téléphone portable de Bradshaw et lui abattre sur la tête à plusieurs reprises. Mais il ne dit rien.

— Et enfin, nous avons la femme de Kerrigan, Elaine. L'épouse humiliée. Elle découvre, pour Ruth, la confronte, s'empare du rouage.

— Mais elle n'était pas au courant de cette liaison, corrigea Yvette. Elle ne connaissait même pas Ruth de nom ni ne savait où elle habitait.

— Peut-être que si, suggéra Munster. Elles savent toujours.

— Qu'entends-tu par « elles » ?

Yvette le fusilla du regard.

— Les femmes.

Le ton coupant d'Yvette mit Munster mal à l'aise.

— Tu sais, quand les maris trompent leurs femmes, elles le savent, en leur for intérieur. En tout cas, c'est ce qui se raconte.

— Foutaises, rétorqua Yvette, catégorique.

— Bref, notre idée, c'est que quelqu'un savait, coupa Karlsson. Quelqu'un qui a pu fourrer cette poupée tailladée dans la boîte aux lettres des Lennox en guise d'avertissement.

— Ce n'est peut-être qu'une coïncidence.

— Selon moi, glissa Bradshaw avec un sourire modeste, coïncidence est synonyme de...

— Vous avez raison, coupa Karlsson d'un ton ferme. Il peut s'agir d'une coïncidence. Il est possible que ce soient les charmants camarades de classe de Dora qui l'aient persécutée. Vous lui avez reparlé, Yvette ?

Yvette hocha la tête.

— Elle a dit qu'elle avait cru que ça lui était destiné. Et elle pense que c'est arrivé vers l'heure du déjeuner. Ça l'a profondément perturbée. Mais elle n'avait pas trop envie d'en parler – d'après ce que j'ai compris, ça va mieux à l'école depuis qu'on a tué sa mère. Tout le monde veut être son ami, soudain.

Elle fit une grimace de dégoût.

— OK. Donc, de deux choses l'une : ou la poupée est un indice, ou elle n'en est pas un. Peut-être pourrions-nous interroger la directrice de l'école pour voir si elle peut nous éclairer sur la question. Ensuite, qu'en est-il des fils ?

— Josh et Ben Kerrigan ?

Yvette fit la grimace, à nouveau.

— Les deux sont plutôt arrogants et fâchés. Mais Josh était à Cardiff, apparemment – même s'il n'a pas été en mesure de me sortir un alibi concret à part qu'il était au lit avec sa petite amie, qui confirme que c'était sans doute le cas. Rien n'indique, sur ses relevés bancaires, qu'il se soit servi de sa carte pour acheter un billet de train ou quoi que ce soit. Mais ça ne signifie pas grand-chose – comme il l'a lui-même fait remarquer, il aurait pu régler en espèces. Son petit frère, Ben, était en cours à ce qu'il semble. Sa prof n'arrive pas à se rappeler s'il était là, mais ne se souvient pas non plus de son absence, et pense qu'elle aurait remarqué.

— Parfait.

— Et pour Louise Weller ? s'enquit Yvette. Elle est arrivée sur les lieux assez vite.

— Sur les lieux ?

Karlsson secoua la tête.

— Elle est venue apporter son aide.

— C'est une forme courante d'expression de culpabilité, expliqua Bradshaw avec complaisance. Les auteurs de crime aiment bien se mêler de l'enquête.

— Quoi ? La mère de trois enfants tue sa sœur ?

— Vous ne pouvez pas écarter cette hypothèse, répliqua Bradshaw.

— C'est moi qui détermine qui on suspecte ou pas. Mais vous avez raison. Nous l'interrogerons, à nouveau. Ainsi que les fils Kerrigan. Autre chose ?

— Samantha Kemp, suggéra Riley.

— Quoi ?

— La femme que fréquentait Kerrigan.

— Oui, je sais qui c'est, mais...

Karlsson se tut un instant.

— Va falloir lui parler de toute façon, pour vérifier l'assertion de Kerrigan selon laquelle il était avec elle cet après-midi-là. Peut-être allons-nous découvrir qu'elle a un petit ami jaloux.

Il referma son dossier bruyamment.

— Bon, ça ira comme ça. Yvette, vous vérifiez cet alibi. Chris, vous interrogez cette Samantha Kemp. Et, pour l'amour du ciel, que l'un d'entre vous me ramène quelque chose.

Quarante-trois

Yvette ruminait toujours quand elle quitta la pièce. Elle sentait le regard compatissant que posait sur elle Chris Munster, ce qui ne faisait qu'empirer les choses. Elle lui répondit sèchement quand il lui demanda si elle voulait un café et s'assit d'un mouvement brusque à son bureau.

Tout d'abord, elle appela Zach sur son lieu de travail dans le quartier de Shoreditch, mais la femme qui prit l'appel répondit qu'il n'était pas là ce jour-là – il ne travaillait pas à temps plein et de fait, n'était pas le plus fiable des employés. Aussi composa-t-elle le numéro de son portable, pour tomber directement sur sa messagerie, puis son numéro fixe, qui sonna dans le vide de façon interminable. Elle poussa un soupir et enfila sa veste.

Alors qu'elle s'en allait, elle croisa Munster une fois de plus.

— Tu vas où ? s'enquit-elle.

— Voir Samantha Kemp. Et toi ?

— Voir ce foutu Zach Greene.

— Ça te dirait que je ?…

— Non, ça me dirait pas.

Samantha remplissait une mission pour une société d'appareils photo numériques à deux pas de Marble Arch. Elle retrouva Munster dans la petite salle dédiée aux visiteurs, au premier étage : sa fenêtre donnait sur un magasin de saris.

Quand elle entra dans la pièce, Munster fut surpris de constater à quel point elle était jeune. Paul Kerrigan était un homme d'âge mur, grassouillet, aux cheveux grisonnants, mais Samantha Kemp, 20 ans et des poussières, était sagement vêtue d'une jupe noire et d'une chemise blanche impeccablement repassée. Ses bas étaient filés, de la cheville jusqu'au genou, qu'elle avait joli. Ses cheveux, d'un blond argenté et vaporeux, auréolaient son visage blanc aux traits réguliers.

— Merci de me recevoir. Je n'en aurai pas pour longtemps.

— De quoi s'agit-il ?

Elle était nerveuse, Munster le voyait : elle ne cessait de frotter ses paumes sur sa jupe.

— Est-il exact que vous connaissez Paul Kerrigan ?

— Oui. Il m'arrive de travailler pour sa société quelquefois. Pourquoi ?

Une rougeur se diffusa sur son teint clair, et même en se dissipant, la couleur laissa de légères traces sur les joues.

— C'est à quel sujet ?

— Vous rappelez-vous ce que vous faisiez le mercredi 6 avril ?

Elle ne répondit pas.

— Eh bien ?

— Je vous ai entendu. C'est juste que je ne pige pas où vous voulez en venir. Pourquoi devrais-je vous confier quoi que ce soit sur ma vie privée ?

— Mr Kerrigan dit que vous étiez avec lui l'après-midi et le soir du mercredi 6 avril.

— Avec lui ?

— Oui.

— Ça pose un problème ?

— À vous de me le dire.

— Il est peut-être marié, mais c'est à lui de faire attention, c'est son problème, pas le mien.

— Mercredi 6 avril.

— Il n'est pas heureux, vous savez.

— Peu importe.

— Non, il ne l'est pas.

Avec horreur, Munster constata qu'elle était sur le point de pleurer, des larmes se formaient dans ses yeux bleu-gris.

— Et je le réconforte. Il n'est pas question que je me laisse culpabiliser pour ça.

— Ce qui compte, c'est : l'avez-vous réconforté le mercredi 6 avril ?

— Il a des ennuis ?

— Vous avez un agenda ?

— Oui, répondit-elle. J'étais avec lui ce mercredi-là.

— Vous en êtes sûre ?

— Oui. C'était le lendemain de mon anniversaire. Il m'a offert une bouteille de champagne.

— Quelle heure ?

— Il est arrivé dans l'après-midi, vers 16 heures. Ensuite, on a bu du champagne et après...

Voilà qu'elle s'empourprait à nouveau.

— Il est reparti vers 19 ou 20 heures. Il disait qu'il devait rentrer dîner.

— Y a-t-il quelqu'un en mesure de le confirmer ?

— Ma coloc', Lynn. Elle est rentrée vers 18 heures et a bu un peu de champagne. Il vous faut ses coordonnées à elle aussi, j'imagine.

— Je vous en saurais gré.

— Elle est au courant, pour nous ? Sa femme, je veux dire ? Il a des ennuis ?

Munster la dévisagea. Elle savait forcément pour Ruth Lennox. Mais il était impossible d'en être sûr, et il ne voulait pas être celui qui lui annoncerait la nouvelle. C'était à Paul Kerrigan d'assumer le sale boulot.

Zach Greene habitait près de Waterloo, quelques rues au sud de la gare, sur une voie totalement encombrée par les embouteillages des heures de pointe : taxis, voitures, camionnettes, bus. Les cyclistes louvoyaient entre les queues, tête rentrée pour se protéger d'un vent qui ne cessait de forcir. Une ambulance passa dans un mugissement de sirènes.

Le numéro 232 était une petite maison mitoyenne légèrement en retrait de la rue. Une volée de marches menait à sa porte à la peinture verte écaillée. Yvette pressa la sonnette, puis frappa fort en même temps. Elle savait déjà qu'il ne serait pas là, aussi fut-elle surprise quand elle entendit des pas et le cliquetis d'une chaîne. Une femme se tenait devant elle, serrant contre elle un bébé vêtu d'un babygros à rayures.

— Oui ?

— Je cherche Zach Greene, dit Yvette. Il habite ici ?

— C'est notre locataire. Il habite l'appartement. Il faut passer par le jardin.

Elle sortit en pantoufles et fit redescendre les marches à Yvette, en indiquant du doigt :

— Cette ruelle vous fait faire le tour et il y a un petit jardin avec un portillon qui ne ferme pas correctement. En passant par là, vous trouverez son appartement sur le côté.

— Merci.

Yvette sourit au nourrisson, qui la dévisagea en retour, terrifié, puis se mit à brailler. Elle n'avait jamais été douée avec les bébés.

— Dites-lui de la mettre en veilleuse, voulez-vous ? reprit la femme. Il a fait un boucan du diable la nuit dernière, juste après que j'ai enfin réussi à endormir ce petit, enfin.

Yvette franchit le portail arrière branlant. Des marches en bois descendaient de la maison devant laquelle elle se tenait quelques instants plus tôt, jusque dans un petit jardin, où gisait sur le flanc un tricycle d'enfant en plastique. La porte de l'appartement se trouvait sous l'escalier, à moitié dissimulée. Yvette sonna et patienta. Puis elle frappa sur le battant et celui-ci s'entrouvrit de quelques centimètres.

L'espace d'un instant, Yvette resta rigoureusement immobile, tendant l'oreille. Dehors, elle entendait la rumeur de la circulation. Dedans, rien.

— Hé ho, lança-t-elle. Zach ? Mr Greene ? C'est l'inspectrice Yvette Long.

Rien. Le vent fit tournoyer vers elle une rafale de fleurs blanches. L'espace d'un instant, elle crut que c'était de la neige. De la neige en avril... Mais on a déjà vu plus étrange. Elle se glissa à l'intérieur, sur un paillasson élimé. Zach Greene n'était pas du genre ordonné. Il y avait des chaussures au sol, des piles de prospectus divers, deux ou trois cartons à pizzas vides, un méli-mélo de chargeurs téléphoniques et de cordons informatiques, un foulard en coton avec des pompons.

Elle s'avança prudemment de quelques pas encore.

— Zach ? Vous êtes là ?

Sa voix résonna dans le petit espace. Sur sa droite, une toute petite cuisine, une plaque chauffante encrassée de résidus alimentaires, des mugs en pagaille, des grains de café instantané. Deux chemises avaient été mises à sécher sur le radiateur. Un relent de pourriture flottait dans les airs.

C'est bizarre, se dit-elle. Qu'on puisse savoir quand quelque chose ne va pas. On apprend à le sentir. Pas seulement à la porte ouverte, à l'odeur. Quelque chose dans le silence, comme s'il vibrait encore après un assaut de violence. Elle fut saisie de fourmillements.

Encore une chaussure, en toile marron, celle-là, avec des lacets jaunes, par terre, dans l'embrasure de la porte à peine entrebâillée qui devait mener dans la chambre de Zach. Elle poussa le battant du bout des doigts. La chaussure était sur un pied. Le début d'une jambe se dessinait, enveloppé d'un pantalon sombre, partiellement relevé et qui révélait une chaussette à rayures, mais tout le reste était couvert d'un dessus-de-lit à motifs, qu'elle analysa calmement : oiseaux, volutes de fleurs, dans le genre oriental. Il égayait le gris et les bruns de cet appartement, par ailleurs exigu et morne.

Elle consulta sa montre et nota mentalement l'heure, puis s'accroupit et tira avec précaution sur le dessus-de-lit. Elle sentait à quel point celui-ci était poisseux et humide et constatait, maintenant qu'elle en était toute proche, que ses motifs colorés avaient masqué les taches.

Ce devait être Zach qui gisait devant elle au pied de son lit, mais le visage étroit, les yeux dorés, les lèvres en bouton de rose qui lui avaient donné des frissons avaient totalement disparu – réduits à l'état de bouillie. Yvette s'obligea à regarder avec application, sans plisser les yeux par réflexe sous l'effet de l'horreur. Elle distinguait encore les délicats lobes de l'oreille dans ce qu'il restait de sa figure. Il y avait du sang partout. Les gens ne soupçonnaient pas combien de sang coulait dans leurs veines, chaud et rapide – ce n'est qu'en le voyant répandu autour d'un corps qu'on en prenait conscience. Des mares d'un sang noir, à l'odeur écœurante, qui s'épaississait à présent. Elle posa un doigt dans son dos, sous la chemise violette : la peau était blanche, dure et froide.

Elle se releva, entendit ses genoux craquer au passage, et songea à Karlsson quand il arrivait sur une scène de crime : elle tenta d'enregistrer la scène à la façon d'une caméra. Les traces boueuses dans le couloir, l'illustration inclinée au-dessus du lit, le sang en train de coaguler, la rigidité cadavérique, la manière dont ses bras étaient écartés, grands ouverts, comme s'il valsait dans les airs. Elle se rappela le bruit que la voisine du dessus avait dit avoir entendu.

Ce n'est qu'ensuite qu'elle sortit son téléphone. De l'étage du dessus lui parvenaient les pleurs du bébé, qui braillait toujours. Elles arrivèrent si vite, les ambulances et les voitures de police. Il lui sembla que ne s'étaient écoulées que quelques minutes avant que l'appartement soit transformé en laboratoire de fortune, rempli de lumières aveuglantes, avec le corps de Zach au centre. Surchaussures en papier, gants en plastique, brosses pour la poussière à empreintes digitales, flacons de produits chimiques, pinces et scellés juridiques, mètres de couturière, thermomètres. Riley s'entretenait avec la femme d'au-dessus. Munster, debout à la porte, inspirait profondément et parlait au téléphone. Zach n'était plus qu'un objet à présent, un spécimen.

Dans le brouhaha, Karlsson lui dit :

— Chris est au téléphone avec les parents de Greene. Vous pourriez vous charger de l'apprendre à Judith Lennox, vous pensez ?

Elle sentit des gouttes de sueur perler sur son front à la seule pensée de l'enfant farouche et désespérée.

— Bien sûr.

— Merci. Dès que possible, je pense.

Yvette savait que ce serait terrible, et ce le fut. Debout face à Judith Lennox, elle s'entendit prononcer les mots qu'il fallait et vit le si candide, si vulnérable visage de la jeune fille se décomposer. Elle se mit à tournoyer comme une folle dans la petite pièce, arquant son mince corps, comme désarticulée : ses mains battaient les airs, sa figure se tordait en d'étranges grimaces, sa tête dansait sur son cou gracile, ses pieds dérapaient dans ses sursauts erratiques. Elles se trouvaient dans une salle que la directrice de l'école avait mise à leur disposition. Il y avait un bureau près de la baie vitrée et des étagères remplies de dossiers de couleurs variées. Dehors, deux adolescents – un garçon et une fille – jetèrent un coup d'œil machinal en passant, sans manifester d'intérêt particulier.

Yvette se sentait impuissante. Devait-elle aller prendre dans ses bras cette enfant fragile, l'immobiliser un instant ? Un cri perçant retentit, qui dut certainement emplir l'école tout entière, vider les salles de cours et faire accourir les professeurs. Elle se heurta au bureau et repartit de plus belle. À la voir ainsi se cogner en tous sens, Yvette songea à un papillon de nuit brisant ses douces ailes poudreuses contre les murs.

Elle avança une main et attrapa Judith par le col de sa chemise, l'entendit se déchirer légèrement. La fille s'arrêta net et la dévisagea avec fureur. Elle portait toujours son rouge à lèvre orange foncé, mais ses traits étaient ceux d'une enfant. Soudain, elle s'assit, non pas sur une chaise, mais en tas par terre, sur le sol nu.

— Que s'est-il passé ? murmura-t-elle.

— On essaie de le savoir précisément. Tout ce que je peux te dire pour le moment, c'est qu'on l'a tué.

Elle repensa à sa figure en bouillie et déglutit avec difficulté.

— Chez lui.

— Quand ça ? *Quand* ?

— On n'a pas établi l'heure de sa mort.

Raide, compassée, elle était gênée par son propre embarras.

— Récemment, quand même ?

— Oui. Je suis désolée de devoir poser la question, mais je suis sûre que tu comprendras. Peux-tu me dire quand tu l'as vu pour la dernière fois ?

— Allez-vous-en.

Judith se couvrit les oreilles de ses mains et se mit à se balancer d'avant en arrière.

— Allez-vous-en maintenant, c'est tout ce que je vous demande.

— C'est très douloureux, je sais.

— Allez-vous-en. Allez-vous-en. Allez-vous-en ! Laissez-moi tranquille. Laissez-nous tranquilles, tous. Foutez le camp. Pourquoi ça arrive, tout ça ? Pourquoi ? Je vous en prie, je vous en prie, je vous en prie, je vous en prie…

Yvette ne s'était rendue qu'une fois chez Frieda, mais jamais à son cabinet jusqu'à aujourd'hui. Elle s'efforça de ne pas se montrer curieuse : elle ne voulait pas trop étudier Frieda, en partie parce que le regard sans détour de la psychothérapeute l'avait toujours incommodée, et en partie parce que son apparence lui faisait un choc. Peut-être avait-elle maigri, Yvette n'aurait su dire, mais elle était à l'évidence plus tendue, en tout cas. Elle était si crispée qu'on l'aurait crue sur le point de casser net. Il y avait des cernes sombres sous ses yeux, presque violets. Son teint était pâle et ses yeux très noirs, avec une nuance sombre fort éloignée de leur pétillement habituel. Elle n'avait pas l'air d'aller bien, conclut Yvette.

Elle regarda Frieda s'approcher de son fauteuil rouge avec une claudication qu'elle s'efforçait de maîtriser sans succès, et songea : *C'est ma faute.* L'espace d'un instant, elle ne put s'empêcher de replonger dans ses souvenirs, revit Frieda allongée chez Mary Orton, inerte, se rappela le sang. Puis elle vit la jeune Judith Lennox, l'air fou, errant dans la salle de classe, telle une phalène blessée, lui hurlant de partir, de dégager. Peut-être qu'en fait, je suis nulle comme inspectrice, et voilà tout, se dit-elle. Elle n'avait même pas réussi à soutirer un alibi à Zach Greene.

Frieda indiqua le fauteuil d'en face et Yvette prit place. Ainsi donc, c'était là que s'asseyaient les patients de Frieda. Elle s'imaginait fermant les yeux et déclarant : *S'il vous plaît, aidez-moi. Je ne sais pas ce qui déconne chez moi. Je vous en prie, dites-moi ce qui ne tourne pas rond chez moi...*

— Merci d'avoir accepté de me recevoir, commença-t-elle.

— Je vous suis redevable, lui répondit Frieda, souriante.

— Oh non ! C'est moi...

— Vous avez mis un terme à la plainte déposée contre moi.

— Ce n'était rien. Quelle bande d'idiots...

— N'empêche, je vous suis reconnaissante.

— Je ne voulais pas vous voir au commissariat, je me suis dit que ce serait préférable de venir ici. Je ne sais pas si vous êtes au courant. Zach Greene a été assassiné. Le petit ami de Judith Lennox.

Ce fut comme si Frieda s'immobilisait plus encore. Elle secoua légèrement la tête.

— Non, je ne savais pas. Je suis désolée, ajouta-t-elle à voix basse, comme pour elle-même.

— Elle est dans un état épouvantable, poursuivit Yvette. Je viens de la quitter. Le conseiller général était là, ainsi que la directrice, mais je m'inquiète pour elle.

— Pourquoi me dites-vous ça ?

— Vous l'avez rencontrée. Je sais que vous avez noué vos propres liens avec les Lennox.

Elle leva une main.

— Ce n'est pas ce que je voulais dire. Je ne cherchais pas à être méchante, ça ne m'ennuie pas du tout.

— Continuez.

— Je me suis demandé si vous ne pourriez pas passer la voir, lui rendre visite. Juste pour voir comment elle va.

— Elle n'est pas ma patiente.

— Je le sais bien.

— Je la connais à peine. Son frère est un ami de ma nièce, c'est tout. J'ai croisé cette pauvre petite à deux ou trois reprises.

— Je ne savais pas quoi faire. Y a des trucs qu'on nous apprend pas. Je pourrais appeler un de mes collègues, j'imagine.

Dubitative, elle fronça le nez à cette idée.

— Ce connard d'Hal Bradshaw prendrait un malin plaisir à lui expliquer ce qu'elle ressent et pourquoi. Mais je... bref, je me suis dit que vous pourriez nous aider.

— En souvenir du bon vieux temps ? demanda Frieda, d'un ton ironique.

— Vous voulez dire que vous ne le ferez pas ?
— Je n'ai pas dit ça.

OK. Je ne prendrai pas l'avion, je ne tambourinerai pas à la porte, et je vais m'en remettre à toi. Mais tu rends les choses très difficiles, Frieda.

Quarante-quatre

Ce matin-là, Jim passa rendre visite aux membres de la famille de Philippa Lewis. Ils habitaient un nouveau lotissement dans un village situé à quelques kilomètres au sud d'Oxford. Une femme d'âge mûr – qui devait être la mère de Philippa, Sue – lui claqua la porte au nez sitôt qu'il se fut présenté. Il avait pris connaissance de ce fait divers dans la presse locale, l'histoire habituelle de l'enfant restée tard à l'école et s'en revenant à pied, jamais arrivée ; pour finir, il avait vu la photo floue. Elle faisait une candidate plausible. Il porta une coche à côté de son nom, suivie d'un point d'interrogation.

Plus au nord, en direction de Warwick, la mère de Cathy Birkin lui prépara un thé accompagné de gâteau, et avant même d'avoir avalé la première bouchée, il sut qu'il pourrait rayer ce nom de la liste. Elle avait déjà fugué deux fois auparavant. Le gâteau était plutôt bon, en revanche. Au gingembre, légèrement épicé. Fearby avait commencé à remarquer un autre type de comportement. Les mères des fugueuses étaient celles qui l'invitaient à entrer et lui offraient thé et gâteaux. Il pouvait presque se rappeler les maisons et les filles au gâteau qu'on lui avait servi. Celle près de Crewe, Claire Boyle, c'était un gâteau à la carotte. High Wycombe, Maria Horsley : au chocolat. Était-ce comme s'ils tentaient encore de prouver qu'ils avaient fait de leur mieux, qu'ils n'étaient pas de mauvais parents ? Le gâteau au gingembre était légèrement sec et lui collait au palais. Il dut le faire descendre avec son thé, qui refroidissait. Alors qu'il mâchonnait, sa conscience le chatouilla à son tour, à son grand déplaisir. Il n'avait cessé de remettre à plus tard. C'était sur le chemin, et ça ne ferait qu'un petit détour.

Il avait presque espéré que George Conley serait sorti, mais ce n'était pas le cas. Le petit immeuble où il avait emménagé était assez bien tenu. En ouvrant la porte, Conley fit tout juste mine de l'avoir reconnu, mais Fearby en avait pris l'habitude. Quand Conley avait accepté de le recevoir, au fil des ans, jamais il n'avait pu le regarder droit dans les yeux. Même quand il parlait, c'était comme s'il s'adressait à quelqu'un légèrement à côté de Fearby, derrière lui. Sitôt entré, ce dernier fut assailli par la chaleur et l'odeur, qui semblaient indissociables, un relent non identifiable, et que Fearby n'avait pas envie d'identifier. On percevait de la sueur, une certaine humidité. Soudain, cela lui évoqua l'odeur aigre qu'on hume dans le sillage d'un camion poubelle en été.

Fearby vivait seul depuis des années, et connaissait la moiteur fétide des appartements mal nettoyés, avec de la vaisselle sale qui s'empilait, des vêtements par terre, mais là, il s'agissait d'autre chose. Dans le salon mal éclairé, surchauffé, il dut contourner des piles d'assiettes et de verres sales. Il aperçut des canettes ouvertes à moitié remplies de trucs indéfinissables, couvertes d'une moisissure blanc et vert. Tout, ou presque – assiettes, verres, boîtes de conserve – contenait des mégots de cigarettes. Fearby se demanda s'il y avait une personne qu'il pourrait joindre. Quelqu'un, quelque part, détenait-il une autorité légale pour faire face à ça ?

La télévision était allumée et Conley prit place en face. Il ne regardait pas l'écran, à proprement parler. On aurait plutôt dit qu'il ne faisait que s'asseoir devant.

— Comment avez-vous trouvé cet appart ? s'enquit Fearby.

— Les services sociaux, répondit Conley.

— Quelqu'un vient vous aider ? Ça doit être difficile, je sais. Vous êtes resté enfermé trop longtemps. C'est dur de s'adapter.

Conley restant sans expression, Fearby fit une nouvelle tentative.

— Quelqu'un vient voir comment vous allez ? Faire un peu de ménage, peut-être ?

— Y a une femme qui vient, des fois. Pour voir comment je vais.

— Elle est efficace ?

— Ça peut aller.

— Et vos indemnités ? Vous en êtes où ?

— J'en sais rien. J'ai vu Diana.

— Votre avocate, compléta Fearby.

Il devait presque crier pour couvrir le volume de la télévision.

— Qu'est-ce qu'elle a dit ?

— Que ça prenait du temps. Longtemps.

— J'ai déjà entendu dire ça. Va falloir vous montrer patient.

Silence.

— Vous sortez beaucoup ?

— Je me promène, un peu. Y a un parc.

— Sympa.

— Y a des canards. J'emporte du pain. Et des graines.

— Sympa, George. Y a-t-il quelqu'un que vous aimeriez que j'appelle de votre part ? Si vous me donnez un numéro, je pourrais appeler des gens aux services sociaux. Ils viendraient vous aider à mettre un peu d'ordre.

— Y a que cette femme. Elle vient, de temps en temps.

Fearby était resté assis tout au bord du canapé qui semblait avoir été récupéré sur le trottoir. Son dos commençait à le faire souffrir. Il se leva.

— Faut que je file, déclara-t-il.

— J'allais prendre un thé.

Fearby aperçut une brique de lait ouverte posée sur la table. Le lait à l'intérieur était jaune.

— J'en ai bu un tout à l'heure. Mais je repasserai bientôt et on pourra sortir prendre un verre, ou aller se balader. Ça vous dit ?

— D'accord.

— J'essaie de trouver qui a tué Hazel Barton. Je n'ai pas arrêté.

Conley resta sans réaction.

— Je sais que c'est un souvenir pénible pour vous, continua Fearby. Mais quand vous l'avez trouvée, vous vous êtes penché et vous avez tenté de l'aider, je le sais. Vous l'avez touchée. C'est cela qui a été retenu comme élément à charge contre vous. Mais avez-vous vu autre chose ? Une personne ?... Une voiture ?... George. Vous entendez ce que je dis ?

Conley tourna la tête, toujours sans rien dire.

— Bon, conclut Fearby. En tout cas, j'étais content de vous voir. On remettra ça.

Il s'éclipsa en évitant comme il pouvait les obstacles.

De retour chez lui, Fearby chercha sur Internet le numéro de téléphone des services sociaux. Il appela, mais les bureaux étaient fermés pour la journée. Il consulta sa montre. Il avait envisagé de joindre Diana McKerrow pour s'entretenir avec elle de la situation de Conley, mais son cabinet serait également fermé à présent. Il savait bien comment marchaient ces histoires d'indemnités. Ça prenait des années.

Il s'approcha de l'évier, dénicha un verre, le rinça et se versa une rasade de whisky. Il but une gorgée et sentit la chaleur se répandre dans sa poitrine. Il en avait bien besoin. La lassitude de cette fin de journée s'appesantissait dans sa bouche, sur sa langue, et le whisky le rinçait, au sens propre comme figuré. Il traversa les pièces, son verre à la main. Rien à voir avec l'appartement de Conley, mais pas sans rapport non plus. Deux hommes à la dérive, solitaires. Deux hommes toujours liés, malgré eux et chacun à sa façon, à l'affaire Hazel Barton. La police n'avait pas d'autre suspect. Qu'ils disaient. Seuls George Conley et lui savaient qu'il n'en était rien.

Soudain, les verres sales et les vêtements épars, les piles de papiers et d'enveloppes l'effrayèrent. On venait rarement chez lui, mais l'idée que quelqu'un puisse entrer dans cette pièce et ressentir, ne serait-ce qu'en partie, ce qu'il avait éprouvé dans l'appartement de George Conley, le remplit d'une vague honte, au point de le faire rougir. Durant l'heure qui suivit, il ramassa des habits, lava des verres et des assiettes, essuya meubles et plans de travail, passa l'aspirateur. À la fin, l'endroit avait retrouvé un semblant de normalité, du moins en eut-il l'impression. Il fallait faire mieux. Il le voyait bien. Il achèterait une affiche quelconque, un tableau. Il mettrait des fleurs dans un vase. Peut-être même rafraîchirait-il la peinture des murs.

Il sortit des lasagnes du congélateur et les mit au four. Le dos du paquet indiquait cinquante minutes si gelées, ce qui lui laisserait du temps. Il se rendit dans son bureau. C'était le seul endroit de la maison qui restait toujours ordonné, propre et organisé. Il prit le plan sur sa table, le déplia et l'étala par terre. Il ouvrit un tiroir et sortit le distributeur de stickers rouges. Il en préleva un qu'il posa avec application sur le village de Denham, juste au sud d'Oxford. Il recula. Il y en avait sept à présent, et un schéma net se dessinait.

Fearby but une nouvelle gorgée de whisky et se posa la question qu'il s'était posée bien des fois auparavant : se faisait-il des illusions ? Il s'était renseigné au sujet des tueurs et de leurs habitudes, sur le fait qu'ils étaient comme des animaux prédateurs qui opéraient dans les territoires où ils se sentaient à l'aise. Mais il avait surtout compris le risque de voir des schémas dans des informations collectées de manière aléatoire. Si on tire au hasard sur un mur, puis qu'on dessine une cible autour des marques les plus rapprochées, on a l'air d'avoir visé dans le mille. Il examina la carte. Cinq de ces adhésifs étaient proches de la M40, et trois de la M1, à moins de vingt minutes en voiture d'une sortie d'autoroute. Ça semblait évident et parfaitement parlant. Mais il y avait un problème. Quand il parcourait les journaux, compulsait les informations sur Internet, en quête de jeunes filles disparues, l'un de ses principaux critères de tri avait été les familles vivant près des autoroutes : peut-être induisait-il ce schéma tout seul, du coup. Mais il songea aux visages de ces filles, à leurs histoires. Il avait l'impression d'être dans le vrai. Il le sentait. Mais à quoi bon ?

Quarante-cinq

Karlsson s'assit en face de Russell Lennox. Yvette mit en route l'enregistreur et s'installa sur le côté.

— Vous savez que vous êtes toujours mis en examen, dit Karlsson, et que vous avez le droit d'être légalement représenté.

Lennox hocha faiblement la tête. Il semblait sonné, tout juste réactif.

— Vous devez le dire à voix haute. Pour la bande, ou la puce électronique, bref, peu importe ce que c'est.

— Oui, répondit Lennox. Je comprends. Ça ira comme ça.

— Vous formez une sacrée famille, commença Karlsson.

Lennox resta sans expression.

— Vous faites du tort à tous ceux que vous croisez, on dirait.

— Une famille où l'épouse, la mère, a été tuée, rétorqua Lennox d'une voix rauque. C'est ça que vous voulez dire ?

— Et maintenant, le petit ami de votre fille.

— Je n'étais pas au courant de cette histoire, jusqu'à ce qu'on m'apprenne qu'il était mort.

— Assassiné. Zach Green a été frappé avec un instrument contondant. Comme votre femme.

Silence.

— Que ressentiez-vous à son égard ?

— Comment ça ?

— Quels sentiments vous inspirait la relation de votre fille de 15 ans avec un homme de 28 ?

— Comme je viens de le dire, je n'étais pas au courant. Maintenant que je le sais, je me fais du souci pour ma fille. Pour son état.

— Mr Greene est mort hier, dans la journée. Pouvez-vous nous dire où vous étiez ?

— Chez moi. J'ai souvent été chez moi ces derniers temps.

— Y avait-il quelqu'un avec vous ?

— Les enfants étaient à l'école. J'étais là quand Dora est rentrée, vers 16 h 10.

— Qu'avez-vous fait chez vous ?

Lennox sembla terriblement las, comme si le seul fait de parler requérait un grand effort.

— Pourquoi ne pas simplement me demander si j'ai tué cet homme ? Ce doit être la raison pour laquelle vous m'avez fait venir ici.

— Vous l'avez tué ?

— Non, je ne l'ai pas fait.

— Très bien, donc, que faisiez-vous chez vous ?

— J'ai traîné, çà et là. Trié, rangé des trucs.

— Peut-être pourriez-vous nous aider en nous sortant un point vérifiable. Avez-vous reçu de la visite ? Téléphoné ? Surfé sur Internet ?

— Je n'ai vu personne. J'ai dû passer quelques coups de fil et aller sur Internet.

— On pourra le vérifier.

— J'ai regardé la télé, un moment.

— Qu'avez-vous regardé ?

— La merde habituelle. Sans doute un truc en rapport avec les antiquités.

— « Sans doute un truc en rapport avec les antiquités », reprit Karlsson, lentement, comme s'il méditait la chose à mesure qu'il la répétait. Je vais arrêter cet engin maintenant.

Il se pencha en avant et pressa une touche sur l'enregistreur.

— Vous allez faire un tour et réfléchir, peut-être parler à un avocat, et revenir avec mieux que ça. Et dans l'intervalle, nous allons vérifier de notre côté qui vous appeliez et où vous étiez.

Il se leva.

— Pensez à vos enfants, à vos proches. Ils sont censés endurer quoi, encore ?

Lennox se frotta les joues et le menton, comme un homme vérifiant qu'il s'est bien rasé.

— Je pense à eux chaque minute de la journée, répliqua-t-il.

Chris Munster attendait Karlsson dans son bureau. Il venait de rentrer de Cardiff où il avait interrogé la petite amie de Josh Kerrigan, Shari Hollander.

— Et ?...

— Elle n'a fait que répéter ce qu'a dit Josh Kerrigan : qu'il était sans doute avec elle, qu'ils ne s'étaient pratiquement plus quittés d'une semelle depuis qu'ils sortaient ensemble, qu'elle ne se rappelait pas trop. Mais elle était presque sûre qu'il ne s'était jamais absenté une journée ou une nuit entière.

— C'est un peu vague.

— Il n'a pas fait usage de sa carte bleue pour acheter le moindre billet pour Londres ce jour-là. En revanche, il a bel et bien retiré une centaine de livres en espèces quelques jours plus tôt, dont il aurait pu se servir à cet effet.

— Mais il ne fait pas un suspect vraiment plausible, si ? Non pas qu'il l'ait jamais été.

— Je ne dirais pas ça.

Karlsson dévisagea Munster plus attentivement.

— Que voulez-vous dire ?

— Sa petite amie a mentionné un truc qui pourrait vous intéresser.

— Poursuivez.

— Elle a dit que Josh était furieux contre son père, complètement remonté, même. Il avait reçu une lettre, où on lui expliquait que son papa n'était pas l'heureux patriarche qu'il prétendait être.

— Donc il était au courant.

— En tout cas, c'est ce qu'elle a dit.

— Beau travail, Chris. Va falloir le réinterroger, celui-là. Tout de suite, et son petit frère aussi, pendant qu'on y est.

Josh Kerrigan s'était fait couper les cheveux – à moins, songea Karlsson en examinant les touffes inégales, qu'il ne l'ait fait lui-même. Du coup, son visage paraissait plus rond, et plus jeune. Assis dans la salle d'audition, il ne tenait pas en place et pianotait sur la table, faisait pivoter sa chaise, tapait des pieds.

— C'est quoi, aujourd'hui ? demanda-t-il. Encore des questions sur mes allées et venues ?

— Nous avons parlé à Shari Hollander.

— Elle a dit que j'étais avec elle, comme je vous l'ai dit ?

— Elle a dit que vous l'étiez *sans doute*.

— Ben voilà, vous êtes content.

— Elle a également ajouté que vous étiez au courant de la liaison de votre père.

— Quoi ?

Soudain, il parut effrayé.

— C'est vrai ?... Avez-vous reçu une lettre vous apprenant l'existence de cette liaison ?

Josh dévisagea fixement Karlsson, puis détourna le regard. Un abattement se dessina sur ses traits juvéniles : il n'en ressemblait que plus à son père.

— Oui. J'ai reçu une lettre, qui m'était adressée, aux bons soins du département de physique dont je suis les cours.

— Anonyme ?

— En effet. L'expéditeur, quel qu'il soit, n'a pas eu ce courage.

— À votre avis, c'était qui ?

Josh regarda Karlsson d'un œil noir.

— Elle, évidemment. Qui d'autre ?

— Vous voulez dire Ruth Lennox ?

— Tout juste. Même si je ne le savais pas à l'époque.

— Vous avez encore la lettre ?

— Je l'ai déchirée en petits morceaux et jetée à la poubelle.

— Et qu'avez-vous fait d'autre ?

— Je me suis efforcé de ne plus y penser.

— Rien du tout ?

— Je n'ai pas pris de train pour Londres, si c'est à ça que vous pensez.

— En avez-vous parlé avec votre père ?

— Non.

— Ou votre mère ?

— Non.

— Êtes-vous proche de votre mère ?

— Je suis son fils.

Il baissa les yeux, comme gêné de croiser le regard de Karlsson.

— Pour elle, on a toujours compté plus que tout, Ben et moi – même quand elle avait le cancer, elle ne pensait qu'à nous. Et papa, ajouta-t-il d'un ton acerbe, il passait avant tout, lui aussi.

— Mais vous ne lui avez pas parlé de cette lettre ?

— Non.

— En avez-vous parlé à votre frère ?

— Ben n'est qu'un gosse, qui passe son bac dans quelques semaines. Pourquoi lui en aurais-je parlé ?

— L'avez-vous fait ?

Josh tira sur une de ses mèches récemment taillées.

— Non.

Mais il semblait raidi, et mal à l'aise.

— Écoute-moi, Josh. On va interroger ton frère, et si ses dires ne corroborent pas les tiens, tu seras encore plus dans le pétrin que tu ne l'es pour l'instant. Mieux vaut cracher le morceau d'un seul coup. C'est préférable pour Ben, également.

— Très bien, je lui ai dit. Il fallait que j'en parle à quelqu'un.

— Tu le lui as appris au téléphone ?

— Oui.

— Comment a-t-il réagi ?

— Comme moi, comme n'importe qui. Il était choqué, furieux.

— C'est tout ?

— Il pensait qu'on devait prévenir maman. Moi pas.

— Comment ça s'est terminé ?

— On a convenu qu'on attendrait que je rentre pour Pâques, qu'on en parlerait à ce moment-là.

— Et c'est ce que vous avez fait ?

Il eut un large sourire sarcastique.

— On a été un peu dépassés par les événements.

— Et vous n'en avez pas parlé à votre mère ?

— Je viens de vous le dire.

— Ben non plus ?

— Il ne l'aurait pas fait sans me le dire.

— Et vous soutenez qu'aucun de vous n'a confronté votre père, même si vous lui en vouliez à mort ?

— Comme j'ai dit : non.

— Pourquoi avez-vous l'un et l'autre été aussi prompts à croire ce que racontait cette lettre ?

Joe sembla interloqué.

— J'en sais rien, répondit-il. On l'a cru, c'est tout. Pourquoi quelqu'un se donnerait-il la peine de monter un coup comme ça ?

— Et il n'y a rien d'autre que tu aies envie de me dire ?

— Non.

— Tu t'en tiens à ta version selon laquelle tu ne savais pas quel était l'auteur mystérieux de cette lettre ?

— Oui.

Karlsson patienta. Les yeux de Josh Kerrigan s'égarèrent de son côté un instant, puis s'en éloignèrent. Quelqu'un frappa à la porte et Yvette passa la tête dans l'entrebâillement.

— Faut que je vous parle une seconde, dit-elle.

— On a fini, de toute façon. Pour l'instant.

Karlsson se leva.

— On va interroger ton frère.

Josh haussa les épaules. Mais son regard était anxieux.

— Non, répondit Ben Kerrigan. Non, non et non. Je n'en ai pas parlé à ma mère. Je regrette de ne pas l'avoir fait. Mais on a décidé d'attendre d'être ensemble. J'ai dû la regarder par-dessus la table du petit-déjeuner et me taire. Et le regarder, lui, aussi.

Il fit la grimace.

— Oui ?

— Je ne lui ai rien dit non plus. J'en avais envie. J'avais envie de lui défoncer sa stupide tronche de gros lard. Je suis content qu'il se soit fait casser la gueule. Ce n'est qu'un connard. Quel cliché, putain, vous trouvez pas ? Sauf que l'autre n'avait rien d'une bimbo. Il se prenait pour qui ? Dix ans. Il a trompé m'man pendant dix ans.

— Mais tu ne l'as jamais confronté, pas plus que tu n'as parlé à ta mère de cette lettre ?

— Je viens de le dire.

— Et tu n'as jamais eu l'impression que ton père était au courant, pour cette lettre ?

— Il ne savait rien.

La voix de Ben vibrait de mépris.

— Il pensait s'en sortir sans dommage, sans en payer le prix.

— Ou ta mère ?

417

— Non. Elle ne doutait pas de lui. Je connais m'man. Elle pense qu'une fois qu'on a accordé sa confiance, c'est pour toujours.

— Pourquoi nous avoir dissimulé cette information ?

— À votre avis ? On n'est pas débiles, vous savez – on se rend bien compte que vous pensez tous que ce meurtre est une forme de vengeance.

De souffrance, sa voix monta dans les aigus.

— Soit.

Karlsson tenta de maintenir le contact visuel.

— Reprenons lentement, par le début. Tu étais ici, tu habitais chez tes parents, quand Josh te l'a appris.

— Oui.

— Qu'as-tu fait quand tu l'as appris ?

— Rien.

— Rien du tout ?

— Je n'arrête pas de vous le redire.

— Tu n'as pas parlé à quiconque, à part Josh ?

— Non.

— Mais tu croyais que c'était vrai ?

— J'en étais sûr...

— Comment ?

— Je le savais, c'est tout.

— Comment le savais-tu, Ben ? Qu'est-ce qui te rendait aussi sûr ?

Il patienta, puis ajouta :

— As-tu découvert autre chose ?

Il vit Ben tressaillir de manière involontaire avant qu'il ne secoue la tête.

— Ben, je te le demande une nouvelle fois : as-tu tenté de découvrir quoi que ce soit ?

Il s'interrompit et laissa le silence envahir l'espace qui les séparait.

— As-tu fouillé dans les affaires de ton père, en quête de pièces à conviction ? Ce serait tout naturel. Ben ?

— Non.

418

— Livré à toi-même dans la maison, avec ce soup-
çon horrible, tu n'as rien fait ?...
— Arrêtez.
— On trouvera bien.
— OK. Peut-être bien.
— Tu l'as peut-être fait ?
— J'ai fouiné, çà et là.
— Où ça ?
— Vous savez bien... Les poches.
— Oui.
— Et son téléphone, ses papiers.
— Son ordinateur ?
— Aussi, oui.
— Et qu'as-tu trouvé ?
— Pas grand-chose.
— Tu comprends bien l'enjeu, Ben ?

Le garçon se tourna vers lui. Karlsson percevait sa
respiration irrégulière.

— Bon, d'accord. J'ai regardé absolument partout,
bordel. Bien sûr que je l'ai fait. Vous auriez fait quoi, à
ma place ? On a décidé que je fouillerais, Josh et moi,
et ensuite, je me suis tapé tous ses mouchoirs sales,
ses reçus et ses e-mails, je lui ai piqué son portable
pour lire ses textos et vérifier ses appels. On a composé
quelques numéros, Josh et moi, qui ne me disaient
rien, pour voir, juste. Y avait que dalle. Mais je ne
pouvais plus m'arrêter. Si je n'avais pas trouvé quelque
chose, j'aurais pu continuer le restant de mes jours à
tenter de mettre la main sur la preuve qu'il trompait
m'man. C'est comme ce truc qu'on vous apprend en
sciences : on ne peut que prouver qu'une chose est
vraie, pas qu'elle est fausse.

— Mais tu as bel et bien trouvé quelque chose ?
insista Karlsson avec douceur.

— J'ai inspecté l'historique.

— De son ordinateur, tu veux dire ?

— Je ne savais pas ce que je cherchais au juste. Il y
avait une recherche qu'il avait faite sur Google Images,

sur une certaine Ruth Lennox. Et j'ai su. C'est comme quand on tape le nom des gens qu'on connaît, juste pour voir s'il y a une photo d'eux quelque part.

— Donc. Toi et Josh étiez au courant que votre père avait une liaison avec une dénommée Ruth Lennox.

— Oui. Ensuite, j'ai fait une recherche sur son nom, évidemment. Il se croyait si malin... Il ne pige rien aux ordis.

— Qu'as-tu trouvé ?

— Un mail, de sa part. Caché dans un dossier avec un intitulé chiant genre « Assurance Maison ». Un mail, un seul.

Il eut un ricanement méprisant.

— Que disait ce mot ?

— Il ne disait pas : « Paul chéri, j'aime te baiser », si c'est à ça que vous pensez, répondit Ben avec brutalité. Ça disait que oui, elle serait heureuse de le revoir et qu'il ne fallait pas qu'il s'inquiète, tout irait très bien.

Il grimaça brusquement.

— C'était plutôt tendre, et pratique. J'ai pensé à m'man, si malade et si faible, et qui continuait de s'occuper de nous, puis à cette autre femme qui aimait papa, elle aussi, et ça m'a paru tellement injuste. Dégueulasse.

— De quand datait-il ?

— Du 29 avril 2001.

— Et tu maintiens que tu n'as rien dit à ta mère ?

— Non, je ne l'ai pas fait.

— Mais tu as bel et bien glissé une poupée mutilée dans la boîte aux lettres des Lennox.

Ben devint cramoisi.

— Ouais. Je n'en avais pas l'intention. Mais j'ai vu cette pauvre poupée de chiffon dans un grand panier de jouets chez un pote – elle appartenait à sa sœur, quand elle était gosse. Et je l'ai juste embarquée sur un coup de tête et tailladée un peu pour lui montrer ce qu'on pensait d'elle. Il fallait que je fasse quelque chose.

— Elle n'a jamais reçu ton petit message, pourtant. C'est sa fille, malade, qui l'a ramassée, et qui a cru que ça lui était destiné.

— Oh merde...

— Donc Josh et toi saviez où elle habitait ?

— Oui.

— Y êtes-vous allés d'autres fois ?

— Non. Pas vraiment.

— Pas vraiment ?

— J'ai dû traîner devant chez elle de temps à autre. Pour la voir.

— Tu l'as vue ?

— Non. J'ai vu ses gosses, je pense. Ça me rendait un peu malade, tout ça, si vous tenez à le savoir. Ça m'obsédait.

— Y a-t-il autre chose que tu aies oublié de m'avouer ?

Ben secoua piteusement la tête.

— Josh va me tuer. Il m'a fait jurer de ne rien dire.

— C'est ce qui arrive, quand on commence à enfreindre la loi. Ça met les gens en colère.

Quarante-six

Frieda avait obtenu l'adresse mail de Judith par l'intermédiaire de Chloë, et lui envoya un bref message, l'informant qu'elle l'attendrait à 16 heures l'après-midi suivante à Primrose Hill, à l'entrée, qui ne se trouvait qu'à quelques minutes de l'école de Judith. Le temps avait changé : le vent soufflait en rafales et les nuages étaient bas et gris, la pluie menaçait.

Elle vit Judith longtemps avant que Judith ne la voie. Elle était au centre d'un petit groupe d'amies serrées coude à coude, qui se dispersa à mesure qu'elles progressaient. À la fin, ne restait plus que la jeune fille qui cheminait lentement en direction de la grille. Elle portait ses Doc Martens, dans lesquelles ses jambes paraissaient plus menues que jamais, ainsi qu'un foulard orange enroulé plusieurs fois autour de la tête, tel un turban d'où s'échappaient des boucles de cheveux folâtres. Même sa démarche était hésitante, ses pieds trébuchaient sur le pavé dans les lourdes bottes. Hagarde, elle décochait des regards à droite, à gauche, et ne cessait de porter une main à sa bouche, comme pour s'empêcher de parler.

Alors qu'elle entrait dans le parc, elle aperçut Frieda assise sur le banc et pressa le pas. Diverses expressions s'affichèrent tour à tour sur ses traits : perplexité, colère, peur. Puis ils se durcirent en un masque d'hostilité dans lequel brillaient ses yeux bleus.

— Qu'est-ce qu'elle fout là, *elle* ?

— Elle est là parce que c'est à elle que tu dois parler. C'est l'inspectrice Long. Yvette.

— Je ne pige pas. J'ai pas besoin de vous parler, à aucune de vous. J'ai pas envie. Je veux que tout le monde dégage, tout le monde. Fichez-moi la paix, tous.

Sa voix se brisa. Un sanglot rauque lui échappa et elle se plia en deux, comme si elle allait tomber.

Frieda se leva et lui indiqua le banc.

— Tu as subi un stress terrible. Tu dois avoir l'impression que tu vas exploser.

— Je ne sais pas ce que vous racontez. Je n'ai rien à faire ici. Je veux rentrer chez moi. Ou ailleurs, ajouta-t-elle.

Mais elle ne bougea pas et, l'espace d'un instant, elle sembla si indécise, en proie à une telle terreur que Frieda crut qu'elle allait éclater en sanglots. Puis, comme si ses jambes ne voulaient plus la porter, elle s'écroula sur le banc à côté d'Yvette, remonta les genoux et les enveloppa de ses bras, se recroquevillant en un geste protecteur.

— Dis à Yvette pourquoi tu as si peur.

— Comment ça ? chuchota Judith.

— Tu ne peux pas le couvrir.

— Qui ça ?

— Ton père.

Judith ferma les yeux. Ses traits se relâchèrent, soudain semblables à ceux d'une femme d'âge mûr, vaincue par l'épuisement.

— Des fois je me dis que je vais me réveiller et que tout ne sera qu'un rêve. Maman sera toujours là et on se disputera pour des conneries, parce que je suis sortie trop tard, ou pour une histoire de maquillage, ou de devoirs, et toutes ces horreurs ne seront jamais arrivées. J'aurais aimé n'avoir jamais eu de petit ami. J'aurais aimé n'avoir jamais rencontré Zach. Ça me rend malade de penser à lui. J'aimerais être comme j'étais avant, avant tout ça.

Elle ouvrit les yeux et regarda Frieda.

— C'est à cause de moi s'il est mort ?

— À toi de me le dire.

Et là, Judith fondit enfin en larmes. Elle bascula en avant et se couvrit la figure de ses mains, balança son corps d'avant en arrière, et sanglota. Les larmes gouttaient au travers de ses doigts et elle était secouée de gémissements et de hoquets.

Yvette la contemplait, puis avança une main timide et lui toucha l'épaule, mais Judith réagit par un geste brusque pour la repousser. Il s'écoula plusieurs minutes avant que les sanglots s'apaisent enfin. Elle releva la tête : sa peau était rougie par tant de pleurs, des traînées de mascara lui dégoulinaient sur les joues. Elle était méconnaissable. Frieda sortit un mouchoir de son sac et, sans un mot, le lui tendit. Judith tamponna son visage trempé, tout en continuant de renifler.

— Je lui ai dit, pour Zach, souffla-t-elle enfin, dans un murmure.

— Oui.

— Il l'a tué ?

— Ça, je n'en sais rien.

Frieda lui tendit un autre kleenex.

— Mais tu as bien fait de nous le dire, ajouta Yvette, de manière résolue. On aurait fini par le savoir, de toute façon. Tu n'as pas à te sentir responsable.

— Pourquoi ? Pourquoi je me sentirais pas coupable ? C'est de ma faute. J'ai couché avec lui.

Elle fit la moue.

— Et après, j'en ai parlé à mon père. Il ne cherchait qu'à me protéger. Qu'est-ce qui va lui arriver ? Et à nous, tous ? Dora n'est qu'une petite fille.

— Yvette a raison, Judith : ce n'est pas ta faute.

— Il saura que c'est moi qui vous l'ai dit.

— Il n'aurait jamais dû te mettre dans cette position, rétorqua Yvette.

— Pourquoi fallait-il que ça nous arrive à nous ? Je veux juste que les choses redeviennent comme avant, quand tout allait bien.

— On ferait mieux de te raccompagner chez toi, dit Frieda.

— Je peux pas le voir, pas maintenant. Je peux pas. Mon pauvre papa chéri. Oh mon Dieu... acheva-t-elle dans un hoquet.

Frieda prit sa décision.

— Vous venez chez moi, offrit-elle, tout en se faisant la réflexion que dans son foyer paisible convergeaient désormais tous les chagrins et les troubles d'autrui. Toi, Ted, et Dora. On va les appeler sur-le-champ.

Elle adressa un signe de tête à Yvette.

— Et vous, vous prévenez Karlsson.

Quand Yvette répéta à Karlsson ce qu'elle avait appris de la bouche de Judith, il se contenta de la dévisager sans rien dire un moment.

— Pauvre, pauvre fou... commenta-t-il enfin. Qui va s'occuper des enfants, à présent ? Quel gâchis. Russell Lennox était au courant, pour Judith et Zach. Josh et Ben Kerrigan savaient pour leur père et Ruth Lennox. Tous ces secrets. Ça n'en finira donc jamais ?

Son téléphone sonna et il le décrocha brusquement, prêta l'oreille, puis répondit : « On arrive », avant de raccrocher.

— C'était Tate, de la scientifique. Il nous convie à une visite guidée de l'appartement de Zach.

— Mais...

— Vous avez mieux à faire ?

James Tate était un petit homme râblé, au teint basané et aux cheveux poivre et sel. Sa détermination et son humour caustique étaient bien connus de Karlsson depuis des années. Méticuleux et détaché, il excellait dans son métier. Il les attendait et, à leur arrivée, les salua d'un bref signe de tête avant de leur remettre des surchaussures en papier et de fins gants en latex à enfiler. Ils pénétrèrent ensuite sur les lieux du crime.

— Vous ne pouviez pas me communiquer les résultats au téléphone, simplement ? demanda Karlsson.

— J'ai pensé que vous aimeriez voir par vous-même... Ceci, par exemple.

Il indiqua la sonnette d'entrée.

— De belles empreintes bien nettes.

— Elles correspondent à... ?

— Ne soyez pas si pressé.

Il ouvrit la porte d'entrée.

— Pièce à conviction numéro deux.

Il désigna les traces de pas boueuses par terre.

— Du 41. On a une marque très nette. Et numéro trois : des traces de lutte, on dirait. Cette affiche a été déplacée.

Karlsson hocha la tête. Yvette, pénétrant derrière eux dans la chambre après être passée devant la cuisine, eut l'étrange sensation qu'elle allait revivre la scène où elle tombait sur le corps.

— Numéro quatre. Des éclaboussures de sang. Là, là et là. Et plus encore ici, évidemment, où se trouvait le corps. Élément numéro cinq : dans la poubelle ici, nous avons trouvé un sopalin vraiment crasseux, couvert de sang, lui aussi. On l'a emporté pour procéder à des tests ADN. Quelqu'un s'en est servi pour se nettoyer.

— Et ce serait...

— Indice numéro six : empreintes digitales, contenant des traces du sang de la victime, contre ce mur, là. Qu'en pensez-vous ?

— Ce que j'en pense ? Que savez-vous, avec incertitude ?

— On peut échafauder un scénario tout à fait plausible. Quelqu'un – un homme, chaussant du 41 – est entré. Vraisemblablement invité à entrer par la victime, sans qu'on puisse l'établir avec certitude, mais rien n'indique qu'on soit entré de force. Ils ont plus ou moins lutté dans l'entrée, puis sont allés dans la chambre où la victime a été matraquée à mort à l'aide d'une arme qui n'a pas encore ressurgi. L'auteur du crime a dû se retrouver éclaboussé du sang de la victime et s'est essuyé avec l'essuie-tout avant de le jeter dans la poubelle. Il ne devait plus se sentir très bien, à ce stade, j'imagine. Il s'est appuyé sur le mur, laissant plusieurs traces tout à fait satisfaisantes. Puis il est parti.

Tate leur adressa un sourire triomphant.

— Et voilà.

— Et les empreintes appartiennent à ?...

— Russell Lennox.

Le large sourire de Tate s'effaça.

— Ça ne vous épate pas ?

— Non, ça m'attriste. Ça me fait vraiment de la peine. Mais il y a une différence entre se montrer négligent et commettre de réelles bourdes.

— Vous savez bien comment c'est, Mal'. Les meurtriers sont presque toujours dans un état quasi-psychotique avec le stress. Ils souffrent de troubles de la mémoire. J'ai déjà trouvé des portefeuilles et des vestes sur des scènes de crime.

— Vous avez raison, répondit Karlsson. Je ne vais pas rejeter d'office un résultat évident.

— Vous m'en voyez ravi, répliqua Tate.

Quarante-sept

Quand Frieda arriva chez elle en compagnie des enfants Lennox, l'endroit était loin d'évoquer le calme refuge qu'elle avait souhaité pour eux. On aurait plutôt dit une zone de combat. Des chaussures de toutes formes et de toutes tailles gisaient dans l'entrée, tandis que des manteaux s'empilaient sur la rambarde de l'escalier. Des sacs et autres sacoches déversaient leur contenu jusqu'au salon. Il y avait de la musique à fond. L'air était saturé d'une odeur de cuisine : oignons, ail, herbes. Elle dut s'arrêter un instant et inspirer profondément à plusieurs reprises. Elle avait l'impression de les avoir fait monter sur scène, tous les trois. Elle entendit des voix fortes, des verres qui tintaient, comme s'il y avait une fête. Quand elle entra au salon, Josef et Chloë levèrent les yeux. Son regard se posa sur la bouteille de vin sur la table, les verres, les biscuits d'apéritif.

— Tout va bien, déclara Chloë. Reuben nous prépare à dîner. Je me suis dit que ce serait sympa pour toi de ne pas avoir à t'en occuper, pour une fois. Il dit que c'est sa spécialité. Oh, salut, Ted !

Elle rougit et sourit.

Sur ce la porte s'ouvrit, et Reuben passa la tête, la face rougeaude, affichant un grand sourire. Bourré, songea Frieda, bourré comme un coing.

— Salut Frieda. Je me suis dit qu'on avait tous besoin de se faire une bonne bouffe et vu que vous ne venez pas me voir, j'ai pensé...

Il remarqua les Lennox regroupés dans un coin, abasourdis et apeurés.

— Pardon. Je ne vous avais pas vus. Vous devez être les pauvres gosses qui ont perdu leur mère.

— Oui, répondit Judith d'une voix faible.

Dora se remit à pleurer doucement.

— C'est dur. Très dur, commenta Reuben. Très très dur.

Il tituba légèrement.

— Je suis vraiment désolé.

— Merci.

— Mais pour l'heure, j'ai cuisiné pour un régiment. Plus on est de fous... Et le dîner est prêt.

Il s'inclina en accompagnant son salut d'un ample geste de la main et adressa un clin d'œil à Judith.

— Pas ce soir, coupa Frieda d'une voix ferme. On a besoin d'un peu de calme, ici, le moment est mal choisi, désolée.

Son expression se glaça. Il lui lança un regard noir et haussa les sourcils, prêt à en découdre.

— Ne sois pas vache, Frieda ! s'indigna Chloë. Ça fait *des heures* qu'il y travaille. Ça ne t'embête pas, si, Ted ?...

Elle lui posa une main sur l'épaule et il la dévisagea d'un regard ahuri.

— Nan... C'est bon, répondit-il avec apathie. Peu importe... L'un ou l'autre...

— Je ne crois pas... reprit Frieda.

— Super !

Josef avait déjà dressé le couvert avec des assiettes dont Frieda ne se servait jamais. Il avait dû les dénicher au fond d'un placard. Les voir ainsi disposées sur la table ajouta à l'impression qu'elle avait d'être une invitée dans sa propre maison, et comme étrangère à sa vie. Il remplit des verres d'eau avec une cruche. Puis Reuben retira une grande cocotte bleue du four, les mains enroulées dans deux torchons à vaisselle. Frieda savait déjà de quoi il s'agissait. La spécialité de Reuben, le plat qu'il ne ratait jamais, sa recette préférée depuis qu'elle le connaissait, était une forme de *chili con carne* particulièrement riche en viande et épicé. Quand il eut soulevé le couvercle d'un air triomphant, la vue de la viande et des haricots rouges à la teinte violacée lui donna presque un haut-le-cœur.

— Ça, c'est le plat que je me préparais quand j'étais étudiant, apprit-il à Chloë. Faudra que tu maîtrises quelques recettes avant de rentrer à la fac. Et toi, t'es un peu pâlotte, si je peux me permettre, ajouta-t-il à l'adresse de Judith. De la viande rouge, voilà ce qu'il te faut !

— Vous n'auriez pas préparé une salade aussi, tant que vous y êtes ? s'enquit Frieda.

Reuben quitta la pièce et revint avec une salade verte de taille relativement modeste. Il servit le chili à la louche et fit passer les assiettes, puis versa du vin dans les verres.

Chloë prit une bouchée de chili, tressaillit et toussa.

— C'est vachement fort, dit-elle, le souffle coupé.

Elle but une gorgée d'eau.

— L'eau ne fait qu'empirer les choses, répliqua Reuben. Le vin, c'est mieux.

Josef engloutit une copieuse fourchettée et mastiqua avec entrain.

— Bon ! déclara-t-il. On le sent dans poitrine.

Frieda joua avec le contenu de son assiette. Elle saisit une feuille de salade entre ses doigts et la porta à sa bouche. Ted descendit un verre de vin comme si c'était de l'eau et, sans demander, s'en resservit un autre. Dora se contenta de contempler son assiette avant de lever vers Frieda de grands yeux implorants.

Judith tritura le tas graisseux devant elle sans conviction.

— C'est très gentil, mais je vais aller m'allonger un peu, je crois, dit-elle. Je peux me reposer sur votre lit, un moment ?

— Bien sûr.

— J'ai fantasmé ma revanche sur ce salopard d'Hal Bradshaw, proclama Reuben avec fougue, alors que Judith sortait de la pièce.

— C'est qui ? demanda Chloë tout en jetant un regard inquiet à Ted.

— C'est le connard qui nous a piégés, Frieda et moi, et a fait de nous la risée nationale. Je n'arrête pas d'imaginer divers scenarii. Genre, je passe à côté d'un lac, et je vois Bradshaw en train de se noyer, et je ne fais que le regarder pendant qu'il disparaît sous la surface... Ou alors, je débarque sur les lieux d'un accident de voiture et Bradshaw est couché sur la route, et je reste juste planté debout à côté, à l'observer se vider de son sang jusqu'à ce que mort s'ensuive. Je sais ce que vous allez dire, Frieda.

— Je vais vous demander de vous taire, et tout de suite.

— Vous allez me dire que ce genre de fantasmes n'est pas très constructif. Qu'ils ne sont pas *thérapeutiques*.

Il insista sur ce dernier mot comme si cette seule idée avait quelque chose de repoussant.

— Alors, vous en pensez quoi ?

— Que cette vengeance serait peut-être plus aboutie si vous sauviez Bradshaw de la noyade, ou si vous étanchiez ses saignements. Et je pense aussi que vous avez trop bu, et que ce n'est pas le moment.

— Vous n'êtes pas bien drôle, râla Reuben.

— Non, en effet, surenchérit Ted.

Il avait les joues rouges et l'œil brillant.

— Pas drôle du tout. Faut que ça saigne, la vengeance.

— Ça se mange froid, claironna Chloë. On étudie ça à l'école, pour le brevet.

— « Étancher » ? s'interrogea Josef. « Ça se mange froid » ?

Il était bourré aussi, se dit Frieda.

— J'ai prévu une vraie revanche avec Josef, continua Reuben.

Frieda regarda Josef, qui venait d'enfourner une autre bouchée. Il mâcha et avala avec effort.

— Pas vraiment « prévu », corrigea Josef. On n'a fait que parler.

— Y a des trucs que savent faire les maçons, poursuivit Reuben inconscient de la gêne palpable qui flottait dans la pièce. Josef trouvera le moyen d'entrer. Tu caches des crevettes dans les tringles des rideaux et derrière les radiateurs. Quand elles commencent à pourrir, l'odeur est intenable. Bradshaw ne pourra plus vivre chez lui. Y a d'autres choses aussi, plus subtiles, qu'on peut faire. On peut desserrer le joint d'une conduite d'eau sous un parquet, rien qu'un peu, juste de façon à ce qu'elle goutte. Ça, ça peut provoquer des dégâts importants.

— Génial… s'enthousiasma Ted, d'une voix forte, dure.

Son regard brillait dangereusement.

— Il n'est question que de fantasme, corrigea Frieda. N'est-ce pas ?

— Ou alors je pourrais faire encore pire que ça, s'entêta Reuben. Je pourrais bricoler les freins de sa voiture – avec l'aide de Josef, bien sûr. Ou mettre le feu à son cabinet. Ou menacer sa femme.

— Vous finiriez en prison. Josef y serait envoyé, lui aussi, puis expulsé.

Reuben ouvrit une nouvelle bouteille de vin et se mit à remplir à nouveau les verres.

— Je vais aller coucher Dora, déclara Frieda. Et à mon retour, ce sera l'heure de partir, je crois. Vous rentrez chez vous, Josef et vous.

— Je me ressers, persista Reuben. T'en veux encore, Ted ?

— Reuben, c'est bon, là.

Mais à son retour, quelques minutes plus tard, Reuben reprit de plus belle. Elle l'avait déjà vu dans cet état – acerbe et retors, un taureau dans l'arène.

— Je crois que vous péchez par excès de zèle, Frieda. Je préconise plutôt la vengeance, en ce qui me concerne. Je trouve ça sain. Je vais faire un tour de table et demander à chacun de nous de qui il aimerait se venger. Et comment il ferait. J'ai déjà nommé Hal Bradshaw. J'aimerais le ligoter, nu, au sommet d'une montagne pour l'éternité, et que chaque jour, un vautour vienne lui bouffer le foie.

Il eut un sourire sardonique.

— Ou autre chose.

— Et quand ce serait fini ?... demanda Chloë.

— Le foie repousserait chaque jour. Et toi ?

Chloë regarda Reuben, soudain sérieuse.

— Quand j'avais 9 ans, il y avait une fille, à l'école, qui s'appelait Cath Winstanley. Pendant tout le CE2 et la moitié du CM1, elle a passé ses journées à interdire aux autres de me parler ou de jouer avec moi. Quand arrivait une nouvelle, Cath devenait aussitôt son amie pour l'empêcher de jouer avec moi.

— Je ne le savais pas, commenta Frieda.

— M'man le savait. Elle m'a juste dit que ça passerait. Ce qui a fini par arriver, un jour.

— Qu'aimerais-tu lui faire ? s'enquit Reuben. Tu as le droit de tout faire. On parle de revanche fantasmée.

— J'aimerais juste qu'elle endure le même calvaire, répondit Chloë. Et à la fin, j'apparaîtrais dans un nuage de fumée et je lui dirais : « Tu vois, c'est ça que ça fait. »

— C'est à ça que devrait ressembler une revanche, commenta Frieda d'une voix douce.

— Mais tu as survécu, fit remarquer Reuben. Et toi, Josef ?

Josef eut un petit sourire triste.

— Je ne dis pas son nom. Celui avec ma femme. Lui, j'aimerais le punir.

— Parfait, commenta Reuben. Et alors, quelles punitions aimerais-tu lui réserver ? Quelque chose dans le goût médiéval ?

— J'en sais rien, répondit Josef. J'aimerais que ma femme est toujours avec lui comme elle était avec moi, comment dire... toujours en train de lui parler, parler, parler...

— Casse-couilles, suggéra Reuben.

— C'est ça, casse-couilles.

— Oh, pour l'amour du ciel, Reuben, coupa Frieda. Et vous, Josef...

— C'est quoi, le problème ?

— Laissez tomber, rétorqua Frieda.

— Et vous, Ted ? Si vous mettiez la main sur l'assassin de votre mère ? Faut y penser.

— Dehors. Rentrez chez vous, maintenant, coupa Frieda.

— Non, répondit Ted d'une voix forte, criant, presque. Évidemment que j'y pense. Si je pouvais trouver l'assassin de ma mère, je... je...

Son regard balaya la tablée, tandis que son poing se refermait sur son verre de vin.

— Je le déteste... acheva-t-il d'une voix douce. Que fait-on aux gens qu'on hait ?

— Ça va aller, Ted, dit Chloë.

Elle tentait de tenir la main agrippée au verre.

— Brave petit, commenta Reuben. Crache ta colère. C'est comme ça qu'on s'en débarrasse. À vous, maintenant, Frieda, dit Reuben. Qui fera les frais de votre vengeance implacable ?

Frieda sentit une nausée lui soulever l'estomac, monter dans sa poitrine. Elle avait l'impression d'être au bord d'un gouffre, talons au sol, tandis que le bout de ses pieds pointerait vers l'obscurité et la tentation, toujours là, de se laisser choir dans l'abîme vers... vers quoi, au fait ?

— Non, répliqua-t-elle. Je ne suis pas douée pour ce genre de jeux.

— Oh, allez, Frieda, on ne joue pas au Monopoly.

Mais les traits de Frieda se durcirent, trahissant un soupçon de colère, et Reuben fit machine arrière.

— La baignoire, intervint Josef, qui tentait, à sa façon maladroite, de détendre l'atmosphère. Ça va ?

— Elle est formidable, Josef. Ça valait le coup d'attendre.

Elle ne lui dit pas qu'elle ne s'en était pas encore servie.

— J'ai aidé, pour finir, conclut-il.

Il tanguait sur ses pieds.

Ils étaient enfin partis. Le crépuscule délicat du printemps tournait à la nuit, pour de bon. Les nuages s'étaient enfuis, chassés par le vent, et une lune fantomatique se montrait au-dessus des toits. Dans la maison, l'attente et la crainte plombaient l'atmosphère. Même l'entrain de Chloë était retombé. Judith, redescendue quand elle avait entendu claquer la porte, s'assit dans un fauteuil du salon, genoux relevés, la tête posée dessus, échevelée. Si on tentait de lui parler ou de la réconforter, elle secouait vigoureusement la tête. Dora était couchée sur un lit de camp dans l'atelier de Frieda avec un mug de chocolat à côté d'elle, qui avait refroidi en formant une pellicule fripée à la surface. Elle jouait à Snakes sur son téléphone. Ses fines tresses lui caressaient les joues. Frieda s'assit à côté d'elle quelques instants, sans rien dire. La petite tourna la tête et dit, d'une voix qui semblait presque ronchon :

— Je le savais, moi, pour Judith et ce type, là. Plus âgé.

— Ah oui ?

— Il y a quelques jours, quand papa était soûl, je l'ai entendu gueuler des trucs, à tata Louise, à ce sujet. Ça va aller, Judith ?...

— Avec le temps...

— Est-ce que papa... ?

— Je n'en sais rien.

Frieda redescendit. Dehors, sur la terrasse, Ted fumait et marchait de long en large, sa tête hirsute engoncée dans une paire d'écouteurs géants. Aucun d'eux n'était en mesure d'aider les autres, ni d'être secouru. Ils ne faisaient qu'attendre, pendant que Chloë déboulait de-ci, de-là, avec des tasses de thé, ou des petites tapes réconfortantes, résolues, sur leurs épaules affaissées.

Frieda avait demandé à Ted s'il y avait qui que ce soit qu'elle puisse appeler et il avait tourné vers elle son regard sombre.

— Genre qui ?

— Genre... votre tante ?

— Vous plaisantez, j'espère.

— Vous n'avez pas d'autres parents ?

— Vous voulez dire, genre, notre oncle, aux États-Unis ? Il sert pas à grand-chose, si ? Non, y a que nous et p'pa, et s'il n'est pas là, y a plus personne.

Elle resta assise en sa compagnie un moment, se délectant de la fraîcheur de l'air nocturne. Rien dans sa vie ne semblait plus rationnel ou maîtrisé, désormais. Ni sa maison ni sa relation avec ces jeunes, qui s'étaient tournés vers elle comme si elle détenait des réponses qui n'existaient pas, ni son implication croissante auprès de la police, à nouveau. Ni cette obsession, inébranlable, qu'elle nourrissait pour Lila et son univers fantomatique. Ni par-dessus tout, ce sentiment qu'elle avait de suivre une voix qu'elle seule pouvait entendre, lointain écho d'une vague résonnance... Ni Dean Reeve, qui l'épiait toujours. Elle songea à Sandy, qui n'en était qu'au milieu de sa journée, et regretta que la sienne ne soit pas déjà finie.

Quarante-huit

Le lendemain matin, Frieda les réveilla de bonne heure et emmena tout son monde prendre le petit-déjeuner au Numéro 9. Un groupe hétéroclite d'adolescents anxieux, aux petits yeux, qui semblaient alors plus proches de l'enfance que de l'âge adulte. On avait assassiné leur mère, leur père était retenu par la police, et ils attendaient que tombe la sentence.

Elle les accompagna tous au bus, attendit que celui-ci s'éloigne, puis rentra chez elle. Elle se sentait vidée et abattue, mais elle avait des choses à faire. Josef construisait un muret de jardin dans Primrose Hill, Sasha était à son bureau. Aussi Frieda prit-elle le train à Liverpool Street, qui passait devant les stades et les gymnases du parc olympique, presque achevés. On aurait dit des jouets abandonnés par un enfant géant. Ressortie à la station de Denham, elle grimpa à bord d'un taxi.

Un refuge pour chevaux portant le nom d'une fleur... Frieda s'était figuré des collines et des bois déferlant à perte de vue. Mais le taxi longea une vaste zone d'entrepôts à moitié démolis, puis un quartier de logements sociaux. Quand le véhicule s'arrêta et que le chauffeur annonça qu'ils étaient arrivés, Frieda crut s'être trompée d'endroit, mais aperçut alors l'en-

seigne : « Le Tournesol. Refuge pour ânes et chevaux. »
Le chauffeur lui demanda si elle voulait qu'il l'attende.
Comme Frieda lui répondit qu'elle risquait d'en avoir
pour un moment, il nota son numéro sur une carte
qu'il lui remit.

Alors que la voiture s'éloignait, elle inspecta les alentours. À l'entrée, une maison recouverte de crépi. De profondes lézardes sillonnaient la façade et une fenêtre à l'étage était condamnée par des cartons. L'endroit semblait désert. Au mur, sur le côté de l'entrée, un autre panneau, rédigé au pochoir : « Les visiteurs doivent se présenter à la réception. » Elle pénétra dans une cour bordée d'écuries en parpaings et béton, mais pas de réception, pour autant qu'elle puisse en juger. Il y avait des tas de crottin et des bottes de paille et, à l'écart, sur le côté, un tracteur rouillé aux roues avant dépourvues de pneus. Frieda traversa la cour en se frayant prudemment un chemin entre les flaques de boue brune.

— Il y a quelqu'un ? héla-t-elle.

Elle perçut un grincement et une adolescente portant une pelle surgit dans l'encadrement de l'une des portes. Elle portait des bottes en caoutchouc, un jean, et un tee-shirt rouge vif. Elle s'essuya le nez du dos de la main.

— Ouais ?

— Je cherche un dénommé Shane.

La fille répondit par un simple haussement d'épaules.

— On m'a dit qu'un certain Shane travaillait ici.

La fille secoua la tête.

— Non.

— Peut-être temporairement ?

— Je ne connais personne du nom de Shane.

— Vous êtes ici depuis combien de temps ?

— Quelques années. Par périodes.

— Et vous connaissez tous ceux qui travaillent ici ?

La fille leva les yeux au ciel.

— Évidemment... déclara-t-elle, avant de redisparaître dans l'écurie.

Frieda entendit la pelle racler le sol bétonné. Elle ressortit de la cour et regagna la route par laquelle elle était arrivée, consulta sa montre et se demanda quoi faire. Elle songea à la conversation au pub. Aurait-elle mal compris, pour une raison ou une autre ? Cherchaient-ils simplement à la faire partir ? Elle se mit à longer la route. Il n'y avait pas de trottoir, rien qu'un accotement herbeux, et elle se sentait vulnérable face aux voitures qui la dépassaient dans un afflux d'air et de bruit. Alors qu'elle atteignait l'arrière des immeubles, elle se retrouva à hauteur d'une clôture de bois sommaire qui séparait le champ de la route.

Elle s'appuya à l'enclos et étudia le paysage. Le champ était vaste, d'une longueur de 400 mètres, peut-être, bordé tout au fond par la A12, chargée de voitures et camions qui l'empruntaient dans un grondement sonore. Le champ lui-même était broussailleux et délaissé, une étendue que ne rompaient que quelques bouquets d'ajoncs sporadiques et, au milieu, un grand chêne mort. Quelques chevaux et ânes étaient dispersés çà et là, vieux et pelés, mais qui semblaient relativement contents, tête basse, de mâchonner l'herbe. Le simple fait de les contempler la détendait, constata Frieda. Ce n'était pas grand-chose, sans doute, mais mieux ici que n'importe où ailleurs. C'était une scène étrange, ni campagne ni ville, mais un entre-deux confus, sans identité. On aurait dit un terrain négligé, délaissé, oublié. Peut-être des édifices s'étaient-ils dressés là, puis avaient été démolis, et l'herbe et les ajoncs avaient repoussé par-dessus. Un jour, quelqu'un remarquerait cette parcelle à nouveau, située en bordure d'autoroute, proche de Londres, et l'on construirait un complexe industriel ou une station-service, mais d'ici là, elle résisterait, tant bien que mal. Frieda aimait plutôt l'idée.

Elle fouilla dans sa poche et dénicha la carte que lui avait remise le chauffeur de taxi. L'heure était probablement venue de laisser tomber, de retourner à Londres et à sa vie normale, à son travail. Cette envie soudaine lui procura un sentiment de soulagement immédiat. Elle était sur le point d'attraper son téléphone quand une voiture s'arrêta à l'entrée du refuge. Un homme en sortit. Il était grand, légèrement voûté, avec des cheveux mal coiffés et presque blancs, un nez busqué. Il était vêtu d'un pantalon de couleur sombre et d'une veste fripée, avec une mince cravate noire desserrée sur sa chemise. Il dégageait une impression de vigilance, de sérieux, et son regard pâle, assombri par ses paupières tombantes se porta sur elle. Ils se dévisagèrent. Trente mètres ou plus les séparaient, trop pour qu'ils puissent se parler aisément. Frieda s'éloigna de la clôture, et fit quelques pas dans sa direction, tandis que lui s'avançait vers elle. L'expression de l'homme ne changea pas : il regardait à travers elle plus qu'il ne la voyait.

— Vous travaillez ici ? demanda-t-il.

— Non. J'essayais de trouver quelqu'un, mais il n'est pas là.

Une idée lui vint.

— Vous ne vous appelleriez pas Shane, par hasard ?

— Non, répondit l'homme. Ce n'est pas moi.

Et il entra dans la cour en passant devant Frieda. Soudain, il s'arrêta et se retourna.

— Vous le cherchez pour quoi ?

— C'est difficile à expliquer.

L'homme revint sur ses pas.

— Dites-moi toujours.

— Je recherche une fille, expliqua Frieda, et je pensais que ce dénommé Shane serait peut-être en mesure de m'aider. On m'a dit qu'il était ici, mais les employés du refuge n'ont pas entendu parler de lui.

— Shane, répéta l'homme d'un air songeur. Connais pas. Mais bon, vous feriez peut-être aussi bien de m'accompagner.

Étonnée, Frieda haussa les sourcils.

— Pourquoi le devrais-je ?

— Moi aussi, je cherche quelqu'un.

Il s'exprimait avec lenteur et d'un air sombre.

— Je suis désolée, mais je ne vous connais pas. Pour moi, vous êtes un étranger, et je ne sais pas qui vous allez retrouver, ni ce que vous faites ici. J'ai terminé, et je rentre chez moi.

— Il n'y en a que pour une minute.

Il la scruta du regard.

— Je m'appelle Fearby. Jim Fearby. Je suis journaliste.

Le soleil passa derrière un nuage et le paysage devant eux s'assombrit. Frieda eut l'impression d'être dans un rêve, où tout semblerait logique, sans avoir de sens pour autant.

— Frieda Klein.

— Et vous êtes qui, *vous* ?

— Je ne sais pas.

À ces mots, elle s'interrompit.

— Je suis juste quelqu'un qui cherche à venir en aide à une autre.

— Oui. C'est quoi, le nom de votre disparue ?

— Lila Dawes.

— Lila Dawes ?

Un pli soucieux lui barra le front.

— Non, jamais entendu parler d'elle. Mais venez avec moi.

Ils pénétrèrent dans la cour où la fille passait désormais le balai. Elle fut manifestement surprise de revoir Frieda.

— Je cherche un dénommé Mick Doherty, déclara Fearby.

— Il est à l'autre bout, répondit la fille. En train de refaire la barrière.

— Où ça ?

La fille poussa un soupir. Elle leur fit traverser la cour jusqu'au champ, et pointa le doigt. Ils apercevaient vaguement quelqu'un en train de s'affairer, tout au fond, juste à côté de la voie rapide.

— On peut traverser sans problème ? s'enquit Fearby.

— Ils ne mordent pas.

Un petit portillon menait au champ. Fearby et Frieda le traversèrent en silence. Deux chevaux s'approchèrent et Fearby lança un regard en biais à Frieda.

— Ils croient qu'on leur apporte à manger, expliqua Frieda.

— Que feront-ils quand ils s'apercevront qu'on n'a rien ?

Un petit cheval pelé frotta son nez contre Frieda. Elle le caressa entre les deux yeux. Depuis combien de temps ne s'était-elle pas tenue ainsi aussi proche d'un cheval ? Vingt ans ? Plus ? Elle sentit sur elle la chaleur de son souffle, réconfortante, une odeur douceâtre, de renfermé, de terre. Alors qu'ils approchaient du fond du champ, ils virent un homme en train de fixer un grillage à un nouveau poteau, et de tordre le fil métallique à l'aide de pinces. Il les regarda. Il était grand, avec de très longs cheveux brun-roux, retenus en arrière en queue de cheval. Il portait un jean et un tee-shirt noir. Ce que Frieda avait d'abord pris pour des manches longues était en fait un entrelacs de tatouages sur ses bras. Il portait des boucles d'oreilles, des deux côtés.

— Mick Doherty ? demanda Fearby.

L'homme leur répondit par un froncement de sourcils.

— Vous êtes qui ?

— On n'est pas de la police. Je recherche une jeune fille appelée Sharon Gibbs. Elle a disparu. On m'a dit que vous la connaissiez.

— Jamais entendu parler d'elle.

— Je crois que si. Vous êtes bien Mick Doherty ?

— Tout juste.

— On veut juste la retrouver.

Frieda l'entendit prononcer « on », mais ne réagit pas. Cet homme étrange s'exprimait avec prudence, mais une certaine fermeté.

— En revanche, si on ne trouve rien, on sera obligés de faire part de ce qu'on sait à la police. Je suis bien persuadé que ça ne posera aucun problème, mais...

Fearby s'interrompit et patienta.

— Je n'ai rien à me reprocher. Vous n'avez rien sur moi.

Fearby continua d'attendre.

— Je ne sais pas ce que vous voulez.

Son regard glissa sur Frieda.

— Vous perdez votre temps, ici.

— Sharon Gibbs.

— Bon, d'ac. Je la connais un peu. Et alors ?

— Quand l'avez-vous vue pour la dernière fois ?

— Vous dites qu'elle a disparu ?

— C'est ça.

— Depuis quand ?

— Il y a un peu plus de trois semaines.

Doherty acheva de tordre un lien métallique sur la barrière.

— Je ne l'ai pas vue depuis des mois. Peut-être même plus. J'étais pas là.

— Vous n'étiez pas là.

— C'est ça.

— Vous étiez où ?

— En prison. Pas longtemps. On m'a joliment baisé, putain... J'y suis entré en janvier. J'suis ressorti la semaine dernière. Ils m'ont relâché, et trouvé un job. Je me retrouve à pelleter la putain de merde de ces putains de poneys.

— Et avez-vous vu Sharon depuis que vous êtes ressorti ?

— Pourquoi je l'aurais fait ? C'est pas ma petite amie ou quoi, si c'est ce que vous insinuez. Rien qu'une gosse agitée.

— Une gosse agitée qui s'est mise à fréquenter les mauvaises personnes, Mr Doherty.

Fearby fixa l'homme avec insistance.

— Et dont les parents sont horriblement inquiets.

— Ce n'est pas mon problème. Il y a erreur sur la personne.

Frieda eut une inspiration soudaine.

— Les gens vous appellent-ils Shane ?

— Comment ça ?

— Cheveux roux, donc surnom irlandais.

— Je viens de Chelmsford.

— Mais ils vous appellent Shane.

Doherty ébaucha un sourire sarcastique.

— Des fois, ouais.

— Parlez-moi de Lila Dawes.

— Quoi ?

— Vous connaissiez une fille appelée Lila Dawes, également disparue.

Elle sentit Fearby se raidir à ses côtés, comme traversé d'une décharge électrique.

— Deux jeunes filles disparues, commenta-t-il à mi-voix. Et vous les connaissiez toutes les deux.

— Qui dit que je connaissais Lila ?

— Lila. Accro au crack. Elle traînait avec vous, Shane – ou devrais-je dire Mr Doherty –, à l'époque où elle a disparu. Il y a deux ans.

— Vous dites que vous n'êtes pas de la police, et je n'ai donc rien à vous dire. À part...

Il reposa son fil de fer. Frieda apercevait la bave sur sa bouche, et les vaisseaux sanguins éclatés sur sa peau. Il serra et desserra les poings en faisant onduler ses tatouages, et son regard s'égara autour d'elle, comme attiré par autre chose.

— À part foutez le camp, et rentrez chez vous.

— Hazel Barton, Roxanne Ingatestone, Daisy Crewe, Philippa Lewis, Maria Horsley, Lila Dawes, Sharon Gibbs.

On aurait dit une mélopée, une incantation. Frieda sentit son souffle la quitter. Elle se figea, garda le silence. L'espace d'un instant, ce fut comme si elle avait pénétré dans un tunnel obscur, menant dans un endroit plus sombre encore.

— De quoi que tu causes, putain, le vieillard ?

— De filles disparues, repartit Fearby. Je parle de filles disparues.

— D'accord. Je connaissais Lila.

Il fit une grimace satisfaite à ce souvenir.

— Je ne sais pas où elle est allée.

— Je pense que si, coupa Frieda. Et si c'est le cas, vous feriez mieux de me le dire, parce que je finirai bien par trouver.

— Les gens vont et viennent. Elle a toujours causé plus d'ennuis qu'autre chose.

— Ce n'était qu'une adolescente qui a eu la terrible malchance de tomber sur vous.

— Comme c'est triste. Et, ouais, je connaissais vaguement Sharon, aussi. Pas les autres.

— C'était la première fois que vous faisiez de la prison ? demanda Fearby.

— On va s'arrêter là, je crois.

— Des dates, Mr Doherty.

Quelque chose dans sa voix fit vaciller l'expression de l'homme une seconde, tandis que son sourire fielleux laissait place à une certaine méfiance.

— Il y a dix-huit mois, j'étais à Maidstone.

— Pour ?...

— Une histoire, avec une fille.

— Une histoire.

Fearby répéta les mots comme pour en soupeser le poids.

— Vous avez pris combien ?

Doherty se contenta de hausser les épaules.

— Combien ?

— Quatre mois, plus ou moins.

Frieda sentait que Fearby procédait à des calculs. Son visage était fripé par la concentration, des rides profondes barraient son front.

— Soit, conclut-il enfin. On a fini.

445

Fearby et Frieda traversèrent le champ dans l'autre sens, deux chevaux sur leurs talons. Frieda entendait leurs sabots marteler la terre sèche, comme un roulement de tambour.

— Il faut qu'on parle, déclara Fearby, alors qu'ils atteignaient sa voiture.

Elle hocha la tête, simplement.

— Y a un endroit où on peut aller ? Vous habitez dans le coin ?

— Non. Et vous ?

— Non. Comment êtes-vous venue jusqu'ici ?

— J'ai pris un taxi à la gare.

— On peut trouver un café.

Frieda s'installa à côté de lui. La ceinture ne marchait pas, l'habitacle sentait la cigarette. Plusieurs dossiers s'empilaient sur la banquette arrière. Ce n'est que lorsqu'ils eurent pris place près de la baie vitrée d'un petit café minable sur Denham High Street, avec des mugs de thé noyé dans le lait posés devant eux, qu'ils échangèrent un autre mot.

— À vous l'honneur, commença Fearby.

Il posa un dictaphone devant lui, puis ouvrit un carnet à spirale et sortit un stylo de la poche de sa veste.

— Que faites-vous ?

— Je prends des notes. Ça vous va ?

— Je ne crois pas, non. Et éteignez-moi ça.

Fearby la dévisagea comme si c'était la première fois qu'il la voyait vraiment. Puis un mince sourire s'afficha sur son visage tanné. Il éteignit l'appareil et reposa son stylo.

— Dites-moi ce que vous faites ici.

Aussi Frieda lui raconta-t-elle son histoire. Au début, elle était consciente de son côté irrationnel : une simple intuition paranoïaque consécutive à son propre trauma l'avait menée dans la quête vaine, inexplicable, d'une fille qu'elle n'avait jamais connue. Elle s'entendit évoquer l'étincelle, l'anecdote, brève mais d'une netteté frappante, qui avait déclenché ses recherches, les impasses, les tristes entrevues avec le père de Lila et avec la compatriote de Josef, qui l'avait orientée vers Shane. Mais peu à peu, elle se rendait compte que Fearby ne réagissait pas avec incrédulité, comme si elle avait juste perdu la boule – comme l'avaient fait les autres. Il hochait la tête en signe d'assentiment, se penchait en avant ; son regard semblait s'animer, ses traits inflexibles s'adoucir.

— Voilà, conclut-elle, une fois qu'elle eut fini. Qu'en pensez-vous ?

— On dirait qu'on parle du même homme.

— Vous allez devoir m'expliquer.

— Eh bien... Tout a commencé avec George Conley, j'imagine.

— Pourquoi ce nom me dit-il quelque chose ?

— Il a été jugé coupable du meurtre d'une fille, Hazel Barton. Vous aurez sans doute entendu parler de lui parce qu'il a été relâché voici quelques semaines, après avoir passé des années au trou pour un crime qu'il n'a jamais commis. Pauvre type, il aurait presque mieux fait de rester derrière les barreaux. Mais c'est une tout autre histoire. Hazel a été la première, et la seule dont on ait retrouvé le corps. Ma conviction est que Conley a interrompu le criminel, alors que toutes les autres... mais j'anticipe. D'ailleurs, Hazel n'a pas vraiment été la première : il y a eu Vanessa Dale, pour commencer, et je ne l'avais juste pas compris à l'époque, parce qu'elle s'en est sortie. Je l'ai retrouvée, j'aurais dû le faire plus tôt, quand ses souvenirs étaient encore frais, ou qu'elle en avait, tout court, mais je ne savais pas. Il m'a fallu des années pour comprendre de quoi il retournait au juste, quelles sombres ramifications impliquait cette histoire. À l'époque, je n'étais qu'un journaleux, avec femme et enfants, qui couvrait les infos locales. Enfin bref...

— Stop, coupa Frieda.

Fearby releva la tête, clignant des yeux.

— Je suis désolée, mais je ne comprends pas un traître mot de ce que vous racontez.

— J'essaie d'expliquer. Écoutez. Tout se tient, mais vous devez suivre le lien.

— Mais vous n'en établissez aucun.

Il s'adossa à sa chaise, fit tinter sa cuillère dans son thé tiède, à présent.

— Ça fait trop longtemps que je vis avec ça, sans doute.

— Essayez-vous de me dire qu'il existe un rapport entre toutes les filles dont vous avez communiqué le nom à Doherty, et Lila Dawes ?

— Oui.

— Comment ça ?

Fearby se releva brusquement.

— Je ne peux pas vous le dire : il faut que je vous le montre.

— Me le montrer ?

— Oui. C'est tout noté. J'ai des cartes et des tableaux, des dossiers. Tout y est.

— Où ça ?

— Chez moi. Vous voulez bien venir jeter un œil ?

Frieda marqua une pause.

— Soit, dit-elle enfin.

— Bien. Allons-y.

— Où habitez-vous ? À Londres ?

— Londres ? Non. Birmingham.

— Birmingham !

— Oui. Ça pose un problème ?

Frieda songea à sa maison, à ses amis qui ne savaient pas où elle était, à son chat dont le bol resterait vide. Elle pensa à Ted, à Judith et Dora – mais ne put résister à l'étrangeté de cette rencontre, au magnétisme exercé par cet homme insondable. Elle appellerait Sasha, et lui dirait de garder la boutique.

— Non, répondit-elle. Pas de problème.

Quarante-neuf

Dans la tiédeur de la voiture, Frieda se sentit inexorablement entraînée vers le sommeil. Elle avait traversé plusieurs nuits d'insomnie, pires qu'à l'accoutumée, entrecoupées de rêves écorchés, violents, et se sentait épuisée, l'œil brûlant de fatigue. Mais elle lutta devant Fearby, ce rapace déplumé ; elle ne pouvait pas s'autoriser à baisser la garde face à lui. Et pourtant, rien à faire, elle ne tint pas le coup. Alors même qu'elle se laissait aller enfin, fermant les yeux tandis que son corps s'affaissait, elle se fit la réflexion qu'il était étrange qu'elle fasse confiance à un parfait inconnu.

Quittant la M25, Fearby emprunta la M1. Cette route lui était familière ; il semblait naturel qu'ils la parcourent ensemble. Il inséra un disque de folk irlandaise dans le lecteur de CD, baissa le volume de façon que la musique soit tout juste audible, et lui coula un regard en biais. Il ne parvenait pas à la cerner. Elle devait avoir dans les 35 à 40 ans – de loin, elle semblait plus jeune, avec sa mince silhouette altière et ses mouvements souples, mais de près, ses traits étaient tirés, ses yeux creusés et son visage pâle avaient une expression hagarde. Il ne lui avait pas demandé ce qu'elle faisait.

Frieda Klein : ça sonnait allemand, juif. Il regarda ses mains, qui gisaient à demi croisées sur ses genoux, et constata qu'elles étaient dépourvues d'alliance comme de bague, avec des ongles sans vernis, coupés court. Elle ne portait ni bijoux ni maquillage. Même endormi, son visage restait sévère et soucieux.

Néanmoins – et son cœur se gonfla à cette idée – il avait de la compagnie, une camarade de route, au moins pour un temps. Il avait tellement l'habitude de travailler seul qu'il distinguait mal désormais les limites du monde extérieur de celles de ses propres obsessions. Elle serait en mesure de le lui dire : elle avait un regard franc, intelligent, et quels que puissent être les mobiles de sa propre quête, il avait senti son calme perspicace. Il sourit en lui-même : elle n'aimait pas qu'on lui dicte sa conduite.

Elle murmura quelque chose et leva brusquement une main. Ses yeux s'ouvrirent d'un seul coup et, un instant plus tard, elle s'était redressée, repoussant ses cheveux de sa figure échauffée.

— Je me suis endormie.

— Pas de problème.

— Je ne m'endors jamais.

— C'est que vous en aviez besoin.

Elle se recala ensuite au fond de son siège et contempla au travers du pare-brise le flot des voitures défilant dans la direction opposée.

— On est à Birmingham ?

— En fait, je ne vis pas en ville. J'habite dans un village, un petit bourg, plutôt, à quelques kilomètres de là.

— Pourquoi ?

— Pardon ?

— Pourquoi ne vivez-vous pas en ville ?

— C'est là que je vivais avec ma femme et mes enfants. Quand ma femme m'a quitté, je n'ai jamais trouvé le courage de déménager.

— Ce n'est pas par choix, alors ?

— Sans doute pas. Vous n'aimez pas la campagne ?

— Les gens devraient s'interroger sur l'endroit où ils vivent, en faire un choix délibéré.

— Je vois, répliqua Fearby. Je suis passif, et vous, vous avez choisi, si je comprends bien.

— Je vis au cœur de Londres.

— Parce que vous y tenez ?

— Parce que c'est un endroit où je peux rester au calme et me cacher. La vie suit son cours à l'extérieur.

— Peut-être est-ce ce que je ressens vis-à-vis de ma petite maison. Elle est invisible à mes yeux, je ne la remarque même plus. C'est juste un endroit où aller. J'étais journaliste, autrefois. Et vous, vous faites quoi ?

— Je suis psychothérapeute.

Fearby parut déconcerté.

— Ah ça, je ne l'aurais jamais deviné.

Il n'avait pas l'air de se rendre compte à quel point il avait laissé sa maison partir à vau-l'eau. Une allée de gravier disparaissait presque entièrement sous les ombellifères, les pissenlits et les touffes d'herbe. Les rebords de fenêtres pourrissaient et les carreaux étaient crasseux. Il avait beau avoir fait plus ou moins le ménage, la maison n'en gardait pas moins un aspect négligé. Dans la cuisine, des tas de vieux journaux jaunis étaient empilés sur la table, qui ne servait manifestement pas pour les repas. Quand Fearby ouvrit la porte du réfrigérateur pour chercher du lait qui ne s'y trouverait pas, Frieda put constater qu'à part quelques canettes de bière, il était quasi vide. C'était la maison d'un homme qui vivait seul et ne s'attendait pas à recevoir de la visite.

— Bon, ben pas de thé, alors, conclut-il. Que diriez-vous d'un whisky ?

— Je ne bois pas durant la journée.

— Aujourd'hui est un jour spécial.

Il versa à chacun deux doigts de whisky dans des verres douteux et en remit un à Frieda.

— À nos disparues, dit-il en faisant tinter son verre contre le sien.

Frieda but une gorgée symbolique et brûlante, pour trinquer avec lui.

— Vous alliez me montrer ce que vous avez trouvé.

— Tout est dans mon bureau.

Quand il ouvrit la porte, elle resta quelques instants sans voix, le temps d'accommoder sa vue à ce mélange d'ordre et de délire. Une fraction de seconde, cela lui rappela Michelle Doyce, la femme à laquelle Karlsson l'avait présentée, qui avait rempli son studio de Deptford des reliefs de la vie des autres, en rangeant comme une maniaque ses détritus par catégories.

Le bureau de Fearby était chichement éclairé, vu que la fenêtre était à moitié cachée derrière les piles chancelantes posées sur son rebord : journaux, revues, sorties papier. Il y en avait tout autant par terre : il était presque impossible, dans ce dédale, de se frayer un chemin jusqu'à la longue table qui faisait office de bureau et qui disparaissait également sous les bouts de papier, les vieux carnets, deux ordinateurs, une imprimante, un photocopieur hors d'âge, un gros appareil photo sans objectif, un téléphone sans fil. Ainsi que deux coupelles ébréchées débordantes de mégots, plusieurs verres et bouteilles de whisky vides. Sur le rebord du plateau, des douzaines de Post-it jaunes et roses, comportant des numéros de téléphone ou des mots griffonnés à la hâte.

Quand Fearby alluma sa lampe d'architecte, elle illumina la photocopie papier d'une photo de jeune femme, au visage souriant. Une dent ébréchée. À cette vue, Frieda eut une pensée pour Karlsson, à des kilomètres de là – lui aussi avait une dent ébréchée.

Ce n'est pas tant le chaos qui régnait dans cette pièce qui la sidéra, cependant, que le contraste entre cette pagaille et une forme d'ordre méticuleux. Sur les panneaux en liège, punaisés avec soin, s'affichaient des douzaines de visages de jeunes femmes. À l'évidence séparées en deux catégories. Sur la gauche, une vingtaine de visages, environ, sur la droite, six. Au milieu, une grande carte de la Grande-Bretagne, couverte de drapeaux qui s'étiraient le long d'une ligne tortueuse, de Londres en direction du nord-ouest. Sur le mur d'en face, Frieda vit une immense frise chronologique, avec des dates et des noms inscrits dessus d'une écriture soignée. Fearby l'observait. Il ouvrit les tiroirs d'un cabinet, et elle vit des rangées de dossiers à l'intérieur, comportant des noms. Il entreprit de les sortir, les posant sur d'autres tas instables sur sa table.

Frieda avait envie de s'asseoir mais il n'y avait qu'un fauteuil pivotant encombré de plusieurs livres.

— Ce sont elles ? demanda-t-elle, en les montrant du doigt.

— Hazel Barton.

Il effleura sa figure avec douceur, et presque révérence.

— Roxanne Ingatestone. Daisy Crewe. Philippa Lewis. Maria Horsley. Sharon Gibbs.

Elles souriaient à Frieda, ces jeunes frimousses aux traits lisses, pleines de vie.

— Vous pensez qu'elles sont mortes ?

— Oui.

— Peut-être que Lila l'est aussi.

— Ça ne peut pas être Doherty.

— Pourquoi ?

— Regardez.

Il la mena devant la frise.

— Là, c'est la date à laquelle Daisy a disparu, ainsi que Maria... Il était en prison.

— Pourquoi êtes-vous si sûr que ce soit le fait d'une seule et même personne ?

Fearby ouvrit le premier dossier.

— Je vais tout vous montrer. Ensuite, vous me direz ce que vous en pensez. On va en avoir pour un moment, je le crains.

À 19 heures, Frieda appela Sasha, qui accepta d'aller chez elle et d'y rester jusqu'à son retour. Une pointe de panique dans sa voix trahissait son inquiétude, mais Frieda abrégea la conversation. Elle téléphona également à Josef pour lui demander de nourrir le chat et peut-être aussi, d'arroser les plantes dans son jardin.

— Vous êtes où, Frieda ?

— Près de Birmingham.

— C'est quoi, ça ?

— Une ville, Josef.

— Pour faire quoi ?

— Ce serait trop long à expliquer.

— Il faut rentrer, Frieda.

— Pourquoi ?

— On s'inquiète, tous.

— Je ne suis plus une enfant.

— On s'inquiète tous ! répéta-t-il.

— Eh ben, arrêtez.

— Vous pas bien. On est tous d'accord. Je viens vous chercher.

— Non.

— Je viens tout de suite.

— Vous ne pouvez pas.

— Pourquoi pas ?

— Parce que je ne vous dirai pas où je suis.

Elle mit fin à l'appel mais son portable se remit à sonner presque aussitôt. C'était Reuben qui appelait, à présent : sans doute Josef se trouvait-il à ses côtés, avec son regard tragique. Elle poussa un soupir, éteignit l'appareil et le rangea dans son sac. Elle n'avait jamais voulu de portable, pour commencer.

— Sharon Gibbs, reprit Fearby, comme si rien n'était venu les interrompre.

À 22 h 30, ils avaient fini. Fearby sortit se griller une cigarette et Frieda alla inspecter le contenu des placards en quête de nourriture. Elle n'avait pas faim, mais se sentait vidée et ne pouvait se rappeler quand elle avait mangé pour la dernière fois. Ni ce jour-là, ni la veille au soir sans doute.

Les placards, comme le réfrigérateur, étaient quasiment vides. Elle dénicha du riz à cuisson rapide et des bouillons cubes de légumes à la date de péremption dépassée depuis longtemps : il faudrait s'en contenter. Alors qu'elle faisait chauffer le riz dans le bouillon, Fearby regagna la cuisine et resta planté à l'observer.

— Alors, vous en pensez quoi ? s'enquit-il.

— J'en pense que, soit nous sommes deux individus victimes d'illusions qui se sont rencontrés par hasard dans un refuge pour ânes... soit vous avez raison.

Il eut une grimace de soulagement.

— Auquel cas, ce n'est pas Doherty, ou Shane, ou peu importe son nom.

— Non. Mais c'est bizarre, non, qu'il les ait connues l'une et l'autre ? Je n'aime pas les coïncidences.

— Elles menaient le même genre de vie... deux jeunes femmes qui avaient mal tourné.

— Peut-être qu'elles se connaissaient ? suggéra Frieda, alors qu'elle ôtait le riz de la cuisinière, laissant la vapeur envahir son visage, qui lui semblait crasseux et éreinté.

— C'est une idée. Comment savoir ?

— Je crois que je connais un moyen.

Une fois le riz avalé – Fearby en avait mangé la plus grande partie, Frieda n'avait fait que picorer ses grains –, elle annonça qu'elle devait trouver un train et rentrer chez elle. Mais Fearby lui répondit qu'il était trop tard. Après une courte passe d'armes au sujet des hôtels et des trains, Fearby finit par sortir un vieux sac de couchage d'un placard et Frieda s'arrangea une sorte de lit sur un canapé dans le salon. Elle passa une nuit étrange, fiévreuse, le rêve se confondait avec l'éveil, ses pensées, toujours noires, surgissaient des cauchemars ou l'y replongeaient. Elle sentait, ou pensait, ou rêvait, qu'elle était embarquée dans un voyage qui tenait du parcours d'obstacles, et que ce n'était que lorsqu'elle les aurait franchis et résolu tous les problèmes, qu'elle serait enfin autorisée à dormir. Elle songea aux portraits des filles sur le mur de Fearby et leurs traits se superposèrent à ceux de Ted, Judith et Dora Lennox, qui la dévisageaient tous, de haut.

Vers trois heures et demie, elle se retrouva parfaitement réveillée, hélas, à contempler le plafond. À quatre heures et demie, elle se leva. Elle se rendit dans la salle de bain et se fit couler un bain. Couchée dedans, elle regarda le jour poindre derrière le store de la fenêtre. Elle se sécha avec la serviette qui semblait la moins utilisée et remit ses vêtements sales de la veille. Quand elle émergea de la salle de bain, Fearby versait du café dans deux mugs.

— Je n'ai pas grand-chose à vous offrir pour le petit-déjeuner, s'excusa-t-il. Je peux sortir à 7 heures et aller chercher du pain et des œufs.

— Du café, ça ira, répondit Frieda. Après ça, on ferait bien d'y aller.

Fearby rangea un carnet, un dossier, un petit enregistreur digital dans une sacoche et, une demi-heure plus tard, ils empruntaient de nouveau l'autoroute en direction du sud. Ils roulèrent un long moment en silence. Frieda regardait par la fenêtre, puis tourna la tête vers Fearby.

— Pourquoi faites-vous ça ? demanda-t-elle.

— Je vous l'ai dit, répondit-il. Au début, pour George Conley.

— Mais vous avez réussi à le faire sortir, répondit Frieda. Ce que la plupart des journalistes ne seraient pas parvenus à accomplir, même à l'échelle d'une carrière.

— Ça ne me paraissait pas assez. Il n'en est sorti qu'en raison d'une erreur de procédure. Quand on l'a libéré sous les vivats de la foule et en présence des médias, ça m'a paru insuffisant. J'avais besoin de raconter toute l'histoire, pour démontrer que Conley était innocent.

— Est-ce ce que désire Conley lui-même ?

— J'ai été le voir. C'est une épave. Je ne crois pas qu'il soit capable d'exprimer sa volonté.

— D'aucuns pourraient dire, à voir votre maison, que vous êtes à la dérive, vous aussi.

Fearby aurait pu en prendre ombrage ou chercher à s'en défendre, songeait Frieda, mais il sourit.

— Pourraient dire ? On me l'a déjà dit, point barre. À commencer par ma femme et mes collègues. Mes *ex*-collègues.

— Est-ce que ça vaut le coup ? persista Frieda.

— Je ne cherche pas à ce qu'on me remercie. J'ai juste besoin de savoir. Pas vous ? Quand vous avez vu les portraits de ces filles, vous n'aviez pas envie de savoir ce qui leur était arrivé ?

— L'idée vous a-t-elle jamais traversé qu'il n'existait peut-être aucun lien entre ces photos sur votre mur, à part le fait que ce sont toutes des pauvres filles qui ont manqué de chance, et disparu ?

Fearby lui lança un bref regard en coin.

— Je croyais que vous aviez pris mon parti ?

— Je ne prends le parti de personne, répondit Frieda en fronçant les sourcils, avant de se détendre. Il m'arrive même d'avoir du mal à prendre le mien, à vrai dire. Nos cerveaux sont ainsi faits que nous percevons une forme de logique là où il n'y en a aucune. C'est la raison pour laquelle nous distinguons des silhouettes d'animaux dans les nuages. Mais en réalité, ce ne sont que des nuages.

— Et c'est pour ça que vous êtes venue jusqu'à Birmingham ? Et que nous refaisons tout le trajet en sens inverse pour retourner à Londres ?

— Mon métier est d'écouter comment les gens considèrent leur vie. On retrouve des schémas tour à tour destructeurs, opportunistes, ou autodestructeurs ; parfois ratés, tout court. Vous arrive-t-il de vous inquiéter de ce qui arriverait si vous vous aperceviez que vous avez fait fausse route ?

— Peut-être que la vie n'est pas si compliquée que ça. George Conley a été jugé coupable du meurtre de

Hazel Barton. Mais il n'en est pas l'auteur. Ce qui signifie qu'un autre l'est. Moralité : on va où, dans Londres ?

— Je vais rentrer l'adresse sur votre navigateur.

— Vous allez adorer, répliqua Fearby. Le GPS a la voix de Marilyn Monroe. Enfin, de quelqu'un imitant Marylin Monroe. Évidemment, ça risque de ne pas faire autant d'effet à une femme qu'à un homme, l'idée de rouler en compagnie de Marilyn Monroe. Certaines femmes pourraient même trouver ça plutôt agaçant.

Frieda pianota l'adresse et, durant l'heure et demie qui suivit, la voiture fut pilotée le long de la M1, puis de la M25, qui ceinturait Londres à distance, par une voix qui n'évoquait aucunement celle de Marilyn Monroe. Mais pour le reste, il n'avait pas tort : elle la trouvait agaçante, en effet.

Lawrence Dawes était chez lui. Frieda se demanda s'il lui arrivait parfois de ne pas y être. Au début, il sembla surpris.

— Je croyais que vous aviez laissé tomber, dit-il.

— J'ai du nouveau pour vous, répondit Frieda. Enfin, *on* a du nouveau pour vous.

Dawes les invita tous deux à entrer et, une fois de plus, Frieda se retrouva attablée dans le jardin arrière de Dawes, pendant qu'on lui servait un thé.

— On a retrouvé Shane, commença-t-elle.

— Qui ?

— L'homme que fréquentait votre fille.

— Fréquentait ? Comment ça ?

— Votre fille touchait à la drogue, vous le savez. Lui aussi, d'une autre façon, plus professionnelle.

Dawes resta sans réaction, mais ne semblait guère plus espérer de bonnes nouvelles.

— Shane n'était qu'un surnom. Son vrai nom est Mick Doherty.

— Mick Doherty. Vous pensez qu'il a un rapport avec la disparition de ma fille ?

— C'est possible. Mais je ne sais pas dans quelle mesure. C'est en allant voir Doherty, dans l'Essex, que je suis tombée sur Jim. Nous cherchions tous les deux Doherty, mais pour différentes raisons.

— Que voulez-vous dire ?

— J'enquêtais sur le cas d'une jeune femme appelée Sharon Gibbs, expliqua Fearby. Elle avait disparu et j'ai appris qu'elle connaissait ce type, ce Doherty. Quand j'ai rencontré Frieda, je me suis aperçu que nous voulions tous les deux lui parler de femmes disparues. La coïncidence nous a troublés.

Perdu dans ses pensées, Dawes semblait peiné comme Frieda ne l'avait jamais vu jusqu'ici.

— Oui, oui, je comprends bien... répondit-il, presque pour lui-même.

— Vous n'aviez jamais entendu parler de Shane, reprit Frieda. Mais maintenant que nous connaissons son vrai nom – Mick Doherty –, est-ce que celui-ci vous dit quelque chose ?

Dawes secoua lentement la tête.

— Je ne me rappelle pas l'avoir jamais entendu.

— Et celui de Sharon Gibbs ?

— Non, désolé. Ça ne me dit rien. Je ne peux pas vous aider. J'aimerais, croyez-le bien.

Il regarda Frieda et Fearby tour à tour.

— Vous devez penser que je suis un mauvais père. Vous savez, je me suis toujours vu comme le genre de père qui remuerait ciel et terre pour retrouver sa fille, si quiconque avait tenté de lui faire du mal. Mais ce n'est pas une petite de 5 ans qui a disparu. C'est plutôt l'histoire d'une personne qui a grandi, pris ses distances, qui voulait mener sa vie comme elle l'entendait. Il y a des jours où je pense à elle tout le temps et ça fait mal. Là.

Il porta sa main à son cœur.

— Il y en a d'autres où je continue de m'affairer, de jardiner, de réparer. Ça m'empêche de penser. Mais peut-être que je ne devrais pas, que c'est une façon de la délaisser, en quelque sorte.

Il se tut un instant.

— Cet homme, c'est quoi son nom ?

— Doherty, rappela Frieda.

— Vous croyez qu'il a un lien avec la disparition de Lila ?

— On n'en sait rien, répliqua Fearby, avant de jeter un œil à Frieda.

— Une forme de lien, oui, répliqua Frieda. Mais il ne peut pas être responsable dans les deux cas. Doherty était en prison quand Sharon Gibbs a disparu... Selon les recherches de Jim, Sharon Gibbs correspond au schéma. Mais le cas de votre fille semble différent. Et pourtant, elle est reliée aux autres par Doherty. Quelque part, il est la clé de tout ça, mais je ne vois pas comment.

— En quoi son cas est-il différent ? s'enquit Dawes.

Frieda se leva.

— Je vais rapporter ce thé que vous nous avez servi et faire la vaisselle et, pendant ce temps, Fearby pourra vous raconter ce à quoi il a employé ses journées jusqu'ici. Peut-être qu'un détail vous rappellera quelque chose. Sinon, on aura abattu un mur rien que pour s'en payer un autre.

Dawes protesta mais Frieda l'ignora. Elle s'empara du plateau à motifs qu'il avait posé contre le pied de la table et posa les mugs, le pot de lait et le bol de sucre dessus. Puis elle entra dans la maison et prit tout de suite à droite, pour se rendre dans la petite cuisine. La fenêtre au-dessus de l'évier donnait sur le jardin et Frieda observa les deux hommes pendant qu'elle faisait la vaisselle. Elle les voyait parler, mais n'entendait rien des mots échangés. Dawes était sans doute le genre d'homme plus enclin à se confier à un autre homme. Ils se levèrent de table et s'éloignèrent dans le jardin. Elle vit Dawes indiquer du bras plusieurs plantes et, parvenu au fond du jardin, le petit ruisseau qui y coulait.

Il restait quatre autres mugs dans l'évier, ainsi que quelques assiettes et quelques verres sales sur le plan de travail en formica. Frieda les lava également, puis rinça et rangea le tout dans l'égouttoir. Elle inspecta la cuisine du regard, se demandant si les hommes réagissaient à l'absence autrement que les femmes. Le contraste avec la maison de Fearby était saisissant. Ici, tout était propre, net et bien organisé, alors que, chez Fearby, tout était sale et délaissé. Mais ils avaient une chose en commun. Frieda se disait qu'une femme aurait peut-être transformé son foyer en une sorte de mausolée à la mémoire de la disparue mais Fearby, comme Dawes faisaient tout le contraire. Leurs lieux de vie, pour différents qu'ils soient, maintenaient l'un et l'autre toutes ces effroyables pensées et sentiments de perte à distance. Fearby avait rempli sa maison des visages d'autres disparues. Et ici ? On aurait dit la maison d'un éternel solitaire. Le simple fait de faire la vaisselle lui procurait l'impression d'être une intruse.

Elle s'essuya les mains sur le torchon, pendu comme il se devait à son crochet, puis sortit rejoindre les deux hommes. Ils se retournèrent au même instant et sourirent à sa vue, comme si un lien s'était tissé entre eux, durant les quelques minutes où elle était restée absente.

— On a échangé des impressions, expliqua Fearby.

— On faisait le même genre de boulot impossible, apparemment, déclara Dawes.

— Mais vous étiez représentant, pas journaliste.

Dawes sourit.

— Ça n'en fait pas moins de temps sur les routes. Trop.

— Vous avez dû vous arrêter juste à temps ? relança Fearby.

— Comment ça ?

— Y a encore des photocopieuses, dans les entreprises ?

— Mais absolument, rétorqua Dawes.

— Je croyais qu'elles se passaient toutes de papier, dorénavant.

— C'est un mythe. On en utilise plus que jamais. Non, Copycon se porte bien. En tout cas, ma retraite me parvient chaque mois.

Il sourit puis parut vouloir se reprendre.

— Y a-t-il quoi que ce soit que je puisse faire pour vous ?

— Non, je ne pense pas.

— Qu'est-ce qui a bien pu arriver à ma fille ?

— On n'en sait rien, répondit Frieda à mi-voix.

— C'est ne pas savoir qui est dur, expliqua Dawes.

— Je suis désolée. Je n'arrête pas de revenir et de remuer de vieux souvenirs, alors que je n'ai pas grand-chose à vous apprendre.

— Non, rétorqua Dawes. Je suis touché que quelqu'un tente de faire quelque chose pour elle. Vous êtes la bienvenue ici tant que vous voudrez.

Quelques civilités plus tard, Frieda et Fearby se retrouvaient dans la rue.

— Pauvre homme, dit Frieda.

— Vous êtes arrivée juste à temps, en tout cas. Dawes commençait à m'expliquer avec force détails comment son voisin et lui allaient construire un nouveau mur.

Frieda sourit.

— En parlant du loup, dit-elle en pointant le doigt.

Gerry s'en revenait, portant deux énormes sacs de compost qui le dissimulaient presque en entier. L'un des deux sacs fuyait, constata Frieda, et semait derrière lui une épaisse traînée brune.

— Bonjour, Gerry.

Il s'arrêta, posa les sacs, passa une main sale sur son front. Sa moustache était toujours irrégulière.

— Je deviens trop vieux pour ça, déclara-t-il. Je ne voudrais pas paraître désagréable, mais que faites-vous ici, à nouveau ?

— On est venus poser deux ou trois questions à Lawrence.

— J'espère que vous aviez une bonne raison.

— Je le croyais, mais...

— Vous voulez bien faire, je le vois bien. Mais il a assez souffert comme ça. Laissez-le tranquille, à présent.

Il se pencha pour reprendre ses sacs à nouveau et s'éloigna en titubant, tout en continuant de déverser de la terre dans son sillage.

— Il a raison, commenta Frieda d'un ton grave.

Fearby déverrouilla sa voiture.

— Je peux vous déposer chez vous ?

— Il y a une gare tout près d'ici. Je peux marcher et prendre un train pour rentrer. Ce sera plus simple, pour vous comme pour moi.

— Vous en avez déjà assez de moi ?

— Je pense à votre trajet de retour. Écoutez, Jim, je suis désolée de vous avoir fait venir jusqu'ici pour si peu.

Il rit.

— Ne soyez pas ridicule. J'ai sillonné le pays en tous sens pour bien moins que ça, et je me réjouissais du résultat.

Il monta à bord de sa voiture.

— On s'en reparle.

— Ça ne vous sidère pas que des filles puissent s'évanouir comme ça dans la nature ?

— Sidère, ce n'est pas le mot. Ça me tourmente, plutôt.

Il claqua la portière puis la rouvrit.

— Quoi ? demanda Frieda.

— Comment je vous joins ? Je n'ai ni votre numéro de téléphone, ni votre e-mail, ni votre adresse.

Ils échangèrent leurs coordonnées, et il la salua d'un signe de tête.

— On se reparle bientôt.

— D'accord.

— Ce n'est pas terminé.

Cinquante

Frieda se rendit à la gare d'un pas traînant. Il faisait gris et chaud, voire lourd, et elle se sentait sale dans ses vêtements de la veille. Elle se laissa aller à penser à sa baignoire qui l'attendait dans sa maison propre, abritée, enfin débarrassée de tous.

Elle alluma son portable et reçut aussitôt une pluie de messages qui s'affichèrent en tintant sur l'écran : appels manqués, messages vocaux, SMS. Reuben avait appelé six fois, Josef plus encore. Jack lui avait envoyé un très long texto rempli d'abréviations incompréhensibles, Sasha deux SMS. Judith Lennox avait cherché à la joindre. Il y avait également plusieurs appels en absence de Karlsson. Quand elle consulta sa boîte vocale, elle entendit sa voix, grave et inquiète, lui demandant de le rappeler dès qu'elle aurait son message. Elle contempla son appareil, avec l'impression d'entendre une cacophonie de voix insistant pour qu'elle se manifeste, réprimandant, implorant, et pire que tout, s'inquiétant pour elle. Elle n'avait pas le temps, pour aucun d'eux, pour l'instant, ni l'énergie ou l'envie. Plus tard.

Quand elle arriva enfin chez elle, le courrier gisait sur son paillasson et, en se penchant pour le ramasser, elle constata que deux missives avaient été glissées par la fente de la boîte aux lettres, déposées en main propre.

L'une était de Reuben : elle identifia son écriture au premier coup d'œil. « Mais vous êtes passée où, bordel ? » avait-il écrit. « Appelez-moi SUR-LE-CHAMP. » Il ne s'était même pas donné la peine de la signer. L'autre, émanant de Karlsson, était plus formelle : « Chère Frieda, je n'ai pas réussi à vous joindre sur votre téléphone, aussi suis-je passé à tout hasard. J'aimerais vraiment vous voir – en tant qu'ami, et parce que je m'inquiète pour vous. »

Frieda grimaça et fourra les deux mots dans son sac. Elle pénétra dans la maison. Elle s'y sentit au frais et à l'abri, presque comme si elle entrait dans une église. Cela faisait si longtemps qu'elle n'avait pu y passer de temps seule, à méditer, assise dans son atelier sous les combles à contempler les lumières de Londres, en plein cœur de la ville mais à l'écart de sa course effrénée, de son chaos et de sa cruauté. Elle circula de pièce en pièce et s'efforça de se sentir chez elle à nouveau, attendant que le calme lui soit rendu. Elle avait l'impression d'avoir traversé un orage, et son esprit était toujours obnubilé par les visages dont elle avait rêvé la nuit précédente. Toutes ces filles disparues...

La chatière claqua et le chat écaille de tortue s'approcha d'elle à pas feutrés avant de se frotter de tout son long contre sa jambe, en ronronnant. Elle lui caressa la gorge et ajouta des croquettes dans son bol, quoique Josef soit manifestement venu le nourrir. Elle monta à l'étage, dans sa toute nouvelle salle de bain, enfonça la bonde et tourna les robinets. Elle aperçut son reflet dans le miroir : cheveux moites sur le front, traits blêmes et tirés. Elle ferma les robinets et ressortit la bonde : ce n'était pas encore aujourd'hui qu'elle se servirait de la baignoire. Elle passa sous la douche à la place, se lava les cheveux, se frotta le corps, coupa ses ongles, mais rien à faire. Une pensée persistait, comme un sifflement, dans sa tête. Brusquement, elle sortit de la douche, s'enroula dans une serviette, et se rendit dans sa chambre. La fenêtre était entrouverte et les rideaux fins s'agitaient dans le courant d'air. Elle entendait des voix au-dehors, et le ronronnement de la circulation.

Son portable bourdonna et elle le repêcha dans sa poche, avec l'intention de le couper illico : elle n'était pas prête à se confronter au monde tout de suite. Mais c'était Karlsson, aussi prit-elle l'appel.

— Oui ?

— Frieda. Dieu soit loué. Où êtes-vous ?

— Chez moi. Je viens de rentrer.

— Il faut que vous veniez sur-le-champ.

— Toujours l'affaire Lennox ?

— Non.

Il parlait d'une voix lugubre.

— Je vous dirai une fois que vous serez là.

— Mais...

— Pour une fois dans votre vie, ne posez pas de questions.

Karlsson la retrouva dehors. Il arpentait le trottoir de long en large en fumant une cigarette, sans plus se cacher. Pas bon signe.

— Que se passe-t-il ?

— Je voulais vous joindre avant ce foutu Crawford.

— Le préfet ? Mais pourquoi diable...

— Auriez-vous quoi que ce soit à me dire ?

— Hein ?

— Où étiez-vous la nuit dernière ?

— À Birmingham. Pourquoi ?

— Vous avez des témoins ?

— Oui. Mais je ne comprends pas...

— Et votre ami, le Dr McGill ?

— Reuben ? Aucune idée. Mais qu'est-ce qu'il y a ?

— Je vais vous dire ce qu'il y a.

Il écrasa sa cigarette et en alluma une autre.

— La maison de Hal Bradshaw a brûlé de fond en comble hier soir. On y a mis le feu.

— Quoi ? ! Je ne sais pas quoi dire. Avec quelqu'un dedans ?

— Lui était sorti, pour une conférence quelconque. Sa femme et sa fille y étaient, mais elles ont pu s'échapper.

— Je ne savais pas qu'il avait une famille.

— Ou alors vous vous seriez abstenue ? acheva Karlsson en ébauchant un sourire.

— On ne dit pas des choses pareilles...

— Ça m'a étonné, moi aussi. Je veux dire, qu'on puisse vouloir l'épouser, pas qu'on puisse vouloir brûler sa maison.

— Ne dites pas ça, même pour plaisanter, et ce n'est pas drôle, d'ailleurs. Mais pourquoi m'avez-vous fait venir jusqu'ici pour me l'apprendre ?

— Il est fou de rage, et tient des propos démentiels. Il dit que c'était vous... ou l'un de vos amis.

— C'est ridicule.

— Il soutient qu'il a reçu des menaces.

— De ma part ?

— De la part de personnes proches de vous.

Frieda se remémora Reuben et Josef durant ce dîner épouvantable, les rêves de vengeance de Reuben et l'expression de haine sur sa figure, et son cœur se serra.

— Jamais ils ne feraient ça, répliqua-t-elle fermement.

— Il y a pire, Frieda. Il a parlé à la presse. Il n'est pas allé jusqu'à mentionner des noms mais pas besoin d'être un génie pour faire le rapprochement.

— Je vois.

— Ils sont là, et vous attendent.

Brièvement, il posa une main sur son bras.

— Mais je serai là, moi aussi. Vous n'êtes pas seule.

Le préfet – un costaud aux sourcils broussailleux et dont le crâne rose apparaissait sous ses cheveux raréfiés – était rouge écarlate. Son uniforme était à l'évidence bien trop chaud pour les températures du jour. Bradshaw était en jean et tee-shirt et ne s'était pas rasé. Quand Frieda pénétra dans la pièce, il la dévisagea, puis secoua lentement la tête de droite à gauche, comme s'il était trop envahi de pitié et de colère pour oser prendre la parole.

— Je suis profondément désolée pour ce qui vous arrive, déclara Frieda.

— Asseyez-vous, riposta le préfet en indiquant une petite chaise.

— Je préfère rester debout.

— Comme il vous plaira. Le Dr Bradshaw vient de me raconter votre histoire. Je suis sidéré, absolument sidéré, qu'on ait jamais pu faire appel à une personne comme vous.

Là, il se tourna vers Karlsson.

— Je dois dire que vous me décevez, Mal', d'avoir fermé les yeux quand votre amie laissait un psychopathe en puissance en liberté.

— Mais ce n'était pas un psychopathe, répliqua Karlsson avec déférence, il s'agissait d'un piège, d'une mise en scène.

Le préfet l'ignora.

— S'en prendre physiquement à un collègue. Agresser une jeune femme qu'elle ne connaît ni d'Ève ni d'Adam, et même la pousser à terre, pour la seule raison qu'elle a pris la défense de son fiancé. S'acharner sur le pauvre Hal ici présent jusque chez lui. Sans parler du meurtre de cette pauvre schizophrène, évidemment.

— Dans un geste de légitime défense, rappela Karlsson. Mesurez vos propos.

Crawford regarda Frieda.

— Qu'avez-vous à dire pour votre défense ?

— De quoi devrais-je me défendre ? D'une accusation d'incendie criminel ?

— Frieda, Frieda, murmura Bradshaw. Je pense qu'il va vous falloir une aide professionnelle. Sincèrement.

— Je n'ai rien à voir avec ce qui s'est passé.

— Il y avait ma femme, et ma fille, dans cette maison, asséna Bradshaw.

— Ce qui rend l'acte encore plus grave, concéda Frieda.

— Où étiez-vous ? coupa Crawford.

— À Birmingham. Et je peux vous mettre en rapport avec quelqu'un qui pourra le confirmer.

— Et vos amis ? s'enquit Bradshaw.

— Quoi, mes amis ?

— Ils ont pris parti pour vous, et contre moi.

— Il est vrai que j'ai plusieurs amis qui pensent que vous avez agi de manière non déontologique et sans respect de l'éthique...

— Vous ne manquez pas d'audace, intervint le préfet.

— ... mais jamais ils ne feraient une chose pareille.

Karlsson toussa bruyamment.

— Je pense que ceci ne nous mènera nulle part, dit-il. Frieda a un alibi. Il n'y a pas l'ombre d'une preuve, rien que les propos avancés par le Dr Bradshaw, que d'aucuns pourraient croire rancuniers. En attendant, je dois diriger l'interrogatoire de Mr Lennox, lequel est accusé du meurtre de Zach Greene.

Bradshaw se leva et s'approcha de Frieda.

— Vous ne vous en tirerez pas comme ça, la menaça-t-il à mi-voix.

— Laissez-la tranquille, rétorqua Karlsson.

Frieda rentra chez elle à pied. Elle s'efforçait de ne penser à rien, juste de poser un pied devant l'autre, cheminant obstinément au sein de foules toujours plus denses, sentant sur sa peau la tiédeur de la journée. Elle devait recouvrer calme et sang-froid avant de se retrouver face aux enfants Lennox. Bientôt, ils n'auraient plus ni mère ni père vers qui se tourner.

Cinquante et un

— Vous êtes prête ? demanda Karlsson.

Yvette hocha la tête.

— On l'a laissé mariner assez longtemps et, pour moi, l'affaire est entendue. Vous n'aurez pas grand-chose à faire. Je vous demande juste de me surveiller et de vous assurer que je ne fais pas de bêtise. Mais même moi, je ne pourrais pas merder, ce coup-ci.

Sur un signe de tête, il l'invita à le suivre dans la salle d'audition. Russell Lennox était assis devant une table, à côté de son avocat, une femme d'âge mûr, en tailleur sombre. Elle s'appelait Anne Beste. Karlsson ne la connaissait pas mais ne lui accorda guère d'attention. Que pourrait-elle, de toute façon ? Yvette mit en route l'enregistreur, puis s'éloigna de la table et resta debout à l'écart, adossée au mur. Karlsson rappela à Lennox qu'il faisait toujours l'objet d'une mise en garde, puis ouvrit un dossier et passa soigneusement en revue les preuves médicolégales trouvées dans l'appartement de Zach. Tout en parlant, il jetait de temps à autre un regard à Lennox et Anne Beste pour juger de son effet. L'expression lasse et impassible de Lennox restait la même. Anne Beste écoutait attentivement, le front barré d'un pli de concentration, en lançant de temps à autre un regard en biais à son client. Ils n'échangèrent pas une parole.

Quand il eut fini, Karlsson referma calmement le dossier.

— Sauriez-vous me trouver une explication innocente pour les traces que vous avez laissées sur les lieux du crime ?

Russell Lennox haussa les épaules.

— Désolé, vous devez répondre quelque chose. Pour l'enregistreur.

— Je dois vraiment m'expliquer ? répliqua Lennox. Je croyais que vous deviez juste établir ma culpabilité.

— Nous y parvenons fort bien, il me semble, répliqua Karlsson. Encore une question : avez-vous la moindre preuve de ce que vous faisiez le jour du meurtre ?

— Non, répondit Lennox. Je vous l'ai déjà dit.

— En effet.

Karlsson garda le silence un moment. Quand il reprit la parole, c'était d'un ton calme, presque conciliateur :

— Écoutez, Mr Lennox, je sais ce que vous avez enduré, mais ne croyez-vous pas que vos proches en ont assez bavé comme ça ? Vos enfants ont besoin de tourner la page et de passer à autre chose.

Lennox ne dit rien, se contenta de fixer la table.

— Très bien. Laissez-moi vous dire – à tous deux – ce qu'il va se passer. Nous allons sortir, Mr Lennox, et vous laisser cinq minutes pour discuter avec votre avocat. Ensuite, je vais revenir dans cette pièce et vous serez accusé du meurtre de Zachary Greene. Je dois vous avertir formellement que vous n'êtes pas tenu de dire quoi que ce soit, mais que le fait de ne pas avouer maintenant quelque chose sur lequel vous vous appuieriez devant la cour risque de nuire à votre défense. Tout ce que vous direz pourra être retenu contre vous. Mais ce que je tiens avant tout à vous faire comprendre, c'est que nous tous ici présents, mais surtout vous, et plus encore vos proches, devons mettre un terme à cette histoire.

Une fois dehors, Karlsson regarda Yvette avec un sourire sans joie.

— Qu'est-ce que ça change, ce qu'il peut dire ? demanda-t-elle.

— Ça sera beaucoup plus rapide s'il avoue, expliqua Karlsson. Mais ça ne change pas grand-chose, au fond.

— Je peux aller vous chercher un café ?

— Attendons, simplement.

Deux minutes d'un silence gêné plus tard, Karlsson consulta sa montre, puis toqua à la porte et entra. Anne Beste leva la main.

— Il nous faut encore un peu de temps.

Karlsson ressortit.

— C'est quoi, cette histoire ?

Quelque chose avait-il mal tourné ? Se pouvait-il qu'ils aient commis une erreur ?

Dix minutes ou presque s'étaient écoulées, avant qu'ils ne regagnent la pièce. Anne Beste pianotait sèchement de sa main gauche sur la table. Elle lança un bref regard à Lennox, qui hocha faiblement la tête.

— Mr Lennox est prêt à reconnaître qu'il a commis un homicide involontaire sur la personne de Zachary Greene.

Karlsson regarda Lennox.

— Que s'est-il passé ? demanda-t-il.

— Je suis allé le voir, répondit Lennox, après que Judith m'a tout raconté. C'était plus fort que moi. J'étais désespéré. Je comptais juste lui parler, mais on s'est disputés, et ça a dérapé. L'instant d'après, il était mort.

Karlsson poussa un soupir.

— Pauvre, mais pauvre idiot... Vous vous rendez compte de ce que vous avez fait ?

Lennox sembla à peine l'entendre.

— Et les enfants ? s'inquiéta-t-il.

Yvette s'apprêtait à répondre quelque chose mais Karlsson l'interrompit d'un regard.

— Vous savez où ils sont ? demanda Karlsson.

Lennox s'adossa à sa chaise. Sa détresse se lisait sur son visage.

— Ils sont tous chez cette femme, là, la psy.

— Chez Frieda ? s'étonna Karlsson. Mais que font-ils là-bas ?

— Je n'en sais rien.

— Mr Lennox, coupa Yvette, vous comprenez, n'est-ce pas, que cette histoire n'est pas terminée ?

— Comment ça ?

— Il y a eu deux meurtres… celui de Zach Greene, que vous avez avoué.

— Homicide involontaire, corrigea Anne Beste.

— Et celui de votre femme.

Lennox riva son regard dans le sien, puis le rabaissa.

— Mon client a coopéré, et n'a rien à ajouter pour le moment, conclut Anne Beste.

Karlsson se leva.

— Nous nous reverrons demain. Comme vient de le dire ma collègue, nous n'en avons pas fini, Mr Lennox.

Cinquante-deux

Derrière sa porte, Frieda découvrit Karlsson, Yvette, ainsi qu'une autre femme qui lui était inconnue sur son seuil. La femme força le passage, sans façon. Ted et Judith, Dora et Chloë étaient attablés dans le salon, devant des mugs et des assiettes, des téléphones et un ordinateur portable.

— Oh mes chéris... mes pauvres, pauvres petits chéris, roucoula Louise.

Les trois Lennox se recroquevillèrent à son approche, mais elle ne sembla pas le remarquer. Chloë posa une main sur l'épaule de Ted.

— Que se passe-t-il ? demanda Frieda à Karlsson, qui lui glissa une brève explication à l'oreille.

À ces mots, elle se retourna vers les jeunes gens. Ses traits se durcirent.

— On veut rester ici.

Judith se tourna vers Frieda.

— Hein ? Je vous en prie, Frieda.

— Je les garde volontiers, dit Frieda à Karlsson. Si je peux être utile en quoi que ce soit...

Louise posa ses mains sur ses hanches, prête à croiser le fer avec elle.

— Non. Pas question. Ils viennent chez moi, c'est

tout ce qu'il leur faut. Les enfants, dites merci pour tout à cette dame.

Elle se retourna vers Frieda avec une expression farouche.

— Ils ont besoin de leur famille, asséna-t-elle dans un souffle très théâtral.

Puis elle s'adressa aux enfants.

— Bien. Sur ce, nous rentrons chez nous, je veux dire, chez moi, et cette femme de la police vient avec nous.

— Non ! s'écria Chloë. Tu ne peux rien faire, Frieda ?

— Non, je ne peux pas.

— Mais c'est horrible et...

— Chloë, tais-toi, maintenant.

Karlsson se tourna vers Yvette.

— Vous saurez gérer ? Ça ne va pas être facile.

— Ça ira.

Yvette avait pâli.

— C'est bien à ça que servent les femmes dans la police, non ? À gérer l'émotionnel ?

— Pas précisément, protesta Karlsson.

Dans la pagaille, on ramassa des sacs, chercha sa veste, étreignit Chloë, après quoi les trois Lennox s'acheminèrent vers la voiture de Louise et y grimpèrent. Ils tenaient à peine à l'intérieur, tous, avec Yvette sur le siège avant. La tête de Ted se dessinait dans l'encadrement de la vitre arrière : il avait le regard perdu dans le vide.

— Je n'ai pas un bon pressentiment, murmura Frieda.

— Il en ira ainsi, désormais, commenta Karlsson. Ils feraient mieux de s'y habituer. Désolé, ça n'avait rien de méchant. Mais que pouvons-nous faire ? Ils ont perdu leur mère, et voilà qu'ils perdent leur père, pour l'instant, en tout cas. Ils ont besoin d'une famille. Vous ne pouvez pas leur apporter ça.

— Mais la façon dont on va le leur annoncer est très importante, plaida Frieda. Tout comme l'écoute qu'on leur accordera après.

— Vous n'en croyez pas Yvette capable ? Euh...
Vous n'avez pas à répondre. Vous seriez sans doute
plus indiquée pour le faire.

— Je n'ai pas dit ça.

— Je n'ai pas le droit de vous demander ça, reprit
Karlsson, je suis désolé. Yvette se plantera peut-être,
et même sans doute, mais elle fera de son mieux, et
au moins, elle est de la maison.

Il fronça les sourcils.

— Je peux vous dire un mot ?

Frieda lança un regard en direction de Chloë.

— Quoi ? rétorqua Chloë d'une voix aiguë et coupante.

— Je vais devoir t'apprendre quelque chose dans
une minute, répliqua Frieda. Au sujet du père de Ted
et Judith. Mais d'abord, Karlsson et moi allons faire
un tour. C'est possible ?

— Non ! Ce n'est pas possible. Ce sont mes amis
et j'ai le droit de...

— Chloë.

Frieda s'exprima d'un ton calme et menaçant qui la
fit taire, puis elle enfila une veste et sortit.

— Ça vous ennuie de faire trois pas ?... demanda-
t-elle.

— J'ai l'habitude, répondit Karlsson.

Frieda leur fit quitter l'impasse pavée et prit à droite.
Parvenus à Tottenham Court Road, ils s'arrêtèrent un
instant et regardèrent défiler les bus et les voitures.

— Vous savez, commença Frieda, qu'en quittant
la campagne pour une ville de la taille de Londres,
on multiplie les chances de devenir schizophrène par
cinq ou six ?

— Pour quelle raison ?

— Personne ne le sait. Mais regardez-moi ça. Ça
paraît plausible, non ? Si on abolissait les villes et qu'on
se remettait à vivre dans des villages, on réduirait l'in-
cidence de la maladie d'un tiers, d'un seul coup.

— Ça me paraît un peu radical, comme procédé.

Frieda prit vers le sud, puis emprunta une petite rue calme sur la droite.

— Vous m'avez manqué aujourd'hui, lâcha Karlsson.

— Mais vous m'avez vue aujourd'hui. Vous vous souvenez ? Avec Hal Bradshaw et votre préfet.

— Oh, ça... répondit Karlsson avec dédain. Ce n'était qu'une farce. Non, quand Lennox a avoué, c'était comme si je m'attendais à vous voir, debout dans la pièce, avec votre œil de lynx.

— Mais je n'étais pas là. Et vous vous en êtes bien tiré, apparemment. Et alors, que s'est-il passé ?

Tandis qu'ils se dirigeaient vers l'ouest, Karlsson livra à Frieda un bref compte rendu des événements de la journée.

— Vous allez l'inculper d'homicide involontaire ?

— Probablement. Il entend parler de la relation. Se précipite, fou de rage. La colère d'un père. Un jury serait sans doute sensible à l'idée.

— J'imagine que ça ne change rien, glissa Frieda, mais ce n'est pas juste avant de le tuer qu'il a appris, pour Zach. D'après Dora, il le savait depuis un moment.

Karlsson fronça les sourcils.

— Vraiment ? Ce n'est pas ce qu'il a dit. Je ne suis pas sûr de tenir à le savoir. Oh, et puis zut, ça ne fera sans doute pas beaucoup de différence. Il n'en reste pas moins un père en colère, et on voit bien comment les choses se déroulent, dans ce cas. Une querelle tourne à la violence. Ça revient au même.

Frieda s'arrêta.

— Oui. Ça revient au même.

— Vous avez une façon de le répéter qui rend la chose suspecte.

— Non. Je me faisais juste l'écho de ce que vous disiez.

— Nous savons que Lennox est sujet à des accès de violence. Regardez ce qui s'est passé avec Paul Kerrigan, on est pratiquement sûrs que c'est lui, et même avec ce revendeur de biens volés. Pourquoi pas avec le petit ami qui lui a volé sa fille ?

La lumière du réverbère se réfléchissait sur le visage mince et triste de Frieda.

— Pauvres enfants, dit-elle doucement, avec cette tante affreuse.

— Oui.

— Et où en est-on avec le meurtre de leur mère ?

Karlsson haussa les épaules.

— Je vais tenter le coup encore une fois avec Lennox. Tout indique que c'est lui. Mais c'est si confus. Il y a tellement de colère et de peine autour de cette histoire, tellement de gens qui étaient au courant ou qui auraient pu l'être. Le secret était mal gardé, finalement, pour prudents qu'ils aient cru être.

— Racontez-moi.

— Les fils Kerrigan le savaient, expliqua Karlsson. Il s'avère que Ruth Lennox – cette femme enjouée, gentille – a appris que Paul Kerrigan comptait la quitter. Elle l'a assez mal pris et elle leur a probablement envoyé une lettre anonyme. En tout cas, quelqu'un l'a fait.

— Oh, réagit Frieda. Ça change tout, on dirait.

— Ils étaient au courant de la liaison et ils savaient avec qui c'était. Ils l'ont retrouvée – le plus jeune a même posté un vilain petit message dans la boîte aux lettres des Lennox.

— Que disait-il ?

— Ce n'était pas verbal. C'était une poupée de chiffon, au sexe mutilé.

— En guise d'avertissement, donc.

— Peut-être… même si le hasard veut qu'il soit tombé entre les mains de la mauvaise personne. Et puis, une fois qu'un secret est éventé, il se répand. On ne peut pas l'empêcher. À qui d'autre l'ont-ils dit ? Ils jurent qu'ils ne l'ont pas dit à Mrs Kerrigan… mais je ne suis pas sûr de les croire, ces garçons adorent leur mère.

Cinquante-trois

Elle alluma son portable une fois de plus et fit défiler ses contacts.

— Agnes ?

— Oui.

— Ici Frieda. Désolée de vous déranger.

— Je suis en réunion. Est-ce...

— Je n'en ai pas pour longtemps. Vous connaissiez une Sharon Gibbs ?

— Sharon Gibbs ? Oui. Pas très bien. Ce n'était pas une amie à proprement parler mais elle habitait près de chez nous et elle était dans la classe d'en dessous, à l'école. Lila la connaissait. Je pense qu'elles ont fréquenté la même bande quand on s'est perdues de vue.

— Merci. C'est ce que je voulais savoir.

— Mais...

— Retournez à votre réunion

Frieda resta assise sur son lit, à contempler le rideau dansant dans les courants d'air, percevant le bruit de la vie au-dehors. Elle songea à Sharon Gibbs, qui lui avait souri du haut du mur encombré de Fearby. La voix de ce dernier résonna dans sa tête : *Hazel Barton, Roxanne Ingatestone, Daisy Crewe, Philippa Lewis, Maria Horsley, Lila Dawes, Sharon Gibbs.*

Quand son portable sonna, elle tendit le bras pour l'éteindre quand elle s'aperçut que c'était Fearby.

— Sharon connaissait Lila, déclara-t-elle.

Il y eut une pause.

— Ça semble logique, répondit-il.

— Comment ça ?

— Vous vous souvenez de la conversation que j'ai eue avec Lawrence Dawes ?

— Oui, vous sembliez plutôt bien vous entendre, tous les deux.

— Sur le fait qu'on avait fait plus ou moins le même genre de boulot ?

— En vendant des photocopieurs d'un côté et en dénichant des infos, de l'autre... Je vois tout à fait le rapport.

— Allons, Frieda. Vous ne pigez pas ? En passant notre vie sur les routes.

— Sur les routes... répéta Frieda d'une voix sourde.

Soudain, elle se sentit écrasée de fatigue. Son oreiller paraissait moelleux et doux, accueillant.

— Je suis journaliste. Donc, qu'est-ce que je fais ? Je me rends chez Copycon... la société pour laquelle il travaillait. Qui peut bien appeler sa société Copycon ? J'ai parlé au directeur régional.

— Avez-vous dit que vous étiez journaliste ?

— Faut savoir tâter le terrain dans ce genre de cas, répliqua-t-il. La plupart des gens sont ravis de parler. Et c'est ce qu'il a fait.

— Hein ?

— Il m'a indiqué quelle zone couvrait Lawrence Dawes jusqu'à ce qu'il prenne sa retraite il y a quelques mois.

Frieda se sentit moite et nauséeuse. Des gouttes de sueur perlèrent sur son front.

— Sa propre fille ?... murmura-t-elle. Et toutes les autres ? Est-ce possible ?

— Tout colle, Frieda.

— Pourquoi ne l'ai-je pas deviné ?

— Comment l'auriez-vous pu ?

— Parce que... vous êtes sûr ?

— Je ne suis sûr de rien. Mais je le sens.

— Où êtes-vous ?

— Près de Victoria.

— Bien. Il faut qu'on joigne Karlsson.

— Karlsson ?

— Un officier de police, plutôt haut gradé.

— Je ne suis pas certain que nous soyons prêts à aller trouver la police, Frieda.

— Ça ne peut pas attendre. Et s'il recommençait ?

— Il leur faudra plus que ce dont nous disposons. Croyez-moi, je les connais.

— Moi aussi, répliqua Frieda. Karlsson m'écoutera. Je ne peux pas vous expliquer maintenant mais... il a une dette envers moi. Bref.

Elle se rappela le mot glissé par sa porte.

— C'est un ami.

Fearby ne semblait toujours pas convaincu.

— Où voulez-vous qu'on se retrouve ?

— Au commissariat.

Elle consulta son radio-réveil.

— Dans trois quarts d'heure, environ, à 15 heures. Ça vous va ?

— J'y serai dès que possible.

Elle lui communiqua l'adresse et raccrocha. Sa fatigue s'était évanouie. Elle se sentait parfaitement réveillée et alerte. Seuls ses yeux la lançaient, comme si les migraines dont elle avait souffert adolescente avaient ressurgi. Lawrence Dawes. Elle s'était assise dans son ravissant jardin, si bien entretenu. Elle avait pris le thé avec lui. Serré sa main et regardé bien en face son visage buriné. Entendu la douleur qui perçait dans sa voix. Comment avait-elle pu ne pas deviner ? Elle plongea sa tête dans ses mains, soulagée par l'ombre qu'elles lui apportaient.

Puis elle enfila en vitesse un ample pantalon de lin et un tee-shirt en coton, jeta ses clés dans son sac et quitta les lieux.

Fearby l'attendait. Alors qu'elle s'approchait de lui, Frieda fut frappée par son apparence vraiment étrange, ses longs cheveux blancs et ses yeux déroutants au fond de ce visage raviné. Ses vêtements étaient plus froissés que jamais, comme s'il avait dormi à la dure. De loin, il semblait se parler à lui-même et, quand il l'aperçut, il se contenta de poursuivre sa phrase.

— ... et certains de ces dossiers sont dans ma voiture mais on peut aller chercher le reste plus tard, évidemment. Il reste aussi quelques notes que je n'ai pas encore dactylo...

— Allons-y, coupa Frieda.

Elle passa son bras sous son coude anguleux et l'entraîna au travers du tambour de la porte.

Karlsson était en réunion mais, quand il apprit que le Dr Frieda Klein était en bas, il en sortit et fonça à la réception. Elle se tenait bien droite au centre du hall et affichait une expression déterminée qui lui rappela d'autres temps. À côté d'elle se trouvait un homme ressemblant à un vautour déplumé. Il tenait d'une main plusieurs sacs en plastique gonflés de dossiers, ainsi qu'un enregistreur dans l'autre. Karlsson ne voyait pas quel rapport il pouvait bien avoir avec Frieda. On aurait dit l'un de ces maniaques qui entraient parfois au poste pour révéler des théories de conspiration fumeuses à d'indifférents officiers de garde derrière le comptoir.

— Venez dans mon bureau, offrit-il.

— Je vous présente Jim Fearby, journaliste. Jim, je vous présente l'inspecteur divisionnaire Malcolm Karlsson.

Karlsson tendit la main mais Fearby n'en avait plus de libre. Il se contenta de hocher la tête à deux reprises, tout en fixant Karlsson de son regard intense.

— Il faut qu'on vous parle, annonça Frieda à Karlsson.

— Au sujet de Hal Bradshaw ?

— Ce n'est pas la priorité, pour le moment.

— De fait, si, c'est important, croyez-moi.

Karlsson les fit entrer dans son bureau et tira deux chaises pour ses invités. Frieda s'assit mais Fearby posa ses sacs sur la chaise et resta debout derrière.

— Hal Bradshaw a indiqué clairement qu'il comptait...

— Non, le coupa Fearby d'une voix sèche, premier mot que Karlsson entendait de sa bouche. Écoutez-la.

— Mr Fearby...

— Vous comprendrez dans une minute, renchérit Frieda. Du moins, je l'espère.

— Bon, ben... allez-y.

— Nous pensons qu'un certain Lawrence Dawes, habitant le quartier de Croydon, a enlevé et assassiné au moins six jeunes femmes, dont sa propre fille.

Silence. Karlsson ne fit pas un geste, son visage était de marbre.

— Karlsson ? Vous avez entendu ?

Enfin il répondit, sur un ton de consternation profonde.

— Frieda. Mais qu'est-ce que vous avez fichu ?

— J'ai tenté de retrouver une fille disparue, répondit Frieda sans flancher.

— Pourquoi n'ai-je pas été tenu au courant ? Y aurait-il une enquête pour meurtre en cours qui m'aurait échappé, par on ne sait quel miracle ?

— Je vous avais dit qu'ils ne nous croiraient pas, souffla Fearby.

— Il faut m'écouter.

Frieda fixa Karlsson de son regard lumineux.

— Il n'y a pas d'enquête, parce que personne n'a fait le rapprochement. À part Jim Fearby.

— Mais comment vous êtes-vous retrouvée mêlée à cette histoire ?

— À cause d'un truc que m'a confié ce faux patient d'Hal Bradshaw.

— Celui qui vous a piégée ?

— On s'en fiche. Ça n'a plus aucune espèce d'importance. Il y avait un détail qui ressortait du lot et que je n'arrivais pas à m'ôter de la tête. Ça me taraudait. Il fallait absolument que je comprenne ce qu'il signifiait.

Karlsson observa Frieda et le personnage débraillé qui l'accompagnait. Il fut pris d'un élan de pitié.

— Je sais que ça paraît irrationnel, poursuivit-elle. Au début, je croyais que je devenais folle et que ce n'était qu'une projection de mon propre ressenti. Mais j'ai réussi à retrouver d'où venait cette histoire. Grâce à l'homme que m'avait envoyé Hal, j'ai pu rencontrer les trois autres chercheurs. J'ai fait la connaissance de Rajit, qui tenait cette histoire de sa petite amie. Je l'ai trouvée à son tour, et elle m'a dit que cette image lui venait de son ancienne amie, Lila. Et là, j'ai découvert que ladite Lila avait disparu.

Karlsson leva une main.

— Pourquoi n'avez-vous rien dit ? Pourquoi n'êtes-vous pas venue me trouver, Frieda ?

— Je sais ce qu'on vous répond dans ce cas-là : que des personnes disparaissent tout le temps qui n'ont pas envie qu'on les retrouve. Mais là, ça me paraissait différent. J'ai donc rencontré cette amie de Lila, et ensuite l'homme qu'avait fréquenté Lila avant de disparaître. Un sale type, pas net, violent ; il fout les jetons. C'est là que je suis tombée sur Jim.

— Qui cherchait Lila, lui aussi ? demanda Karlsson.

— Je cherchais Sharon.

— Sharon.

— Une autre disparue.

— Je vois.

— Ainsi que toutes les autres, bien sûr. Mais c'est Sharon qui m'a menée là.

Il sourit soudain.

— Et c'est là que j'ai rencontré Frieda.

Karlsson leva les yeux vers Fearby. À présent il lui faisait plutôt penser aux ivrognes qui passaient la nuit en cellule. Il avait un peu la même odeur, aussi : un épais relent de whisky et de tabac froid. Frieda vit son expression.

— Le nom de Jim Fearby devrait vous dire quelque chose, expliqua-t-elle. C'est le journaliste qui a fait casser le jugement pour meurtre de George Conley.

Karlsson se tourna vers Fearby avec un intérêt renouvelé.

— C'était vous ?

— Vous voyez maintenant pour quelle raison je nourris des sentiments ambigus vis-à-vis de la police.

— Que faites-vous ici ?

— Frieda m'a dit de venir. Elle a dit que vous nous aideriez.

— J'ai dit que vous accepteriez de nous entendre, corrigea Frieda.

— Nous pensons que le père de Lila est responsable.

Fearby fit le tour du bureau pour se poster à côté de Karlsson, qui l'entendit respirer bruyamment.

— Pour sa fille et Sharon, comme pour les autres.

— Lawrence Dawes, rappela Frieda.

— Le type de Croydon ?

— Oui.

— Vous me demandez de croire que vous avez découvert, à vous deux, qu'un homme a commis plusieurs meurtres dont la police ne connaissait même pas l'existence ?

— Oui.

Fearby lança un regard noir à Karlsson.

— Ces filles ont disparu, plaida Frieda.

Elle s'efforçait de s'exprimer avec autant de clarté et de logique que possible.

— Mais dans la mesure où elles habitaient un peu partout dans le pays et qu'on n'a retrouvé aucun corps, personne n'a fait le rapprochement.

Karlsson poussa un soupir.

— Pourquoi pensez-vous que ce Lawrence Dawes est l'assassin ?

Fearby retourna de l'autre côté du bureau et se mit à fouiller dans ses sacs.

— Les vraies cartes sont chez moi, mais j'ai fait ça, pour vous. Pour que vous voyiez.

Il brandit une feuille sur laquelle il avait esquissé un tracé plus que sommaire de la route allant de Londres à Manchester, avec des astérisques là où les diverses femmes disparues avaient été vues pour la dernière fois.

— C'est bon, Mr Fearby.

— Vous ne nous croyez pas, commenta Frieda calmement.

— Écoutez. Tâchez de voir les choses de mon point de vue, ou de celui du préfet.

— Non. Ce n'est pas grave. Vous ne nous croyez pas, mais je vais quand même vous demander de nous aider.

— En quoi ?

— J'aimerais que vous alliez interroger Lawrence Dawes, et que vous fassiez fouiller sa maison, toutes les pièces. Ainsi que la cave, je pense qu'il y a une cave. Et son jardin, aussi. Vous trouverez quelque chose.

— Je ne peux pas envoyer une équipe d'officiers de police démanteler une maison sur la seule base de vos soupçons.

Frieda l'avait observé attentivement pendant qu'il parlait. Son expression était désormais butée, son regard se glaça.

— Vous me le devez, rappela-t-elle.

— Pardon ?

— Vous me devez bien ça.

Elle s'entendit parler d'une voix dure et froide. Ce n'était pas ce qu'elle ressentait vraiment.

— J'ai failli mourir par votre faute. Donc, vous me le devez bien. L'heure est venue de me renvoyer l'ascenseur.

— Je vois.

Karlsson se leva. Il tentait de dissimuler sa colère et son désarroi, et tourna le dos à Frieda et Fearby pendant qu'il enfilait sa veste et glissait son portable dans sa poche.

— Je peux compter sur vous ? demanda Frieda.

— Je suis votre obligé, Frieda. Et puis, vous êtes mon amie, donc je vous fais également confiance, en dépit de l'aspect a priori démentiel de votre histoire. Mais vous comprenez bien que ça peut avoir de graves conséquences ?

— Oui.

— Pour moi, je veux dire.

Frieda accrocha enfin son regard. Son expression lui fendit le cœur.

— Oui, je comprends.

— Très bien.

— Je ne peux pas venir avec...

— Non.

— Vous me tiendrez au courant ?

Il lui concéda un bref coup d'œil en retour.

— Oui, Frieda. Je vous tiendrai au courant.

Alors qu'ils sortaient de son bureau, une silhouette familière s'approcha d'eux.

— Oh merde... murmura Karlsson.

— Malcolm, lança le préfet.

Il était toujours rouge de colère.

— Puis-je vous dire un mot ?

— Oui ? J'allais retrouver Mr Lennox. Ça peut attendre ?

— Non, ça ne peut pas attendre. Il y a eu un rapport.

Il brandit un doigt tremblant.

— Cette femme a été licenciée. Ajoutez à ça le scandale avec Hal, et vous savez parfaitement ce que j'en pense. Alors que fait-elle ici, putain de bordel de merde ?

— Elle a fortement contribué à...

— On a l'air de quoi, d'après vous ?

Karlsson garda le silence.

— Vous l'avez payée ?

Crawford pressa son doigt sur la poitrine de Karlsson et, l'espace d'un moment effroyable, Frieda craignit qu'une rixe n'éclate entre Karlsson et son patron. Elle grimaça en se remémorant les mots qu'il venait de prononcer : il prenait pour elle un grand risque.

— Monsieur le préfet, comme vous le savez certainement, le Dr Klein nous a été extrêmement utile et...

— L'avez-vous rémunérée ?

— Non, je n'ai pas été payée, coupa Frieda d'un ton froid en faisant un pas en avant. Je ne suis ici qu'en ma qualité de simple citoyenne.

— Et qu'est-ce qu'une simple citoyenne vient faire ici, dans ce cas ?

— Je suis venue trouver l'inspecteur divisionnaire Karlsson pour des raisons strictement personnelles. En tant qu'amie.

Crawford haussa les sourcils.

— Attention, Mal', répliqua-t-il. Je vous surveille.

Puis il remarqua Fearby.

— Et c'est qui, lui ?

— Mon collègue, Jim Fearby, enchaîna Frieda. Nous partions.

— Je ne vais pas vous retenir.

À l'entrée, Fearby se tourna vers Frieda.

— Ça ne s'est pas si mal passé, après tout.

— Ça s'est très mal passé, corrigea Frieda la mine sombre. J'ai abusé de mon amitié avec Karlsson et menti au préfet.

— Si nous parvenons à nos fins, rappela Fearby, rien de tout ça n'aura plus d'importance.

— Et si on échoue ?

— Alors ça n'aura plus d'importance non plus.

En sortant, ils croisèrent une femme qui entrait dans l'immeuble – la cinquantaine, grande, brune, cheveux longs, vêtue d'une longue jupe en patchwork. Frieda fut frappée par son air de détermination farouche.

Cinquante-quatre

— J'aimerais voir Malcolm Karlsson, débita la femme d'une traite, et d'une voix forte.

— Je crains que l'inspecteur Karlsson ne soit occupé en ce moment. Avez-vous...

— Yvette Long, dans ce cas. Ou l'autre, là.

— Auriez-vous la gentillesse de m'indiquer de quoi il s'agit ?

— Je m'appelle Elaine Kerrigan. C'est au sujet de Ruth Lennox. J'ai une information à communiquer.

Yvette s'installa face à Elaine Kerrigan. Elle remarqua les plaques rouges éparses sur les joues d'ordinaire pâles de la femme, ainsi que ses yeux brillants. Ses lunettes, retenues par une chaîne autour de son cou, étaient sales, et elle ne s'était pas coiffée.

— Vous avez dit à l'agent de l'accueil que vous aviez quelque chose à nous dire.

— Oui.

— Au sujet du meurtre de Ruth Lennox ?

— C'est bien ça. Puis-je vous demander un verre d'eau d'abord, s'il vous plaît ?

Sortant de la pièce, Yvette tomba sur Karlsson. Il faisait une tête épouvantable et elle lui effleura le coude.

— Ça va ?

— Pourquoi ça n'irait pas ?

— J'sais pas, comme ça... Je suis là, dit-elle en indiquant la salle d'un coup de tête, en compagnie d'Elaine Kerrigan.

— Pour quelle raison ?

— Je n'en sais rien. J'allais lui chercher de l'eau. Elle semble agitée.

— Ah oui ?

— Vous en avez fini avec Russell Lennox ?

— Je fais une pause, d'une heure ou plus. Ça ne lui fera pas de mal de patienter et de se ronger les sangs.

Ses traits se durcirent.

— J'ai un autre truc à faire.

— Quoi donc ?

— Vous ne comprendriez pas. Vous penseriez que j'ai perdu la boule. Parfois, c'est ce que je croirais moi-même.

Il n'y avait plus rien à faire d'autre qu'attendre. Fearby dit qu'il avait des gens à voir tant qu'il était à Londres et s'éloigna une fois de plus au volant de sa voiture, laissant une Frieda désœuvrée et indécise. Pour finir, elle fit comme toujours, quand elle hésitait ou se sentait perdue ou angoissée, déprimée : elle marcha. Elle partit en direction de King's Cross, traçant son chemin au travers d'un dédale de rues adjacentes pour éviter le grondement de la circulation, puis prit la rue qui menait à Camden Town, ce qui lui fit penser une fois de plus à la maison qu'habitaient jusqu'ici les Lennox, dans une joyeuse pagaille et un bonheur apparent, désormais vide. Russell était en prison. Ted, Judith et Dora chez leur tante, à des kilomètres de là. Au moins cette maison-ci était-elle ordonnée.

Elle bifurqua vers le canal. Les ponts des péniches ancrées le long du sentier étaient décorés de plantes et d'herbes. Sur deux ou trois d'entre elles, des chiens dormaient au soleil. Frieda vit aussi un perroquet dans une grande cage, qui la dévisageait. Certaines péniches étaient accessibles au public, vendaient du quatre-quarts à la banane et des foulards *tie-dye*, de la tisane et des bijoux faits d'éléments recyclés. Des gens la frôlaient, juchés sur leur vélo, des joggers la doublaient d'une foulée sonore. L'été pointait son nez. Elle le sentait à la tiédeur de l'air, à une certaine luminosité du ciel, au vert tendre des feuilles à peine déployées sur les arbres. Bientôt, Sandy serait de retour et ils passeraient des semaines entières ensemble, et non pas quelques jours.

Voilà ce qu'elle pensait, sans en avoir vraiment conscience. Cette luminosité et ces gens heureux lui semblaient irréels, lointains, comme si elle appartenait à un autre monde – un monde où des jeunes femmes avaient été arrachées à la vie par un homme au visage souriant, sympathique. Il avait tué sa fille, Frieda en était certaine, désormais – et pourtant, son absence semblait susciter chez lui une souffrance authentique. Un graffiti dessiné à la craie, au mur, représentait une énorme bouche remplie de dents pointues, et elle frissonna : elle avait froid, soudain, en dépit de la douceur de l'après-midi.

Elle longea le canal jusqu'à Regent's Park. Les maisons de l'autre côté étaient fastueuses ici, semblables à de petits manoirs ou châteaux. Qui pouvait vivre dans ce genre d'endroit ? Elle traversa le parc d'un pas vif, remarquant à peine les nuées d'enfants, les couples en train de flirter, le jeune homme aux yeux clos qui effectuait d'étranges exercices au ralenti sur un matelas déroulé par terre, à côté des jardins d'agrément.

Enfin, cheminant par des ruelles, elle se retrouva chez elle. Le téléphone sonnait quand elle ouvrit la porte et elle se précipita pour prendre l'appel, au cas où ce serait Karlsson.

— Frieda ? Dieu merci. Mais où diable…

— Reuben, je ne peux pas vous parler pour l'instant. J'attends un coup de fil. Je vous jure que je vous rappelle dès que je peux, d'accord ?

— Attendez, vous êtes au courant pour Bradshaw ?

— Désolée.

Elle raccrocha avec brusquerie. Combien de temps faudrait-il à Karlsson pour arriver jusque chez Dawes ? Quand appellerait-il ? Maintenant ? Ce soir ? Demain ? Elle se prépara un toast à la marmelade et le mangea dans le salon, écoutant le téléphone sonner sans fin, tandis que le répondeur prenait des messages : Chloë, plaintive ; Sasha, anxieuse ; Reuben, furieux ; Sandy... oh, mon Dieu, Sandy. Elle ne lui avait même pas raconté à quoi elle avait été occupée ces derniers temps. Elle s'était laissé entraîner dans un autre monde obscur, et n'avait même pas songé à se confier à lui. Elle ne décrocha pas, le laissa déposer son message qui lui demandait, une fois de plus, de bien vouloir le joindre, *je t'en prie*. Josef, soûl ; Olivia, plus cuite encore.

Le jour déclina et Karlsson n'avait toujours pas rappelé. Frieda monta dans son atelier et s'installa devant le bureau face à la ville et à sa formidable étendue, désormais éclairée et scintillante sous le ciel clair. Dans les campagnes, la nuit regorgerait d'étoiles, ce soir. Elle s'empara d'un crayon et ouvrit son bloc à dessins, esquissa quelques lignes indécises, un motif de vagues. Elle songea au courant au fond du jardin de Lawrence Dawes.

Peut-être prendrait-elle ce bain si longtemps repoussé, maintenant. Elle était plus fatiguée qu'elle ne l'avait jamais été, mais incapable de se coucher. En fait, elle avait plutôt l'impression que le sommeil ne reviendrait plus jamais et qu'elle était coincée pour toujours dans cet état de veille aride, lancinante, où les pensées tranchaient comme des lames.

Et le téléphone sonna de nouveau.

— Oui ?

— Frieda.

— Karlsson ? Qu'avez-vous trouvé ?

— Rien.

— Ce n'est pas possible.

— Un père sidéré et dévasté, et une maison ne contenant aucune trace de quoi que ce soit qui puisse suggérer qu'il ait jamais commis le moindre mal.

— Je ne comprends pas.

— Ah non ? J'étais profondément désolé pour lui.

— Ça ne colle pas.

— Frieda, je pense que vous avez besoin d'aide.

— Il n'y avait vraiment rien, vous êtes sûr ?

— Écoutez-moi. Vous devez arrêter, avec tout ça. Et je vais devoir calmer le préfet, qui est hors de lui, je vous prie de me croire. Il veut me traîner devant je ne sais quel conseil de discipline.

— J'en suis désolée mais...

— Tirez un trait sur tout.

Sa voix était d'une douceur horrible.

— Vous oubliez vos instincts. Vous arrêtez de voler au secours de personnes qui n'ont pas demandé à ce qu'on les secoure. On ne fait plus équipe avec un vieux gratte-papier cinglé. Reprenez la vie à laquelle nous vous avons arrachée. Tâchez de vous remettre.

Il raccrocha et Frieda resta assise un long moment dans sa mansarde, à contempler le kaléidoscope des lumières sous ses yeux.

Cher Sandy, ça ne va pas fort, je crois, ni avec les gens, ni dans ma tête, ni dans mon cœur...

Mais elle contempla ces quelques mots un temps avant de presser la touche « supprimer ».

Karlsson et Yvette étaient assis face à Elaine Kerrigan. Les traits figés, elle répétait obstinément :

— C'est moi qui l'ai tuée.

— Ruth Lennox ?

— Oui.

— Dites-moi comment c'est arrivé, l'encouragea Karlsson. Quand avez-vous découvert la liaison de votre mari ?

— Qu'est-ce que ça peut faire ? C'est moi qui l'ai tuée.

— Ce sont vos fils qui vous l'ont appris ?

— Oui.

Elle but une gorgée d'eau.

— Ils me l'ont dit, et je suis allée la trouver, et je l'ai tuée.

— Avec quoi ?

— Un objet, répondit-elle. Je me rappelle plus lequel. Je ne me rappelle de rien si ce n'est que je l'ai tuée.

— Racontez-nous, suggéra Yvette. On a tout notre temps. Commencez par le commencement.

— Elle couvre ses fils, commenta Karlsson.

— Donc, vous pensez que c'est l'un d'eux ?

— Elle oui, en tout cas.

— Et vous ?

— Dieu seul sait. Peut-être qu'ils s'y sont tous mis ensemble, comme dans ce roman, là.

— Je pensais que vous soupçonniez Russell Lennox.

— Je n'en peux plus de cette affaire. Toute cette détresse, c'est... Allez, venez boire un café. Ensuite, vous rentrez chez vous. Je ne sais pas quand vous avez dormi pour la dernière fois.

Cinquante-cinq

Frieda appela Fearby pour lui faire part des événements – ou plutôt, de leur absence. Un silence s'ensuivit, avant que Fearby ne lui apprenne qu'il était toujours à Londres et qu'il arrivait sur-le-champ. Frieda lui communiqua son adresse, puis tenta de le dissuader : ce n'était pas nécessaire, il n'y avait rien à ajouter... Mais il avait déjà raccroché. Quelques minutes plus tard – du moins, est-ce l'effet que ça lui fit –, on toquait à la porte et Fearby se retrouvait assis en face d'elle avec un verre de whisky. Il lui demanda de lui rapporter très précisément les propos de Karlsson. Frieda réagit avec humeur.

— Peu importe.

— Comment ça ?

— Ils sont allés chez Lawrence Dawes, ont retourné la maison sens dessus dessous, et n'ont rien trouvé de suspect, du tout.

— Comment Dawes a-t-il réagi ?

— Vous savez quoi ? Je n'ai pas posé la question. La police a débarqué sans prévenir, fouillé sa maison, tout en l'accusant quasiment d'avoir tué sa fille. Il devait être en état de choc et secoué, j'imagine.

Frieda ressentit une lassitude qui tenait presque de la douleur.

— Je n'en reviens pas. J'ai été reçue dans son jardin, pendant qu'il me racontait ce qu'il avait enduré, et je lui ai envoyé les flics. Pour couronner le tout, Karlsson est furieux contre moi. À juste titre.

— Et maintenant, qu'est-ce qu'on fait ? s'interrogea Fearby.

— Ce qu'on fait ? On ne fait rien. Je suis désolée, mais n'êtes-vous pas capable de voir l'évidence ?

— Vous avez cessé de croire en vos instincts ?

— C'est mon instinct qui nous a embarqués là-dedans.

— Pas seulement *votre* instinct, corrigea Fearby. Je remontais une piste, et nous nous sommes aperçus que nous suivions la même. Ça ne signifie rien, pour vous ?

Frieda s'adossa à son fauteuil et soupira.

— Ça ne vous est jamais arrivé de vous promener dans la campagne en suivant un sentier, puis de vous rendre compte que ça n'avait rien d'un chemin, finalement, que ça y ressemblait, c'est tout, et de réaliser que vous étiez perdu ?

Fearby sourit et secoua la tête.

— Je n'ai jamais été très porté sur la marche.

— Pour autant que nous le sachions, Sharon Gibbs mène peut-être une petite vie relativement pépère quelque part, et ne tient pas à ce qu'on la retrouve. Mais, quelle que soit la vérité, c'est fini, pour nous, je crois.

Fearby secoua de nouveau la tête, sans paraître pour autant déçu ou fâché.

— Je m'y consacre depuis trop longtemps pour me laisser décourager par une mésaventure de ce genre. Il faut juste que j'étudie mes dossiers, encore une fois, que j'enquête encore un peu. Je ne vais pas laisser tomber maintenant, pas après tout ce que j'ai fait.

Frieda le dévisagea avec une sorte d'horreur. Lui ressemblerait-il un peu, par hasard ? Était-ce là l'effet qu'elle faisait aux gens ?

— Que faudrait-il pour que vous renonciez ?

— Rien, répondit Fearby. Pas après tout ceci, pas après ce que George Conley a enduré, pas après le meurtre de Hazel Barton.

— Et vous, alors ? Ce que vous avez enduré ? Votre mariage ? Votre carrière ?

— Si je laisse tomber maintenant, ça ne me rendra pas mon boulot. Ni ma femme.

Soudain, Frieda se crut coincée dans une séance de thérapie désastreuse où elle ne savait pas quelle était la bonne réponse à donner au patient. Devait-elle tenter de convaincre Fearby que tout ce à quoi il avait sacrifié son existence n'avait été qu'illusion ? Le croyait-elle seulement ?

— Vous en avez déjà tellement fait, reprit-elle. Vous avez fait sortir George Conley de prison. C'est assez.

Les traits de Fearby se crispèrent.

— J'ai besoin de connaître la vérité. Rien d'autre ne compte.

Il croisa le regard de Frieda et ébaucha un petit sourire gêné.

— Considérez juste que c'est mon passe-temps. C'est ce que je fais au lieu d'avoir un potager ou de jouer au golf.

Quand Fearby se leva pour partir, Frieda eut l'impression d'être un individu quelconque qui se serait retrouvé assis à côté de lui dans un train et aurait entamé une conversation ; à présent, ils entraient en gare, allaient se séparer et ne se reverraient plus jamais. Ils se serrèrent la main à la porte.

— Je vous tiendrai au courant de la suite, dit-il. Même si vous n'y tenez pas.

Une fois Fearby parti, Frieda s'adossa au battant quelques minutes. C'était comme s'il lui fallait reprendre son souffle et qu'elle n'y arrivait pas, comme si ses poumons refusaient de bien fonctionner. Elle s'obligea à se concentrer et à inspirer lentement, profondément.

Puis, elle se rendit enfin dans sa salle de bain, à l'étage. Elle avait attendu le bon moment, mais ce n'était jamais le bon moment. Il lui restait toujours quelque chose à faire. Elle songea à Josef, bordélique mais si désireux de lui faire plaisir, au mal qu'il s'était donné pour elle. C'était sa façon de manifester son amitié. Elle avait de bons amis, mais ne s'était pas tournée vers eux, pas même vers Sandy. Elle était capable d'écoute, mais incapable de parler ; elle savait aider, mais pas demander de l'aide. Qu'il était donc étrange que, durant ces derniers jours, elle se soit sentie plus proche de Fearby, avec sa maison à l'abandon, son labyrinthique système de classification et sa vie brisée, qu'elle ne l'ait jamais été avec quiconque auparavant.

La sonnette retentit à la porte et, l'espace d'un instant, elle envisagea de ne pas répondre. Mais finalement, en poussant un soupir, elle se détourna de la baignoire et descendit.

— Un paquet pour vous, lança l'homme, à moitié dissimulé par un grand carton. Vous êtes Frieda Klein ?

— Oui.

— Signez ici, s'il vous plaît.

Frieda signa et emporta le carton au salon, soulevant le couvercle. Dans le même instant, elle fut assaillie par une odeur entêtante et douceâtre qui lui évoqua tant les funérariums que les halls d'hôtels. Elle en ressortit avec soin un énorme bouquet de lys blancs, retenus ensemble par un ruban violet. Elle avait toujours détesté les lys : ils étaient trop ostentatoires et leur parfum, suffocant. Mais qui les avait envoyés ?

Une enveloppe miniature accompagnait les fleurs : elle l'ouvrit et en sortit la carte.

On ne pouvait pas le laisser s'en tirer comme ça.

L'univers se rétrécit, l'air se glaça autour d'elle. *On ne pouvait pas le laisser s'en tirer comme ça.*

De la bile lui monta à la gorge et son front se fit moite. Elle avança une main pour recouvrer l'équilibre, s'obligea à respirer avec calme. Elle savait qui avait envoyé ces fleurs. Dean Reeve. Il lui avait déjà fait porter des jonquilles par le passé et, aujourd'hui, il lui adressait ces lys luxuriants, pulpeux. C'est lui qui avait incendié la maison d'Hal Bradshaw. Pour elle. Elle pressa de toutes ses forces sa main sur son cœur affolé. Que pouvait-elle faire ? Vers qui se tourner ? Qui la croirait, et qui serait en mesure de l'aider ?

Elle eut le sentiment nauséeux qu'il fallait à tout prix qu'elle fasse quelque chose, ou qu'elle parle à quelqu'un. C'était bien en cela qu'elle croyait, non ? Parler aux gens. Mais à qui ? Un temps, ç'aurait pu être Reuben, mais leur relation n'était plus de cet ordre, à présent. Elle ne pouvait pas parler à Sandy parce qu'il était en Amérique et que ce n'était pas le genre de choses que l'on pouvait dire au téléphone. Sasha, alors ? Ou même Josef ? N'était-ce pas à cela que servaient les amis ? Non. Ça ne marcherait pas. Sans trop comprendre pourquoi, elle avait le sentiment qu'il s'agirait d'une trahison. Elle avait besoin d'une personne qui soit extérieure à tout ça.

Et là, elle se rappela. Elle fourra les fleurs dans la poubelle extérieure et, rentrée chez elle, farfouilla dans sa sacoche, mais ce qu'elle cherchait ne s'y trouvait pas. Elle grimpa dans son atelier et ouvrit l'un des tiroirs de son bureau. Quand elle faisait le tri dans son sac, elle jetait, ou conservait les choses ici. Elle fouilla dans les vieilles cartes postales, les reçus, les lettres, les photos, les invitations, et la dénicha. Une carte de visite professionnelle. Le jour où Frieda avait été confrontée à une commission médicale disciplinaire, elle avait croisé une tête amicale. Thelma Scott était elle-même thérapeute, et avait immédiatement perçu chez elle quelque chose que Frieda ne voulait pas qu'on sache. Elle avait proposé à Frieda de venir la trouver dès qu'elle en ressentirait le besoin, et lui avait remis sa carte. À l'époque, Frieda était bien certaine de ne jamais donner suite à cette proposition, qui l'avait presque irritée, mais n'en avait pas moins conservé ses coordonnées. Elle composa le numéro, les mains presque tremblantes.

— Allô ? Oui ? Je suis désolée de vous appeler à une heure pareille. Vous ne vous souviendrez sans doute pas de moi. Je m'appelle Frieda Klein.

— Mais si, bien sûr que je me souviens de vous.

Sa voix était ferme, rassurante.

— C'est vraiment idiot, et vous aurez sans doute oublié ce détail aussi, mais vous êtes un jour venue me trouver et vous m'avez dit que je pouvais venir vous consulter, si besoin. Je me demandais juste si ce serait possible, à un moment ou à un autre. Mais si ça ne vous arrange pas, alors ce n'est pas un problème du tout. Je peux trouver quelqu'un d'autre vers qui me tourner.

— Pouvez-vous venir demain ?

— Oui, mais il n'y a pas d'urgence. Je ne veux pas m'imposer.

— Que diriez-vous d'après-demain, 16 heures, alors ?

— 16 heures. OK, ça ira. Parfait. On se voit après-demain.

Frieda se glissa au lit. Elle passa l'essentiel de la nuit éveillée, assaillie par des visages et des images, et une terreur noire, qui lui faisait battre le sang dans les tempes. Mais elle dut s'endormir à un moment donné tout de même, puisqu'elle fut réveillée par un bruit qu'elle identifia peu à peu comme la sonnerie de son téléphone portable. Elle le chercha à tâtons et vit affiché le nom de Jim Fearby. Elle laissa sonner. Elle n'avait pas le courage de lui parler. Elle se rallongea dans son lit, songeant à Fearby et, soudain, l'espace d'une fraction de seconde, elle eut une conscience aiguë de l'effet que ça ferait d'être fou, vraiment fou, de percevoir des sens cachés partout. Elle pensa aux individus en souffrance qui venaient solliciter son aide, puis à ceux, encore plus perturbés au-delà, au-delà de toute compréhension, qui entendaient des voix conspiratrices et terrifiantes dans leur tête.

Frieda consulta son réveil. Sept heures passées de quelques minutes. Fearby avait dû attendre une heure décente pour l'appeler. Elle se leva et prit une douche froide, si froide qu'elle en eut mal. Elle enfila un jean et un tee-shirt et se prépara du café. C'est tout ce dont elle se sentait capable. Et si Fearby avait laissé un message ? Elle n'avait même pas envie d'entendre sa voix, mais une fois l'idée formulée, elle ne put s'en empêcher : elle alla récupérer son téléphone à l'étage et consulta sa boîte vocale. Sans doute n'aurait-il pas laissé de message. Mais il l'avait fait.

Il commençait par une toux nerveuse, comme le ferait celui qui entame un discours sans savoir quoi dire au juste.

— Heu... Frieda. C'est moi. Jim. Désolé pour hier. J'aurais dû vous remercier pour tout ce que vous avez fait. Je sais que je dois vous paraître un peu cinglé. Et maniaque. Enfin bref, j'ai promis de vous tenir informée, ce qui ne vous fait sans doute pas plaisir du tout, mais je suis à Londres. J'ai re-réfléchi à tout ça, aux dossiers sur les filles. Il m'est venu une idée. On n'a pas raisonné comme on aurait dû. On n'a pas fait gaffe au moteur. Je vais retourner jeter un œil. Ensuite, je passe vous voir pour vous dire ce que j'aurai trouvé. Je serai là à 14 heures. Merci de me dire si ça ne vous va pas. Désolé de m'être montré aussi bavard. Merci.

Frieda regretta presque d'avoir entendu le message. Elle avait l'impression d'être à nouveau happée dans l'histoire. À l'évidence, Fearby ne laisserait jamais tomber. Comme ces gens obsédés par les francs-maçons ou l'assassinat de Kennedy, il ne renoncerait jamais et rien ne le ferait changer d'avis. Elle fut tentée de le rappeler pour lui demander de ne pas venir puis songea : non. Il pouvait passer une dernière fois, elle écouterait ce qu'il avait à dire, répondrait de manière rationnelle, et *basta così*.

La journée s'écoula dans un brouillard presque aussi dense que celui de la nuit. Frieda envisagea de lire, mais savait qu'elle n'était pas en état de se concentrer. En temps normal, dans ce genre de cas, elle dessinait, quelque chose de simple, un verre d'eau, une bougie. Elle n'avait même pas envie de sortir, pas en plein jour, avec tous ces gens et la circulation. Elle décida de faire le ménage. Ça conviendrait très bien. Une activité qui se passait de réflexion. Elle remplit seau après seau d'eau chaude et de détergent, ôta les objets de leurs étagères et les essuya. Elle nettoya les vitres à l'aide d'un vaporisateur, passa la serpillière au sol, cira les meubles. Plus elle nettoyait, plus elle avait la sensation réconfortante que nul n'habitait ici ni ne l'avait jamais fait.

Le téléphone sonna de temps à autre, mais elle ne répondit pas. Elle n'aurait su dire si le temps s'était écoulé étonnamment vite ou lentement, mais en levant les yeux vers l'horloge, elle constata qu'il était 13 h 55. Elle s'installa dans un fauteuil et attendit. Elle ne comptait pas lui offrir un café. Et encore moins un whisky. Il n'avait qu'à dire ce qu'il avait à dire, elle répondrait, et il pourrait s'en aller. Ensuite, terminé, elle pourrait se rendre à son rendez-vous chez Thelma Scott, et commencer à travailler sur cette histoire, parce que les choses ne pouvaient plus continuer ainsi.

14 h 01. Rien. Elle se rendit à la porte et sortit sur le perron. Comme si ça risquait de changer quelque chose. Elle se rassit. 14 h 10, rien. Et 15, rien. À 20, elle appela Fearby et tomba directement sur sa boîte vocale.

— Je me demandais où vous étiez passé, je dois sortir bientôt. Enfin, pas tout de suite. Je serai ici jusqu'à 16 h 30.

Elle se fit la réflexion qu'il était peut-être de ceux qui avaient cherché à la joindre ce jour-là. Il y avait quatorze messages sur son répondeur. Toujours les mêmes : Reuben, Josef, Sasha, quelqu'un qui lui adressait un éventuel patient, Paz, Karlsson, Yvette. Elle consulta sa boîte vocale. Rien. Elle prit trois appels durant la demi-heure qui suivit. L'un émanait d'une fausse enquête, l'autre de Reuben, le troisième de Karlsson. Chaque fois, elle répondit que ce n'était pas le moment. À 15 heures pétantes, elle était totalement perplexe. Se serait-elle trompée d'heure ? Elle avait effacé le message de Fearby aussitôt après l'avoir écouté. Était-il possible qu'elle ait mal entendu ? Dieu sait si sa pensée était confuse... Avait-il vraiment dit 14 heures ? Oui, elle en était certaine. Il avait même précisé que, si cet horaire ne lui convenait pas, il fallait qu'elle le rappelle. Se pouvait-il qu'il soit en retard, simplement ? Pris dans les embouteillages ? À moins qu'il ait décidé de ne plus venir, en définitive. Peut-être avait-il tiré un trait et préféré rentrer chez lui ou bien avait-il perçu son scepticisme. Elle composa de nouveau son numéro. Rien. Il ne viendrait pas.

Elle finit par renoncer à sa visite. Elle remplit le bol du chat puis alla boire un café au Numéro 9. Alors qu'elle s'en retournait, elle aperçut une silhouette qui venait vers elle. Quelque chose, dans cette démarche volontaire et ce pas lourd, lui rappelait quelqu'un.

— Yvette ? dit-elle, alors qu'elles se rapprochaient l'une de l'autre. Qu'y a-t-il ? Que faites-vous ici ?

— Il faut que je vous parle.

— Que s'est-il passé ?

— On peut entrer ?

Elle invita Yvette sous son toit. Yvette ôta sa veste et s'assit. Elle portait un jean noir troué au genou et une chemise d'homme à col boutonné qui avait connu des jours meilleurs. Manifestement, elle n'était pas de service.

— Alors, de quoi s'agit-il ? C'est au sujet des Lennox ?

— Non, je suis en congé, et je ne l'ai pas volé. Quelle histoire, vous n'en croiriez pas vos oreilles... mais bref. Ce n'est pas pour ça que je suis venue.

— Pourquoi, alors ?

— Il fallait que je vous dise : je suis de votre côté.

— Pardon ?

— Je suis dans votre camp, répéta Yvette.

Elle semblait au bord des larmes.

— Merci, mais dans mon camp contre qui ?

— Eux, tous. Le préfet, ce connard d'Hal Bradshaw.

— Oh, ça...

— J'avais besoin que vous le sachiez. Je sais que vous n'avez rien à voir avec cette histoire, et quand bien même... bref, je resterais alliée.

Elle ébaucha un sourire en biais, ému.

— Ça reste entre nous, bien sûr.

Frieda la dévisagea.

— Vous me croyez capable de l'avoir fait... lâcha-t-elle enfin.

Yvette rougit.

— Non ! Ce n'est pas du tout ce que je disais. Mais ce n'est un secret pour personne que le Dr McGill et vous-même lui en vouliez. Vous aviez de bonnes raisons de le faire. Il vous a baisés. Il était jaloux, c'est tout.

— Je vous jure, commença Frieda d'une voix douce, que je n'ai jamais approché la maison d'Hal Bradshaw.

— Bien sûr que non.

— On ne fait pas des trucs aussi monstrueux. Et je sais que Reuben non plus, aussi furieux soit-il.

— Bradshaw a ajouté autre chose, aussi.

— Quoi donc ?

— Vous savez comment il est, Frieda, toujours en train d'insinuer.

— Allez-y, dites-moi.

— Il a dit qu'il avait de dangereux ennemis, même s'ils ne faisaient pas leur sale boulot eux-mêmes.

— En parlant de moi ?

— Oui. Mais aussi qu'il avait le bras long.

— Grand bien lui fasse, rétorqua Frieda.

— Ça ne vous fait rien ?

— Pas grand-chose, répliqua-t-elle. Mais ce que j'aimerais savoir, c'est pourquoi ça vous fait quelque chose, à vous.

— Vous voulez dire, pourquoi est-ce que je m'en soucie ?

Elle regarda Yvette droit dans les yeux.

— Vous ne vous êtes pas toujours inquiétée pour moi.

Yvette ne détourna pas le regard.

— Je rêve de vous, parfois, répondit-elle d'une voix sourde. Pas le genre de rêves auxquels vous pourriez penser, des rêves où vous manquez de mourir, ou ce genre de trucs. C'est plus bizarre que ça. Une fois, j'ai rêvé qu'on était dans la même classe à l'école – mais adultes – et qu'on était assises l'une à côté de l'autre, et je m'efforçais d'écrire d'une écriture appliquée pour vous impressionner mais je n'arrêtais pas de faire des pâtés et je n'arrivais pas à former correctement les lettres. Elles étaient tordues, enfantines, et n'arrêtaient pas de glisser hors de la page, alors que les vôtres étaient nettes et parfaites. Ne vous en faites pas, je ne vous demande pas d'interpréter mes rêves. Je ne suis pas bête au point de ne pouvoir le faire moi-même. Dans un autre, on était en vacances, au bord d'un lac entouré de montagnes qui ressemblaient à des cheminées, et j'étais très inquiète parce qu'on s'apprêtait à plonger dans l'eau mais que je ne savais pas nager. En fait, je ne nage pas vraiment... je n'aime pas mettre ma tête sous l'eau. Mais je ne pouvais pas vous le dire parce que je pensais que vous vous moqueriez de moi. J'étais prête à couler pour ne pas me ridiculiser devant vous.

Frieda voulut prendre la parole quand Yvette leva une main, le visage écarlate.

— Devant vous, je me sens parfaitement incapable, conclut-elle, comme si vous pouviez lire en moi, savoir tout ce que je ne veux pas qu'on sache. Vous savez que je suis assez seule, que je suis jalouse de vous, que je suis nulle en matière de relations humaines. Comme vous savez…

Les joues lui cuirent.

— Vous savez que j'ai un faible d'écolière pour le patron. L'autre soir, j'ai un peu bu, et je n'arrêtais pas d'imaginer ce que vous penseriez de moi si vous pouviez me voir tituber.

— Mais, Yvette…

— Le fait est que vous avez failli mourir par ma faute, et que, quand je ne rêve pas, je me retrouve couchée dans le noir à me demander si c'est une rancune minable qui m'y a poussée. Et qu'est-ce que je pense de moi à ce moment-là, à votre avis ?

— Donc vous êtes venue vous excuser ? demanda Frieda d'une voix douce.

— On peut dire ça comme ça, j'imagine.

— Merci.

Frieda tendit la main et Yvette la prit et, l'espace d'un instant, les deux femmes restèrent attablées l'une en face de l'autre à se dévisager.

Cinquante-six

Frieda rêvait de Sandy. Il lui souriait et lui tendait la main jusqu'à ce qu'elle se rende compte qu'il ne s'agissait pas de Sandy du tout... mais de Dean, et son mielleux sourire. Elle se réveilla l'estomac noué, prise d'un haut-le-cœur, et resta allongée plusieurs minutes, inspirant profondément à plusieurs reprises en attendant que sa terreur retombe.

Enfin, elle se leva, se doucha, et se rendit dans sa cuisine. Chloë était déjà attablée. Il y avait un mug de thé intact, ainsi que ce qui ressemblait à un grand album posé devant elle. Elle était débraillée, pas coiffée, et son mascara de la veille avait coulé. Elle semblait avoir à peine dormi, et depuis plusieurs nuits. C'était une frêle jeune femme délaissée : sa mère traversait une crise et se souciait à peine de son sort, ses amis lui avaient été arrachés, et sa tante s'était absentée au moment où elle avait besoin d'elle. Elle releva la tête et, le visage barbouillé, sali par les larmes, la fixa sans la voir.

Frieda s'installa en face d'elle.

— Ça va ?

— Bof, oui.

— Je peux te préparer un petit-déjeuner ?

— Non. Je n'ai pas faim. Oh mon Dieu, Frieda, je n'arrête pas de repenser à tout ça.

— C'est normal.

— Je ne voulais pas te réveiller.

— Comment te sens-tu ?

— J'étais couchée et je me demandais sans cesse ce qu'ils doivent ressentir en ce moment. Ils ont tout perdu. Leur mère, leur père, le bonheur auquel ils croyaient. Comment reprendre une vie normale après ça ?

— Je ne sais pas.

— Et toi ?

— Je n'ai pas trop bien dormi non plus. Je réfléchissais...

Frieda traversa la cuisine et remplit la bouilloire. Elle regarda sa nièce, laquelle avait la tête calée sur sa main et contemplait d'un air rêveur les pages de l'album posé devant elle.

— C'est quoi ? s'enquit Frieda.

— Ted a oublié son portfolio. Je le lui rendrai mais je voulais d'abord le voir. Il est doué. Vraiment. Si seulement j'avais le dixième, le centième de son talent. Si seulement...

Elle s'interrompit et se mordit la lèvre.

— Chloë. Tu as traversé des moments difficiles.

— T'inquiète, coupa-t-elle sèchement. Je sais qu'il ne voit en moi qu'une amie, une épaule sur laquelle pleurer. Non pas qu'il pleure dessus.

— Et sans doute, ajouta Frieda, tes sentiments à son endroit sont-ils un peu compliqués en raison de tout ce qu'il vient de traverser.

— Comment ça ?

— Je veux dire qu'il y a quelque chose d'extrêmement attirant chez un jeune homme à ce point accablé par la tragédie.

— Genre la douleur des autres, ça me ferait rêver ?

— Pas précisément.

— C'est fini maintenant, conclut Chloë.

Ses yeux se remplirent de larmes et s'abîmèrent dans la contemplation de l'album.

Frieda se pencha par-dessus son épaule tandis qu'elle tournait les grandes pages. Elle vit une représentation de pomme parfaite, un autoportrait bulbeux comme reflété dans un miroir convexe, un arbre reproduit avec minutie.

— Il est doué, commenta-t-elle.

— Attends, coupa Chloë. Il y en a une que je veux te montrer.

Elle tourna les pages les unes après les autres jusqu'à se retrouver pratiquement à la fin.

— Regarde.

— Quoi donc ?

— La date. Mercredi 6 avril, 9 h 30. C'est la nature morte qu'il devait faire pour son bac blanc. C'est également le dessin qu'il a fait le jour où on a tué sa mère. Ça me donne envie de chialer rien que de la regarder, rien que de penser à ce qui allait se passer.

— C'est magnifique, commenta Frieda, avant de froncer les sourcils, en tournant légèrement la tête.

Elle entendit la bouilloire s'éteindre derrière elle. L'eau était chaude. Mais elle ne pouvait pas s'en occuper. Pas maintenant.

— Ah ça, putain, ouais, fit Chloë, c'est…

— Attends une minute, dit Frieda. Décris-le-moi. Dis-moi ce qu'il y a dedans.

— Pourquoi ?

— Fais-le, c'est tout.

— Bon. Il y a une montre et un trousseau de clés, un livre, et une espèce de chargeur électrique, et euh…

— Oui ?

— Un truc, posé contre le livre.

— C'est quoi ?

— J'sais pas.

— Décris-le.

— C'est plutôt droit, cranté, genre règle métallique.

Frieda garda le silence et se concentra un moment, si fort qu'elle en avait mal à la tête.

— C'en est une, tu en es sûre ? dit-elle enfin. Ou ça y ressemble ?

— Quoi ? s'impatienta Chloë. Qu'est-ce que ça change ? C'est qu'un dessin, c'est tout.

Elle referma le portfolio d'un coup sec.

— Il faut que je le rapporte à l'école pour le rendre à Ted.

— Il n'y sera pas, répliqua Frieda. Et de toute façon, j'en ai besoin, aujourd'hui.

Debout devant elle, Karlsson évitait son regard.

— Je ne m'attendais pas à vous voir, lâcha-t-il enfin.

— Je sais. Je n'en ai pas pour longtemps.

— Vous ne comprenez pas, Frieda. Vous n'avez rien à faire ici. Le préfet ne veut plus de vous dans ces murs. Et vous n'arrangerez pas votre cas avec Hal Bradshaw si vous commencez à rôder au poste. Il vous prend déjà pour une pyromane et une psychopathe.

— Je sais, je ne reviendrai pas, répondit Frieda sans broncher. J'aimerais voir l'arme du crime.

— Une faveur ? Mais je vous ai déjà renvoyé l'ascenseur, Frieda. Et j'ai d'énormes ennuis, maintenant, je vous passerai les détails.

— J'en suis vraiment désolée, s'excusa Frieda. Mais il faut que je la voie. Ensuite, je m'en vais.

Il la dévisagea, puis haussa les épaules et, empruntant l'escalier, la conduisit au sous-sol jusque dans une salle, où il ouvrit un tiroir métallique.

— Voilà, commenta-t-il. Ne laissez pas d'empreintes dessus, et repartez comme vous êtes venue quand vous aurez fini.

— Merci.

— Au fait, Elaine Kerrigan a avoué le meurtre de Ruth Lennox.

— Quoi ?

— Ne vous en faites pas. Je crois que Russell Lennox s'apprête à l'avouer lui aussi. Ainsi que les fils Kerrigan. Le commissariat va bientôt grouiller de monde en train de passer aux aveux et on ne sait toujours pas qui l'a fait.

Sur ce, il s'éclipsa.

Frieda enfila des gants en plastique et souleva la grosse roue crantée, l'installant sur la table au centre de la pièce. Elle avait l'air de provenir de la machinerie d'une horloge géante.

Elle ouvrit le cahier de dessins de Ted à la page datée du mercredi 6 avril et le posa également sur la table. Elle étudia tour à tour la roue et le dessin avec un tel effort de concentration que sa vue se brouilla. Elle recula, fit le tour de la table pour regarder le rouage sous tous les angles. Elle s'accroupit par terre et plissa les yeux. Très délicatement, elle inclina l'objet, le fit pivoter, le retint de façon à l'aplanir dans son champ de vision.

Et enfin, elle obtint ce qu'elle était venue chercher. Vu sous un certain angle, basculé en arrière et tourné, le lourd objet présentait une ligne droite et crantée. La même droite crantée qu'elle apercevait parmi les éléments qu'avait représentés Ted pour son examen blanc, au matin du mercredi 6 avril.

Les traits de Frieda se figèrent, dénués d'expression. Elle finit par pousser un petit soupir, remit la roue dans le tiroir métallique, qu'elle referma, elle ôta ses gants et quitta les lieux.

Cinquante-sept

Louise Weller habitait à Clapham Junction, dans une étroite maison de brique rouge située en retrait d'une longue rue rectiligne, bordée de platanes et ponctuée de ralentisseurs. La baie vitrée du rez-de-chaussée était voilée de dentelle, pour se préserver des regards, et la porte, bleu marine, comportait un heurtoir en cuivre en son centre. Frieda l'actionna à trois reprises puis recula. Les températures printanières avaient fraîchi et elle sentit quelques gouttes de pluie bienvenues sur sa peau tiède.

La porte s'ouvrit et Louise Weller parut devant elle, un bébé serré contre sa poitrine. Derrière elle, l'entrée était plongée dans la pénombre. Frieda percevait des odeurs de linge en train de sécher et de détergent. Elle se rappela Karlsson lui parlant du mari malade et l'imagina allongé quelque part à l'étage, prêtant l'oreille.

— Oui ? Oh... c'est vous. Que faites-vous ici ?

— Puis-je entrer, s'il vous plaît ?

— Ce n'est sans doute pas le moment. J'allais nourrir Benjy.

— Ce n'est pas vous que je suis venue voir.

— Ils n'ont pas besoin qu'on les dérange. Ils ont besoin de stabilité maintenant, d'un peu de paix.

— Rien qu'un moment, alors, insista Frieda poliment, avant de passer devant elle. Ils sont ici, tous ?

— Et ils seraient où, sinon ? On est un peu à l'étroit, évidemment.

— Je veux dire : maintenant.

— Oui, mais je ne veux pas qu'on les dérange.

— Il faut que je parle à Ted, un instant.

— Ted ? Pourquoi ? Je ne suis pas sûre que ce soit une bonne idée.

— Je serai brève.

Louise Weller la dévisagea, puis haussa les épaules.

— Je vais le chercher, répondit-elle d'un air pincé. À condition qu'il veuille vous voir. Si vous voulez bien passer au salon...

Elle ouvrit la porte la plus proche et Frieda entra dans le séjour où se trouvait la baie vitrée. Il y régnait une chaleur étouffante et la pièce était encombrée de meubles, de petites tables et de fauteuils au dossier droit. Près du radiateur se trouvait rangée une poussette d'enfant, avec une poupée aux yeux bleus et aux cheveux d'un blond filasse calée au fond du siège. Frieda avait du mal à respirer.

— Frieda ?

— Dora !

La petite était d'une pâleur tirant sur le vert, avec une dartre au coin de la bouche. Ses cheveux n'étaient pas tressés comme à l'accoutumée mais retombaient mollement autour de sa figure. Elle portait une chemise blanche démodée et faisait l'effet d'un personnage tout droit issu d'un mélodrame victorien : pitoyable et abandonnée dans un état de détresse extrême.

— Vous êtes venue pour nous emmener ? lui demanda Dora.

— Non, je suis venue voir Ted.

— Je vous en prie, on peut aller chez vous ?

— Je suis désolée. Ce n'est pas possible.

Frieda hésita face au corps frêle de Dora, à ses traits tirés, abattus.

— Pourquoi ?

— Vous êtes sous la garde de votre tante. Ce sera elle qui s'occupera de vous désormais.

— Je vous en prie. Je vous en prie, ne nous laissez pas ici.

— Assieds-toi, lui ordonna Frieda.

Elle prit la main de Dora, petit paquet d'os, entre les siennes, et plongea son regard dans celui de l'enfant.

— Je suis sincèrement, sincèrement désolée, Dora. Je suis désolée pour ta mère, tout comme je le suis pour ton père. Je suis désolée que tu sois ici, et non avec des gens que tu aimes... même si je suis bien certaine que ta tante t'aime à sa façon.

— Non, chuchota Dora. Non. Elle ne m'aime pas. Elle n'arrête pas de me reprocher mon désordre et elle me donne tout le temps l'impression que je la dérange. Je n'ai même pas le droit de pleurer devant elle. Ça l'agace.

— Un jour, répondit Frieda, lentement, cherchant ses mots, un jour, je l'espère, tu parviendras à mettre de l'ordre dans tout ceci. Pour l'instant, ça doit juste te faire l'effet d'un horrible cauchemar. Mais il faut que tu saches que ces jours terribles passeront. Je ne te dis pas que tu n'auras plus du tout mal, mais la douleur deviendra supportable.

— Il revient quand, papa ?

— Je n'en sais rien.

— L'enterrement est lundi. Vous viendrez ?

— Oui. Je serai là.

— Vous voudrez bien vous asseoir à côté de moi ?

— Ta tante...

— Quand tante Louise parle d'elle, elle fait une drôle de tête, horrible, comme si elle avait un mauvais goût dans la bouche. Et Ted et Judith lui en veulent tellement. Mais...

Elle s'interrompit.

— Oui ?... l'encouragea Frieda.

— Je sais qu'elle avait une liaison. Je sais qu'elle a fait une erreur et qu'elle a trompé papa. Je sais qu'elle nous a tous menti. Mais ce n'est pas comme ça que je pense à elle.

— Dis-moi comment tu penses à elle.

— Quand j'étais malade, elle s'asseyait sur mon lit et me lisait des livres pendant des heures. Et le matin, quand elle me réveillait, elle m'apportait toujours une tasse de thé dans mon mug préféré en posant une main sur mon épaule et en attendant jusqu'à ce que je sois bien réveillée. Ensuite, elle m'embrassait sur le front. Elle prenait toujours sa douche le matin et elle sentait bon, le propre, le savon.

— Ça, c'est un chouette souvenir, convint Frieda. De quoi d'autre te souviens-tu ?

— Quand on m'embêtait à l'école, elle était la seule au monde à qui je pouvais en parler. Grâce à elle, j'avais moins honte. Une fois, quand ça n'allait pas du tout, elle m'a laissée rester à la maison et elle a pris un jour de congé elle aussi, et on a passé des heures dans le jardin, à couper les roses ensemble. Je ne sais pas pourquoi je me sentais mieux après, mais ça m'a fait du bien. Elle m'a raconté qu'elle aussi, on l'embêtait à l'école. Elle a dit qu'il fallait que je continue d'être moi-même, d'être douce et gentille.

Dora se tut. Ses yeux étaient mouillés de larmes.

— Elle m'a tout l'air d'une mère adorable, commenta Frieda. Je regrette de ne l'avoir pas connue.

— Elle me manque tellement que je voudrais mourir. J'ai envie de mourir, vraiment…

— Je sais, répondit Frieda. Je sais, Dora.

— Alors pourquoi est-ce qu'elle…

— Écoute-moi, maintenant. Les gens sont très compliqués. Ils peuvent être tout un tas de personnes en même temps. Ils peuvent faire de la peine et pourtant rester gentils, compatissants, bons. Garde précieusement tes souvenirs sur ta mère. C'est cela qu'elle était pour toi, et c'était vrai. Elle t'aimait. Elle a beau avoir eu une liaison, cela ne change en rien ce qu'elle ressentait pour ses enfants. Ne laisse personne t'éloigner d'elle.

— Tante Louise dit...

— J'emmerde tante Louise !

Ted se tenait sur le pas de la porte. Il avait les cheveux gras et ternes et le visage exsangue, des cernes violacés sous les yeux et des rougeurs irritées dans le cou. Une barbe de jeune homme commençait à poindre sur son menton. Il portait les mêmes vêtements que la veille. Frieda se demanda s'il s'était seulement couché, sans parler de dormir. Quand il s'approcha, elle perçut une odeur de sueur et de tabac, un relent fauve et déplaisant.

— Que faites-vous ici ? C'était plus fort que vous ?

— Bonjour, Ted.

Ted fit signe à Dora de se lever d'un geste brusque de la tête.

— Louise te demande.

Dora se leva, sans lâcher la main de Frieda.

— Vous reviendrez nous voir ? demanda-t-elle d'une voix pressante.

— Oui.

— Promis ?

— Juré.

La petite sortit et Frieda se retrouva seule avec Ted. Elle brandit son portfolio.

— Je t'ai apporté ça.

— Parce que vous croyiez que je m'inquiétais de savoir où il était ? J'avais d'autres trucs en tête.

— Je sais. L'inspecteur Karlsson m'a appris que ton père avait avoué le meurtre involontaire de Zach Greene, et on le soupçonne également d'avoir assassiné ta mère.

Il tressaillit violemment et se détourna. Son corps tout entier, maigre, sale, respirait la détresse et la misère.

— On m'a également dit qu'Elaine Kerrigan avait avoué, même si elle ne fait que tenter de couvrir ses fils, je pense.

— Seigneur... marmonna-t-il.

— J'ai un truc à te dire, mais on pourrait peut-être aller faire un tour un moment, suggéra Frieda.

— Il n'y a rien à dire.

— S'il te plaît.

Ils sortirent ensemble. Frieda crut voir un visage qui les observait depuis l'une des fenêtres du haut, mais peut-être se faisait-elle des idées. Elle attendit qu'ils aient tourné à l'angle pour emprunter une rue plus étroite, qui longeait un terrain de jeu désert, puis une petite église grise, avant de prendre la parole.

— J'ai regardé tes œuvres, commença-t-elle. Tu es doué.

— C'est ce que disait maman. « T'as un don, Ted. » C'est ça que vous êtes venue me dire ?

— J'ai vu la nature morte que tu as faite pour ton examen blanc. Le matin où ta mère est morte.

Ted ne répondit rien. Ils continuèrent de marcher en silence le long de la rue. On eût dit que la ville s'était vidée et qu'ils étaient seuls au monde.

— Il y avait un objet étrange que je n'ai pas identifié, au début, poursuivit Frieda.

Sa voix lui semblait sèche et éraillée. Elle s'éclaircit la gorge.

— Tu l'as dessiné sous un certain angle, et il m'a fallu du temps pour comprendre ce que c'était, du coup. Je suis allée vérifier dans la salle où on garde les pièces à conviction.

Ted avait ralenti le pas. Il traînait des pieds comme si ceux-ci étaient trop lourds pour lui.

— On ne peut voir le rouage tel qu'il apparaît dans ton dessin qu'en le penchant sur le côté, et en arrière. Comme ça, il se raplatit, au point de ressembler plutôt à une règle.

— Oui, admit Ted, dans un souffle. On avait des livres à énigmes comme ça quand j'étais petit. J'adorais ça.

Frieda posa une main sur l'épaule de Ted, qui se tourna vers elle.

— Ton père savait que tu avais emporté le rouage à l'école ce matin-là. Quand il s'est avéré que c'était l'arme du crime, il a su qu'il ne pouvait s'être trouvé là avant que tu ne le rapportes.

— Il me l'a jamais dit, répondit Ted d'une voix éteinte. J'ai pensé que ça pourrait passer, que personne n'en saurait rien.

— Tu étais au courant, pour la liaison de ta mère ?

— Je m'en doutais depuis des siècles, rétorqua tristement Ted. Je l'ai suivie ce jour-là, en vélo. Je l'ai vue aller dans cet appart et un homme lui ouvrir la porte. Je l'ai laissée là et j'ai erré ensuite pendant des heures, comme dans un brouillard. Je n'arrivais pas vraiment à réfléchir et j'en étais malade. J'ai cru que j'allais dégueuler. Je suis rentré à la maison et j'étais en train de remettre cette putain de roue en place sur la cheminée quand elle est entrée. Elle est allée directement dans la cuisine, je l'ai entendue trafiquer le four, mais je suis resté là, paralysé, jusqu'à ce qu'elle arrive dans le salon.

Il porta une main à sa figure un instant, se tâtant la peau.

— Quand j'étais petit, je trouvais que c'était la meilleure personne du monde. Réconfortante, gentille. Elle me bordait dans mon lit tous les soirs et avait toujours la même odeur. Elle m'a regardé, et je l'ai regardée, et j'ai su qu'elle avait compris que j'avais tout découvert. Elle n'a rien dit tout de suite, et puis, elle m'a adressé un petit sourire bizarre. Alors j'ai balancé le truc que j'avais à la main qui l'a heurtée, bam, en pleine tête, sur le côté. J'entends encore le bruit que ça a fait. Fort, et creux. Un instant, c'était comme s'il ne s'était rien passé et elle continuait de me regarder et moi de la regarder, et ensuite, ce drôle de sourire et ensuite... c'est comme si elle avait explosé sous mes yeux. Il y avait du sang partout, et ce n'était plus du tout ma mère. Elle était couchée par terre, la figure tout écrabouillée, et moi planté là, et tout était...

— Alors tu t'es enfui.

— Je suis allé au parc, et j'ai vomi. J'étais malade comme un chien, et j'ai mal au cœur sans cesse depuis. À chaque seconde. Rien ne m'enlève ce goût.

— Et c'est là que Judith t'a fourni un alibi ?

— J'allais avouer. Qu'est-ce que je pouvais faire d'autre ? Et là, l'arme du crime a disparu et tout le monde racontait que c'était un cambriolage qui avait mal tourné, et Judith me suppliait de dire que j'étais avec elle cet après-midi-là. Alors je me suis laissé faire. Je n'ai rien calculé d'avance.

— Tu comprends bien que ton père a prémédité le meurtre de Zach, n'est-ce pas, Ted ? Il ne s'agissait pas d'homicide involontaire. C'était un meurtre. Une fois que Judith est venue le trouver pour lui parler de sa liaison et lui dire qu'elle était avec Zach le jour où ta mère est morte, il a compris que ton alibi ne tiendrait plus, Zach raconterait qu'il était avec Judith cet après-midi-là.

— Il l'a tué pour me protéger, conclut Ted à voix basse.

— S'il n'était pas pris, ton alibi tenait toujours. S'il l'était, il pouvait expliquer qu'il avait agit sous le coup de la colère.

— Que va-t-il lui arriver maintenant ?

— Je n'en sais rien, Ted.

— Est-ce qu'il va dire qu'il a tué m'man aussi, pour me sauver ?

— Je pense qu'il le fera s'il y est obligé. C'est un peu la pagaille en ce moment, depuis qu'Elaine Kerrigan s'en est mêlée.

— Vous allez le dire à la police ?

— Non, répondit Frieda. Non, je ne pense pas.

— Pourquoi ?

Frieda s'arrêta et se tourna vers lui. Elle posa sur lui son regard noir.

— Parce que tu vas le faire.

— Non, répondit-il dans un souffle. Je peux pas... Jamais je n'ai voulu... Je peux pas.

— C'était comment ? demanda Frieda. Ces dernières semaines ?

— L'enfer, répondit-il d'une voix à peine audible.

— C'est là où tu resteras coincé à jamais, sauf à dire la vérité.

— Comment je pourrais ? Ma mère... j'ai tué ma propre mère...

Il se tut subitement, puis redit avec effort :

— J'ai tué ma mère. Je vois encore son visage.

Il répéta ensuite, avec une sorte de frénésie :

— Je vois encore sa figure, sa tête écrabouillée. Tout le temps.

— C'est la seule issue, et ça n'arrangera rien. Tu resteras toujours celui qui a tué sa mère. Tu porteras toujours ce poids, jusqu'à ta mort. Mais tu dois reconnaître ce que tu as fait.

— J'irai en prison ?

— Quelle importance ?

— J'aimerais pouvoir lui dire...

— Que lui dirais-tu ?

— Que je l'aime. Que je suis désolé.

— Tu peux lui dire.

La rue s'était achevée en un arc de cercle et ils se retrouvaient désormais dans celle de Louise Weller. Ted s'arrêta et prit une profonde inspiration, tremblante.

— On n'est pas obligés d'y retourner, suggéra Frieda. On peut aller au commissariat, simplement.

Il la dévisagea, et son jeune visage était paralysé de peur.

— Vous m'accompagnerez ?

— Oui.

520

— Parce que je ne me sens pas capable de le faire seul.

Frieda avait arpenté les rues de Londres bien des fois, mais ne pouvait se rappeler une promenade plus fantomatique ni plus étrange. C'était comme si les foules se fendaient sur leur passage, et leurs pas résonnaient dans la lumière grise et déclinante. Au bout d'un moment, elle passa son bras sous celui de Ted et il se serra contre elle, comme un enfant avec sa mère. Elle songea à Judith et Dora dans cette maison sombre, propre, sans air, à leur père derrière des barreaux, à leur frère aussi... ce jeune homme frappé d'horreur. Tous emmurés dans leur terreur et leur chagrin.

Enfin, ils arrivèrent. Ted s'écarta d'elle. Des gouttes de sueur perlaient sur son front et son expression avait quelque chose d'hébété. Frieda posa une main au creux de son dos.

— On y est, dit-elle.

Et ils entrèrent ensemble.

Karlsson venait de rejoindre Russell Lennox quand Yvette passa la tête par la porte et lui demanda de ressortir.

— Qu'y a-t-il ?

— J'ai pensé qu'il fallait vous avertir immédiatement. Frieda est ici, avec le fils Lennox.

— Ted ?

— Oui. D'après elle, il a quelque chose d'important à vous dire.

— Très bien. Dites-leur que j'arrive tout de suite.

— Et Elaine Kerrigan maintient que c'est elle.

Karlsson regagna la salle d'audience.

— Je reviens dans un instant, déclara-t-il à Russell Lennox. Mais apparemment, votre fils est venu me trouver.

— Mon fils ? Ted ? Non. Non, ce n'est pas possible. Non...

— Qu'y a-t-il, Mr Lennox ?

— C'est moi. Je vais tout vous dire. J'ai tué ma femme. J'ai tué Ruth. Asseyez-vous. Mettez votre enregistreur en route. Je veux tout avouer. N'y allez pas. C'est moi. Personne d'autre. C'était moi. Il faut me croire. J'ai tué ma femme. Je jure devant Dieu que c'était moi.

Ted leva son regard brûlant et le planta fermement dans celui de Karlsson. Pour la première fois, Karlsson ressentit chez lui un calme, une intention délibérée. Le garçon prit une inspiration puis déclara d'une voix claire et sonore :

— Je suis venu avouer le meurtre de ma mère, que j'aimais de tout mon cœur...

Cinquante-huit

Josef était attablé dans la cuisine avec Chloë, en train de jouer à un jeu de cartes générant force cris quand Frieda s'en revint chez elle. Il s'agissait de les abattre brusquement les unes sur les autres, apparemment. Alors même qu'elle cherchait comment annoncer la nouvelle à sa nièce, elle eut le temps de se demander ce que Chloë faisait chez elle alors qu'elle aurait dû être à l'école. Peut-être remplacerait-elle toutes les serrures une fois cette histoire terminée. Elle regarda Josef.

— Je peux voir Chloë seule un moment ? demanda-t-elle.

Josef sembla perplexe.

— Un moment ?

— Oui, répliqua Frieda. Ça vous ennuie de sortir un instant ?

— Non, non, s'empressa de répondre Josef. Je vais chez Reuben maintenant, de toute façon. Poker entre hommes.

Il cueillit le chat sur ses genoux et, tout en le gardant contre son large torse, sortit à reculons.

En apprenant la nouvelle à Chloë, Frieda observa sur sa pâle figure toute la gamme des émotions : confusion, choc, détresse, incrédulité, colère. Quand

Frieda eut fini, ce fut le silence. Chloë décochait des regards de droite à gauche.

— Y a-t-il la moindre question que tu désires me poser ? s'enquit Frieda.

— Où est-il ?

— Au commissariat.

— En cellule ?

— Je n'en sais rien. Ils allaient prendre une déposition, mais ils le garderont, c'est sûr.

— Ce n'est qu'un gosse.

— Il a 18 ans. C'est un adulte.

Nouveau silence. Les yeux de Chloë brillaient, put constater Frieda.

— Dis-moi, l'encouragea-t-elle.

— Tu étais censée l'aider.

— Et je crois l'avoir fait.

— Comment ça ?

— Il devait rendre compte de ses actes.

— Même si ça signifiait détruire sa vie.

— C'était sa seule chance de ne pas détruire sa vie.

— Selon toi, coupa Chloë, amère. D'après tes putains de critères professionnels. Je te l'ai confié. Je te l'ai amené pour que tu puisses l'aider.

— Aider les gens n'est pas simple. C'est...

— La ferme. La ferme la ferme la ferme. Je ne veux pas t'entendre parler de responsabilités et de putain d'autonomie. Tu l'as trahi, comme tu m'as trahie. Voilà ce que t'as fait.

— Il a tué sa mère.

— Il n'en avait pas l'intention !

— Et cela sera pris en considération.

— Je m'en vais.

— Où ça ?

— Je rentre chez moi. La maison est peut-être un taudis et m'man complètement chtarbée, mais au moins elle n'envoie pas mes amis en prison.

— Chloë...

— Je ne te le pardonnerai jamais.

C'était fini, se dit-elle. Elle arrêtait là. La fébrilité de ces dernières semaines pouvait retomber, ce sentiment d'étrangeté s'estomper, comme le fait peu à peu l'hématome quand il n'est plus, enfin, qu'une douleur à peine perceptible, invisible. Le meurtre Lennox était résolu. Les enfants Lennox avaient rejoint leurs prisons respectives. Chloë était partie. Frieda avait trahi l'amitié qui la liait à Karlsson. La folle quête d'une fille qu'elle n'avait jamais connue était terminée et lui faisait déjà l'effet d'un rêve. Elle se demanda si elle reverrait jamais Fearby, son regard pénétrant et ses cheveux gris.

Elle entreprit de faire le ménage, de remettre les objets à leur place, d'essuyer les taches sur les diverses surfaces, de passer de la cire sur la petite table de jeu d'échecs sous la fenêtre. Cet après-midi, elle irait voir Thelma Scott et plongerait au fond du puits noir de ses pensées, mais peut-être qu'après elle pourrait rejouer une ancienne partie d'échecs, faire évoluer les pièces de bois sur le plateau pendant que le silence se ferait autour d'elle à nouveau. Il faudrait qu'elle appelle Sandy, aussi. Les deux journées passées à New York lui semblaient lointaines, irréelles. À présent, elle se remémorait enfin son séjour, s'attardait sur la façon qu'il avait eue de la serrer dans ses bras cette nuit-là, sur les mots qu'il avait prononcés. Souviens-toi...

Souviens-toi. À mi-chemin de la volée de marches, Frieda s'arrêta net. Quelque chose venait de lui traverser l'esprit, et de lancer son cœur au galop. Quoi donc ? Fearby. Quelque chose au sujet de Fearby, et de son dernier message, avant qu'il ne disparaisse de sa vie. Frieda s'assit sur place et tenta de se rappeler la teneur précise de son message. Rien d'important, pour l'essentiel, mais il lui était manifestement venu une idée qui lui semblait digne d'être explorée. Il avait dit qu'il avait réexaminé les dossiers des filles. Elle se rappelait nettement ce détail. Puis il avait ajouté autre chose. Qu'ils avaient raisonné à l'envers. Oui, c'était ça, et qu'il retournait vérifier une seconde fois.

Autre chose ? Oui : qu'ils n'avaient pas fait gaffe au moteur... mais qu'est-ce que ça pouvait bien signifier, bon Dieu ? On aurait dit la métaphore un peu détraquée de son esprit. Frieda réfléchit avec intensité. Non, c'était tout, si ce n'est qu'il avait annoncé qu'il passerait ensuite lui faire part de ce qu'il avait trouvé. Ainsi donc, c'était tout. Ce qui ne donnait pas grand-chose. Les dossiers des filles. On a raisonné à l'envers. Qu'entendait-il par là ? Comment pouvait-ce être à l'envers ? Existait-il un lien quelconque qui leur aurait échappé ? Il avait dit « on ». Dans quelle mesure Fearby et elle avaient-ils raisonné ensemble au sujet des filles ? Elle repensa au reste du message. Il retournait jeter un coup d'œil. Retournait. Qu'est-ce que ça voulait dire ? Retournait-il voir les proches de l'une des filles ? Possible.

Sur quoi Frieda songea : non. Il y avait trois parties dans son discours. Les filles, « on » avait raisonné à l'envers à leur sujet – et il n'avait pas fait gaffe au moteur. Et il retournait jeter un œil. Ce qui devait signifier – sûrement ? – qu'il retournait dans un lieu où ils étaient allés ensemble.

Retournait-il au refuge pour chevaux, parler à Doherty ? Non, ça n'avait aucun sens. Dans ce cas, il aurait précisé qu'il retournait interroger quelqu'un. Son message parlait d'un endroit. Ce qui devait signifier qu'il retournait à Croydon. Jeter un œil, à nouveau. Mais à quoi bon ? La police avait inspecté la maison. Elle l'avait fouillée. Sur quoi donc pouvait-on rejeter un œil ? Elle médita ce message encore une fois, comme une machine qu'elle décortiquerait et étalerait sur la table. Les filles. On s'était trompés à leur sujet. Jeter un œil, à nouveau. Le début était assez clair. Les filles. La troisième partie, plutôt évident. Un nouveau coup d'œil. Croydon, forcément. Le problème, c'était la deuxième partie, celle du milieu. On s'est trompés à leur sujet. « On ». C'était clair : lui et Frieda. À quel sujet Fearby et Frieda s'étaient-ils trompés ? « Leur sujet ». Le moteur. Ils n'avaient pas fait gaffe au moteur. Mais quel foutu moteur ?

Et là, subitement, ce fut comme si Frieda était sortie de l'obscurité d'un tunnel pour déboucher dans une lumière si éblouissante qu'elle y voyait à peine.

Et si ce « sujet » n'était pas les filles ? Et si le moteur n'était pas une métaphore du tout... après tout, Fearby ne s'exprimait guère par métaphores. Il établissait des listes, il concentrait son attention sur des objets, des faits, des détails, des dates. Le moteur était celui qu'avait entendu Vanessa Dale, le jour de son agression, juste avant que Hazel Barton se fasse tuer. Vanessa Dale, dans sa panique, alors que les mains de son agresseur se trouvaient autour de son cou, avait entendu vrombir un moteur.

Ce qui signifiait que son agresseur n'avait pas agi seul. Il y avait quelqu'un d'autre assis dans la voiture, faisant rugir le moteur, attendant de les emporter. Pas qu'une personne. Deux. Les tueurs étaient deux.

Cinquante-neuf

Tout était d'une clarté absolue à présent, une netteté froide et tranchante comme l'acier. Elle chercha le numéro de téléphone de Thelma Scott et le composa.

— Docteur Scott ? Ici Frieda Klein. Je dois annuler.

Un silence s'abattit.

— Vous pouvez parler un instant ?

— Pas vraiment. J'ai un truc à faire qui ne peut pas attendre.

— Vous êtes sûre que vous allez bien, Frieda ?

— Sans doute pas, dans l'immédiat. Mais il se produit quelque chose d'important qui passe avant tout.

— C'est juste que vous n'avez pas une bonne voix.

— Je suis vraiment désolée. Il faut que j'y aille.

Frieda raccrocha. Que lui fallait-il ? Ses clés, sa veste, le téléphone honni. C'était tout. Elle enfilait précisément sa veste quand on sonna à la porte. C'était Josef, tout poussiéreux et tout droit sorti de son chantier.

— Je partais. Je n'ai pas le temps. Même pas de parler.

Josef l'attrapa par le bras.

— Que se passe-t-il, Frieda ? Tout le monde appelle tout le monde. Où est Frieda ? Elle fait quoi ? Vous appelez jamais. Ne répondez jamais.

— Je sais, je sais. Je vous expliquerai. Mais pas maintenant. Je dois aller à Croydon.

— Croydon ? Les filles ?

— Je ne sais pas. Peut-être.

— Seule ?

— Je suis une grande fille.

— Je vous emmène.

— Ne soyez pas idiot.

Josef se montra intraitable.

— Soit je vous emmène, soit je vous retiens ici et j'appelle Reuben.

— Vous voulez tenter le coup ? le défia Frieda, l'air farouche.

— Oui.

— Très bien, emmenez-moi, alors. C'est à vous, ça ?

Derrière Josef se trouvait une vieille camionnette blanche défoncée.

— Pour le travail.

— Alors allons-y.

Ce fut un long trajet, interminable, pour parvenir à Park Lane, déjà, puis à Victoria, franchir ensuite Chelsea Bridge et pénétrer enfin dans les quartiers sud de Londres. Frieda avait un plan ouvert sur les genoux, et guidait Josef tout en réfléchissant à ce qu'elle allait faire. Battersea. Clapham. Tooting. Devait-elle appeler Karlsson ? Pour lui dire quoi ? Qu'elle nourrissait des soupçons à l'endroit d'un homme dont elle ne connaissait même pas le patronyme ? Ni l'adresse ? Au sujet d'une fille que nul ne recherchait ? Tout ça, après leur désastreuse dernière entrevue ? À présent, ils se trouvaient dans des faubourgs du sud de Londres aux noms quasiment inconnus. Les instructions se compliquèrent et puis, enfin, Frieda stoppa Josef à quelques mètres de la maison de Dawes.

— Et alors ? s'enquit Josef, qui attendait la suite.

Frieda réfléchit un moment. Lawrence et son ami, Gerry. Elle ne connaissait pas le nom de famille de Gerry, ne savait pas où il habitait. Mais elle savait quelque chose : en amont. Voilà ce qu'avait dit Lawrence. Il vivait en amont par rapport au ruisseau, ce qui signifiait qu'il était du même côté de la route, et elle se rappelait que, debout dans le jardin, et avec la maison dans le dos, la rivière coulait de droite à gauche. Donc la maison de Gerry se trouvait plus loin, sur la droite. Et ce n'était sans doute pas celle d'à côté. Lawrence aurait parlé de son « voisin d'à côté ». Et n'avait-il pas mentionné que la maison voisine accueillait des réfugiés ? Elle sortit de la voiture. Elle commencerait par la maison immédiatement après. Josef sortit lui aussi.

— Ça va aller, déclara Frieda.

— Je viens avec vous.

Lawrence Dawes habitait au numéro 8. Frieda et Josef remontèrent l'allée du numéro 12. Frieda pressa la sonnette. Pas de réponse. Elle sonna de nouveau.

— Personne, commenta Josef.

Ils regagnèrent le trottoir et remontèrent l'allée du 14, sonnèrent à la porte.

— C'est pour quoi ? s'enquit Josef, perplexe, mais avant que Frieda ait pu répondre, la porte s'ouvrit sur une vieille dame aux cheveux blancs.

Frieda se sentit momentanément désarçonnée. Elle n'avait pas songé à ce qu'elle allait dire.

— Bonjour, commença-t-elle. J'essaie de déposer un paquet pour l'ami d'un ami. Il s'appelle Gerry. La soixantaine. Je sais qu'il habite dans l'une de ces maisons mais je ne sais plus laquelle.

— C'est peut-être Gerry Collier, répondit la femme.

— Dans les 60 ans ? vérifia Frieda. Des cheveux bruns, tirant sur le gris ?

— On dirait bien. Il habite un peu plus loin. Au numéro 18.

— Merci infiniment, repartit Frieda.

Frieda et Josef regagnèrent la camionnette et grimpèrent à bord. Frieda examina la maison. Deux étages, mitoyenne, crépi gris, fenêtres aux cadres en aluminium. Un jardin de devant travaillé, avec un petit muret de brique blanc, débordant de fleurs jaunes, bleues, rouges et blanches.

— Et maintenant ? demanda Josef.

— Une minute… J'essaie de réfléchir à ce qu'on doit faire. On peut…

— Chut, coupa Josef. Regardez.

La porte du numéro 18 s'ouvrit et Gerry Collier en sortit. Il portait un coupe-vent gris et tenait un sac en plastique. Il gagna le trottoir et s'éloigna dans la rue.

— Je me demande si on devrait le suivre, commenta Frieda.

— Suivre cet homme ? s'étonna Josef. Mauvaise idée.

— Vous avez raison. Il va sans doute faire ses courses. On a quelques minutes. Vous pouvez m'aider à forcer la porte, Josef ?

Josef sembla médusé puis afficha un large sourire.

— Cambrioler la maison ? Vous, Frieda ?

— Maintenant, tout de suite.

— Ce n'est pas une blague ?

— Ça n'a rien, mais alors rien d'une blague.

— OK, Frieda. Si vous le demandez. Après, les questions.

Il saisit sa trousse à outils, dans laquelle il s'empara d'une lourde clé à molette et de deux gros tournevis. Ils sortirent de la camionnette et remontèrent l'allée menant au numéro 18.

— Il faut faire vite, souffla Frieda. Et sans bruit. Autant que possible.

Josef promena ses doigts sur la serrure avec une certaine délicatesse.

— C'est quoi le plus important ? Vite ? Ou sans bruit ?

— Vite.

Josef inséra un tournevis dans la fente séparant la porte de son cadre. Il exerça une poussée, et elle s'élargit légèrement. Il poussa alors l'autre tournevis dans l'écartement, quelque trente centimètres plus bas. Il regarda Frieda.

— Vraiment ?

Elle hocha la tête. Elle le vit articuler en silence les mots, un, deux, *trois*, puis tirer les deux tournevis brusquement vers lui, tout en poussant sur le battant de tout son poids. Un craquement se fit entendre et la porte pivota sur ses gonds.

— On va où, maintenant ? s'enquit Josef dans un chuchotement rauque.

Frieda avait vu la maison de Lawrence Dawes. Où donc, Seigneur ? Elle indiqua le sous-sol. Josef posa sa sacoche, et ils s'avancèrent sans bruit dans l'entrée, sur le côté gauche de l'escalier, Josef devant. Il s'arrêta et indiqua sa droite d'un hochement de tête. Une porte donnait sous l'escalier. Frieda hocha la tête et Josef l'ouvrit tout doucement. Frieda distingua le commencement d'un escalier descendant dans les ténèbres. Une odeur flottait dans les airs, un truc vaguement douceâtre qu'elle ne parvint pas à identifier précisément. Josef tâtonna le long du mur et actionna l'interrupteur.

Prise d'un sursaut, Frieda se rendit compte qu'une silhouette était assise au pied de la volée de marches, par terre, dos au mur de brique, à moitié noyée dans l'ombre. Qui que soit cette personne, elle ne tourna pas la tête. Josef souffla à Frieda de ne pas y aller, mais elle entreprit résolument de descendre les marches. Elle n'en avait parcouru que quelques-unes quand elle sut qui c'était. Elle reconnut la veste, les cheveux blancs, la silhouette voûtée. Quand elle atteignit le fond de la cave, Jim Fearby la regardait de ses yeux fixes et jaunes. Sa bouche pendait, ouverte, comme sous l'effet de la surprise, et une grande tache brune s'étirait depuis le crâne sur le côté de sa figure. Frieda s'apprêtait à se pencher et vérifier s'il était mort quand elle s'interrompit. C'était inutile. Elle fut assaillie d'une nausée, puis submergée par une tristesse poignante tandis qu'elle contemplait ce cher homme, abandonné, auquel les événements avaient finalement donné raison.

Josef descendait à son tour l'escalier et Frieda se tournait pour lui parler quand elle entendit un bruit, semblable à un gémissement animal, un peu plus loin dans la cave, là où elle se prolongeait sous la chaussée. Elle regarda et distingua un mouvement. Elle s'avança et, dans la pénombre, une silhouette se dessina : une femme, jeune, plaquée au mur, bras étendus, jambes écartées. Frieda aperçut des cheveux emmêlés, des yeux fixes qui clignaient, une bouche scellée par du ruban adhésif. Elle fit encore quelques pas en avant et constata que la femme était retenue par du fil de fer autour des poignets et des chevilles, de la taille et du cou. Elle gémissait. Frieda porta un doigt à ses lèvres. Elle tenta d'arracher le fil de fer autour d'un poignet mais l'instant d'après, Josef surgit à côté d'elle. Il prit quelque chose dans la poche de sa veste. Elle entendit le cliquetis d'une pince coupante et une main se retrouva libre. L'autre poignet, le cou, la taille, et la femme tomba en avant. Frieda la retint, redoutant qu'elle ne se brise les chevilles. Josef s'accroupit et acheva de la libérer.

— Appelez les secours, ordonna Frieda à Josef.

Josef sortit son téléphone.

— Je monte, pour le signal, déclara-t-il.

— 999.

— Je sais, répondit-il.

Frieda scrutait les traits de la femme.

— Sharon ?

Nouveau gémissement.

— Je vais vous ôter le scotch. Tout ira bien, mais taisez-vous. Gerry est sorti mais il faut qu'on bouge.

Nouvelle protestation étouffée.

— Tout ira bien. Mais ça va piquer.

Frieda décolla une petite partie de la bande adhésive et tira d'un coup sec. La peau en dessous était rouge, à vif, et partait en lambeaux. Sharon gémit comme une bête.

— Tout va bien, dit Frieda d'un ton apaisant. Croyez-moi. Il est parti.

— Non, repartit Sharon en secouant la tête. Y en a un autre.

— Merde !

Frieda fit volte-face et s'élança vers l'escalier.

— Josef...

En plein élan, elle entendit un fracas et des coups, comme si des meubles tombaient à la renverse, et alors qu'elle émergeait de la cave, elle vit des formes s'agiter, elle entendit des cris. Elle ne put distinguer clairement ce qui se passait et son pied glissa. Le sol était mouillé, poisseux. Ensuite elle fut assaillie d'impressions indistinctes : les silhouettes en mouvement, fléchies, des lueurs métalliques, des cris, des bruits d'éclaboussure, des coups, des chocs qui faisaient vibrer le sol sous ses pieds. Son champ de vision se rétrécit, comme si elle regardait le monde au travers d'un tube, long et mince. Ses pensées semblaient ralenties, et le temps également, et elle sut qu'il ne fallait pas qu'elle s'évanouisse parce qu'alors, tout cela n'aurait servi à rien. Elle s'aperçut qu'elle tenait quelque chose à la main – elle n'avait aucune idée de ce que c'était ni de comment c'était arrivé là, mais c'était lourd et elle l'abattit de toutes ses forces, après quoi la scène se fit plus nette, comme si l'on avait progressivement rétabli la lumière. Lawrence Dawes gisait à plat ventre sur le sol de l'entrée, une mare rouge foncée s'étalait autour de lui, Josef était adossé au mur, haletant, gémissant, tandis que Frieda se trouvait contre le mur d'en face, prenant soudain conscience que le truc humide et collant sur ses mains et ses vêtements était du sang.

Soixante

— Frieda ? Frieda, *Frieda*...

Josef ne semblait plus capable de parler anglais ; il ne faisait que prononcer son nom, sans fin.

Frieda traversa l'entrée jusqu'à lui. Soudain, elle avait l'esprit clair, léger et calme, déterminé, et sentait l'énergie affluer dans ses veines. Il avait une grosse balafre en travers de la figure et du cou, constata-t-elle, et l'un de ses bras pendait d'une drôle de façon. Il était horriblement pâle sous son masque ensanglanté.

— Tout va bien, Josef, dit-elle. Merci, mon cher ami...

Ensuite, elle s'accroupit auprès de Lawrence Dawes. Il y avait une plaque de cheveux mêlés de sang séché à l'endroit où elle l'avait frappé mais il respirait encore, vit-elle. Elle baissa les yeux sur l'objet lourd qu'elle tenait toujours à la main : c'était l'une des grosses clés à molette de Josef, qui avait dû tomber de sa sacoche, et elle était barbouillée de rouge.

— Prenez ça, dit-elle à Josef. S'il se réveille, frappez-le à nouveau. Je reviens dans une minute.

Elle courut dans la cuisine et entreprit d'ouvrir les tiroirs. Gerry Collier était un homme très organisé : chaque chose avait sa place. Elle trouva un tiroir

535

rempli de corde, de ruban de masquage, de stylos, et sortit un rouleau de corde à linge. Ça ferait l'affaire. Elle retourna auprès des deux hommes et, se baissant, rapprocha les mains de Lawrence Dawes et passa lestement la corde autour plusieurs fois, avant de descendre et de l'enrouler autour de ses chevilles également, jusqu'à ce qu'il soit ligoté.

Elle sortit son téléphone d'une main qui ne tremblait pas, et composa le numéro des urgences. Elle expliqua qu'elle avait besoin de policiers, en grand nombre, ainsi que d'ambulances, et communiqua l'adresse, la répétant pour être sûre qu'ils l'avaient bien comprise. Elle indiqua son nom, avec l'impression qu'il appartenait à quelqu'un d'autre. Ils devaient faire vite. Elle entendait la respiration laborieuse de Josef à ses côtés et, en se tournant, vit la douleur qui se lisait sur sa figure. Elle lui ôta la clé à molette de la main et lui effleura l'épaule.

— Ne bougez pas, il n'y en a plus que pour une minute, dit-elle en déposant un baiser sur son front moite.

Elle dévala l'escalier de la cave. Parvenue en bas, elle s'arrêta brièvement pour poser deux pouces sur les paupières de Fearby, qu'elle referma. Elle lui écarta les cheveux du visage, puis alla rejoindre Sharon Gibbs, toujours à genoux, la tête nichée au creux de ses bras, qui poussait de petits cris gutturaux. Elle était vêtue d'un soutien-gorge couvrant à peine ses seins creusés, et d'un pantalon retenu par un cordon, crasseux, ses pieds étaient nus et lacérés. Dans la pénombre, Frieda put voir qu'elle était couverte de bleus et de ce qui ressemblait à des brûlures de cigarette.

Elle s'accroupit à côté d'elle et passa une main sous son coude.

— Vous pouvez vous lever ? demanda-t-elle. Laissez-moi vous aider. Là.

Elle ôta sa veste et la passa autour de la silhouette émaciée de la fille. Ses côtes et ses clavicules étaient saillantes. Elle sentait la pourriture et les chairs décomposées.

— Venez avec moi, Sharon, l'invita doucement Frieda. C'est fini, et vous êtes en sécurité. Sortons d'ici.

Elle guida la fille autant qu'elle la portait, devant Fearby puis hors de la cave – sa chambre de torture, jusque dans le jour qui tombait, à présent. Sharon poussa un petit cri de douleur, éblouie, et se plia en deux, manquant tomber, toussant et recrachant quelques gouttes de vomi. Frieda la conduisit jusqu'à la porte d'entrée, hors de cette maison maudite, dans l'air frais, et l'assit sur les marches.

Josef s'approcha d'elles d'un pas traînant. Frieda ôta son foulard de coton et le lui passa autour du cou, là où le sang coulait encore. Il allait s'asseoir sur la marche, quand Sharon eut un mouvement de recul.

— Tout va bien, dit Frieda. Il est gentil. Cet homme vous a sauvée, Sharon. Nous lui devons toutes les deux la vie.

— J'étais venue chercher Lila, sanglota Sharon. Je voulais voir Lila.

— C'est fini, à présent. Vous parlerez plus tard.

— Elle est morte ?

— Oui, j'en suis sûre. Elle a dû découvrir ce que faisait son père, qui l'a tuée, du coup. Mais vous êtes vivante, Sharon, et vous êtes en sécurité, maintenant.

Elle se redressa, resta près d'eux. Un parfum de chèvrefeuille leur parvenait depuis le jardin d'à côté et, trois maisons plus loin, Frieda aperçut la vieille dame en train d'arroser son petit jardinet de devant à l'aide d'un tuyau. C'était une magnifique soirée de fin de printemps. Elle fixa son regard sur la route – guettant non seulement les gyrophares bleus de la police et les ambulances, mais également la silhouette de Gerry Collier. Il ne s'était écoulé que quelques minutes depuis que Josef et elle l'avaient regardé s'éloigner, mais il lui semblait que c'était il y a des heures, des jours… dans un autre espace-temps. Derrière elle, la porte était dégondée, et dans la cave gisait Jim Fearby, sa mission de longue haleine accomplie.

Ils arrivèrent enfin, toutes sirènes et gyrophares dehors, faisant littéralement voler en éclats la douceur du soir. Elle les entendit avant de les voir, ces arcs de lumière bleue balayant la rue avant que n'arrivent les voitures et les ambulances dans un crissement de freins. Puis ce fut un déferlement d'hommes et de femmes, des voix échangeant des propos tendus par l'urgence, des ordres et des exclamations, tandis que des gens se penchaient sur eux, avec des brancards, des masques à oxygène. Les voisins se rassemblaient dans la rue, et Frieda eut soudain l'impression d'être au centre d'un univers qui se refermait sur eux.

Un homme se tenait debout devant elle, et lui demandait quelque chose. Elle ne put comprendre le sens de ses questions, mais sut ce qu'elle devait dire.

— Je m'appelle Frieda Klein.

Elle s'entendit parler, d'une voix calme et claire.

— Lui, c'est Josef, il est blessé. Et elle, Sharon Gibbs, disparue depuis des semaines. Elle a été retenue dans la cave par l'homme que vous trouverez ligoté à l'intérieur, Lawrence Dawes. Prenez grand soin d'elle. Vous n'avez pas idée de ce qu'elle a enduré. Un deuxième homme se balade dans la nature, Gerry Collier. Il faut que vous le retrouviez.

— Gerry Collier, vous dites ?

— Oui. C'est le propriétaire des lieux. Et il y a un autre homme, dénommé Jim Fearby, dans la maison. Il est trop tard pour lui.

Des visages dansèrent au-dessus de sa tête, flous, anonymes, des bouches s'ouvraient et s'étiraient, de grands yeux l'observaient, attentifs. Quelqu'un disait quelque chose, mais elle poursuivit.

— Vous trouverez d'autres corps dans le jardin.

Elle n'aurait su dire, désormais, si elle parlait calmement ou si elle avait élevé la voix, comme du haut d'une chaire.

— Ou bien dans la cave.

On souleva Sharon Gibbs, toujours accroupie sur les marches, pour l'allonger sur le brancard. Ses grands yeux dévorant son visage sale, aux traits tirés, levaient vers Frieda un regard implorant. Et voilà qu'on sortait Lawrence Dawes de la maison, toujours ficelé dans sa corde à linge. Ses paupières frémissaient et s'ouvrirent un instant sur Frieda. Ils se dévisagèrent intensément, avant que lui ne détourne la tête.

— Quelqu'un peut-il appeler Karlsson, s'il vous plaît ? reprit Frieda.

— Karlsson ?

— L'inspecteur divisionnaire Karlsson.

Une femme passait une couverture autour des épaules de Josef, défaisait le foulard de Frieda enroulé sur son cou. Il se leva, massif et sonné, titubant légèrement. Frieda passa ses bras autour de lui en prenant soin d'éviter son bras inerte, et posa sa tête sur sa poitrine. Elle sentait son cœur cogner, respira son odeur de sueur et de sang.

— Ça va aller maintenant, dit-elle. Vous avez été formidable, Josef.

— Moi ?

— Oui. J'écrirai à vos fils pour leur raconter. Ils seront très fiers de vous.

— Fiers ?

— Oui. Fiers.

— Mais vous…

— Je viendrai vous voir très vite.

Elle regarda la femme.

— Où l'emmenez-vous ?

— À l'hôpital St George.

Josef était parti et c'était le corps de Fearby que l'on transportait à présent. On lui avait recouvert la figure mais Frieda apercevait encore ses fins cheveux blancs. Ses pieds dépassaient de la couverture à l'autre bout, les chaussures étaient vieilles et usées, et l'un de ses lacets était défait.

Les ambulances s'éloignèrent sans un bruit et, soudain, elle fut seule. Les foules continuaient de s'amasser dans la rue, la maison était anormalement éclairée d'une lumière éblouissante, et remplie de bruits, de voix. Mais ici, sur cette petite parcelle de terre, elle était seule, enfin. La porte béait dans son dos, bouche à l'haleine fétide, au souffle brûlant : elle en percevait la puanteur atroce.

— Frieda Klein ?

Un homme se tenait devant elle, barrant la lumière.

— Oui.

— Il faut que je vous parle sans délai. J'en ai encore pour deux ou trois minutes. Vous voulez bien m'attendre ici, s'il vous plaît ?

Il l'abandonna. Son portable sonna, elle en consulta l'écran – Sandy – sans prendre l'appel, puis l'éteignit.

Sans réfléchir à ce qu'elle faisait, elle se leva et entra dans la maison. Personne ne l'en empêcha, ni même ne sembla la remarquer. Elle franchit la porte arrière donnant sur le jardin. De la même taille et la même forme que celui de Lawrence Dawes, il était très fleuri. Des fleurs bigarrées, au parfum doux et suave, pivoines, roses, digitales, lupins élancés : peut-être se nourrissaient-elles des corps, songea-t-elle. Peut-être était-ce pour cela qu'elles étaient si fortes, si vives, si colorées. Elle traversa la pelouse, longea un petit potager soigneusement entretenu, jusqu'à ce qu'elle se retrouve au bord des eaux brunes et peu profondes de la rivière Wandle. Elle en apercevait les cailloux au fond, ainsi que quelques minuscules poissons noirs. Derrière elle, le monde et son rugissement, mais ici, rien que ce filet d'eau et son faible gargouillis. Une hirondelle fila telle une fusée à côté d'elle, piquant du nez pour mieux s'élancer à nouveau dans le crépuscule.

Elle était consciente de devoir rentrer chez elle. Elle se remémora un truc lu dans un livre, lorsqu'elle était enfant. Quand on est perdu dans la jungle, il faut trouver un cours d'eau et le suivre en aval : il vous mène jusqu'à un autre cours d'eau plus grand, ou à la mer. Ce petit ruisseau la ramènerait chez elle.

Elle ôta ses sandales, releva son jean et entra dans l'eau. Elle était fraîche et lui arrivait aux chevilles. Elle foula délicatement le fond pierreux jusqu'à ce qu'elle se retrouve devant le jardin de Lawrence Dawes. Ils avaient bu le thé ensemble ici, et il lui avait montré cette petite rivière. Elle entendait encore sa voix, douce et aimable :... *quand ils étaient petits, on faisait des bateaux en papier qu'on confiait au courant, pour les regarder s'éloigner. Je leur disais que d'ici trois heures, ces bateaux atteindraient la Tamise et qu'ensuite, si la marée était avec nous, ils continueraient jusqu'à la mer.*

Frieda gagna l'autre rive et déboucha sur un étroit sentier envahi d'herbes folles, remit ses sandales. Ici, tout était vert, enchevêtré et sauvage – recouvert par les orties et le cerfeuil et sentait l'herbe, les feuilles en décomposition et l'humidité. Elle se mit en route.

La rivière secrète rétrécit au point de n'être plus qu'un ruban d'eau brune. Frieda la longeait, observant les bulles perler et éclater à sa surface. Le visage de Jim Fearby parut devant elle. Ses yeux morts et fixes. Quelles avaient été ses dernières pensées ? Elle regrettait tellement qu'il n'ait pu vivre assez longtemps pour savoir qu'il avait réussi. La figure de Josef se présenta ensuite. Il était prêt à risquer sa vie pour elle. Et elle, prête à jouer la sienne sans raison aucune, si ce n'est qu'elle lui semblait maudite.

Non loin de là, dans la direction opposée, la Wandle disparaissait sous terre à jamais, dans un dédale de sources. Ici, elle bifurquait vers le nord, et le sentier qui la longeait était presque recouvert d'orties qui lui piquaient les pieds et de branches basses qui lui fouettaient les joues, Frieda avait l'impression d'être dans un tunnel de lumière verte. Une odeur lui parvint, douceâtre et déplaisante : une carcasse d'animal ou d'oiseau devait se décomposer non loin. Cette petite rivière s'était donné tant de mal en son temps, avait charrié tant de merde, de poison et de mort, une artère sclérosée encombrée d'ordures. Des moulins à eau avaient dû la border à une époque, ainsi que des usines de tannage, des champs de lavande et des étangs envahis de cresson, de détritus, de produits chimiques et de fleurs. Disparus désormais, démolis, enterrés sous le béton et les ensembles HLM. Sur sa gauche, Frieda apercevait, au travers d'un entrelacs de mauvaises herbes, un entrepôt désert, un chapelet de bâtiments industriels, un parking vide, le monticule d'une décharge se découpant sur le crépuscule. Mais la petite rivière cheminait opiniâtrement, vive et claire, la guidant hors du labyrinthe.

Le lit de la Wandle s'élargit à nouveau. Elle distinguait des visages qui remontaient à la surface, venaient à sa rencontre. Des visages de jeunes femmes, encadrés par une chevelure végétale. Elles appelaient à l'aide. Trop tard. Seule Sharon Gibbs avait été sauvée : Frieda entendait encore ses petits cris rauques, sentait encore sa peau putréfiée. Dans le noir, des rats aux dents jaunes... Que lui avait-on fait, qu'avait-elle ressenti ? Elle se revit buvant le thé au jardin, souriant. Lui serrant la main... Qu'avait fait cette main ? Sa fille. Lily. Lila. Une rebelle. Toutes ces enfants rebelles, ces jeunes femmes disparues. Combien y en avait-il d'autres, perdues dans leurs propres enfers ?

Elle vit ensuite le jeune visage de Ted, puis de Dora, et de Judith... enfants privés de mère, de père, en mal d'amour et de sécurité. Ces vies détruites, ces foyers déchirés. Qu'avait-elle fait ? Comment pourrait-elle supporter le mal qu'elle avait causé et porter ce poids jusqu'à la fin de ses jours ?

À présent la rivière était canalisée, domptée, entre deux rives de béton. Et soudain le sentier se fit route, qui filait le long d'un mur en brique rouge renforcé. L'espace d'un instant, elle eut l'impression d'être dans un village de campagne des siècles plus tôt. Une église grise s'élevait à ses côtés, entourée d'un amas de tombes. Frieda regarda l'un des noms, un adolescent mort durant la Seconde Guerre mondiale. Elle crut voir une forme s'élever du sol, mais ce n'était qu'une illusion née du jour déclinant. Elle ne savait pas quelle heure il pouvait être. Et n'avait pas envie d'allumer son portable pour le savoir. Peu importait, de toute façon. Elle pouvait passer sa soirée à marcher, jusque tard dans la nuit. Elle pourrait marcher des jours et des jours, sans jamais s'arrêter. La douleur qu'elle ressentait dans les jambes et les poumons lui faisait du bien : elle était préférable à celle de son cœur.

Mais où donc était passée sa rivière ? Elle avait disparu. On la lui avait volée. Elle tituba, sentit des cailloux tranchants sous ses semelles. Au loin s'étiraient un parc, une allée de grands arbres. Elle vit bientôt un petit pont de pierre. Elle l'avait retrouvée, le cours d'eau la mena à une mare. Les libellules au crépuscule, une sandale d'enfant sur la rive. Elle rejoignit une route : une voiture passa devant elle à vive allure en laissant échapper un flot de musique, puis un homme vêtu de cuir noir sur sa moto, et Frieda se retrouva coincée entre des maisons et des immeubles, comme dans un couloir obscur déprimant. Mais au bout de quelques minutes, l'eau avait reparu, joyeuse et bondissante, comme si elle l'avait narguée. Nouveaux immeubles, cottages, vieux moulin et, une fois de plus, elle gagna un sentier envahi de broussailles, laissant la route derrière elle. La ville et son étendue s'effacèrent à mesure qu'elle parcourait son corridor secret. On pouvait s'y cacher, voir sans être vu. Tel un fantôme.

Trop de fantômes, trop de morts dans sa vie. Une véritable foule derrière elle, déjà. Le fantôme de sa propre personne, jeune et plein de vie. On commence son voyage rempli d'ignorance et d'espoir. Son père. Il lui arrivait encore de le voir, pas seulement dans ses rêves, mais parmi les visages qu'elle croisait dans la rue. Elle avait quelque chose à lui dire, mais ne parvenait plus à se rappeler quoi. L'obscurité l'enveloppait, toujours plus pressante.

Elle passa devant un ancien entrepôt abandonné, d'un vilain bleu, couvert de graffitis aux vitres brisées. Peut-être l'endroit grouillait-il de morts, lui aussi, ou de disparus. On ne pouvait pas vérifier partout. C'est sans fin, il y en a toujours d'autres, et elle était à bout. Il ne s'agissait pas d'une fatigue agréable, douce, aux contours émoussés, mais d'une fatigue aiguë, pressante, qui la broyait en miettes. Sharon Gibbs avait survécu, mais Lila était morte. Les autres étaient mortes. Réduites à l'état d'ossements, elles nourrissaient le sol de ce jardin si beau.

Le sentier s'élargit pour former une plus grande piste. Si elle s'allongeait ici, se relèverait-elle jamais ? Si Sandy était ici, lui raconterait-elle ? Si Sasha était là, pleurerait-elle enfin ? Ou bien dormirait-elle ? Quand dormirait-elle, enfin ? Dormir, c'était lâcher prise. Laisser aller les morts, libérer les fantômes, s'oublier.

Des grues, de grands chardons bleus, un jardin ouvrier parsemé de petites cabanes incroyables, prêtes à basculer, sur la rive. Un renard galeux, à la queue maigre et sale, vif comme une ombre parmi les ombres. Elle aimait bien les renards. Un oiseau passa en voletant. Sans doute une chauve-souris, en fait. La nuit était tombée, enfin. Depuis combien de temps marchait-elle ainsi ? Sa rivière lui indiquait toujours le chemin, une lune se leva, tous ceux qu'elle connaissait se trouvaient bien loin de là. Reuben, Sasha, Olivia, Chloë, Josef, Sandy, Karlsson. Ses patients n'étaient plus qu'une seule et même silhouette recroquevillée dans un fauteuil, l'implorant de les sauver d'eux-mêmes. Dean Reeve se tenait dans un coin, il l'épiait depuis une fenêtre, elle entendait ses pas quand personne n'était là, et il laissait derrière lui une odeur écœurante de lys et de mort. Il était plus réel que tout autre.

Il lui était difficile de comprendre à présent pourquoi elle s'évertuait à poser un pied devant l'autre, à inspirer, souffler... comme si son corps était doté de la volonté qui faisait désormais défaut à son âme. Elle n'en pouvait plus, sa source s'était tarie.

Voici qu'apparaissait une barrière, une cloche en fer dans sa cage de métal. La Wandle l'avait guidée, elle s'épanouissait dans son propre petit estuaire, se déversait enfin dans la formidable artère de la Tamise. Frieda se trouvait sur un sentier empierré, contemplant au loin les lumières de la ville. Elle n'était plus perdue et, quelque part, parmi ces points lumineux pulsatiles, se trouvait sa maison.

Soixante et un

La nuit n'était guère propice au sommeil. Des pensées fiévreuses tournoyaient dans la tête de Frieda ; des images surgissaient sous ses paupières. Elle se redressa dans son fauteuil et fixa l'âtre vide, où elle voyait le jardin bien tenu de Croydon. Ils devaient enfoncer des pelles dans le sol glaiseux à cette heure-ci, démanteler la maison. Elle se les rappela tous deux, Dawes et Collier, installés au jardin. Elle en eut la nausée et ferma les yeux, sans pouvoir chasser ces images. L'odeur des lys lui semblait s'attarder dans les airs.

Elle se leva enfin et monta à l'étage. Elle enfonça la bonde dans la baignoire – la baignoire de Josef... –, tourna les robinets et versa du bain moussant. Elle ôta un à un ses vêtements sales et se brossa les dents, évitant de se regarder dans le petit miroir au-dessus du lavabo. Ses membres lui semblaient lourds et sa peau tiraillait ; elle était exténuée. Elle se glissa enfin dans l'eau parfumée et brûlante. Peut-être pourrait-elle rester allongée là jusqu'au matin, les cheveux flottant à la surface, tandis que le sang battrait dans ses oreilles.

Elle finit par sortir. Il faisait encore nuit mais une bande claire et lumineuse se dessinait à l'horizon. Une nouvelle journée commençait. Elle s'habilla et redescendit. Elle avait des choses à faire.

Tout d'abord, elle passa un coup de fil, celui qu'elle aurait dû passer voici des jours. Il ne répondit pas tout de suite et, quand il décrocha, ce fut avec une voix ensommeillée.

— Sandy ?

— Frieda ? Quoi ? Tu vas bien ?

— Pas vraiment. Je suis désolée.

— Une seconde.

Il y eut un silence. Elle l'imagina en train de s'asseoir, d'allumer la lampe.

— De quoi es-tu désolée ?

— Je suis juste désolée. Vraiment désolée. J'aurais dû t'en parler.

— Me parler de quoi ?

— Tu peux venir ?

— Oui. Bien sûr.

— Je veux dire… maintenant.

— Oui.

C'était l'une des choses qu'elle adorait chez lui – qu'il puisse prendre une décision au pied levé, sans hésitation ou questions inquiètes auxquelles elle ne serait pas en mesure de répondre. Il était conscient qu'elle ne se résignait à demander de l'aide qu'en cas de nécessité absolue. Il allait se lever à l'instant, réserver un vol, prendre des dispositions vis-à-vis de ses collègues, et serait à ses côtés avant que la journée ne soit écoulée pour la seule raison qu'elle avait fait appel à lui, enfin.

— Merci, répondit-elle simplement.

Elle se prépara une tasse de café fort, amer, et nourrit le chat, arrosa les plantes de sa courette, respirant le parfum intense des jacinthes et des herbes. Puis elle enfila sa veste et sortit. Le petit jour était frais et humide ; plus tard, il ferait bon, le ciel serait clair. Les magasins étaient encore fermés, mais elle sentait l'odeur du pain en train de cuire dans la petite boulangerie du quartier. Des lumières s'allumaient dans les appartements et les maisons. Des rideaux métalliques se relevaient bruyamment sur les échoppes de journaux et les commerces de proximité. Un bus la doubla en faisant une embardée, avec à son bord un unique passager, qui regardait fixement par la fenêtre. Un postier tirant son chariot rouge passa devant elle. Londres s'animait à nouveau, dans toute sa splendeur.

Parvenue à Muswell Hill, Frieda consulta son plan, puis bifurqua dans une large rue résidentielle remplie de jolis pavillons. Numéro 27. Vus de l'extérieur, les dégâts n'étaient pas immédiatement apparents – des briques noircies, simplement, quelques pièces de charpente calcinées, une fenêtre brisée au premier étage et, comme elle s'approchait, l'odeur âcre qui lui saisit l'arrière de la gorge. Elle hésita, puis pénétra dans le jardin de devant avec son allée de gravier et son bac de tulipes rouges qui avaient survécu au brasier. D'ici, elle pouvait voir au travers de la vaste baie donnant sur le salon, où les ravages étaient manifestes. Elle imagina le feu faisant rage dans ces espaces ordonnés, engloutissant les tables, les chaises, les tableaux, les portes, léchant les murs pour y déposer une couche de cendre noircie. C'était Dean qui avait fait ça : enfoncer tranquillement un chiffon imbibé de pétrole au travers de la boîte aux lettres, lâcher une allumette dessus. *On ne pouvait pas le laisser s'en tirer comme ça.* En un sens, Bradshaw avait raison : c'était sa faute.

Il y avait une porte sur le flanc gauche de la maison et, quand elle la poussa, celle-ci s'ouvrit sur le jardin arrière. Elle y pénétra et découvrit une véranda et une cuisine, à l'état de ruine. Elle s'apprêtait à faire demi-tour quand quelque chose la retint.

Hal Bradshaw se trouvait là, penché sur les restes calcinés. Il s'accroupit, ramassa ce qui avait manifestement été un livre, le souleva pour l'examiner, puis le lâcha à nouveau. Il portait un complet froissé et des bottes de pluie, et avançait précautionneusement dans le lit de cendre qui s'agitait à chaque pas, soulevant de noirs pétales autour de lui. Ses traits étaient tirés, sa mine défaite.

Il dut sentir apparemment sa présence parce qu'il se redressa. Leurs regards se croisèrent et son expression se figea. Il se domina aussitôt pour redevenir Hal Bradshaw tel qu'elle le connaissait : sûr et maître de lui, avec ses pensées bien masquées.

— Tiens, tiens, commenta-t-il en s'approchant. Une vision saisissante, n'est-il pas ? On est venue apprécier les dégâts ?

— Oui.

— Pourquoi ?

— J'avais besoin de le voir de mes yeux. Que cherchiez-vous ?

— Oh.

Il eut un sourire froid, leva ses mains noires de suie et les laissa retomber.

— Ma vie, j'imagine. On passe des années à accumuler des choses et puis… pouf !, plus rien. Aujourd'hui, je me demande à quoi ça rimait, tout ça.

Frieda s'avança dans les ruines et ramassa ce qui restait du livre qui s'effrita à son contact. Elle vit les mots se dissoudre en cendre et en poussière.

— Je suis vraiment désolée, dit-elle.

— C'est un aveu ?

— Non, un simple regret.

Alors qu'elle cheminait en direction du métro, Frieda alluma son portable et consulta ses messages. Il y en avait tant, de la part de proches comme d'inconnus. Elle serait bientôt confrontée au tumulte, aux questions et aux commentaires, à l'attention étourdissante qu'elle redoutait mais, pour l'instant, elle était seule. Nul ne savait où elle se trouvait.

Reste qu'elle devait absolument en rappeler un.

— Karlsson. C'est moi.

— Dieu merci... Où êtes-vous ?

— En chemin pour Tooting, pour l'hôpital.

— Je vous y retrouve. Mais vous allez bien ?

— Je n'en sais rien. Et vous ?

Il la rejoignit dans le hall d'entrée, à grands pas. Il posa brièvement une main sur son épaule et sonda son regard.

— Écoutez... commença-t-il.

— Puis-je parler d'abord ?

— Typique.

Il força un sourire qui lui tordit la bouche. Il semblait épuisé et accablé.

— Je suis désolée.

— Vous, désolée ?

— Oui.

— Mais vous aviez raison, Frieda, vous aviez horriblement raison.

— Mais je vous ai fait du tort, aussi. Et je vous prie de m'en excuser.

— Oh seigneur, vous n'avez pas besoin de...

— Mais si.

— Bon, soit.

— Vous y êtes allé ?

— Oui.

— Ils ont retrouvé les filles disparues ?

— Il faudra plus d'une nuit. Mais oui.

— Combien ?

— Trop tôt pour le dire.

Il déglutit péniblement.

— Plusieurs.

— Et avez-vous retrouvé ?...

— Bien sûr. Gerald Collier ne parle pas. Pas un mot. Mais ce n'est pas nécessaire. Elles étaient dans sa cave.

— Pauvre Fearby, lâcha Frieda d'une voix douce. C'est grâce à lui, vous savez, pas à moi. J'étais prête à laisser tomber, mais lui n'a jamais renoncé.

— Un vieux journaleux soiffard... commenta Karlsson d'une voix amère, et une psy traumatisée. Vous avez résolu un crime dont nous ignorions seulement l'existence. Nous allons nous montrer d'une efficacité redoutable à présent, comme il se doit, maintenant qu'il est trop tard. On va identifier les restes et informer les pauvres parents, passer leurs vies en revue et découvrir tout ce qu'il y a à découvrir sur ces deux ordures qui s'en sont tirées pendant si longtemps. On va mettre à jour nos données informatiques et on fera un audit pour tenter de comprendre comment ceci a pu arriver. Nous apprendrons de nos erreurs, ou en tout cas, c'est ce que nous dirons à la presse.

— Sa propre fille, médita Frieda. C'est elle que je cherchais.

— Eh bien, on peut dire que vous l'avez trouvée.

— Oui.

— Vous allez devoir répondre à tout un tas de questions, je le crains.

— Je sais. Je viendrai au commissariat plus tard. Ça vous va ? Mais dans l'immédiat, je vais voir Josef. Vous l'avez vu ?

— Josef ?

Un léger sourire éclaira les traits sombres de Karlsson.

— Oh oui, je l'ai vu.

Josef avait une chambre particulière. Il était assis dans son lit, vêtu d'un pyjama trop grand pour lui, la tête entourée d'un bandage, le bras dans le plâtre. Une infirmière se tenait debout à côté de lui, armée d'une écritoire à pinces. Il lui chuchota quelque chose et elle rit aux éclats.

— Frieda ! s'écria-t-il. Mon amie Frieda...

— Comment allez-vous, Josef ?

— Mon bras est cassé. Beaucoup, ils disent. Mais fracture nette, donc se réparera bien. Tout à l'heure, vous écrivez sur mon bras. Ou bien vous faites un de vos dessins, peut-être.

— Ça vous fait mal ?

— Les médicaments calment douleur. J'ai déjà eu un toast. Ça c'est Rosalie, elle vient du Sénégal. Et ça c'est ma bonne amie Frieda.

— Votre bonne amie qui a bien failli vous faire tuer.

— C'est rien, rétorqua-t-il. Une journée de travail.

Un coup retentit à la porte et Reuben entra, suivi de Sasha, qui portait un bouquet de fleurs.

— Vous n'avez pas droit aux fleurs, je le regrette, déclara Rosalie.

— C'est un héros ! protesta vigoureusement Reuben. Il mérite des fleurs, absolument.

Sasha déposa un baiser sur la joue piquante de Josef, puis passa un bras autour de Frieda, l'observant d'un air plus qu'inquiet.

— Pas maintenant, répliqua Frieda.

— Je t'ai apporté un peu d'eau.

Reuben sortit une petite bouteille de sa poche et lança à Josef un regard entendu.

Josef en but une gorgée, tressaillit et en offrit à Frieda. Elle secoua la tête, se retira sur la chaise près de la fenêtre, qui donnait sur un autre mur et une étroite bande de ciel clair. Elle apercevait la traînée blanche d'un avion, mais il était trop tôt pour qu'il puisse s'agir de celui de Sandy. Elle était consciente du regard de Sasha posé sur elle, elle percevait la voix de Reuben et les reparties enjouées et turbulentes de Josef. Un jeune interne passa, et repartit. Une nouvelle infirmière fit son entrée, poussant un chariot ; des chaussures crissèrent sur le lino. Des portes s'ouvrirent, se refermèrent. Un pigeon se percha sur l'étroit rebord et la dévisagea de son œil en bouton de bottine. Sasha lui dit quelque chose et elle répondit. Reuben lui posa une question. Elle répondit que oui, et non, qu'elle leur raconterait tout plus tard. Pas maintenant.

Sandy la prit dans ses bras et la serra contre lui. Elle sentait le battement régulier de son cœur et son souffle dans ses cheveux. Sa tiédeur, sa solidité, sa force. Puis il s'écarta et la dévisagea. Ce n'est qu'en découvrant son expression qu'elle commença à comprendre ce qu'elle venait de traverser. Il lui fallut un gros effort pour ne pas se détourner devant son air de pitié horrifiée.

— Mais qu'as-tu fait, Frieda ?

— Voilà une bonne question.

Elle s'efforça de rire mais le rire sonna faux.

— Qu'est-ce que j'ai bien pu faire ?...

Soixante-deux

Frieda avait l'impression étrange d'être sur scène, mais d'interpréter le mauvais rôle. Thelma Scott était assise dans ce qui aurait dû être le fauteuil de Frieda et Frieda faisait mine d'être une patiente. Elles se faisaient face et Thelma la regardait droit dans les yeux, l'air douce et compatissante, avec une expression qui disait que rien ne pressait : qu'on pouvait tout dire, que tout était permis. Frieda connaissait cette expression qu'elle employait elle-même. Elle se sentait presque gênée que Thelma en fasse usage avec elle. S'imaginait-elle qu'on pourrait la berner aussi facilement ?

En matière d'aménagement, Frieda avait opté pour le dépouillement, avec des couleurs neutres, quelques tableaux choisis dans le but assumé de ne rien revendiquer de précis. Le cabinet de Thelma Scott était tout le contraire. Elle avait mis un papier peint à motifs, chargé, composé de vrilles bleues et vertes entrelacées, avec un oiseau perché çà et là. Les meubles étaient encombrés de menues babioles : des flacons de verre miniatures, des figurines en porcelaine, un vase en verre rempli de roses jaunes et roses, des piluliers, des porcelaines de Chine, un ensemble d'assiettes décorées de fleurs sauvages. Mais il n'y avait rien de personnel, rien qui vous apprenne quoi que ce soit sur la vie ou la personnalité de Thelma Scott, si ce n'est qu'elle aimait les petits objets. Frieda détestait les petits objets. Ils encombraient. Elle aurait aimé les balayer tous du bras pour les jeter dans un sac-poubelle et les poser dehors sur le trottoir, basta, direction la déchetterie.

Thelma ne l'en dévisageait pas moins de son air doux, et tolérant. Frieda savait ce que ça faisait que d'être assis là, guettant le premier pas qui marquerait le début du voyage. Il arrivait parfois que Frieda attende durant l'intégralité de la séance – cinquante minutes –, sans que le patient parvienne à émettre le moindre mot. Quelquefois, ils se contentaient de pleurer.

Que faisait-elle ici ? Qu'y avait-il vraiment à commenter ? Elle avait déjà médité tout cela, tous ces choix, ces permutations, ces voies qu'elle avait empruntées et celles qu'elle avait écartées, quand elle se retrouvait réveillée dans son lit, à 2, 3, 4 heures du matin. Suite à son intervention, la tentative de Russell Lennox pour protéger son fils avait échoué et Ted se trouvait désormais en détention provisoire. L'idée de le savoir en prison et d'imaginer tout ce qu'il risquait d'endurer était terrible, mais il avait commis un acte d'une incroyable violence, et contre sa propre mère. Son seul espoir était de reconnaître ses actes et d'en assumer les conséquences. Le système judiciaire se montrerait peut-être clément. Avec la bonne défense, peut-être éviterait-il de se voir condamné pour meurtre.

D'aucuns auraient pu penser que Ted s'en serait mieux sorti en restant libre. Les êtres humains ont une aptitude à survivre en enterrant le passé, en s'obligeant à oublier. Ted aurait pu trouver le moyen de se racheter... Mais Frieda n'arrivait pas à s'en convaincre. Il fallait affronter la vérité, si douloureuse soit-elle, et avancer à partir de là. L'enterrer ne la faisait pas mourir, et elle finirait bien, un jour, par ressortir de terre à coups de griffes pour venir vous chercher. Mais ne s'agissait-il là que d'une opinion et Ted en payait-il le prix ?

Dora et Judith en payaient-elles le prix, également ? Alors qu'elle pensait à elles, une image lui revint, datant de l'enterrement auquel elle s'était rendue deux jours auparavant, à peine. Il y avait eu de la musique, des poèmes, et des centaines de personnes, mais depuis sa place au fond de l'église, les deux filles étaient les seules qu'elle voyait, de part et d'autre de leur tante à l'austère vertu. Elles s'étaient toutes deux fait couper les cheveux pour l'occasion : Dora arborait désormais une frange sévère et les boucles folles de Judith avaient été rasées. Elles avaient l'air mornes et abattues, complètement misérables. Judith avait aperçu Frieda : ses yeux inouïs avaient brillé, l'espace d'une seconde, avant qu'elle ne se retourne.

Jim Fearby n'avait vécu que pour la vérité et lui avait tout sacrifié, sa famille, sa carrière et sa vie. Durant ses derniers instants, quand Lawrence Dawes et Gerry Collier l'avaient tué, avait-il eu le temps de comprendre qu'il l'avait découverte ? Que sa quête était justifiée ? Et était-elle coupable ? Elle avait tenté de l'aider et il était mort. Elle avait voyagé en sa compagnie, devisé avec lui, arrêté des plans avec lui. Elle avait abusé de son amitié avec Karlsson pour l'obliger à intervenir mais avait échoué. Fearby avait établi le lien avec Dawes mais Frieda aurait-elle dû comprendre elle-même que ce dernier n'avait pu agir seul ? Il s'était aventuré seul dans cet enfer et elle n'avait pas été en mesure de le sauver.

Sharon Gibbs avait été libérée et rendue à ses proches, c'était au moins ça. Si Josef et elle n'avaient pas fait irruption, Sharon aurait rejoint les autres. Frieda était hantée par leurs noms, par leurs visages sur les photos que lui avait montrées Fearby. D'heureux portraits de familles, de jeunes filles qui ignoraient tout de ce qui les attendait. Hazel Barton et Roxanne Ingatestone, Daisy Crewe et Philippa Lewis, Maria Horsley et Lila Dawes. Il y en avait même une septième. La police avait trouvé un autre corps dans le sous-sol, des ossements de jeune femme. Non identifiée. Fearby était passé à côté de son cas et la police détenait les noms de trop de disparues. Karlsson lui avait appris qu'ils avaient un échantillon d'ADN et qu'ils auraient peut-être un coup de chance. Tant de filles perdues... Mais Frieda ne pouvait s'empêcher de penser à l'inconnue. C'était comme de sonder un abysse.

Frieda aurait aimé se sentir coupable pour ce qu'elle avait fait subir à Josef, mais c'était plus difficile. Au début, elle avait pensé que son stoïcisme enjoué masquait peut-être un stress posttraumatique, qui pouvait surgir bien plus tard, *dixerunt* les manuels de la profession. Mais franchement, il n'en présentait pas les symptômes. Il était ravi de l'attention qu'on lui portait et, quand Karlsson avait annoncé qu'il était possible qu'il reçoive une médaille du courage, il n'avait pas boudé son plaisir. Sa version des faits s'enjolivait chaque fois qu'il les narrait, et Frieda elle-même ne parvenait pas à détecter chez lui de signes de détresse émotionnelle.

Enfin, restait Dean Reeve. Comme un amant obscène, qui voudrait observer tout ce qu'elle faisait, ressentir tout ce qu'elle ressentait, l'accompagner dans des lieux où ne s'aventurerait nul autre. Le souvenir de la maison de Hal Bradshaw, son odeur de ruine calcinée, la hantaient. Dean Reeve l'avait-il fait pour punir Bradshaw ou la punir, elle ? Avait-il perçu, mieux que quiconque, l'hostilité qu'elle avait pour Bradshaw, pour l'exprimer ensuite comme elle ne se le serait jamais permis ? Voilà qui tu es, lui expliquait-il. Voilà qui tu es vraiment, et toi et moi sommes les seuls à l'admettre. Je suis ton double, ton jumeau.

Que de décembres, que de dégâts, avait-elle laissés dans son sillage...

Frieda leva les yeux. Elle avait presque oublié où elle était. Thelma la regardait bien en face, posément.

— Je suis désolée, s'excusa Frieda. Je ne sais pas par où commencer...

Thelma hocha lentement la tête.

— Ça me paraît un bon début.

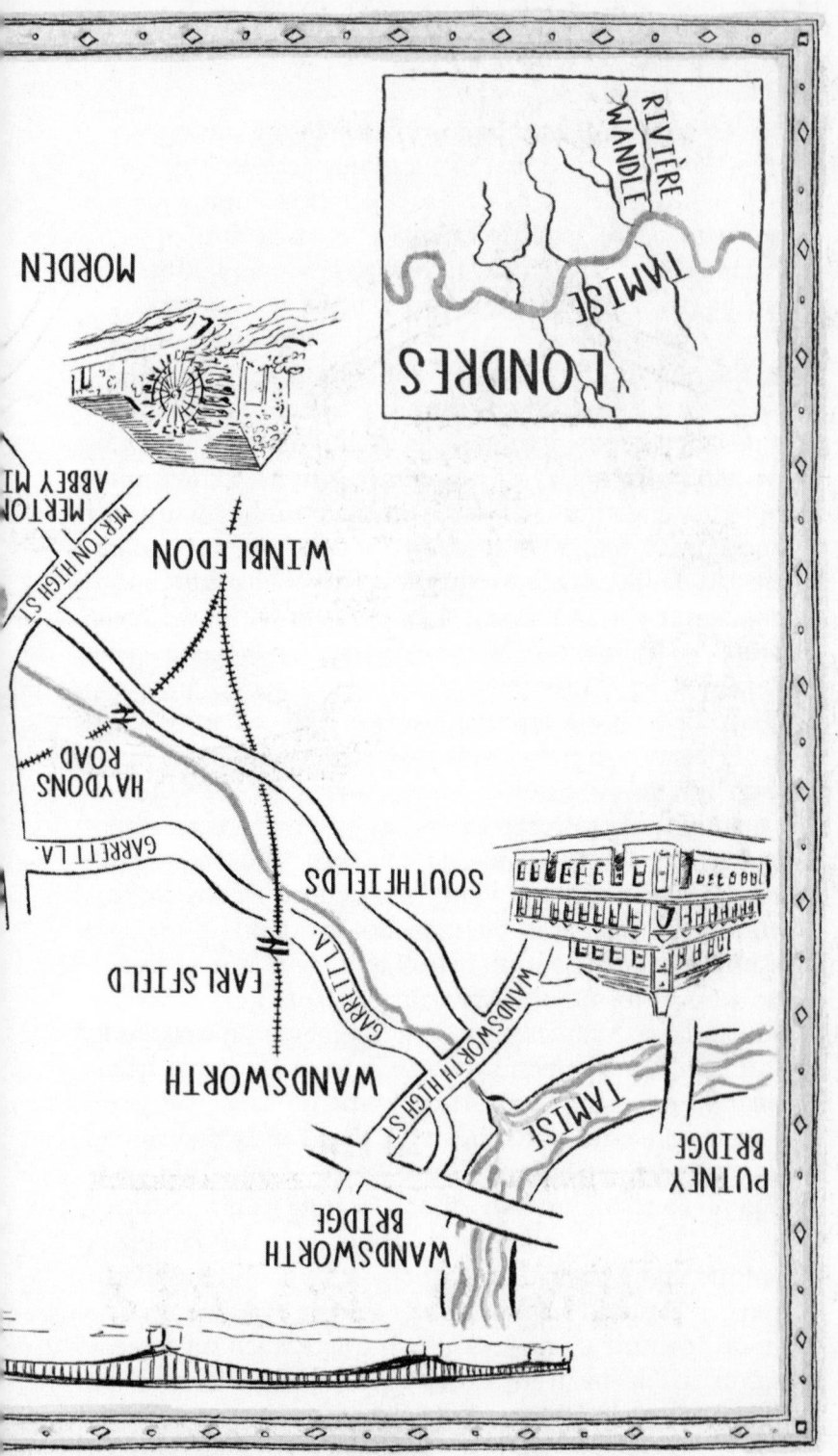

RIVIÈRE WANDLE

0   1   2   3

MILES

MITCHAM

CROYDON

MITCHAM
COMMON

WANDLE
PARK

MORDEN
ALL PARK

WADDON
PONDS

BEDDINGTON
PARK

LONDON RD

CROYDON RD

CROYDON RD

CARSHALTON

CARSHALTON
PONDS

Fleuve Éditions
12, avenue d'Italie
75627 Paris Cedex 13

Dépôt légal : mai 2014
R09070/01